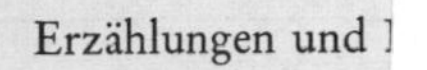

Erzählungen und

Interpretationen

Erzählungen und Novellen des 19. Jahrhunderts

Band 1

L. Tieck · *Der blonde Eckbert / Der Runenberg*
Bonaventura · *Nachtwachen*
H. v. Kleist · *Die Marquise von O...*
H. v. Kleist · *Michael Kohlhaas*
E. T. A. Hoffmann · *Der goldne Topf*
A. v. Chamisso · *Peter Schlemihls wundersame Geschichte*
E. T. A. Hoffmann · *Der Sandmann*
C. Brentano · *Geschichte vom braven Kasperl und dem schönen Annerl*
J. v. Eichendorff · *Aus dem Leben eines Taugenichts*
J. W. Goethe · *Novelle*

Interpretationen

Erzählungen und Novellen des 19. Jahrhunderts

Band 1

Philipp Reclam jun. Stuttgart

Universal-Bibliothek Nr. 8413

Gesamtherstellung: Reclam, Ditzingen. Printed in Germany 1992
RECLAM und UNIVERSAL-BIBLIOTHEK sind eingetragene
Warenzeichen der Philipp Reclam jun. GmbH & Co., Stuttgart
ISBN 3-15-008413-X

Inhalt

WALTER MÜNZ

Ludwig Tieck: *Der blonde Eckbert / Der Runenberg*

Ὁ ἄναξ, οὗ τὸ μαντεῖόν ἐστι τὸ ἐν Δελφοῖς, οὔτε λέγει, οὔτε κρύπτει ἀλλὰ σημαίνει.

Heraklit

Der Deutungsnotstand

Von Tiecks umfangreichem Œuvre sind einige wenige Werke, vornehmlich aus der frühromantischen Schaffensperiode, präsent genug geblieben, um Bestandteil von Kunstmärchen-Anthologien zu werden, ein Umstand, der ihre oft allzu isolierte Betrachtung, auch durch die Fachwissenschaft, mitverschuldet haben mag.[1] Als Kontext werden demgemäß am ehesten spezifisch scheinende Aspekte aus Tiecks Biographie, seltener die Hinweise im die Mehrzahl der Tieckschen Märchen zusammenfassenden *Phantasus* gewürdigt. Der Brückenschlag zu weiteren zeitlich und thematisch benachbarten Werken des Autors[2] scheitert oft schon an der mehr als problematischen Textüberlieferung.

Der im folgenden entwickelte Ansatz will nicht sowohl neue Lösungen bieten als neue Fragen stellen, da die nachgerade waltende Eutrophie der Interpretationsvielfalt ebenso impo-

1 Ein prominentes Beispiel für derartige Hervorhebung der literaturwissenschaftlich kanonisierten Texte ist Wilhelm Diltheys *Leben Schleiermachers*: »Die ganze dichterische Generation Tiecks hat nichts Vollendeteres hervorgebracht, als die erzählenden Märchen, die so entstanden und seit 1796 hervortraten wie Ekbert [sic], die Elfen, der Runenberg. Denn allen größeren Entwürfen fehlt die innere oder die äußere Vollendung.« (*Gesammelte Schriften*, Bd. 13,1, Göttingen 1970, S. 293.)

2 Zur Einordnung vgl. Tiecks Hinweis im Vorbericht zur ersten Lieferung der *Schriften* (Bd. 1, Berlin 1828, S. VII): »In derselben Zeit wurde das erzählende Märchen vom ›blonden Eckbert‹ gedichtet, welches der Anfang einer Reihe von Erfindungen und Nachahmungen war, die alle mehr oder minder die Farbe und den Ton des Eckbert hatten.«

sant im Detail wie entmutigend in den Widersprüchen ist. Schon ein Forschungsbericht würde für sich allein den hier verfügbaren Rahmen sprengen; statt der nicht zu leistenden abwägenden Würdigung der häufig konträren Resultate sei darauf verwiesen, daß eine so komplexe Prosa wie die des frühromantischen Tieck viel eher die gleichzeitige Legitimität einander widersprechender Deutungen gestattet als die Applikation endgültig sein wollender Lösungsversuche.[3]
Zumal der Zugriff der Literaturpsychologie verschiedener Lehrprovenienz erfolgte beim Tieckschen Märchen vielfach mit sehr entschiedenem Besitzanspruch, wobei sich gerade hier Wilhelm Reichs Lieblingssatz bewahrheitet, jeder habe ein bißchen recht. Nicht ganz überraschend zeigen zudem Freudsche und Jungsche Methoden im Resultat eine gewisse

3 In Anbetracht des notwendigerweise willkürlichen Charakters unserer Auswahlbibliographie sei darauf verwiesen, daß Mecklenburgs Beitrag (Norbert M., »›Die Gesellschaft der verwilderten Steine‹. Interpretationsprobleme von Ludwig Tiecks Erzählung *Der Runenberg*«, in: *Der Deutschunterricht* 34, 1982, H. 6, S. 62–76) wenigstens die wichtigste Literatur zum *Runenberg* angemessen würdigt. Ein ausgewogener Überblick über das *Eckbert*-Schrifttum bis zur Mitte der siebziger Jahre findet sich in Wulf Segebrechts Forschungsbericht (*Ludwig Tieck*, hrsg. von W. S., Darmstadt 1976 [Wege der Forschung, 386], S. XVIII, Anm. 27; hier auch kritische Grundsatzüberlegungen zur Aufgabenstellung der Einzelinterpretation). Unsererseits seien vorweg noch zwei Abhandlungen erwähnt, denen ein besserer Benutzungskomfort zu wünschen wäre. Es handelt sich um Gonthier-Louis Finks nur maschinenschriftlich vorliegende Thèse complémentaire *Tiecks dualistische Märchenwelt* (Paris [o. J.]) sowie vor allem um die als Mikrofilm an der Stadt- und Universitätsbibliothek Frankfurt a. M. ausleihbare Dissertation der Hubbs-Schülerin Irma Josie Singer Sklenar (*Die Märchenwelt Ludwig Tiecks. Versuch einer Deutung*, Diss. University of Michigan 1972). Wir weisen auf diese Arbeit besonders hin, weil sie, über ihre, C. G. Jung und seinem Schüler Erich Neumann sich verdankenden methodischen Ansätze hinaus, die in den letzten Jahrzehnten vielleicht umfassendste und scharfsinnigste Deutung von Tiecks frühromantischer Märchendichtung darstellt. Die dann und wann gewagt anmutenden Schlußfolgerungen zeugen m. E. von einem legitimen und begrüßenswerten Mut, mit dem sich die Verfasserin einer auf den Grenzen der Fachwissenschaft beharrenden Beckmesserei aussetzt. Die Bedeutung dieses Beitrags sei besonders deshalb betont, weil wir uns viele seiner Thesen nicht zu eigen gemacht haben, aber aus Raumgründen hier auf deren Diskussion verzichten müssen.

Konvergenz, insofern »kollektiv unbewußte Inhalte« sich in der Deutungspraxis Phänomenen »jenseits des Lustprinzips« annähern.[4] Unser eigener Versuch verdankt viel der heuristischen Nutzung Jungscher Methoden, insbesondere der Jungschen Schule der Märchendeutung,[5] ist jedoch bestrebt, gleichzeitig Schneisen in weithin noch unaufgearbeitete Gebiete der Tieck-Philologie zu bahnen, da sein Anliegen vorrangig nicht psychologisch, sondern literaturwissenschaftlich ist. Dies ist selbstverständlich nicht einem etwaigen Bestreben gleichzusetzen, gegenüber den reinen Lehren psychoanalytischer Richtungen den ›authentischen‹ Tieck sichtbar zu machen. Solches würde, wenn an nichts sonst, an der Tatsache scheitern, daß dieser weder fähig noch willens war, in seinem dritten Lebensjahrzehnt ein in sich stimmiges mythologisches System zu stiften. Vielmehr erhoffen wir ein Gelingen des Nachweises, daß das Tiecksche Märchen nicht nur selbst vieldeutig ist, sondern seinerseits die Vieldeutigkeit des Wirklichen hypostasiert.

»Waldeinsamkeit«

Unter den späten Novellen Tiecks, die einen kommentierenden Epilogcharakter zu seinem Frühwerk aufzuweisen scheinen, werden neben dem *Alten vom Berge* vornehmlich *Waldeinsamkeit* sowie *Das alte Buch und die Reise ins Blaue hinein* genannt. Überwuchert im letzteren Text die Literatursatire und das Spiel mit ästhetischen Valeurs oft gewollt die poetische Aussage, so ist die Ironie des Selbstzitats in *Waldeinsamkeit* nur Vehikel des radikalen Lebensernstes, mit dem

4 Vgl. Ralph W. Ewton, »Life and Death of the Body in Tieck's *Der Runenberg*«, in: *Germanic Review* 50 (1975) S. 19–33, bes. S. 26 f.

5 Vgl. die Forschungen von Hedwig von Beit (*Symbolik des Märchens*, 3 Bde., Bern 1952–57) sowie die im Sammelwerk von Wilhelm Laiblin (*Märchenforschung und Tiefenpsychologie*, hrsg. von W. L., Darmstadt 1969 [Wege der Forschung, 102]) vereinigten Beiträge.

Tieck es sich angelegen sein läßt, eine ihn befremdende Rezeption der Frühromantik zu korrigieren. Seine Aussage ist bei Behandlung der Frage, inwieweit die Waldeinsamkeit des gleichnamigen Liedes mit der »entsetzlichen Einsamkeit« (24)[6] im Leben des blonden Eckbert in eins zu setzen sei, bisher erstaunlich vernachlässigt worden. Da die Novelle zu Tiecks weniger bekannten Texten zählt, lassen wir eine gedrängte Inhaltsangabe folgen: Der junge Ferdinand von Linden ist ganz in der Sehnsucht nach der Traumwelt befangen, die in dem Lied *Waldeinsamkeit* aus Tiecks Märchennovelle *Der blonde Eckbert* evoziert wird. Sein Eigenbrötlertum belastet auch sein Verhältnis zu der zunächst als etwas oberflächlich geschilderten Verlobten Sidonie, die vor dem Ausschließlichkeitsanspruch der empfindsamen Suche nach Waldeinsamkeit zurückschrickt. Nach einer durchzechten Nacht findet sich Ferdinand plötzlich als Gefangener in einem einsamen Waldhaus wieder, mit keiner Gesellschaft als einer häßlichen Alten als Aufwärterin. Die unfreiwillige, mit bitteren Selbstvorwürfen bedachte Wunscherfüllung wird um so peinvoller, als er in seinem Verlies die Aufzeichnungen eines Vorgängers entdeckt, der ihm nahezu als depraviertes Alter ego anmuten muß. Erhebt er doch, einem vorweggenommenen Fall Schreber[7] gleichend, die Defäkation zum erlauchtesten Gleichnis kosmischen Geschehens. – Ferdinand gelingt die Flucht; auch ein Versuch, ihn unter falschen Vorspiegelungen in sein Gefängnis zurückzubringen, scheitert. Vielmehr erscheint er gerade noch im rechten Augenblick auf der Hochzeit Sidoniens mit seinem verräterischen Freund, der Entführung und Gefangenschaft bewerkstelligt hatte.

6 Zitiert wird nach der Ausgabe: Ludwig Tieck, *Der blonde Eckbert. Der Runenberg. Die Elfen*, Stuttgart 1952 [u. ö.] (Reclams Universal-Bibliothek, 7732).

7 Vgl. Daniel Paul Schreber, *Denkwürdigkeiten eines Nervenkranken*, Frankfurt a. M. / Berlin / Wien 1973. Sigmund Freud, »Der Fall Schreber«, in: S. F., *Zwei Falldarstellungen*, Frankfurt a. M. 1982, S. 79 ff.

Die Gestaltung des Themas durch einen modernen Autor, dem die Lektüre der psychoanalytischen Kirchenväter die narzißtische Zuwendung zu analen Funktionen und deren gleichzeitige Bedeutung als Sinnbild schöpferischer Prozesse bereits vermittelt hätte,[8] würde auf uns eher ärgerlich wirken. Bei einem Erzähler des 19. Jahrhunderts dagegen ist, über den bewiesenen Mut zum Befremdlichen hinaus, die Eigenleistung hinsichtlich der Objektivation unbewußter Inhalte hervorzuheben. Wir können auf Strukturelemente dieses aufschlußreichen Werks nur insoweit näher eingehen, als sie unseren Deutungsversuch der Tieckschen Märchennovellistik zu stützen vermögen.[9] Dies betrifft insonderheit die erstaunliche Kontinuität erzählerischer Chiffren, welche noch in Tiecks realistischem Novellenschaffen die unverminderte Applikation mythischer Symbole auf scheinbar banales Erzählgut bewirkt. So ist das Erscheinen des rechtmäßigen Bräutigams auf der Hochzeit des schurkischen Nebenbuhlers, wir wir bereits andernorts ausführten,[10] defizientes Element eines ödipalen Musters, das namentlich im Zweibrüdermärchen verkörpert ist[11] und bei Tieck gehäuft auftritt. Vor-

8 Vgl. hierzu insbesondere C. G. Jung, *Wandlungen und Symbole der Libido*, Leipzig/Wien ²1925, S. 178 ff. Ein verständnisvoller Nachvollzug der hier gesammelten Patientenfantasien durch Jung ist sicher nicht zuletzt angesichts seiner eigenen, im Alter von zwölf Jahren entwickelten Zwangsvorstellung über die Defäkation Gottes auf das Baseler Münster zu vermuten. Vgl. C. G. Jung, *Erinnerungen, Träume, Gedanken*, Zürich/Stuttgart 1962, S. 45. Es nimmt wunder, warum gerade die Jungianer unter den Interpreten des *Blonden Eckbert* die thematisch auf diesen bezogene Altersnovelle bisher außer acht gelassen haben, zumal der Jungsche Ansatz hier sicher ertragreicher wäre als das Freudsche System der Partialtriebe. (Zu den einschlägigen Bezügen vgl. Pieter Cornelius Kuiper, *Die seelischen Krankheiten des Menschen. Psychoanalytische Neurosenlehre*, Bern/Stuttgart 1968, S. 198.)

9 Eine ausführlichere Interpretation der Novelle findet sich bei Peter Wesollek, *Ludwig Tieck oder Der Weltumsegler seines Innern*, Wiesbaden 1984, S. 210–227.

10 Siehe Walter Münz, *Individuum und Symbol in Tiecks »William Lovell«. Materialien zum frühromantischen Subjektivismus*, Bern / Frankfurt a. M. 1975, S. 69–73.

11 Vgl. Otto Rank, *Das Inzest-Motiv in Dichtung und Sage. Grundzüge einer Psychologie des dichterischen Schaffens*, Leipzig/Wien ²1926, S. 426 f.

sorglich sei jedoch angemerkt, daß unsere folgende Deutung nicht beabsichtigt, auf die sowohl für den *Blonden Eckbert* als auch für den *Runenberg* von vielen Exegeten bevorzugte Inzestthematik[12] einzuschwenken. Vielmehr gilt unser Interesse einem scheinbar marginalen Aspekt, der in der Gestaltung durch Tieck handlungsbestimmend zu werden pflegt: der rechtmäßige Bräutigam kommt ursprünglich aus dem Jenseits zurück.[13]
Daß wir mit dieser Erklärung die Gefangenschaft und Abgeschiedenheit als Element einer verhältnismäßig simplen Kriminalhandlung nicht überbeanspruchen, zeigt der Autor selbst durch eine Fülle folgerichtig gesetzter Signale.
Deren erstes ist schlicht das Posthorn, das Ferdinand aus der Vertiefung in die Schriften seines koprophilen Vorgängers aufschreckt.[14] Tieck benutzt dieses akustische Zeichen menschlicher Kommunikation von früh auf, wenn es die Befreiung des Individuums aus seelischer Krise, oder – mit Illusionsvernichtung bis an die Grenzen des literarischen Geschmacks – dem Feenreich gilt.[15] In *Waldeinsamkeit* löst es den Impuls zu Ferdinands Flucht aus, die durch einen engen Kamin (!) ins Freie führt.[16] Der Komplementärcharak-

12 Insbesondere hierfür erscheint uns der Jungsche Ansatz schlüssiger, demzufolge im Gegensatz zu Freud »der Inzest nur in den allerseltensten Fällen eine persönliche Komplikation« bedeutet (Jung, *Erinnerungen, Träume, Gedanken* [Anm. 8] S. 171).

13 Vgl. den Namen des Helden. Der Begriff der Linde und davon abgeleitete Eigennamen sind bei Tieck auch anderweitig an das Wiedergängermotiv assoziiert. Vgl. Münz (Anm. 10) S. 86.

14 Siehe Ludwig Tieck, *Waldeinsamkeit*, in: L. T., *Schriften*, Bd. 26, Berlin 1854, S. 534.

15 Vgl. Ludwig Tieck, *William Lovell*, hrsg. von Walter Münz, Stuttgart 1986 (Reclams Universal-Bibliothek, 8328 [8]), S. 584. Zur Funktion des Motivs in *Die Freunde* vgl. unten, S. 17.

16 Tieck, *Waldeinsamkeit* (Anm. 14) S. 538 f. Zur embryonalen Regression des Falunstoffs als extremer Konsequenz der im *Runenberg* wirksamen Natursympathie vgl. Hartmut Böhme, »Romantische Adoleszenskrisen. Zur Psychodynamik der Venuskult-Novellen von Tieck, Eichendorff und E. T. A. Hoffmann«, in: *Literatur und Psychoanalyse*, hrsg. von Klaus Bohnen [u. a.], Kopenhagen/München 1981, S. 153. Vgl. unten, S. 35 f.

ter der Geburt-Tod-Symbolik wird nochmals offenbar, als Ferdinand dem Verlies ein zweitesmal zugeführt werden soll und sich noch vor Überschreiten des Grenzgewässers, jenseits dessen die hexenhafte Wärterin dräut,[17] durch einen Gewaltakt zu befreien vermag. Noch aufschlußreicher sind indessen die Stationen chiffriert, die vom Klang des Posthorns bis zur Flucht durch den Kamin gezeigt werden. Die Staffage der *Waldeinsamkeit*, die Wälder, Berge, Ströme und Wiesen werden nun als Hemmnis für die Klage des Helden empfunden, die sich sympathetisch mit dem Hornruf verschmelzen will.[18] Noch erstaunlicher freilich mutet die Vision der in Kontrast zur Waldeinsamkeit gesetzten Verlobten an:

> O Sidonie! du hattest im tiefsten, heiligsten Heiligthum meiner Seele geschlummert. Nun steigt dein edles Bildniß in aller Majestät der Schönheit in alle meine Kräfte und breitet sich aus wie ein großer Palmbaum, wie eine weitschattende Eiche, wie eine Göttergestalt, die vom Gebirge herniederschreitet und den erstaunten Augen des Sterblichen immer größer und mächtiger auseinanderwächst.[19]

Die katachretisch anmutende Metaphorik birgt, wie noch an zahlreichen parallelen Beispielen zu belegen sein wird, in Wirklichkeit die Rudimente eines halluzinierten Vexierbildes, in dem vegetative Landschaftselemente die menschliche Gestalt der Geliebten annehmen. Dieses Erzählelement versinnbildlicht den Reifungsprozeß des Helden, der zunächst noch unter dem Eindruck des Posthorns von einem Reh vor seinem Fenster »Befreiung erflehte«, als wenn es »eine mächtige Waldfee sei«[20] – ein Anklang an die theriomorphen Fan-

17 Tieck, *Waldeinsamkeit* (Anm. 14) S. 559 f.
18 Ebd., S. 535.
19 Ebd., S. 536.
20 Ebd., S. 535. Vgl. die theriomorphen Fantasien des Helden während der euphorischen Anfangsphase seiner Gefangenschaft, die psychologisch folgerichtig mit dem geträumten Besitz der Geliebten gekoppelt sind (ebd., S. 507 f.).

tasien Berthas im *Blonden Eckbert* von menschlicher Gesellschaft.[21] Die Charakterzeichnung in *Waldeinsamkeit* und der versöhnliche Schluß[22] erweisen dieses Spätwerk als Kehrform, wenn auch nicht als Widerruf der frühen Märchen. Seine Botschaft lautet, stark vereinfacht, daß menschliche Beziehungen divinatorischem Naturerleben nicht ungestraft untergeordnet werden dürfen. Es wäre eine reizvolle Aufgabe, die Strukturen dieser Erzählung im Rahmen einer gesonderten Interpretation nachzuziehen. Sie konnten hier nur skizziert werden, um die Kontinuität des Tieckschen Schaffens anzudeuten. Die hier waltende, für unser Interpretationsvorhaben entscheidende Homogenität wird durch den Blick auf das Frühwerk noch nachhaltiger belegt.

Vorstufen

Der blonde Eckbert und *Der Runenberg* zeugen insgesamt und auch in ihrem Verhältnis zueinander[23] von der Tragweite des literarischen Umbruchs um 1800. Gewisser Diskrepanzen zwischen Chronologie und Motivgenese müssen wir dabei eingedenk bleiben. So setzt der 1801 erschienene *Runenberg* nicht nur die Bekanntschaft Tiecks mit Steffens voraus,[24] sondern auch das Pandämonium des *Heinrich von Ofterdingen*. Seinerseits ist er nicht etwa eine freie Gestaltung des Falunstoffes,[25] dessen literarische Rezeption erst durch Gotthilf Heinrich Schuberts *Ansichten von der Nachtseite der*

21 Vgl. unten, S. 25

22 Ein wesentliches Motiv ist die reale Präsenz des Helden in Begleitung der Verlobten in »dem schönen Wald«, den er während seiner Gefangenschaft »nur von fern gesehen, nicht betreten hatte«. Vgl. Wesolleks Interpretation (Anm. 9) S. 226; dort auch Hinweis auf einen in der Tendenz verwandten Brief Tiecks an Ida von Lüttichau vom 17. 3. 1844.

23 Vgl. oben, Anm. 2.

24 Vgl. Henrik Steffens, *Was ich erlebte. Aus der Erinnerung niedergeschrieben*, Bd. 3, Breslau 1841, S. 22 f.; Rudolf Köpke, *Ludwig Tieck. Erinnerungen aus dem Leben des Dichters*, 2 Tle., Leipzig 1855, Tl. 1, S. 292.

25 Vgl. Mecklenburg (Anm. 3) S. 63.

Naturwissenschaften (1808) eingeleitet wurde; vielmehr gibt er dessen antithetische Bearbeitungen durch spätere Autoren vor. Diese Antithetik wiederum bleibt, noch mehr als in dem fünf Jahre zuvor erschienenen *Eckbert*, so zweideutig, daß sie gerade hinreicht, um die Forschung in positive und negative Interpretationsmeinungen zu polarisieren.

Die moralische Alternative als Vorwurf anspruchsvoller narrativer Formen ist vornehmlich eine Leistung der aufklärerischen Erzählkultur gewesen, die, wie Victor Lange gezeigt hat, schon im 18. Jahrhundert durch narrative Fliehkräfte wie im *Tristram Shandy* bedroht wurde.[26] Im Erzählwerk des jungen Tieck sind ähnliche Tendenzen erkennbar, wobei zunächst die Bruchlinie zwischen chronologisch ineinandergreifenden Erzählgattungen verläuft: den moralischen Exempeln in den 1787 von Musäus begründeten *Straußfedern* einerseits und den frühromantischen Erzählungen, die sich um die *Volksmärchen, herausgegeben von Peter Leberecht* gruppieren, andererseits.[27] Die archaisch anmutende Nutzbarmachung des Unbewußten ist dabei in der Individualgenese des Tieckschen Schaffens die spätere Stufe, auch wenn sie chronologisch früher liegen mag. Extreme Entstehungsbedingungen können dabei spontane Züge der Niederschrift begünstigt haben.[28] Diese Vorbehalte können dem besseren Verständnis der Erzählung *Die Freunde* dienen, die zeitlich nach dem *Blonden Eckbert* liegt, aber im Verhältnis zu ihm ebenso wie zum *Runenberg* Vorstufencharakter wahrt.[29]

26 V. L., »Erzählformen im Roman des achtzehnten Jahrhunderts«, in: *Anglia* 76 (1958) S. 129–144.

27 Auf die gleichzeitigen Formexperimente der frühromantischen Komödie, die wohl durchaus als Parallelphänomene gelten können, sei nur summarisch hingewiesen.

28 Zum *Blonden Eckbert* vgl. Köpke (Anm. 24) Tl. 1, S. 210 f. Zur Entstehung des *Runenbergs* in einer einzigen Nacht s. Tiecks Brief an August Wilhelm Schlegel, Anfang Dezember 1803 (Uwe Schweikert [Hrsg.], *Ludwig Tieck*, 3 Bde., München 1971 [Dichter über ihre Dichtungen, 9], Bd. 1, S. 256).

29 Ludwig Tieck, *Die Freunde*, in: *Straußfedern* 7 (1797) S. 207; zit. nach: Ludwig Tieck, *Frühe Erzählungen und Romane*, hrsg. von Marianne Thalmann, München 1963 (Werke in vier Bänden, 1), S. 59–72.

In diesem ersten Text Tiecks, der alle Elemente des späteren Motivbestandes von der Begegnung des Menschen mit dem Feenreich versammelt, bleibt die Festigkeit der narrativen Klammer bemerkenswert, welche anarchisches Erzählgut im Sinne aufklärerischer Alternativen zusammenhält. Diese dürften in gewissem Maße durch Tiecks Lehrer und früheren literarischen Mentor Friedrich Eberhard Rambach vorgegeben sein, der einige Jahre zuvor in die Thematik des Herkules am Scheideweg die Antithese zwischen künstlichem Paradies und männlicher Freundschaft eingeführt hatte.[30] Auch in Tiecks Erzählung wird die Alternative zwischen Freundschaft und Fantasie beschworen; gerade an der hierfür entscheidenden Stelle jedoch ist die Brüchigkeit des hier noch gewahrten Realitätsbegriffs offenkundig: durch Kennzeichnung der Freundschaft als barmherziger »Aberglauben« irdischer Existenz wird das nächtliche Feenreich in seiner Wirklichkeit aufgewertet.[31] Die alte philosophische Erkenntnis, daß wir den Vorrang unseres Wachzustandes und seiner vernunftgemäßen Eindrücke, Empfindungen und Gedanken nur infolge der Diskontinuität des Traumes erkennen können, erlangt bereits hier andeutungsweise die psychologische Gültigkeit, die in späteren Texten den eindeutigen Begriff des Wirklichen suspendieren wird. Dem Helden der Erzählung, Ludwig Wandel, erscheint seine vorige irdische Existenz, während er über das später bei Novalis bedeutsame Phänomen des Traums im Traume nachsinnt, als vergangener »schwermütiger Traum«;[32] die Krise tritt erst ein, als es ihm

30 Siehe Ottokar Sturm (d. i. Friedrich Eberhard Rambach), *Herkules, eine Antike*, in: O. S., *Romantische Gemälde im antiken, gothischen und modernen Geschmacke*, Halle 1793, S. 3–18. Die mit dürftigen Mitteln gestalteten, aber dennoch innovatorischen literarischen Valeurs, mit denen der Autor eine Neudeutung des Stoffes anstrebt, würden eine gesonderte Analyse verdienen; s. vor allem Rambachs Einleitung sowie S. 7 f., 14 f. zum Motiv des geebneten Weges; vgl. hierzu Tieck, *Die Freunde* (Anm. 29) S. 64.

31 Tieck, *Die Freunde* (Anm. 29) S. 71. Vgl. Wesollek (Anm. 9) S. 136 f. Vgl. hierzu *Der blonde Eckbert*, S. 23, *Der Runenberg*, S. 45.

32 Tieck, *Die Freunde* (Anm. 29) S. 68.

nicht gelingt, seinen Daseinsrhythmus folgerichtig nach dem den Abend ankündigenden Hahnenschrei umzupolen. Den Anstoß zum Nachdenken hierüber erzeugt ein mehr geahntes als gehörtes Signal des uns schon wohlbekannten Posthorns.[33] – Auch auf eine ausführlichere Interpretation des darauf folgenden, strukturell in aufschlußreicher Weise verschränkten Erzählgeschehens, das eine eher synchrone als kausale Interferenz von Fantasiereich und Erdenleben andeutet, müssen wir in diesem Zusammenhang verzichten. Den Vorstufencharakter des Textes können wir jedoch insofern erkennen, als der Einebnung des empirischen Wahrnehmungsvermögens noch eine entschieden anthropomorphe, den Märchen des 18. Jahrhunderts entlehnte Darstellung der jenseitigen Frauengestalten gegenübersteht.[34] Bemerkenswert bleibt hierbei, daß die Erinnerung Ludwigs an ein titanisches weibliches Phantom aus den Halluzinationen seiner Kindheit nicht erfolgt, als die Fee sich ihm zu erkennen gibt, sondern erst als sie ihm den Rücken kehrt.[35] Ihre Vorboten waren, in Tiecks eigenen Worten, die »Gestalten« »aus dem Hintergrunde des Gedächtnisses, aus dem tiefen Abgrunde der Vergangenheit [. . .], alle die ungewissen Phantome, die ohne Gestalt herumflattern und oft mit wüstem Gesumse unser Haupt umgeben«.[36] Die darauf folgende Präzisierung,

33 Vgl. oben, Anm. 15.

34 Diese werden noch mit homerischen Göttergestalten verglichen (s. Tieck, *Die Freunde* [Anm. 29] S. 66 f.).

35 Ebd., S. 70. Es sei darauf verwiesen, daß Ludwig ihr in dieser Szene, wie schon in seiner Jugend (ebd., S. 64), zwanghaft »in unbekannte Gegenden« folgt, wobei sie ihn auf ungeklärte Weise, d. h. nicht explizit unsichtbar geworden, sondern durch den Erzähler ignoriert, letztlich gegen seinen Willen in die Wirklichkeit zurückführt. Hier übermächtigt das halluzinatorische Element bereits die mythologische Allegorie. Es sei dahingestellt, ob die erst von rückwärts in ihrer wahren Gestalt sichtbare Fee eine Reminiszenz an emblematische Darstellungen Fortunas einschließt; die Vorausdeutung auf den *Runenberg* (s. unten, S. 31) scheint jedoch deutlich. Kommentarlos sei auf Belege im Volksglauben verwiesen, denen zufolge Frau Holle von vorn einer schönen Frau, von hinten einem hohlen Baum mit rauhen Rinden gleicht (s. Edgar Herzog, *Psyche und Tod*, Zürich/Stuttgart 1960, S. 141 f.).

36 Tieck, *Die Freunde* (Anm. 29) S. 63.

die den Gegensatz dieser Phänomene zur irdischen Vegetation beschwört, knüpft an *William Lovell* an und nimmt Marions Monolog in *Dantons Tod* vorweg: »Puppen, Kinderspiele und Gespenster tanzten vor ihm her und bedeckten ganz den grünen Rasen, daß er keine Blume zu seinen Füßen gewahr werden konnte.«[37] Die alarmierende Erinnerung an das Riesenweib tritt sodann in dem bei Tieck meist ominösen Abendrot ein und führt zu dem verräterischen inneren Monolog: »Wahrlich, wenn ich mich nicht aus mir selbst herausreiße, so erwarte ich[38] hier jenes Frauenbild, das mir in meiner Kindheit auf allen wüsten Plätzen vorschwebte.« Die trotz Ludwig Wandels Gegenwehr sich regenden »schlummernden Harmonien« der darauf folgenden Vision, die den Eintritt ins künstliche Paradies vorbereitet, nehmen eher die lauernde Allbelebung der Nervalschen Vers dorés vorweg als das Lied, das bei Eichendorff in allen Dingen schläft. Auf dem Höhepunkt der Verzückung verneint Ludwig die Existenz der »Grenzsäule zwischen Wahrheit und Irrtum, die die Sterblichen immer mit so verwegenen Händen aufrichten wollen«;[39] auch die von aufklärerischer Moral bestimmte Zurücknahme dieser Anfechtung am Schluß des Textes ändert nichts an der hier eingeleiteten Entwicklung. Der unscheinbare und mäßig poetische Satz »das Seltsamste gesellte sich zum Gewöhnlichsten«, mit dem die Entrückung des Helden begann, wird für Tieck so bestimmend sein, daß er sich in wenig variierter Wortfolge an entscheidenden Stellen des *Blonden Eckbert* und des *Runenbergs* wiederholen wird.[40]

37 Vgl. Tieck, *William Lovell* (Anm. 15) S. 507. Vgl. auch Gottlieb Färber (d. i. Ludwig Tieck), *Die sieben Weiber des Blaubart. Eine wahre Familiengeschichte*, Istambul im Jahr der Hedschrah 1212 [Berlin 1797], S. 91 ff.

38 Nicht etwa »erwartet mich«!

39 Tieck, *Die Freunde* (Anm. 29) S. 68. Vgl. Dieter H. Haenicke, »Ludwig Tieck und *Der blonde Eckbert*«, in: *Vergleichen und verändern*, Festschrift für Helmut Motekat, hrsg. von Albrecht Goetze und Günther Pflaum, München 1970, S. 182.

40 Vgl. *Die Freunde* (Anm. 29) S. 63, mit *Der blonde Eckbert*, S. 23, sowie *Der Runenberg*, S. 34. Ähnlich der bedeutsame 23. Brief des 3. Buches in *William Lovell* (Anm. 15) S. 163.

Die Alte im Wald

In der ästhetischen Theorie des Märchens, die in der ersten Abteilung des *Phantasus* Antons programmatischem Titelgedicht und seiner Lesung des *Blonden Eckbert* unmittelbar vorausgeht, greift Ernst die vorbezeichnete Antinomie zwischen Wunderbarem und Alltäglichem anhand zweier verstärkt differenzierender Gegensatzpaare auf.[41] Bekanntlich klingen hier auch verbal übereinstimmende Äußerungen Tiecks aus seiner *Vorrede zur dritten Auflage von Novalis' Schriften* von 1815 an.[42] Unsere besondere Aufmerksamkeit verdienen diese Überlegungen dadurch, daß, nach einem Einwurf Claras bezüglich der etwaigen allegorischen Natur der Märchen, als drittes Begriffspaar »Gut und böse« eingeführt wird, also »die doppelte Erscheinung, die schon das Kind in jeder Dichtung am leichtesten versteht, die uns in jeder Darstellung von neuem ergreift, die uns aus jedem Rätsel in den mannigfaltigsten Formen anspricht und sich selbst zum Verständnis ringend auflösen will«.[43]
Die moralische Alternative ist also im Märchen, wenn wir dem Sprecher glauben wollen, der Aufhebung im allegorischen Spiel zugeführt. Ob dies außerhalb des ästhetischen Bereichs nach Tiecks Ansicht möglich sei, ob vollends die an diese Präliminarien anschließenden Märchen, namentlich *Der blonde Eckbert* und *Der Runenberg*, von Anfang an als allegorisches Spielmaterial gedacht waren, sollen spätere Überlegungen erweisen.
Es entbehrt nicht der Ironie, daß *Der blonde Eckbert*, der als erstes Paradigma die Nutzanwendung der dargelegten Märchenästhetik bringen soll, einen so schwer zugänglichen Schuldbegriff aufweist, daß die in allen anderen *Phantasus*-

41 Siehe die Neuausgabe des *Phantasus*, hrsg. von Manfred Frank, Frankfurt a. M. 1985 (Schriften, 6), S. 113.
42 Novalis, *Schriften*, hrsg. von Friedrich Schlegel und Ludwig Tieck, Berlin ³1815, S. 97.
43 Tieck, *Phantasus* (Anm. 41) S. 113.

Märchen klarer zutage tretenden Kategorien Gut und Böse selbst als allegorische Koordinaten fragwürdig werden. Es sei dahingestellt, ob hier etwa, jenseits der chronologischen Priorität der Entstehung, die List des schöpferischen Vorbewußtseins an den Beginn des Zyklus ein narratives Kompaktphänomen gesetzt hat, von dem aus die Diastole der theoretisch beschriebenen Gegensatzpaare in der Folge um so augenscheinlicher werden kann. Die auffällig kryptische Struktur des Erzählgefüges dürfte jedoch von einer besonders engen und dabei verborgenen Beziehung zum Volksmärchen herrühren.

Unser Zwischentitel versuchte durch den Anklang an das Grimmsche Märchen 123 (*Die Alte im Wald*) den kleinstmöglichen Nenner für eine Fülle hier einschlägigen volkstümlichen Erzählgutes zu finden, entsprechend unserem nachstehenden Bestreben, die alte Frau im *Blonden Eckbert* mit jener androgynen Märchenfigur gleichzusetzen, deren Archetyp in der Regel vereinfachend der russischen Baba Jaga subsumiert wird. Eine formale Berechtigung, das Androgynenmotiv als Deutungsaspekt heranzuziehen, ergibt sich aus der dem *Blonden Eckbert* und dem *Runenberg* gemeinsamen Tatsache, daß die jenseitigen Frauenfiguren im ›alltäglichen‹ Leben als Männer auftreten. Hierbei entkleidet deren betont rationaler Habitus die beseelte Natur ihres Mysteriums: Walthers botanische Sammeltätigkeit und noch mehr das gemünzte Gold des Fremden im *Runenberg* deuten auf nur noch quantifizierbare Schwundformen des Pflanzlichen und Mineralischen.

Von der Zielsetzung unseres Beitrags her müssen wir uns Ausblicke auf das kollektive Unbewußte versagen, soweit sie Analogien zum schamanischen Transvestitentum und dem in ihm angestrebten divinatorischen Aspekt des Weiblichen einschließen.[44] Wir verweisen aber auf den anthropologischen

44 Vgl. hierzu Gisela Bleibtreu-Ehrenberg, *Der Weibmann. Kultischer Geschlechtswechsel im Schamanismus. Eine Studie zur Transvestition und Transsexualität bei Naturvölkern*, Frankfurt a. M. 1984, pass., v. a. S. 88 ff.

Ansatz Eliades, der die deutsche Romantik mitberücksichtigt und schon im Titel seiner einschlägigen Abhandlung, *Méphistophélès et l'androgyne ou le mystère de la totalité* die mit dem mannweiblichen Prinzip verbundene Ambivalenz von Gut und Böse impliziert.[45]

Von den Grimmschen *Kinder- und Hausmärchen* wird am häufigsten *Hänsel und Gretel* (KHM 15) mit dem Motiv der Baba Jaga in Beziehung gesetzt. Obwohl Assoziationen gerade dieses Textes auch mit dem Binnenmärchen des *Blonden Eckbert* beliebt sind,[46] erscheint er nur als suboptimaler Ausgangspunkt der Interpretation. Andere *Kinder- und Hausmärchen* weisen wesentlich spezifischere Berührungspunkte auf, vor allem, da die in *Hänsel und Gretel* beherrschende Eigenschaft der fressenden Mutter[47] zugunsten ambivalenterer Züge zurückgedrängt ist. Hier kommt zunächst *Frau Holle* (KHM 24) in Betracht – neben dem Dornröschen-Thema vielleicht für die tiefenpsychologische Märchenforschung das Lieblingsobjekt schlechthin – ferner die in der Sekundärliteratur leider recht wenig gewürdigte *Gänsehirtin am Brunnen* (KHM 179), die von den verfügbaren deutschen Texten zu Berthas Erzählung und deren möglicher Quelle[48] vielleicht die deutlichste Affinität zeigt. Die

45 Mircea Eliade, *Méphistophélès et l'Androgyne*, Paris 1962, S. 95–154; s. insbesondere S. 124 ff. und Anm. 41, 49. Über die hier vorhandenen Literaturhinweise hinaus vgl. die konventionelle, aber materialreiche Belegsammlung bei Siegfried Krebs, *Philipp Otto Runges Entwicklung unter dem Einflusse Ludwig Tiecks*, Heidelberg 1909, S. 120–139.

46 Vgl. Kurt J. Fickert, »The Relevance of the Incest Motif in *Der blonde Eckbert*«, in: *Germanic Notes* 13 (1982) S. 34.

47 Vgl. Harry Vredeveld, »Ludwig Tieck's *Der Runenberg*: An Archetypal Interpretation«, in: *Germanic Review* 49 (1974) S. 209, 211, 214.

48 Diese ist m. W. bis heute nicht zu ermitteln. Motivparallelen zu Musäus' *Ulrich mit dem Bühel* beschränken sich auf Äußerlichkeiten. Sellners Verweis (Timothy F. S., »Jungian Psychology and the Romantic Fairy Tale: A New Look at Tieck's *Der blonde Eckbert*«, in: *Germanic Review* 55, 1980, S. 91) auf ein von Richard Benz zitiertes, aber nicht nachgewiesenes Missing link dürfte auf einem sprachlichen Mißverständnis beruhen (vgl. Richard Benz, *Märchen-Dichtung der Romantiker*, Gotha 1908, S. 109). Tiecks Begegnungen mit Nicolai und Jean Paul, in denen er auf seiner Eigenerfindung

Zweideutigkeit der Frauengestalt zwischen Gut und Böse wird hier vor allem am Anfang des Märchens atmosphärisch deutlich; in die Funktion des Belohnens und Strafens teilt sie sich bei Frau Holle, deren androgynes Wesen in manchen Märchenfassungen noch durch die Verschmelzung mit der eisennasigen Perchta deutlich wird.[49]
Lohn und Strafe setzen das Prüfungsmotiv voraus, das von der Alten am Ende des Tieckschen Märchens angesprochen wird; allerdings sind moralisch eindeutige Ausformungen wie in der Zweischwesternstruktur der Goldmarie und Pechmarie keinesfalls zwingend vorgegeben. Immerhin zeigt die Handlung der *Gänsehirtin*, welchen Verlauf Berthas Märchen im Falle einer positiven Wendung hätte nehmen können.[50]
Wir versuchen im folgenden, die märchenhaften Elemente durch Abfragen der einzelnen Motivstränge herauszuarbeiten:
Bertha wächst bei armen Eltern auf und belastet diese durch ihre Ungeschicklichkeit (Dummlingsmotiv). Ihre Schwierig-

beharrt (s. Köpke [Anm. 24] Tl. 1, S. 202 f. und 264 f.) sind ebensowenig wie Antons Beteuerung im *Phantasus* (Anm. 41) S. 146, ein schlüssiger Beleg. Tiecks Wahrheitsliebe in bezug auf die Herkunft seiner Stoffe wird nicht nur durch Zeugnisse wie Varnhagens Brief vom 13. 10. 1808 über den *Abraham Tonelli* (s. Schweikert [Anm. 28] Bd. 1, S. 92, Anm. 23) in Frage gestellt. Auch der Verweis auf die eigene erzählerische Leistung bei der Synthese des Eckart- und Tannenhäuser-Stoffs (s. *Phantasus* [Anm. 41] S. 147 f.), der bis heute in der Forschung teilweise als glaubwürdig behandelt wird, dürfte bewußt wahrheitswidrig sein (vgl. Fink [Anm. 3] S. 112 und Anm. 34, mit dem Hinweis auf Heinrich August Ottokar Reichards *Bibliothek der Romane*, Bd. 21, Riga 1794, S. 243–256).

49 Vgl. Beit (Anm. 5) Bd. 1, S. 678, ebenso das Motiv der Baba Jaga, die in einem eisernen Mörser fliegt und sich mit einer Keule antreibt (ebd., S. 165). Die komprimierteste und an Belegen reichste Deutung der Frau-Holle-Gestalt habe ich bei Herzog (Anm. 35), namentlich in seinem Kapitel »Frau Holle und Percht – Eine späte Wiederkehr des Todesdämons« (S. 132–155), gefunden.

50 Vgl. auch Alfred Winterstein, »Die Pubertätsriten der Mädchen und ihre Spuren im Märchen«, in: Laiblin (Anm. 5) S. 56–70, sowie Marie-Luise von Franz, »Bei der schwarzen Frau. Deutungsversuch eines Märchens«, ebd., S. 299–344.

keiten beim Spinnen zeigen Affinität zur anfänglichen Drangsal der Goldmarie in *Frau Holle*. Es sei auch auf die merkwürdige verbale Übereinstimmung zwischen Berthas Tagtraum von den Kieseln, die sich in Edelsteine verwandeln, und dem etwas isoliert wirkenden Satz Hänsels in KHM 15 über den Schatzfund im Hexenhaus verwiesen.[51] Der Verstoßung der Prinzessin durch den Vater im Märchen von der Gänsehirtin am Brunnen gleicht Berthas Flucht aus dem Elternhaus.[52] Ihre anschließende Wanderung wirkt als merkwürdig zerdehntes romaneskes Element, durch das die Märchenillusion über eine längere Strecke aufgehoben ist. Die konventionelle Furcht des 18. Jahrhunderts vor dem Gebirge dürfte sich bei den Schilderungen der Erzählung mit Tiecks eigenen Erlebnissen im Fichtelgebirge vermengt haben.[53] Warum Bertha auch Menschen begegnet, ist von der Erzählökonomie her kaum erfindlich. Von dem ebenfalls erratischen Motiv der sausenden Mühle sei erwähnt, daß es viel später im *Hexensabbath* an eine frühkindliche Reminiszenz gekoppelt ist, die die Inzesterkenntnis auslöst.[54] Dem Szenenwechsel vom furchtbaren Gebirge zum Locus amoenus liegen wohl ebenfalls triviale Traditionen des 18. Jahrhunderts zugrunde;[55] die eigentliche Dominanz des Märchenhaften

51 »Und weil sie sich nicht mehr zu fürchten brauchten, so gingen sie in das Haus der Hexe hinein, da standen in allen Ecken Kasten mit Perlen und Edelsteinen. ›Die sind noch besser als Kieselsteine‹ sagte Hänsel und steckte in seine Taschen, was hineinwollte [...].« Der Bezug auf die davor wegweisende Funktion der Kieselsteine deutet vielleicht auf einen verlorengegangenen Erzählzusammenhang.

52 Das im Volksmärchen anklingende Lear-Motiv hat seine Entsprechung in Berthas Vorsätzen, die Eltern dereinst mit Wohltaten zu überschütten.

53 Vgl. Köpke (Anm. 24) Tl. 1, S. 162 ff., hierzu aber auch Tiecks charakteristisches Geständnis an Bernhardi, in seiner »Einbildungskraft an weit schrecklicheren Orten einheimisch zu sein« (Varnhagen von Ense, *Nachgelassene Briefe*, Leipzig 1867, Bd. 1, S. 190 ff.).

54 Ludwig Tieck, *Novellenkranz*, Berlin 1832, S. 506. Zum Mühlen-Motiv als Variante des der Schicksalsgöttin zugeordneten Spinnrads vgl. Erich Neumann, *Die große Mutter*, Zürich 1956, S. 222 ff.

55 Vgl. Hansjörg Garte, *Kunstform Schauerroman. Eine morphologische Begriffsbestimmung des Sensationsromans im 18. Jahrhundert von Walpoles*

setzt erst mit dem Auftritt der Alten wieder ein, die sich durch ihr abstoßendes bis lächerliches Äußeres einerseits und ihre erbaulichen Handlungen andererseits wiederum dem zunächst zweideutig gezeichneten Mütterchen von KHM 179 nähert. Auch die Beschaffenheit des Waldidylls mutet einschlägig an: sehr deutlich treten im folgenden auch Züge des Mädchenexils hervor, das die Reifung des Mädchens zur Frau zum Ziele hat und von der Unterweisung durch ein altes Weib begleitet ist.[56] Das in archaischeren Ausformungen integrierende Schicksalsmotiv des Spinnens ist bei Tieck, ebenso wie in KHM 179, marginal geworden;[57] immerhin aber wird eben jene Tätigkeit, die das Zerwürfnis mit dem Vater mitverursacht hat, nun mühelos und konfliktfrei; die beim ersten Anblick des einsamen Tales gefühlte Verheißung wird eingelöst, die lautete: »Meine junge Seele bekam jetzt zuerst eine Ahndung von der Welt und ihren Begebenheiten.« (9.) In der Erstfassung des Märchens erwächst dies aus dem später getilgten Satz: »der reine Himmel sah aus wie ein aufgeschlossenes Paradies, und die Abendglocken der Dörfer tönten seltsam wehmütig über die Flur hin«.[58] Was heute meist als bloßer Flüchtigkeitsfehler der Erstschrift abgetan wird, mag in Wirklichkeit jene natürliche Nachbarschaft des Alltäglichen und Numinosen bezeichnen, von der die Paradoxie des magischen Ortes herrührt.[59]

»Castle of Otranto« bis Jean Pauls »Titan«, Diss. Leipzig 1935, pass., namentlich S. 67 ff. Zur Ambivalenz des Tempetal-Topos vgl. Fink (Anm. 3) S. 29.

56 Vgl. Winterstein (Anm. 50) S. 59, 62 ff.; Wilhelm Laiblin, »Das Urbild der Mutter«, in: Laiblin (Anm. 5) S. 108; ders., »Symbolik der Wandlung im Märchen«, ebd., S. 345 ff.; Mircea Eliade, »Die Mysterien der Frau«, in: M. E., *Mythen, Träume und Mysterien*, Salzburg 1961, S. 293 ff.

57 Siehe *Der blonde Eckbert*, S. 11.

58 Ludwig Tieck, *Der blonde Eckbert*, in: *Deutsche Literatur in Entwicklungsreihen*, Reihe Romantik, Bd. 2: *Vorbereitung*, bearb. von Paul Kluckhohn, Leipzig 1937, S. 271.

59 Vgl. »Der Ort des Magischen« in: Beit (Anm. 5) Bd. 1, S. 21 ff., besonders S. 35 zu *Frau Holle*. Vgl. Herzog (Anm. 35) S. 139. Charakteristisch ist die Abwesenheit von Stürmen und Gewittern in Tiecks Novelle (12) sowie die

Das explizit so bezeichnete töchterliche Verhältnis Berthas zur Alten ist, mit dieser Deutlichkeit selten formuliert, ebenfalls eine verbale Parallele zu dem statisch verharrenden Idyll von KHM 179, in dem das harmonische Einssein der Prinzessin mit ihrer Umgebung beschworen wird.[60] Der Bruch mit dieser Welt resultiert aus einer dem Märchen eigentlich fremden Psychologie, die die dort herrschende Einheit von Sein und Bedeutung aufhebt. Bezeichnen die konfliktlose Gemeinschaft mit dem tierischen Element und die tarnende Haut der Gänsehirtin ein Verharren in einem vorbewußten Zustand,[61] so hat bei Bertha die Lektüre Tagträume zur Folge, in denen ihre Tiergefahrten anthropomorphe Funktionen annehmen: »wenn von lustigen Leuten die Rede war, konnte ich sie mir nicht anders vorstellen wie den kleinen Spitz, prächtige Damen sahen immer wie der Vogel aus, alle alte Frauen wie meine wunderliche Alte« (12).[62] Das ominöse 14. Lebensjahr bringt, wie auch in anderen Märchen, denen die Mädchenpubertät zugrunde liegt,[63]

paradoxe Tatsache, daß Bertha, obwohl sie aus dem Tal auf der ihrer Ankunft entgegengesetzten Seite flieht, sich schließlich in ihrem Heimatdorf wiederfindet (16). Vgl. das elysische Intermezzo im 22. Kapitel des Prosa-Blaubart. Die »Ahndung« Berthas »von der Welt und ihren Begebenheiten« findet in *Waldeinsamkeit* eine Entsprechung, wenn Sidonie die Paradoxie des Vorhabens, in der Waldeinsamkeit ein Observatorium aufzustellen, ironisch ausspielt [Anm. 14] S. 483).

60 In der österreichischen Vorlage sind natursympathetische Einzelheiten noch entschiedener akzentuiert. Vgl. die Zitation bei Hermann Hamann (*Die literarischen Vorlagen der Kinder- und Hausmärchen und ihre Bearbeitung durch die Brüder Grimm*, Berlin 1906 [Palaestra, 47], S. 92), die freilich von einem vorschnell wertenden Kommentar begleitet wird.

61 Vgl. die Schlußszene im Wald in KHM 179; ebenfalls Beit (Anm. 5) Bd. 1, S. 786. Vgl. Emma Jung, *Animus und Anima*, Zürich/Stuttgart 1967, S. 68 ff.

62 Bei der Deutung des Hundes und des Vogels sollte keinesfalls, wie dies bei Hubbs und Sklenar geschieht, die narrative Funktion von motivgeschichtlichen Erwägungen (Hund: Anubis u. ä.) überspielt werden. Immerhin sei auf Hund und Vogel als Attribute bzw. Erscheinungsformen der Holle-Gestalt verwiesen (vgl. Herzog [Anm. 35] S. 137, 140). Vgl. auch die Funktion von Hund und Phönix in den *Elfen*.

63 Vgl. Winterstein (Anm. 50) S. 69.

den Vertrauensbruch; hier freilich wird die Sehnsucht nach dem »schönsten Ritter von der Welt« (14), der als einziges Element der Lektüren nicht durch Phänomene und Wesen der vertrauten Umgebung substituierbar war, zum auslösenden Faktor. Bertha, die, ebenso wie die Gänsehirtin, nach Aussage der Alten ihre Prüfungszeit schon hinter sich hatte (24), versäumt durch die nach eigenem Bekunden verlorene Unschuld ihrer Seele eben jenes exogame Glück, das der beharrenden Prinzessin in KHM 179 schließlich beschieden ist: der zu Beginn der Erzählung realistisch beschriebene Halbbruder Eckbert entspricht schwerlich dem erträumten Idol.[64]
Trotz der im Erzählgeschehen selbst mehrmals beschworenen Kategorien von Gut und Böse, Schuld und Strafe läßt der weitere Handlungsverlauf Zweifel an der Gültigkeit moralischer Interpretationen aufkommen, da in mehreren verwandten Märchentypen gerade die Übertretung der Gebote und die Mißachtung moralischen Verhaltens das Glück des Helden bewirkt. In dem typologisch recht ergiebigen Märchen *Der goldene Vogel* (KHM 57) mehrt die Mißachtung der Warnungen, die der hilfreiche Fuchs erteilt, in der Regel das Glück des jungen Prinzen; die Tötung des hilfreichen Tieres, vor der er zunächst zurückschreckt, vollendet erst das Erlösungswerk, wobei manche Interpreten darin die Befreiung des vorbewußten Ego aus unkontrollierter Triebhaftigkeit erblicken.[65] Eine Analogie zur Tötung des Wundervogels im *Blonden Eckbert*, die vielleicht nicht eo ipso schuldhaft, sondern nur zur Unzeit erfolgt, läge insofern nahe, als die Perlen und Edelsteine in dem unsere Deutung stützenden KHM 179 kein Produkt eines externen Wundertiers sind, sondern von der Prinzessin selbst anstelle von Tränen geweint werden. Im übrigen wird auch das Verhältnis des Mädchens zur Frau-Holle-Gestalt in geläufigen Varianten von KHM 24 derge-

64 Vgl. die physiognomische Schilderung auf S. 3.
65 Vgl. Beit (Anm. 5) Bd. 1, S. 492 ff.

stalt abgewandelt, daß der glückliche Ausgang auf Raub oder Diebstahl beruht.[66]
Schließlich ist das Übertretungsmotiv, das wir vornehmlich aus dem legendenartig aufbereiteten Märchen vom Marienkind (KHM 3)[67] kennen, in ursprünglicheren Varianten mit der Erlösung der jenseitigen Frauengestalt gekoppelt.[68] Die Interferenz zwischen dem Mädchen und der alten Frau wird durch die im Tieckschen Frühwerk insgesamt oft instabile Personalität begünstigt. Einer eigenen Interpretation bedürfte in größerem Zusammenhang hierzu das Märchen Mechthildes im Prosa-Blaubart,[69] die vielleicht kompakteste Horrorszene der literarischen Romantik überhaupt, die damit endet, daß das Mädchen als steinalte Frau vor der einst bergenden Hütte steht und sich selbst drinnen mit einem Gerippe tanzen sieht.
Mit weniger Erfolg als in den *Freunden* werden dem Stoff des *Blonden Eckbert* moralische Alternativen appliziert; die ›Schuld‹ der Titelgestalt ereignet sich schon in einem Bereich zwielichtiger Personalität: für sie beginnt die Diskontinuität der Erfahrung nach dem Mord an Walther (21). Das danach als ›Märchen‹ empfundene Leben wird in der Begegnung mit der Alten endgültig zum Traum (23). So ereilt die mißlungene Ablösung Berthas aus der Welt des Unbewußten ihr brüderliches Alter ego.

Die gliedmaßierte Göttin

Der unwägbare Schuldbegriff, der ein gut Teil der Interpretationsprobleme für den *Blonden Eckbert* aufwirft, verlagert sich im *Runenberg* in die Zweideutigkeit des Erzählschlusses,

66 Vgl. die Verquickung mit dem Hexenmotiv (Pfannkuchenhaus!) in einer Variante aus der Schwalmgegend. Hierzu Laiblin, »Das Urbild der Mutter« (Anm. 56) S. 128. In diesen Bereich dürfte auch KHM 123 einzuordnen sein.
67 Vgl. Winterstein (Anm. 50) S. 67 ff.
68 Vgl. Franz (Anm. 50) S. 320, 340 ff.; Herzog (Anm. 35) S. 146.
69 Tieck, *Die sieben Weiber des Blaubart* (Anm. 37) S. 248 ff.

der den Helden wahlweise als Wahnsinnigen oder als Eingeweihten erscheinen läßt. Dabei erlangt die Alternative, welche dort durch die Vermischung des Seltsamsten mit dem Gewöhnlichsten fragwürdig wurde, hier eine Scheinevidenz durch den einleuchtenden Gegensatz zwischen Pflanzen- und Mineralreich; dieser wird durch den Erzähler selbst, angefangen bei der Eingangsepisode der klagenden Alraune, sattsam prononciert (27). Dankbar für den Interpreten sind auch die Aussagen über die »eckigen Figuren« (44), die klinischen Erkenntnissen über die Interferenz zwischen Zwangsneurose und geometrisch-kristallinen Formen entsprechen.

Die Stringenz dieser erzählerischen Signale soll im folgenden nicht geleugnet werden; gleichwohl wählen wir als Grundlage unserer Deutung die zunächst viel vordergründiger anmutende Antithese Menschenland – Wildnis, deren Zeichensprache im Text freilich über empirische Metaphorik hinausweist.

Christian begründet seinen erwachenden Vorsatz, den Runenberg zu besteigen, mit der Hoffnung: »denn die Lichter sind dort am schönsten, das Gras muß dorten recht grün sein« (31). Dies widerspricht nicht nur der vegetativ-mineralischen Polarität, die der Mehrzahl der Deutungen zugrunde liegt, sondern auch der eine halbe Seite danach folgenden Information »die Felsen wurden steiler, das Grün verlor sich« (31). Zuvor erzählt Christian dem Fremden, der Bericht seines Vaters »von Jägern und ihrer Beschäftigung« habe seine Fantasie auf das Gebirge hin orientiert:

> Tag und Nacht sann ich und stellte mir hohe Berge, Klüfte und Tannenwälder vor; meine Einbildung erschuf sich ungeheure Felsen [...]. Die Ebene, das Schloß, der kleine, beschränkte Garten meines Vaters mit den geordneten Blumenbeeten, [...] alles ward mir noch betrübter und verhaßter. (28 f.)

Baum und Felsen sind hier noch als gleichartige Metonyme für Wildnis eingesetzt, deren amorphe Beschaffenheit im

Gegensatz zur klar umrissenen heimischen Welt fasziniert. Ohne die Umwertung deuten zu wollen, die später in der Minderwertigkeit der (nunmehr in naturwissenschaftlicher Terminologie so zu definierenden) amorphen Wesen und Dinge gegenüber der Welt der Kristalle hervortritt, können wir festhalten, daß die Jägerei, ursprünglich gleichzeitig mit dem Bergbau genannt, für Christian nur eine unbefriedigende Durchgangsstation auf dem Wege in eine noch tiefere Wildnis darstellt. Das Analogon hierzu findet sich in dem zwei Jahre davor bearbeiteten Tannenhauser-Stoff, wo auf den Lockruf der Quellen und Wälder, auf die synästhetischen Valeurs von Klängen und Stimmen der Weg ins Innere des Berges mit seiner mineralischen Faszination folgt.[70] Das künstliche Paradies selbst ist wieder durch Blumen- und Blütenmetaphorik gekennzeichnet, die sich jedoch von der Intention des Verfassers her dem Uneingeweihten sicher ebenso verweigern würde wie der empirische Nachvollzug der Wunderwelt im Runenberg. Die Initiation in diese nämlich erweist sich an der entscheidenden Stelle als Projektion des inneren Zustandes: Fels und Wasser, die beiden Materialien, die dem (sprachlichen, nicht naturwissenschaftlichen) Begriff des Kristallischen als Grundstoff dienen, ordnen ihre empirische Beschaffenheit der metaphorischen Funktion des inneren Erlebens unter: »er sah eine Welt von Schmerz und Hoffnung in sich aufgehen, mächtige Wunderfelsen von Vertrauen und trotzender Zuversicht, große Wasserströme, wie voll Wehmut fließend« (33 f.). Alltäglicher und eher banaler Sprachgebrauch wie »felsenstarke Zuversicht« und »wehmutsvoller Tränenstrom« polt sich so, die Katachrese nur knapp vermeidend, zu einer eigenständigen Grammatik der Vision um, die unter dem Gesetz der Hypallage steht.[71] In rascher Folge

70 Vgl. Tieck, *Phantasus* (Anm. 41) S. 173 f., 178 ff.

71 Zu derartiger Wortalchemie auf der Basis reziproker Metaphorik vgl. ähnliche Tendenzen bei Büchner, etwa in *Leonce und Lena* II,4. Zum Erleben einer ambivalenten, in Wirklichkeit endogenen Landschaft in Tiecks Biographie vgl. den Brief an Wackenroder vom 12. 6. 1792 über die Folgen der

ereignet sich hierauf die Begegnung mit der Schönen, die Übergabe der magischen Tafel, das Verschwinden des Saales und die somnambule Wanderung durch die vom Mond schwach erhellte Nacht. Beim Erwachen ist das Gedächtnis »wie mit einem wüsten Nebel angefüllt, in welchem sich formlose Gestalten wild und unkenntlich durcheinanderbewegten« (34).[72] Was heute wie die verschiedenen Phasen eines ›Trips‹ definiert würde, wird wieder mit der nunmehr schon geläufigen Formel abgefertigt: »das Seltsamste und das Gewöhnliche war so ineinander vermischt, daß er es unmöglich sondern konnte« (34). Für Christian und viele seiner Nachfolger ist damit das paradoxe Aufsuchen der Transparenz im Trüben, des Kristalls im formlosen Gestein, des Mysteriums im Chaos vorgezeichnet.

Dem Jäger freilich, dessen Suche gerade aus seiner anfänglichen Sehnsucht nach den Menschen und seiner eigenen Kindheit erwächst (26), ist nicht die Coincidentia oppositorum beschieden wie Bertha, die in der Waldeinsamkeit »eine Ahndung von der Welt und ihren Begebenheiten« (9) erhält. Betrachten wir den weitgehend symmetrischen Bau der Runenberg-Handlung, so sind um deren narrative, übrigens auch annähernd arithmetische Mitte die beiden Erntefeste gelagert, deren Symmetrie sich zur Peripherie hin (also im ersteren Falle zeitlich vorhergehend) im Verlust und der Wiederauffindung der magischen Tafel fortsetzt. Feldbau und rauchende Dächer, letztere beim zweiten Erntefest wörtlich evoziert (45), lassen das menschliche Ordnungsprinzip

Lektüre von Grosses *Genius*: »süße Töne wie abgebrochene Gesänge schwärmten um mein träumendes Ohr, rosenfarbene Bilder umgaukelten mich mit blauen Schmetterlingsflügeln, – als plötzlich [...] wie in einem Erdbeben alle diese Empfindungen in mir versanken, alle schöne grünenden Hügel, alle blumenvollen Täler gingen plötzlich unter, und schwarze Nacht und grause Totenstille, gräßliche Felsen stiegen ernst und furchtbar auf« (Wilhelm Heinrich Wackenroder, *Werke und Briefe*, Heidelberg 1967, S. 317). Zur Bedeutung der halluzinatorischen Veranlagung für die Gestaltung der frühromantischen Märchen vgl. Haenicke (Anm. 39) S. 175 ff.

72 Vgl. die Nebelszene, S. 7.

anklingen, das in den Schlußversen der ersten Vergilschen Ekloge gegen das Chaos ausgespielt wird.
Christians Flucht vor diesem der Vergänglichkeit unterworfenen Idyll bringt die Begegnung mit einem in drei Gestalten auftretenden Phantom: die Konturen des auf ihn zukommenden Fremden, der ihm Geld hinterlassen hatte, »zerbrachen wie in sich selber« (46); das hieraus entstehende häßliche Waldweib gewinnt, wiederum erst von rückwärts,[73] »den goldenen Schleier [. . .], den mächtigen Bau der Glieder« (46) zurück, der in Christian eine ferne Erinnerung weckt. Welche Wirklichkeit drückt sich in diesem auf einer halben Textseite höchst abrupt ablaufenden Vexierspiel aus?
Die Identität der Schönen mit dem Fremden, die an die Identität der Alten mit Walther im *Blonden Eckbert* erinnert, scheint zunächst nur einem Wahn Christians zu entspringen (43); dieser aber entsteht, nachdem das Geld des Fremden verwendet wurde. Die Fassungen des Textes zeigen bei dem diesbezüglichen Streit Christians mit seinem Vater eine bemerkenswerte Varianz der Begriffe Gold und Geld.[74] Bei der Einordnung der gesamten Episode wurde jedoch m. W. bisher nur von Sklenar mit wünschenswerter Deutlichkeit die denaturierte Beschaffenheit des gemünzten Goldes mit der für das Verständnis wichtigen Parallelstelle in dem Kapitel »Die Farben« aus den *Phantasien über die Kunst* in Beziehung gesetzt. Dort entfremdet das gemünzte Gold als nachgeahmte Sonne den Menschen der Naturempfindung.[75]

73 Vgl. oben, S. 17, und Anm. 35.

74 Vgl. Manfred Franks Kommentar zum *Phantasus* (Anm. 41), v. a. S. 1289 ff. Unbeschadet unserer abweichenden Auffassung muß aus den genannten Raumgründen eine explizite Diskussion ebenso unterbleiben wie bezüglich der einschlägigen Theorien Mecklenburgs (Anm. 3) S. 69 ff. Fassungsvarianten s. *Phantasus* (Anm. 41) S. 1234.

75 Sklenar (Anm. 3) S. 126; s. Wackenroder (Anm. 71) S. 186 ff. Der Text ist von Köpke (Anm. 24) Tl. 2, S. 294, Tieck zugeschrieben. – »Die Gold- und Silbererze werden ausgeschmolzen und poliert, und nachgeahmte Sonnen rund daraus geprägt; oft fühlt er sich nach diesen mit allen Sinnen hingezogen, vergißt das Morgen- und Abendrot, die Natur, den grünenden Wald, der Vögelein Gesang und sie mit ihrem verführenden Klang, ihrer Sirenenstimme sind ihm Gesang und Sonnenpracht, er stellt sie mit ihrem Funkel-

Der Kontext läßt, trotz der beschaulichen, Wackenroder nachempfundenen Sprache, nicht annehmen, daß es sich hier nur um einen empfindsamen Truismus handelt. Vielmehr erscheint das Phänomen der Farbe als unwägbares Prinzip: »Ein unbegreiflich geistiges Wesen zieht sich als freundliche Zugabe über alle sichtbaren Gegenstände, es ist nicht die Sache selbst und doch unzertrennlich.« Ferner heißt es: »So spreitet die ganze Natur dem Sonnenglanze Netze entgegen, um die funkelnden Schimmer festzuhalten und aufzufangen.«[76] Das unterirdische Reich des Pluto, in dem eine »andre, unsichtbare Sonne« regiert,[77] die Welt der Erze und Kristalle, erscheint als Gegenreich hierzu, dessen Glanz der Mensch eben durch das gemünzte Metall in verderblicher Weise verfällt. Wann und wie dieser qualitative Sprung etwa schon davor erfolgt, bleibt im Text zweideutig, so wie sich auch bereits die Unzulänglichkeit der Sprache für einen wohl osmoseartig gesehenen Vorgang an der Netzmetapher erwiesen hatte.
Eingedenk der hier aufrechterhaltenen Schwebe sollten wir die erste ›diesseitige‹ Begegnung Christians mit der Schönen nach der Einweihung auf dem Runenberg betrachten. Sie erfolgt bei der Annäherung an das Gebirge, das er überqueren will, um seine Eltern zu besuchen:

> »Ich kenne dich, Wahnsinn, wohl«, rief er aus, »und dein gefährliches Locken, aber ich will dir männlich widerstehn! Elisabeth ist kein schnöder Traum [...]. Sehe ich nicht schon Wälder wie schwarze Haare vor mir? Schauen nicht aus dem Bache die blitzenden Augen nach mir her? Schreiten die großen Glieder nicht aus den Bergen auf mich zu?« (38 f.)[78]

schein zu seinen Götzen auf, und leblose Metallstücke behandeln ihn wie ihren gedungenen Sklaven.« (Wackenroder [Anm. 71] S. 188.)

76 Ebd., S. 186 f.

77 Vgl. Anm. 75 sowie *Runenberg*, S. 43.

78 Unbeschadet der noch zu erörternden Parallelstellen im Frühwerk Tiecks sei auf die »Felsenglieder« der bräutlichen Erde im Bergmannsgedicht des *Heinrich von Ofterdingen* verwiesen.

Die anschließende Begegnung mit dem Vater, der vom Tod der Mutter berichtet, zeigt eine bemerkenswerte Parallele zur Gestaltung der Tannenhäuser-Thematik. Die Vision als solche entbehrt jedoch des Anthropomorphismus, der dort und in den *Freunden* dem numinosen weiblichen Prinzip anhaftete; sie gemahnt am ehesten an die undefinierbaren, auch durch Vexierbilder nur annähernd wiederzugebenden Physiognomien, die sensible Kinder häufig an verworrenen Konturen entdecken.[79] Erinnern wir uns kurz an die ganz ähnlich gestaltete, aber anthropomorph umgepolte Vision Ferdinands in *Waldeinsamkeit*, so können wir im folgenden nach und nach den bei Tieck regelmäßig inhärenten Krisencharakter dieses Motivs entbergen.
Max Diez hat wohl bisher am ausführlichsten in seinem Aufsatz »Metapher und Märchengestalt« über den Naturdämon gehandelt, »der ein größeres landschaftliches Phänomen in menschliche Form verdichtet«.[80] Eine Diskussion seiner noch heute lesenswerten Schlußfolgerungen muß hier angesichts unseres anders gelagerten Interpretationszusammenhangs ausgespart bleiben; scheint es doch, als hülfe eher der Zustand *vor* der Verdichtung das Wesen der Metapher entschlüsseln. In Tiecks Malerroman *Franz Sternbalds Wanderungen* (1798) lautet die entsprechende Stelle:

> Da lag die Herrlichkeit der Ströme vor ihm ausgebreitet, er glaubte vor dem plötzlichen Anblick der weiten, unendlichen, mannigfalten Natur zu vergehen, denn es war, als wenn sie mit herzdurchdringender Stimme zu ihm heraufsprach, als wenn sie mit feurigen Augen vom Himmel und aus dem glänzenden Strom heraus nach ihm blickte, mit ihren Riesengliedern nach ihm hindeutete. Franz streckte die Arme aus, als wenn er etwas Unsichtbares an sein unge-

79 Zu Tiecks eidetisch-halluzinatorischer Disposition vgl. Köpke (Anm. 24) Tl. 1, S. 20, 101 ff., 235 f.

80 Max Diez, »Metapher und Märchengestalt IV. Tiecks Frau vom Runenberg«, in: *Publications of the Modern Language Association* 48 (1933) S. 877.

duldiges Herz drücken wollte, als möchte er nun erfassen, und festhalten, wonach ihn die Sehnsucht so lange gedrängt [...].[81]

Die folgende Klage über die »unmächtige Kunst« ist von der Veränderlichkeit der sichtbaren Erscheinungen ausgelöst, wobei, erstaunlich genug für einen Maler, die nachfolgende Metaphorik auf dem notwendigerweise diachronischen Bereich der Töne beruht, ohne daß die naheliegende Unzulänglichkeit der Leinwand gegenüber der Vision ausgesprochen würde.[82]
Das hier umschriebene ›ozeanische Lebensgefühl‹ vermittelt unwillkürliche Assoziationen an die Deutung des verlorenen Sohns in Rilkes *Malte*,[83] ist jedoch anhand der Zeilen, die der als Körper halluzinierten Landschaft vorausgehen, unschwer als Sublimation des Tiefenschwindels zu bestimmen.[84] Diesem aber muß man sich, wie Bernard an einer entscheidenden Stelle des Prosa-Blaubart betont, anheimgeben: angesichts der »großen Glieder der Muttererde« ist Zaghaftigkeit ebenso verfehlt wie Keckheit.[85] Das Tiecksche Blaubartmärchen, das im folgenden deutliche Anklänge an die Kristallthematik des *Runenbergs*, aber auch an den einsamen Bezirk der Alten im *Blonden Eckbert* zeigt, ist, als vielleicht radikalste Ausformung romantischer Ironie, eine Applikation des animusträchtigen Blaubartstoffs auf den Charakter eines gänzlich

81 Ludwig Tieck, *Franz Sternbalds Wanderungen*, hrsg. von Alfred Anger, Stuttgart 1966 [u. ö.] (Reclams Universal-Bibliothek, 8715 [5]), S. 248 f.

82 Aufschlußreich ist hier Goethes zunächst wohlwollend distanziertes Ersturteil. Caroline gegenüber stuft er das Erzählprinzip des Romans als »musikalische Wanderungen« ein, »wegen der vielen musikalischen Empfindungen und Anregungen, es wäre alles darin, außer der Mahler« (zit. nach: Oskar Walzel, *Goethe und die Romantik*, Tl. 1, Weimar 1898, S. XLIII).

83 Zum Begriff des Ozeanischen s. Sigmund Freud, *Das Unbehagen in der Kultur*, in: S. F., *Abriß der Psychoanalyse / Das Unbehagen in der Kultur*, Frankfurt a. M. 1972, S. 65.

84 Vgl. Sigmund Biran, *Melancholie und Todestriebe*, München/Basel 1961, S. 24 f.

85 Tieck, *Die sieben Weiber des Blaubart* (Anm. 37) S. 56 f. Vgl. Tieck, *William Lovell* (Anm. 15) S. 197.

undämonischen Philisters,[86] der, wie zwei Seiten zuvor vermerkt wird, auch den Wahnsinn verschmäht.
Die Anfechtung durch den Taumel aber gleicht dem divinatorischen Begriff der Melancholie, der sich aus der platonischen Exallage, dem gottbewirkten Heraustreten aus dem gewohnten Zustand, herleitet.[87] In Tiecks Werk wird die bis zuletzt unaufgelöste Frage des *William Lovell*, ob man »beim Wahnsinne gewinnen oder verlieren würde«,[88] mehrfach in jenem Schwebezustand belassen, dem weder Christian noch der Blaubart gerecht werden. Dabei bleibt die Anwendbarkeit in außerästhetischen Bereichen in der Regel dahingestellt.
Im *Runenberg* ist die Vermählung mit der Erde als einer geliebten Braut (47) die besiegelte Anverwandlung des Menschen durch den Sog des Chthonisch-Chaotischen, die auch durch Christians Äußeres als Wilder Mann zum Ausdruck kommt: auf die in seine Gestalt eingeschmolzenen vegetativen Attribute trifft die Beobachtung »die Umrisse [. . .] zerbrachen wie in sich selber« (46) ebenfalls zu.[89] Verwandelt sich in *Waldeinsamkeit* ein vorbewußtes Baumphantom in die menschliche Form Sidoniens, so büßt im Gegensatz hierzu Christian seine menschliche Gestalt durch Angleichung an das »Waldweib« ein. Dessen »äußerste Häßlichkeit« ist, im Text nur durch einige Accessoires definiert, primär die Sichtbarwerdung des Amorphen, das physiognomisch unbestimmbar bleibt. Dürfte schon die Unkenntlichkeit des Gesichts der Alten im *Blonden Eckbert* (10) schwerlich durch schieren Parkinsonismus erklärbar sein,[90] so ist über das Antlitz der Schönen im *Runenberg* nichts ausgesagt als

86 Zum Blaubart als Animusgestalt vgl. C. G. Jung, *Der Mensch und seine Symbole*, Olten / Freiburg i. Br. 1968, S. 190 f.
87 Platon, *Phaidros* 265 A.
88 Tieck, *William Lovell* (Anm. 15) S. 141.
89 Vgl. oben, S. 17, 31. Zum einschlägigen Motiv des Wilden Manns vgl. Richard Bernheimer, *Wild Men in the Middle Ages. A Study in Art, Sentiment, and Demonology*, Cambridge 1952, bes. S. 43, 121 ff.
90 Zur Typologie der physiognomischen Verzerrungen vgl. Haenicke, (Anm. 39) S. 180.

seine Strenge; statt irgendeines physiognomischen Details wird wieder auf die mächtigen Glieder und das »ein dunkel wogendes Meer« bildende Haar verwiesen (33). Die in allen Parallelstellen dominanten »Glieder« implizieren das permanente Bestreben des Umfangens, dem das regressive Eingehen des Bergmanns in den Schoß der Erde im *Heinrich von Ofterdingen* und im Falunstoff entspricht.[91]

Der Lösungsansatz wird eineinhalb Jahrzehnte später im *Phantasus* folgen, wo versucht wird, die ehedem existentiellen Konflikte in eine ästhetische Tendenz einzubringen. Dem programmatischen Eingangsgedicht der ersten Abteilung ist das Adjektivungetüm unseres obigen Zwischentitels entlehnt: »gliedmaßiert« ist ein »weibliches Gebilde«, das seltsam gesichtslos als »leuchtend goldner Saum« am Waldrand sichtbar wird. Sein Hervortreten gemahnt an die Rosenfinger der Homerischen Eos; stufenweise belebt es die blühenden Blumen, das grüner werdende Gras, Stein und Felsen, die Wasser, »der Erde allertiefstes Herz«, aus dem »Demant« und »Goldes-Erz« erwächst. Der Name der Erscheinung ist »die Liebe«.[92]

Noch einmal aber wird der Betrachter aus dem allbelebten Landschaftsidyll aufgeschreckt:

> Was ich für Grott' und Berg gehalten,
> Für Wald und Flur und Felsgestalten,
> Das war ein einzigs großes Haupt,
> Statt Haar und Bart mit Wald umlaubt [. . .].[93]

Es ist das Haupt des Großen Pan, dessen Vexiergestalt sich nun als männliches Tremendum komplementär zum in die Göttin der Liebe umgedeuteten gliedmaßierten Faszinosum

91 Vgl. Böhme (Anm. 16) S. 149 ff. Die Gliedmaßenmetaphorik kongruiert besonders aufschlußreich mit dem Bild der »häßlichen Polypenarme« des Erzes. Siehe E. T. A. Hoffmann, *Die Serapionsbrüder*, hrsg. von Walter Müller-Seidel, München 1963, S. 181.

92 Tieck, *Phantasus* (Anm. 41) S. 123 f.

93 Ebd., S. 125.

der weiblichen Natur fügt. Im ästhetischen Bereich ist durch eine mythologische Projektion der innere Dualismus des schöpferischen Prozesses befriedet.[94]

Abgrund und Hieroglyphe

Zu den zentralen Texten, aus denen sich eine ästhetische Theorie der Frühromantik ableiten läßt, zählt das Kapitel der Wackenroderschen *Herzensergießungen* »Von den Seltsamkeiten des alten Malers Piero di Cosimo aus der Florentinischen Schule«.[95] Piero di Cosimo steht als Beispiel für die »überfüllte Einbildungskraft«;[96] und der Autor bezweifelt in seinem Resümee, daß er »ein wahrhaft-echter Künstlergeist gewesen sei«. Zwar bestehe »eine gewisse Übereinstimmung zwischen ihm und dem großen Leonardo da Vinci«; der qualifizierende Unterschied wird jedoch darin erblickt, daß Piero di Cosimo sich durch »finstere Wolkenregionen der Luft«, Lionardo dagegen durch »die ganze wirkliche Natur und [...] das ganze Gewimmel der Erde« inspiriert habe.[97] Der etwas unvermittelt erfolgende Hinweis auf die Verwandtschaft mit Lionardo wird einige Seiten zuvor durch eine beiläufige Bemerkung aufgehellt. Der Autor berichtet, daß Pieros Vorliebe für »die wilde, gemeine und ungesäuberte Natur« bis zum Widerstand gegen das Beschneiden der Obstbäume und Rebstöcke in seinem Garten gegangen sei,

94 Aufschlußreich ist in diesem Zusammenhang Diltheys intuitive Einfühlung in Tiecks Schaffensweise: »Wie die aufgeregte Einbildungskraft eines einsamen Wanderers im nächtigen Walde aus den Schatten, die über seinen Pfad fallen, gespenstige Bilder zu formen geschäftig ist, so erheben sich in diesen Märchen aus den Tiefen der Natur die Gestalten, die, während sie sich verwandeln vor unseren Blicken, mit denselben geheimnisvollen Augen immerfort uns anschauen, den Augen des alle Schrecken und alle Lust der Welt in sich tragenden Pan. Die Natur, wie sie Tieck erschien, ist eine dämonische Phantasie.« ([Anm. 1] S. 294.)

95 Wackenroder (Anm. 71) S. 72–78.

96 Ebd., S. 73.

97 Ebd., S. 78.

daß sein vor allem für tierische und pflanzliche Mißbildungen gehegtes Interesse zu einem »mit der schärfsten Emsigkeit« zusammengezeichneten Buch von Monstrositäten geführt habe, und fährt fort:

> Oft auch heftete er seine Augen starr auf alte, befleckte, buntfärbige Mauern, oder auf die Wolken am Himmel, und seine Einbildung ergriff aus allen solchen Spielen der Natur mancherlei abenteuerliche Ideen zu wilden Schlachten mit Pferden oder zu großen Gebirgslandschaften mit fremdartigen Städten.[98]

Die entsprechende Anweisung in Lionardos *Buch von der Malerei* lautet:

> Ich werde nicht ermangeln unter diese Vorschriften eine neuerfundene Art des Schauens herzusetzen, die sich zwar klein und fast lächerlich ausnehmen mag, nichtsdestoweniger aber doch sehr brauchbar ist den Geist zu verschiedenerlei Erfindungen zu wecken. Sie besteht darin, dass du auf manche Mauern hinsiehst, die mit allerlei Flecken bekleckt sind, oder auf Gestein von verschiedenem Gemisch. Hast du irgend eine Situation zu erfinden, so kannst du da Dinge erblicken, die diversen Landschaften gleich sehen, geschmückt mit Gebirgen, Flüssen, Felsen, Bäumen, grossen Ebenen, Thal und Hügeln in mancherlei Art. Auch kannst du da allerlei Schlachten sehen, lebhafte Stellungen sonderbar fremdartiger Figuren, Gesichtsminen, Trachten und unzählige Dinge, die du in vollkommene und gute Form bringen magst. Es tritt bei derlei Mauern und Gemisch das Aehnliche ein, wie beim Klang der Glocken, da wirst du in den Schlägen jeden Namen und jedes Wort wiederfinden können, die du dir einbildest.

98 Ebd., S. 74. Der Gegensatz zwischen ursprünglicher und kultivierter Natur drückt sich auch in einer Stelle des *Sternbald*-Fortsetzungsfragments aus, wo Mariens Mutter die Abneigung böser Menschen gegen Obstbäume bei vergleichsweise größerer Toleranz gegenüber Wildbäumen kommentiert (vgl. Tieck, *Franz Sternbalds Wanderungen* [Anm. 81] S. 497).

Achte diese meine Meinung nicht gering, in der ich dir rathe, es möge dir nicht lästig erscheinen manchmal stehen zu bleiben und auf die Mauerflecken hinzusehen oder in die Asche im Feuer, in die Wolken, oder in Schlamm und auf andere solche Stellen; du wirst, wenn du sie recht betrachtest, sehr wunderbare Erfindungen in ihnen entdekken. Denn des Malers Geist wird zu (solchen) neuen Erfindungen (durch sie) aufgeregt, sei es in Compositionen von Schlachten von Thier und Menschen, oder auch zu verschiedenerlei Compositionen von Landschaften und von ungeheuerlichen Dingen, wie Teufeln u. dgl., die angethan sind, dir Ehre zu bringen. Durch verworrene und unbestimmte Dinge wird nämlich der Geist zu neuen Erfindungen wach. Sorge aber vorher, dass du alle die Gliedmaassen der Dinge, die du vorstellen willst, gut zu machen verstehest, so die Glieder der lebenden Wesen, wie auch die Gliedmaassen der Landschaft, nämlich die Steine, Bäume u. dgl.[99]

Diese Stelle ist eines der wichtigsten Zeugnisse zur Psychologie der visuellen Wahrnehmung und hat in der einschlägigen

99 Zit. nach der Übersetzung von Heinrich Ludwig in: *Quellenschriften für Kunstgeschichte und Kunsttechnik des Mittelalters und der Renaissance*, Wien 1882, Bd. 18, S. 56 f. Diese Textversion ist ausführlicher und aufschlußreicher als die Variante, die laut Paul Koldewey (*Wackenroder und sein Einfluß auf Tieck*, Diss. Altona 1903, S. 19 ff.) Wackenroder als Vorlage gedient hat (vgl. ebd. den Fassungsvergleich zwischen Leonardos Traktat in der Übersetzung Johann Georg Bohms, Nürnberg 1747, mit Wackenroders Aufsatz »Das Muster eines kunstreichen und dabei tiefgelehrten Malers, vorgestellt in dem Leben des Leonardo da Vinci, berühmten Stammvaters der Florentinischen Schule« in den *Herzensergießungen*). Fragen der Textüberlieferung von Leonardos Traktat müssen hier außer Betracht bleiben; doch geben einige terminologische Affinitäten der ausführlicheren Variante zu Tieckschen Textstellen zu denken. Im übrigen ist anzunehmen, daß auch nach dem Erscheinen des *Sternbald* im frühromantischen Kreis einschlägige Erörterungen über Leonardo vertieft wurden. Vgl. die vierte und fünfte Strophe von August Wilhelm Schlegels 1799 erschienener Romanze *Leonardo da Vinci* (in: *Sämtliche Werke*, Bd. 1, Leipzig 1846, S. 220).

Literatur die entsprechende Beachtung gefunden.[100] Sie hat ihre Entsprechung in jener Sequenz des *Sternbald*, die von Anger in seinem Kommentar zu recht mit den *Freunden* in Beziehung gesetzt wird und eine komplizierte Synthese aus Traum und hypnagoger Halluzination verwirklicht.[101] Das

100 Siehe das Kapitel »Spektrum des Endogenen« in: Ernst Mach, *Die Analyse der Empfindungen und das Verhältnis des Psychischen zum Physischen*, Jena 1911, S. 169 f., sowie Karl Jaspers, *Die Trugwahrnehmungen*, in: K. J., *Gesammelte Schriften zur Psychopathologie*, Berlin/Göttingen/Heidelberg 1963, S. 261 f.

101 Tieck, *Franz Sternbalds Wanderungen* (Anm. 81) S. 90–93. Vgl. hierzu Jaspers (Anm. 100) S. 267 ff., 273. Die hier aufgehellten Vorgänge werden plausibel in der Untersuchung von Ralf Stamm, *Tiecks späte Novellen. Grundlage und Technik des Wunderbaren*, Stuttgart [u. a.] 1973, eingeordnet. Siehe insbesondere den Vergleich mit der Vexierszene in der Studienfassung von Stifters *Beschriebenem Tännling* (S. 73 f.). Vgl. Heinz Hillmann, »Ludwig Tieck«, in: Benno von Wiese (Hrsg.), *Deutsche Dichter der Romantik. Ihr Leben und Werk*, Berlin 1971, S. 97 f., zu ähnlichen Halluzinationen beim Anblick der Wolken in der *Schönen Magelone*. Die literaturwissenschaftliche Erforschung derartiger Phänomene dürfte bisher noch nicht sonderlich weit gediehen sein, zumal ihrem Nachvollzug in vielen Fällen psychische Barrieren entgegenstehen. Es sei darauf verwiesen, daß sich vor allem bei visuell begabten Dichtern mit malerischem Talent Anzeichen für eine verwandte Art des Schauens finden. Ich führe die mir präsenten Beispiele nach dem Grade ihrer mutmaßlichen Fremdartigkeit auf: Christian Morgensterns bereits recht aufschlußreiche Wolkenspiele aus *In Phanta's Schloß* (*Jubiläumsausgabe in vier Bänden*, hrsg. von Clemens Heselhaus, Bd. 2, München 1979, S. 11 ff.) dürften noch allgemein zugänglich sein. Der Hinweis des jungen Leonhard Frank auf die Wolke, die aussieht wie Rom (*Die Räuberbande*, München 1975, S. 18) bezeichnet sicher nicht nur in der Romanfiktion Verständnisengpässe zwischen dem fantasievollen Kind und dem wohlwollenden Erwachsenen. Die Materialisierungen des kleinen Adalbert Stifter aus endogenen Farbflecken (Zusammenfassung bei Urban Roedl, *Adalbert Stifter. Geschichte seines Lebens*, Bern ²1958, S. 13 ff.) sind noch aufschlußreicher, aber auch komplexer. (Vgl. auch Gemälde wie *Wolkenstudie* oder *Die Bewegung*, I, und *Die Bewegung*, II, im Besitz der Wiener Adalbert-Stifter-Gesellschaft). Am verblüffendsten ist die ausgearbeitete epische Sequenz zu Beginn der Proustschen Autobiographie, die die Geschichte Genovevas von Brabant variiert und die Gestalt Golos in einem Türknauf verfestigt (*Du côté de chez Swann*, Paris 1954, S. 12–14). Die Tatsache, daß die drei letztgenannten Dichter eine ausgeprägt sadistische Persönlichkeitsstruktur aufweisen, kann sowohl die Erklärung für die Verdrängung ähnlicher Erlebnisse bei

entscheidende Erlebnis im Wachzustand wird wie folgt skizziert:

> Die Scheibe des Mondes stand in seinem Kammerfenster gerade gegenüber, er betrachtete ihn mit sehnsüchtigen Augen, er suchte auf dem glänzenden Runde und in seinen Flecken Berge und Wälder: bald schien er erhabene Türme zu entdecken, bald die See mit ihren segelnden Schiffen; ach dort! dort! rief eine innerliche Stimme seiner Brust, ist die Heimat aller unserer Wünsche, dort ist die Liebe zu Hause, dort wohnt das Glück, von da herab scheint es auf uns nieder und sieht uns wehmütig an, daß wir noch hier sind.[102]

Im darauffolgenden Traum kommt der Mond näher und erleuchtet die glückhafte Begegnung mit der schönen Fremden. Gleichzeitig erstehen dem Helden »die frühesten Erinnerungen aus seinen Kinderjahren« sowie ein Gefühl der »Unbegrenztheit« – nachdem bereits der Traum vor der Betrachtung der Mondscheibe eine synästhetische Vision erzeugt hatte. In *William Lovell* findet sich eine viel skizzenhaftere Entsprechung zu der Mondvision,[103] während das Pendant des synästhetischen Traums im entscheidenden 11. Brief des 5. Buches[104] in der aufscheinenden Kindheitserinnerung gleichzeitig die Empfindungen Synästhesie, Mordlust, zwanghafte Gotteslästerung, Glaube an Praexistenz und unbegreifliche kosmische Erscheinungen freisetzt. Das kurz darauf folgende Mineralgedicht des 33. Briefs wird

den meisten Erwachsenen als auch einen Hinweis auf ihre Koppelung bei Tieck mit moralisch negativen Assoziationen liefern.

102 Weitere aufschlußreiche Zitate s. Klaus Lankheit, »Die Frühromantik und die Grundlagen der ›gegenstandslosen‹ Malerei«, in: *Neue Heidelberger Jahrbücher* N. F. (1951) S. 55–90. – Die Spontaneität der Vision in der zitierten Stelle wird bezeichnenderweise durch die Zweitfassung des Romans verwischt, indem etwa Türme durch Schlösser ersetzt werden.

103 Tieck, *William Lovell* (Anm. 15) S. 525 f.

104 Ebd., S. 327 f.

mit einer Höllenfahrt schließen, bei der »das Morgenrot sich in dem Abgrund spiegle«.[105]

An der Schwelle zur Frühromantik vereinen sich die visuellen und synästhetischen Valeurs, die Tieck in seiner Kindheit und Jugend als böse, bedrohend oder zumindest anfechtend erfahren hatte,[106] und die vor allem im *Sternbald* einer Harmonisierung zugeführt wurden. Wird freilich schon in den Vorstufen und Parerga aus den *Herzensergießungen* und den *Phantasien über die Kunst* das Harmonisierungsvermögen des ästhetischen Prozesses immer wieder fragwürdig, so erweisen die Krisenjahre Tiecks nach der Jahrhundertwende und Novalis' Tod trotz versuchsweisen Ansätzen einer Synthese wie im *Kaiser Octavianus*, daß nicht nur der Glaube an die Erlösung durch die Kunst schwindet, sondern daß selbst ihr fiktionaler Modellcharakter für eine Apokatastasis der Lebenswirklichkeit, wie er im kühnen Wurf des Novalisschen Werks angedeutet ist, in Frage gestellt wird.

Die angedeutete Weiterentwicklung der Tieckschen Einheit von Seltsamstem und Gewöhnlichstem zum Novalisschen Begriff des Wunderbaren im Alltäglichen gewinnt an Stringenz, wenn wir die *Lehrlinge zu Sais* genetisch in den Kontext der frühromantischen Künstlerdichtungen stellen. Der Beginn dieses, von Jugendversuchen abgesehen, poetischen Erstlingswerks lautet:

> Mannigfache Wege gehen die Menschen. Wer sie verfolgt und vergleicht, wird wunderliche Figuren entstehen sehn; Figuren, die zu jener großen Chiffernschrift zu gehören scheinen, die man überall, auf Flügeln, Eierschalen, in Wolken, im Schnee, in Kristallen und in Steinbildungen, auf gefrierenden Wassern, im Innern und Äußern der Gebirge, der Pflanzen, der Tiere, der Menchen, in den Lichtern des Himmels, auf berührten und gestrichenen Scheiben von Pech und Glas, in den Feilspänen um den Magne-

105 Ebd., S. 331 f.
106 Vgl. Anm. 109 f.

> ten her, und sonderbaren Konjunkturen des Zufalls erblickt. In ihnen ahndet man den Schlüssel dieser Wunderschrift, die Sprachlehre desselben, allein die Ahndung will sich selbst in keine feste Formen fügen, und scheint kein höherer Schlüssel werden zu wollen. Ein Alkahest scheint über die Sinne der Menschen ausgegossen zu sein. Nur augenblicklich scheinen ihre Wünsche, ihre Gedanken sich zu verdichten. So entstehen ihre Ahndungen, aber nach kurzen Zeiten schwimmt alles wieder, wie vorher, vor ihren Blicken.[107]

Die Kanonisierung der Isissuche in der gängigen geistesgeschichtlichen Würdigung der Goethezeit mag das fällige Befremden über dieses eigentlich so banal scheinende Entreebillet eines sich offenbarenden Genies in die Literatur außer Kraft gesetzt haben. Hier aber wird mit der Selbstverständlichkeit des Eingeweihten die Sternbaldsche Frage nach der Botschaft der gliedmaßierten Natur beantwortet, die lautete:

> Die Hieroglyphe, die das Höchste, die Gott bezeichnet, liegt da vor mir in tätiger Wirksamkeit, in Arbeit, sich selber aufzulösen und auszusprechen, ich fühle die Bewegung, das Rätsel im Begriff zu schwinden – und fühle meine Menschheit.[108]

Die in beiden Zeugnissen sich ausdrückende Dynamik und Flüchtigkeit der Erscheinung wird später, vor allem durch

107 Novalis, *Schriften*, hrsg. von Paul Kluckhohn und Richard Samuel, 2. Aufl., Bd. 1, Stuttgart 1960, S. 79. Der Alkahest als Universalmittel der Alchemisten, das alle Substanzen in wasserhelle Flüssigkeiten verwandelt, ist, auf den ersten Blick paradox, als erkenntnishemmend ausgewiesen, während die die Transparenz trübenden amorphen Zeichen Hieroglyphenqualität erlangen. Dies erinnert an die Aussage eines scheinbar so konventionellen Gedichts wie *Es färbte sich die Wiese grün*, dessen chiliastischer Impetus aus der Verfestigung und Formwerdung amorpher Daseinsstufen erwächst. (»Vielleicht beginnt ein neues Reich – / Der lockre Staub wird zum Gesträuch« usw.; ebd., S. 413 f. Zur zeitlichen Nachbarschaft mit dem, Jakob Böhmes Chiliastik beschwörenden Gedicht *An Tieck* sowie dessen redigierender Einwirkung vgl. den Kommentar, ebd., S. 624.)

108 Tieck, *Franz Sternbalds Wanderungen* (Anm. 81) S. 250.

den Austausch mit Solger, ihren Niederschlag in der Ästhetik der Romantischen Ironie finden. Zur Zeit von Novalis' dichterischer Vollendung und Tod sind die phänomenologischen Konnotationen jedoch wesentlich umfassender und rühren erneut an den in der Zweideutigkeit der Erscheinungswelt geargwöhnten moralischen Dualismus.

Mit Recht wird zur Interpretation des *Runenbergs* gern der große Bekenntnisbrief an Friedrich Schlegel vom 16. Dezember 1803 herangezogen,[109] in dem Tieck über den Beginn seines ersten Dresdener Aufenthalts schreibt, seine Liebe zur Poesie sei ihm als das eigentlich Böseste erschienen.[110] Der Einsatz der Krise läßt sich jedoch in einem früheren Brief an Schlegel lokalisieren, der zeitlich in engster Nachbarschaft zum Tode Novalis' steht und der Entstehung des *Runenbergs* vorausgegangen sein dürfte.[111] Nach der Klage um Novalis bekennt Tieck, »wie nothwendig meiner Existenz die Natur ist«: »der Schwulst der Berge, die Inkorrektheit von Bächen und Wäldern, der Schwung der Anhöhen ist die ewige Poesie, die ich nie zu lesen müde werde, und die mich stets begeistert.«[112] Der ominösen Rhetorisierung des Panoramas folgt eine Verlandschaftung der Literatur:

> Besonders hat Homer ein geheimes tiefes Grauen in mir geweckt, das bisher sich nur zuweilen unbestimmt in mir geregt hat, ich habe wahrzunehmen geglaubt, wie allenthalben das Innere der Natur aus ihm spricht, und an einigen Stellen fast unmittelbar, ich sehe in ihm Ruinen von alten Zeiten und Erinnerungen von großen untergegangenen Geschlechtern, Sagen, die wie aus einem Meeresstrudel wieder aus der Tiefe heraufgeworfen worden, die Riesen-

109 *Ludwig Tieck und die Brüder Schlegel. Briefe*, hrsg. von Edgar Lohner, München 1972, S. 137–147.

110 Ebd., S. 141. Vgl. auch: »Dieser Zustand des Kampfes mit mir selbst und allem Bösen und Phantastischen hat bis in diesen Frühling gewährt« (ebd., S. 142).

111 Tieck an Friedrich Schlegel, Mitte März 1801 (ebd., S. 56–58).

112 Ebd., S. 57.

> gebeine in ihm so nahe, und unbekannte Geschöpfe, wie man sie wohl in Gebirgen findet [...] alles was Geschichte giebt und Poesie, so wie alle Natur, und alles in mir, sieht mich aus einem einzigen tiefen Auge an, voller Liebe, aber schreckvoller Bedeutung.[113]

Mit Sophokles habe, so heißt es weiter unten, ein neues Geschlecht begonnen: »die Kunst kommt zum Bewußtsein ihrer selbst«. Analog dazu wird die Weissagung gewagt: »Das Romantische ist ein Chaos, aus dem sich nothwendig wieder eine Gewisheit, wenn man es so nennen will, entwickeln muß.«[114]

Es sei dahingestellt, wie sich die Aporie des im selben Jahre entstehenden *Runenbergs* zu diesem Programm fügt. Aufschlußreich erscheint jedoch das Zeugnis Köpkes, das die bekannte Äußerung Steffens' über die Vorgeschichte der Erzählung ergänzt:

> Sie trafen zusammen in Jakob Böhme und den Mystikern. Aus diesen Gesprächen bildete sich jenes schauerliche Märchen *Der Runenberg*, in dem die Natur als dunkle und unwiderstehliche Macht erscheint, die den freien sittlichen Entschluß des Menschen vernichtet. Es war das Abbild der damaligen Stimmung Tieck's. Im Walde, in der Pflanzenwelt wehte ein verwandter Hauch, der ihn geheimnißvoll durchschauerte. Er glaubte hineinzublicken in ferne, untergegangene Riesenwelten, und sie in ihren Erinnerungen

113 Ebd.

114 Ebd., S. 58. Tiecks Lebenskrise nach Hardenbergs Tod und ihre eigenartige Transposition in literarische Kategorien findet auch in der Folgezeit einen deutlichen Niederschlag im teils spannungsreichen Briefwechsel mit den Brüdern Schlegel. Vgl. hierzu die Korrespondenz mit August Wilhelm Schlegel von Juni bis Juli 1801, insbesondere Tiecks Nachschrift zu seinem auf den *Heinrich von Ofterdingen* bezogenen Brief von Anfang Juli 1801 mit Berufung auf Böhme, Schelling und Homer (ebd., S. 80), sowie Schlegels aufschlußreiche Antwort vom 10. Juli (namentlich ebd., S. 83 f.), ferner den Gedankenaustausch zur Wiederauffindung der *Lehrlinge* im September 1802 (ebd., S. 116 f.).

> wiederzuerkennen. [...] Natur, Geschichte, Poesie floß in eins, und es blickte ihm entgegen mit einem Auge der Liebe und des Schreckens zugleich.[115]

Neben den verbalen Parallelen zu dem Brief an Schlegel frappiert der sinistre Akzent der Jakob-Böhme-Rezeption, deren Umwertung der Verlust des Freundes vielleicht ebenso zugrunde liegt wie der Depravierung des Gebirgs- und Mineralmotivs.[116] Erstaunlicherweise bleibt diese thematische Kohärenz bis in die Zeit des Briefwechsels mit Solger erhalten, wobei sich freilich eine, zumal im Vergleich zu dem Brief an Schlegel, überraschend veränderte Antithetik entfaltet. Solgers Brief vom 2. Februar 1817, den Tieck sicher nicht zu unrecht als wichtigstes Zeugnis sowohl der jahrelang währenden Freundschaft als auch des ästhetischen Gedankenaustausches wertete, enthält die These des Bösen als des absoluten Nichts, aus der gefolgert wird, daß der moralische Dualismus in der Welt der Erscheinungen, an der der Mensch Anteil hat, nur über die Wertigkeit eines Schattens verfüge.[117] Tiecks Antwort rekapituliert seine Krise, in der »mein jugendlich leichter Sinn, meine Lust zur Poesie und an Bildern mir als etwas Verwerfliches, Verfehltes erschien«.[118]
Der von Tieck beschriebene Verfall seiner schöpferischen Kraft geht nach Aussage seines Briefs mit der Lektüre der Mystiker einher, bis ihm die Wiederbegegnung mit Homer, den *Nibelungen*, Sophokles und Shakespeare neue Kraft gibt und die Anknüpfung an seine »Jugendversuche« ermöglicht.[119] Hegels notorisch süffisanter Kommentar zu dieser

115 Köpke (Anm. 24) Tl. 1, S. 292. Zu Steffens vgl. oben, Anm. 24.
116 Vgl. die Bezüge auf Böhme in Novalis' Gedicht *An Tieck* (*Schriften* [Anm. 107] S. 411–413).
117 Karl Wilhelm Ferdinand Solger, *Nachgelassene Schriften und Briefwechsel*, hrsg. von Ludwig Tieck und Friedrich von Raumer, Bd. 1, Leipzig 1826, S. 512.
118 Ebd., S. 539.
119 Ebd., S. 540. Vgl. hierzu auch Tiecks Vorbericht zur zweiten Lieferung seiner *Schriften*, Berlin 1828, Bd. 6, S. X ff.

Stelle, der vor allem bemängelt, daß sich die *Nibelungen* zwischen Homer und Sophokles befinden, dürfte auch hier Goetheschen Kriterien verpflichtet sein,[120] kann aber naturgemäß nicht der Tatsache Rechnung tragen, daß Tieck hier von einem einst krisenhaft gefühlten Dualismus Homer-Sophokles abrückt und sich implizit eine klassizistische Sicht des ersteren aneignet, unter die auch noch die *Nibelungen* zu subsumieren nicht einer gewissen Konsequenz entbehrt.[121] Literatur schlechthin wird zur Form, zum kategorial erfaßbaren Faktor, der in Gegensatz zur Mystik gebracht werden kann und den berühmten »Gränzvertrag« mit Böhme[122] absichern hilft. Der schöpferische Prozeß hat sich der Gravitation des Vorbewußten in einer dem Briefschreiber durchaus erwünschten Weise entwunden.

Exkurs: Schöpferischer Prozeß und ästhetische Diskussion

Die von Tieck eingeleitete Böhme-Rezeption der Romantischen Schule ist vielen Deutungsversuchen unterworfen worden. Hierbei lassen die erwähnten biographischen Koinzidenzen den Böhmekult als bestimmendes Moment zumal für die Dichterfreundschaft zwischen Tieck und Novalis vermuten, dem beim Tode des letzteren eine vermächtnisartige Bedeutung zukam. Nähere Aufschlüsse hierzu kann vielleicht der bekannte Brief Hardenbergs vom 23. Februar 1800 an Tieck[123] erteilen, wo Böhmes Werk als »ächtes Chaos voll

120 Hegels Rezension zu Solgers *Nachgelassenen Schriften* (*Sämtliche Werke*, hrsg. von Hermann Glockner, Stuttgart ³1958, Bd. 20, hier S. 157). Vgl. Goethes Tagebucheintragung vom 16. 11. 1808, die *Urteilsworte französischer Kritiker* (*Sämtliche Werke*, Artemis-Gedenkausgabe, hrsg. von Ernst Beutler, Zürich ²1961–66, Bd. 14, S. 782) sowie die *Noten und Abhandlungen* zum *West-östlichen Divan* (ebd., Bd. 3, S. 476).

121 Vgl. Goethes Äußerung gegenüber Eckermann, 2. 4. 1829 (Johann Peter Eckermann, *Gespräche mit Goethe in den letzten Jahren seines Lebens*, hrsg. von Heinrich Hubert Houben, Wiesbaden ²⁵1959, S. 253).

122 Siehe Solger (Anm. 117) S. 542.

123 Novalis, *Schriften* (Anm. 107) Bd. 4, Stuttgart 1975, S. 321 ff.

dunkler Begier und wunderbarem Leben« gepriesen wird, mit »quellenden, treibenden, bildenden und mischenden Kräften, die von innen heraus die Welt gebären«. Daß der Verfasser hierin »heitre Fröhlichkeit« wahrnimmt, stimmt zu Friedrich Schlegels Konzeption der Ironie als »klares Bewußtsein der ewigen Agilität, des unendlich vollen Chaos«[124] und anderen Aperçus, die in ihrer sicher oft widersprüchlichen Gesamtheit das romantische Credo auf dem Höhepunkt der Böhme-Begeisterung bildeten. Bedeutsam wird dieses Zeugnis durch die gleichzeitig zwischen Böhme und dem scharf angegriffenen *Wilhelm Meister* gesetzte Antithese, die Tiecks diskrete, aber folgenschwere Rolle bei der Entfremdung Goethes von den Romantikern mitbestimmt haben mag.[125]

Die Einordnung der hier sichtbar gewordenen Kontroverse wird bis heute dadurch erschwert, daß Goethes Angriff auf die »neukatholische Sentimentalität« und »das klosterbruderisierende, sternbaldisierende Unwesen«[126] als griffigste und daher meistzitierte Formel eine kritische Stoßrichtung vorwiegend gegen den bereits verstorbenen Wackenroder und Tiecks Frühwerk suggeriert, die in Wirklichkeit als eher marginal zu gelten hat.[127] Die verwirrenden Kontroversen um Goethes Schrift *Winckelmann und sein Jahrhundert* sowie um Heinrich Meyers Rezension zur *Erläuterung des polygno-*

124 Friedrich Schlegel, *Kritische Schriften*, hrsg. von Wolfdietrich Rasch, München 1964, S. 97 (nach Minors Zählung: Idee 69).

125 Zu Tiecks Aufbereitung Hardenbergscher Äußerungen über den *Wilhelm Meister* s. Hans-Joachim Mähl, »Goethes Urteil über Novalis. Ein Beitrag zur Geschichte der Kritik an der deutschen Romantik«, in: *Jahrbuch des Freien Deutschen Hochstifts* (1967) S. 130–270, v. a. S. 175 ff.

126 Goethe, *Werke*, Weimarer Ausgabe, Abt. 1, Bd. 48, Weimar 1897, S. 121 f. Vgl. hierzu Mähl (Anm. 125) pass., sowie die Einleitung zu: *Goethe und die Romantik. Briefe mit Erläuterungen*, hrsg. von Carl Schüddekopf und Oskar Walzel, Tl. 1, Weimar 1898, S. XL ff. Ferner: Marianne Thalmann, »Tiecks Goethebild«, in: *Monatshefte* 50 (1958) S. 225–242; wiederabgedruckt in: *Ludwig Tieck* (Anm. 3) S. 279–302.

127 Zur grundsätzlichen Aufgeschlossenheit Goethes für altdeutsche Kunst vgl. Mähl (Anm. 125) S. 153.

tischen Gemähldes auf der rechten Seite der Lesche zu Delphi der Brüder Riepenhausen zeigen auf beiden Seiten terminologisch eine Multivalenz, wie sie, bezogen auf den bildnerischen Ausdruck, Gegenstand der Kritik wurde. Goethes Forderung einer antik-mediterran-rational-heidnischen Plastizität richtet sich gegen eine, mit dem Vorwurf des Dilettantismus gebrandmarkte, altdeutsch-katholisch empfindsame Flächigkeit, der Friedrich Schlegels im Zuge seiner Hinwendung zum Katholizismus verfaßte protonazarenische Schriften terminologisch ebenso subsumierbar sind wie Tiecks wesentlich vieldeutigere Theoreme im *Sternbald* und dessen Beiwerk.[128] Das Verständnis wird weiter dadurch erschwert, daß Friedrich Schlegels Schriften zur bildenden Kunst, die im Brennpunkt der Polemik standen, heute kaum mehr Aufsehen erregen würden, da ihr Eintreten für seither akkreditierte Künstler und deren Werke nur einem mittlerweile objektivierten Kanon ästhetischer Begrifflichkeit zu entsprechen scheinen. Tiecks mehr auf Intuition als Sachwissen gestützte ästhetische Theorie erreicht durch ihr Verharren im Unbestimmten im Grunde viel eher eine durch gemeinsame Unschärfe begünstigte Einheit von Signifikant und Signifikat, die bei Goethe schon anläßlich der Erstlektüre des *Sternbald* eine, von der späteren Animosität allerdings noch freie, Irritation bewirkte.[129]

Die hier spürbaren grundsätzlichen Spannungen werden von Tieck noch über ein Jahrzehnt nach Goethes Tod und ein Vierteljahrhundert nach der eigenen angeblichen Abkehr von der Romantik ausgetragen. So wird in der *Sternbald*-Fassung von 1843 eine ursprünglich eher beiläufige Bemerkung des Lukas von Leyden in dem Gespräch, das auf Sternbalds

128 In Wirklichkeit ist die betonte Zweidimensionalität der nazarenischen Vorbilder dem Vexiereffekt geradezu entgegengesetzt, den Goethe im Gespräch mit Riemer vom August 1808 den Romantikern vorwirft: »Das Antike ist plastisch, wahr und reell; das Romantische täuschend wie die Bilder einer Zauberlaterne«.

129 Vgl. Mähl (Anm. 125) S. 136 ff.

Monderlebnis[130] folgt, axiomatisch zugespitzt: »wir sind gewiß nicht für die Bildsäulen, die man jezt entdeckt hat, und aus denen viele, die sich klug dünken, was Sonderliches machen wollen, diese Antiken verstehen wir nicht mehr, unser Fach ist die wahre nordische Natur«.[131] Hilft hier die nordische Natur eine ehedem als katholisierend gebrandmarkte Kunstauffassung beglaubigen, so scheinen durch Sternbalds Bekehrungserlebnis in der Sixtinischen Kapelle die Fronten vollends verkehrt, wenn deren optische Irritationen im Kontext des Michelangelo-Aufsatzes der *Phantasien über die Kunst* begriffen werden.[132] Dort sind Michelangelo und Dante als Verkündiger der katholischen Religion durch das Fehlen von »Geschichte und Begebenheit« gekennzeichnet: das abschlußlose metrische Prinzip der Terzine findet sein Äquivalent ausdrücklich im diffusen visuellen Eindruck des *Jüngsten Gerichts*, wo für den Betrachter auch die empirische Zeit sistiert wird.[133]
Diese Kunstimpression des Frühromantikers Tieck läßt sich ebenso wie seine Böhmerezeption mit dem visuell-halluzinatorischen Prinzip in Beziehung setzen, das nach Novalis' Tod in eine krisenhafte Phase trat und an der Genese des *Runenbergs* beteiligt war.[134] Die Entwicklung der folgenden Jahrzehnte ist in dem erwähnten Brief an Solger anhand des Verhältnisses zu Böhme exemplifiziert und mündet in die angebliche, zum Gemeinplatz der Literaturgeschichte gewordene Abkehr von der Romantik. Tiecks sichtliche Wandlung wird auch von einfühlenden Beobachtern mit partiellem Scharfblick analysiert, ohne daß der von ihm selbst bestätigten

130 Vgl. oben, S. 41
131 Tieck, *Franz Sternbalds Wanderungen* (Anm. 81) S. 418; Erstfassung vgl. ebd., S. 101.
132 Ebd., S. 394 ff.; Wackenroder (Anm. 71) S. 164.
133 Vgl. den Aufsatz »Die Töne« in den *Phantasien über die Kunst*, insbesondere das einleitende Gedicht über die Zeit (Wackenroder [Anm. 71] S. 241 ff.).
134 Siehe oben, S. 44

Anknüpfung an sein Jugendwerk[135] Rechnung getragen würde.
So setzt Heines bekannte Würdigung Tiecks im zweiten Buch der *Romantischen Schule* drei Schaffensphasen an. Deren zweite wird, mit dem *Blonden Eckbert* und dem *Runenberg* als den bedeutendsten Höhepunkten, zum Inbegriff intuitiver Natursympathie erklärt. Die dritte Phase dagegen ist aus dieser Sicht durch die Abkehr vom Katholizismus und der »naiven Herzensergießung« bestimmt, durch »artistische Klarheit, Heiterkeit, Ruhe und Ironie«, die den vormaligen Romantiker als würdigen Goetheschüler ausweist.[136]
Hier ist an ein Goetheverständnis angeknüpft, das sich seinerseits aus Goethes Konflikt mit den Romantikern erklärt. Jenseits des unmittelbaren kunsthistorischen Anlasses betrifft die bei Goethe noch bis in die Gespräche mit Eckermann inhärente Romantikkritik, die auf die zu starke Akzentuierung des unwägbar Schöpferischen und die nicht auszudrückende Fülle der Empfindung zielt, das Problem des Dilettantismus.[137] Die Diskontinuität zwischen klassischer und romantischer Ästhetik wird noch heute ähnlichen Wertungen unterworfen. Hierbei wird nicht nur die, wenn auch zeitversetzte, Konvergenz zwischen Goethe und Tieck außer acht gelassen, die vereinfachend zum Bruch des letzteren mit seinen Anfängen erklärt wird; auch Goethes Position ist differenzierter und mehr von persönlichen Konflikten geprägt, als in den geläufigen Deutungen sichtbar wird.
Neuerdings hat Hans Rudolf Vaget in einem scharfsinnigen Beitrag die Bezüge des Dilettantismusproblems im *Werther* zu Phänomenen der visuellen Wahrnehmung ausgeleuchtet.[138] Er beruft sich im Kern seiner Argumentation auf die

135 Vgl. oben, S. 46

136 Heinrich Heine, *Sämtliche Schriften*, hrsg. von Klaus Briegleb, 12 Bde., München 1976, Bd. 5, S. 426 f.

137 Vgl. Mähl (Anm. 125) S. 139 ff.

138 H. R. V., »Die Leiden des jungen Werthers«, in: Paul Michael Lützeler / James E. McLeod (Hrsg.), *Goethes Erzählwerk. Interpretationen*, Stuttgart 1985 (Reclams Universal-Bibliothek, 8081 [5]), S. 37–72.

Beeinflussung des Briefs vom 10. Mai durch die Conti-Szene in *Emilia Galotti*, wo beklagt wird, »daß wir nicht unmittelbar mit den Augen malen«, und wie viel »auf dem langen Wege, aus dem Auge durch den Arm in den Pinsel [...] verloren« geht.[139] Die affirmative Übernahme dieser Sicht durch den Titelhelden bedingt, wie vielfältig belegt wird, sein ästhetisches Scheitern mit, während die Position Goethes in dem Gedicht *An Kenner und Liebhaber* fixiert ist. Dieser kurze lyrische Text, in dem die Formbarkeit der außen sichtbaren Natur durch innere Schöpferkraft vermittelst der »Fingerspitzen« gefordert wird, könnte nach Aussage des Verfassers als Motto des *Werther* dienen.[140]
Eine umfassendere Deutung der Goetheschen Position hätte freilich zu berücksichtigen, daß die hier aufgeworfene Antithese lebenslang ungelöst blieb, was ex negativo die dezidierte Schärfe mancher ästhetischer Thesen erklären könnte. Bekannt ist Eckermanns Hinweis in der Vorrede zu den *Gesprächen*:

> Bald legt er alles Gewicht auf den Stoff, welchen die Welt giebt, bald alles auf das Innere des Dichters; bald soll alles Heil im Gegenstande liegen, bald alles in der Behandlung: bald soll es von einer vollendeten Form kommen, bald, mit Vernachlässigung aller Form, alles vom Geiste [...].[141]

Noch aufschlußreicher ist ein Lebenszeugnis aus der frühen Weimarer Zeit, das wie eine Reprise der Wertherschen Ästhetik anmutet: Der Brief an Frau von Stein vom 22. Juli 1776 beklagt Goethes Ungenügen als Zeichner vor der Landschaft um den Gickelhahn mit den Worten: »Ich hab' viel gekrizzelt seit ich hier bin, alles leider nur von Auge zur Hand, ohne durchs Herz zu gehen, da ist nun wenig draus worden.«[142]

139 Ebd., pass., bes. S. 46 ff.
140 Ebd., S. 58. Vgl. hierzu das wahrscheinlich auch in der Entstehung benachbarte *Lied des physiognomischen Zeichners* (Goethe, *Werke*, Hamburger Ausgabe, Bd. 1, Hamburg [7]1964, S. 53).
141 Eckermann (Anm. 121) S. 9.
142 Goethe, *Briefe*, Hamburger Ausgabe, Bd. 1, Hamburg 1962, S. 223.

Vom selben Panorama heißt es vier Jahre später: »Es ist eben die Gegend von der ich Ihnen die aufsteigenden Nebels zeichnete iezt ist sie so rein und ruhig, und so uninteressant als eine grose schöne Seele wenn sie sich am wohlsten befindet.«[143] Bekanntlich markieren diese Zeugnisse den biographischen Kontext des Gedichtes *Ein Gleiches*, das zu den unwägbarsten Schöpfungen der Literatur zählt. Gerade die hier umschriebene Beseelung der Landschaft, die, wie die abgegriffene Formel der Umgangssprache lautet, eine Saite im Menschen zum Klingen bringt, verweigert sich am nachhaltigsten dem Formwillen des nachschöpferischen Künstlers.[144] Das Widerspiel zwischen dem Aufgehen des Menschen in der Schöpfung und deren eigenständig formender Nachahmung bleibt, anders als während der, von größerer Zuversicht geprägten, Sturm-und-Drang-Epoche, von Dilettantismus bedroht, ohne daß die erstere Prämisse mit diesem gänzlich identisch wäre.[145] Dies aber entspricht durchaus der Schwebe, in der sich die Ästhetik der Frühromantik ebenfalls zu erhalten suchte.

143 Ebd., S. 315.

144 Vgl. die hierzu ganz gegensätzliche Interpretation von Kurt R. Eissler, *Goethe. Eine psychoanalytische Studie*, Bd. 1, Basel / Frankfurt a. M. 1983, S. 520 ff. In vergleichbaren Fällen sollten gerade Freudsche Deutungen zumindest einem heuristischen Ansatz ›jenseits des Lustprinzips‹ Rechnung tragen.

145 Hier erweist sich nicht nur das bekannte Zahme Xenion von der Sonnenhaftigkeit des Auges (*Sämtliche Werke* [Anm. 120] Bd. 1, S. 629) als einschlägig, sondern auch die grundsätzliche Äußerung über naturwissenschaftliche Erkenntnis in der *Farbenlehre*; s. das Kapitel über Newton (ebd., Bd. 16, S. 525 f.). Aufschlußreich ist nicht zuletzt Goethes »allgemeines Glaubensbekenntniß« im Briefentwurf an Christian Heinrich Schlosser vom 19. 2. 1815, aus einer Zeit also, die durch die Begegnung mit den Brüdern Boisserée eine größere Konzilianz in kunsttheoretischen Fragen herbeigeführt hatte: »a. In der Natur ist alles was im Subject ist. / y. und etwas drüber. / b. Im Subject ist alles was in der Natur ist. / z. und etwas drüber. / b kann a erkennen, aber y nur durch z geahndet werden. Hieraus entsteht das Gleichgewicht der Welt und unser Lebenskreis in den wir gewiesen sind.« (*Werke*, Weimarer Ausgabe, Abt. 4, Bd. 25, Weimar 1901, S. 311 f.)

Das Wagnis der Simultanexistenz

Die sprichwörtlich reiche Wirkungsgeschichte des *Runenbergs* hat einige Dichtungen von Rang hervorgebracht, die das Paradox der ins Kristall strebenden Zerfließungsmystik auf die Spitze treiben. Sie nähern sich zuweilen mehr dem Bild des Novalisschen Alkahests als dem Wahn des verwilderten Christian, welcher im formlosen Gestein schon dessen künftige, geschliffene Kristallqualität erblickt. Immerhin implizieren die ihn in ihren Bann schlagenden »eckigen Figuren«, also vor allem Oktaeder, eine Individuation, der gegenüber die überwuchernde vegetative Natur als Kollektivtod anmutet, als »Leichnam vormaliger herrlicher Steinwelten« (44). Diese Illusion der kristallinen Selbstbewahrung ist in E. T. A. Hoffmanns Falunnovelle aufgehoben: »Sowie nun aber der Jüngling wieder hinabschaute in das starre Antlitz der mächtigen Frau, fühlte er, daß sein Ich zerfloß in dem glänzenden Gestein.«[146] In allen entscheidenden Visionen des Helden vollzieht sich die Angleichung des kristallinen Bergesinneren an die Transparenz des Meeres.[147]
Aniela Jaffé hat in ihrer umfangreichen Abhandlung zum *Goldnen Topf* auf die Gefahr der Geisteskrankheit verwiesen, die in solcher Versuchung der Selbstpreisgabe liegt und ihre Parallele in der Weissagung des Äpfelweibes »Ins Kristall bald dein Fall« findet.[148] Die Kristallsymbolik des *Goldnen*

146 E. T. A. H., *Die Serapions-Brüder* (Anm. 91) S. 179.
147 Auf die Tradition des flüssigen Kristalls geht Jean Starobinski ein in *Jean-Jacques Rousseau: La Transparence et L'Obstacle*, Paris 1957, S. 317 ff., wobei der Bogen der Tradition bis zu dem deutschen Alchimisten und Abenteurer Johann Joachim Becher (1635–95), dem eigentlichen Erfinder der Gasbeleuchtung, zurückgeschlagen wird. Die erstrebte Kristallwerdung des Menschen ist beim Rousseau der *Rêveries* mit der Entgrenzungs- und Entkörperungsidee gekoppelt (»devenir un œuil vivant«); die Paradoxie des Flüssigkeitsbegriffs versteigt sich zu der Formulierung: »la fluidité est le principe de la solidité des corps«. In Anbetracht der Hoffmannschen Rousseau-Verehrung sind hier auch direkte Einflüsse nicht auszuschließen.
148 A. J., *Bilder und Symbole aus E. T. A. Hoffmanns Märchen »Der goldne Topf«*, 2., veränd. Aufl., Hildesheim 1978, S. 59 f.

Topfs zeigt ihre volle Ambivalenz in der zehnten Vigilie, wo die gleichsam geronnene Transparenz der gläsernen Flaschen zur Metapher philiströsen Daseins wird. Die flüssig bleibende Transparenz ist in der Dynamik der mit unerhörter Virtuosität beschriebenen Vexiereffekte enthalten;[149] der Glaube, daß in ihnen das Wunderbare vom Alltäglichen nur durch die Art des Schauens unterschieden ist,[150] stabilisiert die für Hoffmanns Märchennovellen charakteristische Simultanexistenz zwischen sichtbarer Welt und Atlantis – eine Daseinskonzeption, die die Humortheorie von *Prinzessin Brambilla* durchwaltet und selbst dem leidenschaftlichen politischen Engagement des *Meister Floh* standhält.
Der musikalische Gesamtkünstler Hoffmann bildet im übrigen die Synästhesie der amorphen Vision wesentlich radikaler aus als Tieck, so in »Johannes Kreislers Lehrbrief«, wo aus einem geäderten und bemoosten Stein die Töne und Strahlen erwachsen, welche sich »zur Gestalt eines wundervollen Weibes« verdichten, aber dennoch Musik bleiben.[151] In der Erzählkunst des späteren Tieck finden sich ähnliche Motive vorwiegend als skurrile Arabeske, etwa im *Jungen Tischlermeister*, wo ein Geiger die Maserung hölzerner Tischplatten in Melodien umsetzt.[152]
Die Entwicklung der neuen »Gewisheit« aus dem romantischen Chaos des Briefs an Friedrich Schlegel, setzt voraus, daß das Unbewußte zum bloßen Substrat des künstlerischen Prozesses wird und sich nur noch fragmentarisch manifestiert. Insofern mutet der Schluß der *Sternbald*-Fortsetzung, an dem Mariens märchenartige Kindheitserzählung abbricht, konsequent an: der dem Eckbert-Binnenmärchen gleichende Einsatz wäre schwerlich in die Wirklichkeit des zuletzt for-

149 E. T. A. Hoffmann, *Fantasie- und Nachtstücke*, hrsg. von Walter Müller-Seidel, München 1960, S. 197, 202, 206, 238 ff., 245.
150 Vgl. insbesondere die 9. Vigilie (ebd., S. 232 ff.).
151 Ebd., S. 325. Vgl. Jaffé (Anm. 148) S. 153 ff.
152 Ludwig Tieck, *Romane*, hrsg. von Marianne Thalmann, München 1966 (Werke in vier Bänden, 4), S. 370–372.

male Stabilisierung anstrebenden Malerromans überzuführen gewesen.[153] Die Marie der *Elfen* wiederum, deren Vater den Vornamen mit Berthas Pflegevater gemeinsam hat, geht durch ihr Erwachsenwerden und ihren Geheimnisverrat stufenweise eines Kindheitsparadieses verlustig, das seinerseits schon viel Buchwissen über paracelsische Elementargeister u. ä. integriert hat. Hündchen und Vogel treten in diesem verborgenen Feenreich wieder auf, sind aber, als Wächter und Phönix funktional definiert, der beliebigen Deutbarkeit des Eckbertmärchens entzogen. Die Tarnung des Feenreichs als schmutzige Landfahrersiedlung im finsteren Tannengrund ist als topisches Element mühelos auch einer geglätteten Erzählstruktur einzufügen, die der auktorialen Mitleidenschaft, wie sie dem Widerspiel zwischen hellem Elysium und dunkler Schattenmasse des *William Lovell* zugrunde lag[154] entraten kann.

Solche Beobachtungen vermögen keinesfalls schon ein Urteil darüber zu beglaubigen, inwieweit die handwerkliche Konsolidierung des literarischen Schaffens die aus dem Unbewußten gespeiste Inspiration des schöpferischen Prozesses reduziert; sie rückt jedoch den Kairos der bewußten Formwerdung mehr und mehr aus dem Blickfeld des Interpreten. Der Vorhofcharakter, den die dargestellten visuellen Vexierspiele der früheren Prosa sowohl für den Bereich des Bewußten als auch des Unbewußten wahren, bedingt ihre osmotische Flüchtigkeit, der hier wie dort wesentlich verfestigtere Phänomene gegenüberstehen mögen, wobei freilich die Analogien der Bereiche mit wachsender Entfernung von der Bruchstelle einer spekulativeren Deutung unterliegen.

Richard Beer-Hoffmann versuchte diesem Sachverhalt durch ein Aperçu zur Joyceschen Romankunst gerecht zu werden: »Wenn man tiefseefischt und zu tiefgeht, platzen die Fische, wenn sie an die Oberfläche kommen; beim Dichten muß man

153 Siehe Tieck, *Franz Sternbalds Wanderungen* (Anm. 81) S. 501.

154 Vorrede zur zweiten Auflage des *William Lovell* (Schweikert [Anm. 28] Bd. 1, S. 59).

das Netz genau so weit hinablassen, daß die Fische an der Platzensgrenze sind und doch nicht platzen.«[155] Für Tiecks späte Novellen deutet Friedrich Sengles treffende Formel von der »Equilibristik zwischen Wunder und Alltag«[156] die große bewältigte Strecke des künstlerischen Werdegangs. Zumal in poetischen Höhepunkten wie dem *Alten Buch* zeigt die bekennerhafte Unterströmung des Erzählgeschehens, daß der Autor das Bewußtsein der waltenden Schwebe planvoll umsetzt. Die letzte seiner aus dem Berge tretenden Frauengestalten, die Fee Gloriana, ist anthropomorph wie die Feen des Jugendwerks; der rächende Aspekt ist in die Person der frechen und halbherzigen Neophyten hineinverlagert, die das Gnomengelichter im Umkreis der großen Königin vermehren helfen. Das Wagnis der Preisgabe aber muß, um zu glükken, bedingungslos sein;[157] und der Tannenhäuser-Vergleich wird durch den Hinweis auf den himmlischen Ursprung der Poesie suspendiert.[158]

Tiecks Versuche, seinen Konflikt mit der Zweideutigkeit des Wirklichen zu lösen, haben sich de facto mehr und mehr in den Bereich der romantischen Ironie verlagert. In den bedeutendsten Texten jedoch schloß die scheinbar unverbindlich bleibende Versöhnung des Seltsamsten mit dem Gewöhnlichsten nicht aus, daß die von Anbeginn erfühlte und erlittene moralische Alternative Eingang in die Verantwortung des Künstlers fand.

155 Zit. nach dem Brief Hermann Brochs an Elisabeth Langgässer vom 3. 12. 1948 (H. B., *Briefe*, Bd. 3, Frankfurt a. M. 1981, S. 280).

156 F. S., *Biedermeierzeit*, Bd. 1, Stuttgart 1971, S. 248.

157 Ludwig Tieck, *Novellen*, hrsg. von Marianne Thalmann, München 1965 (Werke in vier Bänden, 3), S. 1020.

158 Ebd., S. 1040.

Literaturhinweise

Beit, Hedwig von: Symbolik des Märchens. 3 Bde. Bern 1952 bis 1957.

Böhme, Hartmut: Romantische Adoleszenzkrisen. Zur Psychodynamik der Venuskult-Novellen von Tieck, Eichendorff und E. T. A. Hoffmann. In: Literatur und Psychoanalyse. Hrsg. von Klaus Bohnen [u. a.]. Kopenhagen/München 1981. S. 133–176.

Diez, Max: Metapher und Märchengestalt IV. Tiecks Frau vom Runenberg. In: Publications of the Modern Language Association 48 (1933) S. 877–887.

Ewton, Ralph W.: Life and Death of the Body in Tieck's »Der Runenberg«. In: Germanic Review 50 (1975) S. 19–33.

– Childhood without End: Tieck's »Der blonde Eckbert«. In: The German Quarterly 46 (1973) S. 410–427.

Fickert, Kurt J.: The Relevance of the Incest Motif in »Der blonde Eckbert«. In: Germanic Notes 13 (1982) S. 33–35.

Fink, Gonthier-Louis: Tiecks dualistische Märchenwelt. Thèse complémentaire pour le doctorat ès lettres. Paris [o. J.].

– Le »Runenberg« de Tieck. Fantastique et Symbolisme. In: Recherches Germaniques 8 (1978) S. 20–49.

Finney, Gail: Self-Reflexive Siblings: Incest as Narcissism in Tieck, Wagner, and Thomas Mann. In: The German Quarterly 56 (1983) S. 243–256.

Gellinek, Janis Little: Der blonde Eckbert: A Tieckian Fall from Paradise. In: Festschrift für Heinrich E. K. Henel. Hrsg. von Jeffrey L. Sammons und Ernst Schürer. München 1970. S. 147–166.

Haenicke, Dieter H.: Ludwig Tieck und »Der blonde Eckbert«. In: Vergleichen und verändern. Festschrift für Helmut Motekat. Hrsg. von Albrecht Goetze und Günther Pflaum. München 1970. S. 170–187.

Hubbs, Valentine C.: Tieck, Eckbert und das kollektive Unbewußte. In: Publications of the Modern Language Association 71 (1956) S. 686–693.

Kimpel, Richard W.: Nature, Quest and Reality in Tieck's »Der blonde Eckbert« and »Der Runenberg«. In: Studies in Romanticism 9 (1970) S. 176–192.

Klussmann, Paul Gerhard: Die Zweideutigkeit des Wirklichen in Ludwig Tiecks Märchennovellen. In: Zeitschrift für deutsche Philologie 83 (1964) S. 426–452.

Kreuzer, Ingrid: Märchenform und individuelle Geschichte. Zu Text

und Handlungsstrukturen in Werken Ludwig Tiecks zwischen 1790 und 1811. Göttingen 1983.
Laiblin, Wilhelm (Hrsg.): Märchenforschung und Tiefenpsychologie. Darmstadt 1969. (Wege der Forschung. 102.)
Mecklenburg, Norbert: »Die Gesellschaft der verwilderten Steine«. Interpretationsprobleme von Ludwig Tiecks Erzählung »Der Runenberg«. In: Der Deutschunterricht 34 (1982) H. 6. S. 62–76.
Rasch, Wolfdietrich: Blume und Stein. Zur Deutung von Ludwig Tiecks Erzählung »Der Runenberg«. In: The Discontinuous Tradition. Festschrift für Ernest Ludwig Stahl. Hrsg. von Peter F. Ganz. Oxford 1971. S. 113–128.
Schlaffer, Heinz: Roman und Märchen. Ein formtheoretischer Versuch über Tiecks »Blonden Eckbert«. In: Klaus Peter (Hrsg.): Romantikforschung seit 1945. Königstein i. Ts. 1980. S. 251–264.
Sellner, Timothy F.: Jungian Psychology and the Romantic Fairy Tale: A New Look at Tieck's »Der blonde Eckbert«. In: Germanic Review 55 (1980) S. 89–97.
Sklenar, Irma Josie Singer: Die Märchenwelt Ludwig Tiecks. Versuch einer Deutung. Diss. University of Michigan 1972.
Tatar, Maria M.: Deracination and Alienation in Ludwig Tieck's »Der Runenberg«. In: The German Quarterly 51 (1978) S. 285 bis 304.
Vitt-Maucher, Gisela: Eckbert, der gescheiterte Romantiker? Eine Strukturanalyse von Tiecks »Der blonde Eckbert«. In: Festschrift für Wolfgang Fleischhauer. Köln/Wien 1978. S. 332–346.
Vredeveld, Harry: Ludwig Tieck's »Der Runenberg«: An Archetypal Interpretation. In: Germanic Review 49 (1974) S. 200–214.
Wesollek, Peter: Ludwig Tieck oder Der Weltumsegler seines Innern. Anmerkungen zur Thematik des Wunderbaren in Tiecks Erzählwerk. Wiesbaden 1984.

GERHART HOFFMEISTER

Bonaventura: *Nachtwachen*

Kaum ein anderes Werk der deutschen Literatur hat sich dem festen Zugriff der Forschung so erfolgreich entziehen können wie die *Nachtwachen*. Das betrifft sowohl ihre schwankende Beurteilung als auch die ungelöste Frage nach dem Autor. Die Geschichte ihrer Rezeption macht diese Lage eindringlich deutlich.

Die *Nachtwachen* erschienen 1804 in der Serie *Journal von neuen deutschen Original-Romanen* bei Dienemann in Penig, Sachsen, unter dem Pseudonym Bonaventura. Zu den Autoren, die dort veröffentlichten, gehören Trivialschriftsteller wie Franz Horn, Johann Basilius Küchelbecker, Julius und Adolph Werden, Wilhelm Schneider, Karl Nicolai, Christian Vulpius usw. Ihre Romane blieben im allgemeinen unbeachtet, insbesondere weil der Verlag zugleich mit seinem Journal schon 1806 bankrott machte. Es ist allein der Lesewut Jean Pauls zu verdanken, daß wir gleich nach Erscheinen auf ein erstes Zeugnis stoßen. Jean Paul schrieb nämlich am 14. Januar 1805 an seinen Freund P. E. Thierot: »Lesen Sie doch die Nachtwachen von Bonaventura, d. h. von Schelling. Es ist eine treffliche Nachahmung meines Giannozzo; doch mit zu vielen Reminiszenzen und Lizenzen zugleich.«[1] Wenn dieser Brief auch keineswegs Buch oder Verfasser in Deutschland bekannt machte, so finden sich darin doch bereits zwei für die Rezeptionsgeschichte wichtige Aspekte: die Gleichsetzung Bonaventuras mit Schelling sowie die Erkenntnis der Affinität mit dem eigenen, Jean-Paulschen Werk, obwohl die kritische Distanz zu der Nachahmung offen ausgesprochen wird.

1 Jean Paul, *Sämtliche Werke*, hist.-krit. Ausg., Abt. 3, Bd. 5, hrsg. von Eduard Berend, Berlin 1961, S. 20.

Von 1805 bis heute hat die ungelöste Frage nach dem vermutlichen Verfasser der *Nachtwachen* das Verhältnis der Leser zu ihnen wesentlich geprägt, wenn nicht gar gestört, sieht man von den zwei Jahrzehnten der Werkdeutung ab, die zwischen 1955 und 1975 stattgefunden hat. Das Merkwürdige ist nämlich, daß nach Jost Schillemeits Klingemann-These von 1973[2] ein Rückfall in die positivistisch-literaturhistorische Methodik festzustellen ist, insofern als sich das Interesse der Forschung wiederum mit Vorrang der Verfasserfrage auf Kosten der Interpretation und geistesgeschichtlichen Einordnung der *Nachtwachen* zugewandt hat.

Die Verfasserfrage

Die Schelling-Hypothese

Jean Pauls zitierter Brief gelangte in Varnhagen von Enses Autographensammlung, so daß es nicht verwunderlich ist, wenn er ebenfalls Schelling für den Verfasser der *Nachtwachen* hielt, kam doch der Umstand hinzu, daß Schelling sich selbst des Pseudonyms Bonaventura im Tieck-Schlegelschen *Musen-Almanach* von 1802 bedient hatte. Nach einem Tagebucheintrag von Enses vom 17. August 1843 soll Schelling sogar ein Exemplar »seines« Buches Friedrich Schlegel geschenkt haben.[3] Trotz der von Varnhagen unterstellten »allzu geringen« Qualität des »unglaublich schwachen Erzeugnisses« ließ er sich bis zu seinem Tode nicht davon abbringen, in Schelling den Autor zu sehen.[4] Schelling blieb bis 1904 in der Diskussion, obgleich Rudolf Haym bereits in *Die romantische Schule* (1870) auf das »Unwahrschein-

2 Jost Schillemeit, *Bonaventura, der Verfasser der »Nachtwachen«*, München 1973.

3 Karl A. Varnhagen von Ense, *Tagebücher*, Bd. 2, Leipzig 1861, S. 206.

4 Brief von 1856. Zit. nach: Hubert Beckers, »Schellings Geistesentwicklung in ihrem inneren Zusammenhang«, in: *Festschrift zu F. W. J. Schellings hundertjährigem Geburtstage*, München 1875, S. 91 f.

liche« einer solchen Vermutung aufmerksam gemacht und »mehr auf die spätere Romantische Schule, auf einen Dichter, halb in der Weise Arnims und Brentanos, halb in der Weise E. T. A. Hoffmanns«[5] hingewiesen hatte. Auch Dilthey fand in dem Buch keine Spur von Schellings Eigenart.[6] In den Neudrucken von 1877 (hrsg. von Alfred Meißner)[7] und 1904 (hrsg. von Hermann Michel)[8] wurden – trotz früher geäußerter Bedenken – immer noch Argumente zugunsten Schellings angeführt. Noch Josef Nadler hielt an der Schelling-These fest,[9] und kürzlich erneuerte sie wieder der Moskauer Philosoph Arseni Gulyga ohne zureichende Beweise.[10]

Die E. T. A. Hoffmann-Hypothese

Etwa gleichzeitig mit Michels kritischer Ausgabe kam vorübergehend die Hoffmann-Hypothese auf, und zwar durch Richard M. Meyer,[11] dem sich Gottfried Thimme kurz darauf anschloß.[12] Über Hoffmanns parodistisches Schreiben eines Klostergeistlichen *Ueber die Chöre in Schillers Braut von Messina* (1803) hinaus hat man die Affinität im humoristischen Stil, in der Motivik sowie in Philosophie und Weltanschauung als Beweise herangezogen. Der Autorschaft Hoffmanns stand allerdings die Tatsache entgegen, daß er die *Nachtwachen* nicht in seinem Werkverzeichnis erwähnt, den »Miscellaneen / die litterarische und künstlerische / Lauf-

5 3. Aufl., Berlin 1914, S. 697.
6 Richard M. Meyer, »Nachtwachen von Bonaventura«, in: *Euphorion* 10 (1903) S. 578 f.
7 Lindau/Leipzig 1877 (Bibliothek deutscher Curiosa, 2.3.).
8 Berlin 1904 (Deutsche Literaturdenkmale des 18. und 19. Jahrhunderts, 133).
9 Josef Nadler, *Literaturgeschichte der deutschen Stämme und Landschaften*, Bd. 3, 2. Aufl., Regensburg 1924, S. 384 f.
10 Arseni Gulyga, »Schelling als Verfasser der *Nachtwachen* des Bonaventura«, in: *Deutsche Zeitschrift für Philosophie* 32 (1984) S. 1027–36.
11 Siehe Anm. 6.
12 Gottfried Thimme, »Nachtwachen von Bonaventura«, in: *Euphorion* 13 (1906) S. 159–184.

bahn betreffend. Angefangen im Exil und zwar im August / 1803«.[13]

In der jüngsten Forschung ist Hoffmanns Name erneut zur Diskussion gestellt worden, weil eine mathematisch-statistische Untersuchung der Wortarten in den *Nachtwachen* die Autorschaft von Brentano, Jean Paul, Wetzel und Klingemann ausschließen konnte, aber nicht die von Hoffmann.[14] Dieses Ergebnis lag Rosemarie Hunter-Lougheed vor, als sie 1977 noch einmal die Frage aufwarf: »Warum eigentlich nicht Hoffmann?«[15] Anhand der Lebensumstände in Plozk und der Tagebuchnotizen Hoffmanns (»Will etwas für die elegante Zeit[ung] schreiben! übers Theater in K[önigsberg]!«[16]) sowie der Notatenbuch-Stelle aus dem letzten Lebensjahr (»Zu machen: der Nachtwächter, eine geheimnisvolle Person, die nächtliche Abenteuer erzählt [diable boiteux?]«[17]) kommt sie zu dem vorläufigen Ergebnis, daß der Justizrat Heinrich Wilhelm Loest zwischen Hoffmann und dem Verleger Dienemann vermittelt haben könnte. Bekanntlich sind Teile der *Nachtwachen* (»Prolog des Hanswursts zu der Tragödie: der Mensch« und »Des Teufels Taschenbuch« in der *Zeitung für die elegante Welt* [1804 bzw. 1805]) erschienen.

Die Wetzel-These

Schon 1909 hatte Franz Schultz mit allen Spekulationen zur Autorschaft der *Nachtwachen* kurzen Prozeß gemacht, so-

13 Zit. nach: Hans von Müller, »Nachträgliches zu E. T. A. Hoffmann«, in: *Euphorion* 10 (1903) S. 589–592.

14 Dieter Wickmann, *Eine mathematisch-statistische Methode zur Untersuchung der Verfasserfrage literarischer Texte. Durchgeführt am Beispiel der »Nachtwachen. Von Bonaventura«, mit Hilfe der Wortartübergänge*, Köln/Opladen 1969.

15 Rosemarie Hunter-Lougheed: »Warum eigentlich nicht Hoffmann? Ein Beitrag zur Verfasserfrage der *Nachtwachen*«, in: *Mitteilungen der E. T. A. Hoffmann-Gesellschaft* 23 (1977) S. 22–43.

16 E. T. A. Hoffmann, *Tagebücher*, hrsg. von Friedrich Schnapp, München 1971, S. 70 (Februar 1804).

17 E. T. A. Hoffmann, *Sämtliche Werke*, hrsg. von Carl Georg von Maassen, Bd. 1, München 1912, S. 495.

wohl mit der Schelling- als auch der E. T. A. Hoffmann- und der gerade hinzugekommenen Caroline-Schlegel-Hypothese[18]. Statt dessen identifizierte er durch einen historisch-philologischen Indizienbeweis den bis dahin fast unbekannten Karl Friedrich Gottlob Wetzel (1779–1819) mit »Bonaventura«. Schultz stellte Wetzel in den Umkreis des Romantikers Gotthilf Heinrich Schubert und erklärte: »Der Nachweis von Wetzels Autorschaft hat seinen Schwerpunkt in der Vergleichung der Nw mit den übrigen Werken desselben Schriftstellers, seinen Briefen, den Zeugnissen über seine Person, kurz seinem geistigen Habitus im ganzen wie im einzelnen, mit Gehalt und Formen seiner Persönlichkeit.«[19] Besonders ein Vergleich der Motive und der stilistischen Eigentümlichkeiten schien auf lange Sicht hin alle Zweifel an dieser These zu dämpfen. Durch vergleichende statistisch-kybernetische Analyse hat J. Thiele noch 1963 Wetzel zu stützen versucht.[20]

Die Brentano-Hypothese

Auf Schultz' vielfach überzeugende Argumente hin wirkte es um so überraschender, daß schon wenige Jahre danach von Erich Frank Brentano als Verfasser vorgeschlagen wurde (1912).[21] Auf der Grundlage eines Sprachvergleichs versuchte hier ein Philosoph das entscheidende Wort zu sagen. Hinzu kam, daß Sophie Mereau, Brentanos Frau, ihre Übersetzung *Spanische und italienische Novellen* als Nr. 1 in Dienemanns Journal veröffentlicht hatte. Trotzdem gelang es dem Jean-

18 Erich Eckertz, »*Nachtwachen von Bonaventura.* Ein Spiel mit Schelling und Goethe gegen die Schlegels von Caroline«, in: *Zeitschrift für Bücherfreunde* 9 (1906/07) S. 234–249.

19 Franz Schultz, *Der Verfasser der »Nachtwachen von Bonaventura«. Untersuchungen zur deutschen Romantik*, Berlin 1909, S. 237.

20 J. Thiele, »Untersuchungen zur Frage des Autors der *Nachtwachen von Bonaventura* mit Hilfe einfacher Textcharakteristiken«, in: *Grundlagenstudien aus Kybernetik und Geisteswissenschaft* 4 (1963) S. 36–44.

21 Erich Frank, »Clemens Brentano, *Nachtwachen von Bonaventura*«, in: *Germanisch-romanische Monatsschrift* 4 (1912) S. 417–440.

Paul-Forscher Eduard Berend, Franks Brentano-Spekulation durch den Aufweis zahlreicher Unstimmigkeiten in der Argumentation zu erledigen.[22]

Jean Paul als Verfasser?

Diese Frage stellte der französische Germanist Max Rouché 1969,[23] nachdem man sich schon lange über die umfangreichen Bezüge zwischen den *Nachtwachen* und dem Werk Jean Pauls klar gewesen war, hatte doch Jean Paul selbst auf »Des Luftschiffers Giannozzo Seebuch« im *Komischen Anhang zum Titan* (1801) als Modell aufmerksam gemacht. Hermann Michel hat in seiner Einleitung zur kritischen Neuausgabe der *Nachtwachen* (1904) bis in die stilistischen Details hinein den starken Jean-Paul-Einfluß aufgezeigt. Die Forschung hat denn auch immer wieder Giannozzo und Roquairol (*Titan*), den *Siebenkäs* (»Rede des toten Christus«) sowie die *Auswahl aus des Teufels Papieren* (1789) zum Vergleich herangezogen. In der Anlage, in der Kennzeichnung der Helden, in Motivik und Stil ergeben sich viele Berührungspunkte. Z. B. erkundet der Luftschiffer Himmel und Erde, indem er sich zu 14 »Fahrten« aufschwingt, schriftlich aufgesetzte Reden abwirft und den Anbruch des Jüngsten Tages verkündet. Bei allen Anklängen sollte man sich aber stets auch die großen Unterschiede zwischen Jean Paul und Bonaventura vergegenwärtigen: Jener bedient sich eines bildhaft-humoristischen Stils, wovon sich die destruktiven Reflexionen Bonaventuras stark abheben. Wenn Jean Paul das Nichts beschreibt, seine Helden sich dem Lebensekel ergeben oder den Menschen als Marionette auffassen, fängt er derart nihilistische Ansichten – wie sie auch Bonaventura im »Monolog des wahnsinnigen Weltschöpfers« (NW 9) vertritt – im Rahmen eines Traumes

22 Eduard Berend, »Zu den *Nachtwachen von Bonaventura*«, in: *Zeitschrift für deutsche Philologie* 51 (1926) S. 329 f.

23 Max Rouché, »Bonaventure ne serait-il pas Jean Paul Richter lui-même?«, in: *Etudes Germaniques* 24 (1969) S. 329–345.

auf. So läßt er z. B. den erwachenden Träumer der »Rede des toten Christus vom Weltgebäude herab, daß kein Gott sei« sagen: »Meine Seele weinte vor Freude, daß sie wieder Gott anbeten konnte.« Demgegenüber denkt der Nachtwächter: »es ist mit dem Besänftigen jetzt nicht an der Zeit« (72)[24] und radikalisiert demgemäß seine nihilistische Einstellung zu Mensch, Welt und Gott. Trotzdem fragt sich Max Rouché angesichts von Jean Pauls Brief an Thierot über die Giannozzo-Imitation: »Ne serait-ce pas une façon discrète de donner à entendre qu'il s'y est imité lui-même?« und beschließt seine vergleichende Stiluntersuchung mit der offensichtlichen Alternative: »Ou bien Bonaventure est un inconnu qui connaît tout Jean Paul par cœur [. . .]. Ou bien Bonaventure et Jean Paul ne font qu'un«.[25]

Die Klingemann-These

Nach der Annahme Schellings und Wetzels als Verfasser hat kein anderer Vorschlag so viel Zustimmung gefunden wie der 1973 von Jost Schillemeit erbrachte »Indizienbeweis«[26] zur Verfasserschaft von Ernst August Klingemann (1777–1831), einem Trivialschriftsteller, der weitläufig mit Brentano bekannt war und als ständiger Mitarbeiter an der *Zeitung für die elegante Welt* tätig war. Es ergeben sich offenbar zahlreiche Gemeinsamkeiten motivisch-stilistischer Art zwischen den *Nachtwachen* und den Romanen bzw. Theaterstücken Klingemanns, jedoch fehlen unwiderlegbare Beweise für eine Verfasseridentität, so daß Ernst Erich Metzner gegen Ende seiner Rezension die berechtigte Frage aufwerfen konnte:

24 Bonaventuras *Nachtwachen* werden zitiert nach der Ausgabe in Reclams Universal-Bibliothek, Nr. 8926 [2], hrsg. von Wolfgang Paulsen, Stuttgart 1974 [u. ö.]. Nachweise in Klammern unmittelbar hinter dem Zitat. NW: Nachtwache.

25 Rouché (Anm. 23) S. 345. – Siehe auch Dieter Arendt, *Der poetische Nihilismus in der Romantik. Studien zum Verhältnis von Dichtung und Wirklichkeit in der Frühromantik*, Tübingen 1972, Bd. 2, S. 493, Anm. 44.

26 Schillemeit (Anm. 2) S. 5.

»Also hätten wir in Klingemanns Werken mindestens vom Spätherbst 1804 an Zeugnisse der *Nachtwachen*-Rezeption, in den *Nachtwachen* selbst aber ein Dokument der Wirkungsgeschichte des jungen Klingemann (wie sie etwa eins der Jean-Paul-Nachfolge sind)?«[27] Mit der jetzt erhärteten Klingemann-These (s. Epilog) war nichts für das geistige Verständnis der *Nachtwachen* gewonnen, vielmehr erwies sie sich als ein Rückfall in die historisch-kritische Methode, die dem Fortschritt der seit den fünfziger Jahren begonnenen Werkanalyse schadete.

Neueste Vermutungen

Auf Schillemeits Detektivarbeit kamen neben E. T. A. Hoffmann noch weitere Namen in die engere Wahl als mögliche Verfasser der *Nachtwachen*, u. a. Johann B. Erhard (1766 bis 1827) durch Wolfgang Proß' »Konkurrenzhypothese zu Schillemeit«[28] und Metzners sowie Melitta Scherzers Vermutung, es könne sich um Jens Baggesen handeln.[29] Proß hält die *Nachtwachen* für eine Satire auf Jean Paul, weil dieser Erhard in der *Vorschule der Ästhetik* und in den *Palingenesien* angegriffen hatte; doch versäumt es Proß, seine Behauptung durch einen genaueren Vergleich von Stil und Weltbild zu erhärten. Gerade in dieser Hinsicht kommt Scherzer zu einem negativen Ergebnis. Jens Baggesen (1764–1820), bekannt durch seine satirischen vor- bzw. antiromantischen Schriften (*Klingklingelalmanach*, 1808), konnte insofern in den Kreis der möglichen Autoren aufrücken, als er Erhard persönlich kannte sowie mit dem Herausgeber der *Zeitung für die elegante Welt*, Karl Spazier, eine Reise unternommen hatte. Genauere Untersuchungen zu dieser Hypothese stehen

27 Ernst E. Metzner, »Jost Schillemeit: Bonaventura, der Verfasser der *Nachtwachen*«, in: *Aurora* 34 (1974) S. 96–100, hier S. 99.

28 Wolfgang Proß, »Jean Paul und der Autor der *Nachtwachen* – Eine Hypothese«, In: *Aurora* 34 (1974) S. 65–74.

29 Melitta Scherzer, »Zur Diskussion um die *Nachtwachen* des Bonaventura: Johann B. Erhard«, in: *Aurora* 37 (1977) S. 115–133.

noch aus. Kürzlich schlug Karl-Heinz Habersetzer den Prager Schriftsteller Adolf W. Gerle (1781–1846) als Verfasser vor,[30] während Franz Heiduk Erfurt als möglichen Ort der Handlung und von daher, Aussagen des Erzählers über seine Person und sein Leben verwertend, Ignatz Ferdinand Arnold (Erfurt 1774–1812) als vermutlichen Verfasser erschließt,[31] wobei sich überraschende Parallelen zur jüngst in der DDR vertretenen Johann Karl Wezel-Hypothese ergeben. Seit 1973 bemüht sich dort der Sondershausener Arbeitskreis des Kulturbundes der DDR unter Vorsitz von Karl-Heinz Meyer in den Heften *Neues aus der Wezel-Forschung* um den Nachweis, bei dem Verfasser der *Nachtwachen* handle es sich um Johann Karl Wezel (1747–1819), den Romanautor von *Tobias Knaut* (1773), *Belphegor* (1776), *Herrmann und Ulrike* (1780), *Robinson Crusoe* (1779–80), der als geisteskrank in die Literaturgeschichte eingegangen ist.[32] Neben den von Jörg Schönert[33] aufgewiesenen thematischen Parallelen zwischen *Belphegor* und den *Nachtwachen* kommen zahlreiche autobiographische Analogien hinzu, die die Vermutung nahelegten, Wezel könne die Diagnose des Wahnsinns (1801) dazu benutzt haben, sich mit Absicht, aus Protest gegen die Verhältnisse am Hof und in der Gesellschaft überhaupt, verrückt gestellt haben, um während der ihm verbleibenden Jahre ungestört weiterzuarbeiten. Möglicherweise wurden ihm ärztliche Dunkelkammer und Isolation vom Hof aufgezwungen, weil er illegitimer Fürstensohn gewesen

30 Karl-Heinz Habersetzer, »Bonaventura aus Prag und der Verfasser der *Nachtwachen*«, in: *Euphorion* 77 (1983) S. 470–482.

31 Franz Heiduk, »Bonaventuras *Nachtwachen*. Erste Bemerkungen zum Ort der Handlung und zur Frage nach dem Verfasser«, in: *Aurora* 42 (1982) S. 143–165.

32 Karl-Heinz Meyer, »Johann Karl Wezel und die *Nachtwachen von Bonaventura*. Der 1. Teil einer Beweisführung«, in: *Neues aus der Wezel-Forschung* 2 (1984) S. 62–86.

33 Jörg Schönert, »Fragen ohne Antwort. Zur Krise der literarischen Aufklärung im Roman des späten 18. Jahrhunderts: Wezels *Belphegor*, Klingers *Faust* und die *Nachtwachen von Bonaventura*«, in: *Jahrbuch der Deutschen Schillergesellschaft* 14 (1970) S. 183–229.

war(?) und provozierende Thesen vom Ursprung des Menschen, von gesellschaftlichen Vorurteilen und Gottesvorstellungen vertrat (siehe seinen mehrbändigen *Versuch über die Kenntnis des Menschen*, 1784–85).

Aus den hier skizzierten Hypothesen zur Identität Bonaventuras läßt sich offenbar der folgende Schluß ziehen: Die historisch-kritische Methode ist trotz stets erneuerter Anwendung seit 100 Jahren zu keinem überzeugenden Ergebnis gelangt, vielmehr haben ihre Vertreter in fast beliebig erscheinendem Rätselspiel nach dem Verfasser gejagt, ohne das Werk selbst von der Gestalt her zu interpretieren oder geistesgeschichtlich zu erschließen. Aus dem Grunde setzt sich Andreas Mielke geradezu zum Ziel nachzuweisen, »daß ein Verfasserbeweis, der sich auf einen ambivalenten Text stützen muß, unmöglich ist«[34] und begründet von daher seine prinzipielle Methodenkritik an philologisch-biographischen Indizienbeweisen. Wir stimmen Wolfgang Paulsen zu: »Sicher ist, daß all das [Identifizieren] für uns gar nicht so wichtig ist wie die Frage nach dieser Dichtung selbst.«[35] Ob nun einer der großen Dichter oder ein kleiner Unbekannter die *Nachtwachen* geschrieben hat, ist im Grunde belanglos, wo es um Wesenserkenntnis geht. Es könnte der Interpretation sogar förderlich sein, wenn der Autor unbekannt bliebe. Zugespitzt formuliert Dieter Arendt diese Sichtweise so: »Was also die Verfasserfrage betrifft, so darf sie der Interpret endlich mit einer doppelten Begründung übergehen: Die Anonymität bzw. Pseudonymität gehört möglicherweise gerade zur Struktur dieser Dichtung; im übrigen darf das literarhistorische Gewissen sich getrost mit der überaus wichtigen Einsicht zufrieden geben, daß der Autor zum engeren oder weiteren Kreis der Jenaer Literaturkenner gehörte.«[36]

34 Andreas Mielke, *Zeitgenosse Bonaventura*, Stuttgart 1984, S. 20.
35 Wolfgang Paulsen, »Nachwort«, in: Bonaventura, *Nachtwachen*, hrsg. von W. P., Stuttgart 1974 [u. ö.] (Reclams Universal-Bibliothek, 8926 [2]), S. 169.
36 Arendt (Anm. 25) Bd. 2, S. 489.

Zur Werkdeutung seit 1955

Nach einigen Dissertationen, die zwischen 1955 und 1957 geschrieben wurden und sich zum erstenmal mit der Wesenserhellung beschäftigten,[37] stufte Wolfgang Kayser die *Nachtwachen* als geniales Werk ein, das, aus satirischer Perspektive verfaßt, seine Einheit in der Kategorie des Grotesken fände. Der Erzähler fungiert laut Kayser als »satanischer Humorist«, der allerdings Gefahr laufe, durch seine »dauernden Kommentare« der sinnlosen Tollhaus-Welt einen Sinn abzugewinnen.[38] – Aus Kaysers Schule ging die erste wichtige Werkanalyse durch seine Doktorandin Dorothee Sölle-Nipperdey hervor, *Untersuchungen zur Struktur der Nachtwachen von Bonaventura* (1959). Wie jener fragt sie nach der Erzählhaltung (Weltverhältnis), den Redeweisen (Weltbegegnung), epischen Grundformen (Weltgestaltung) und schließlich der Gesamtstruktur (Weltverständnis; Raum und Zeit). »Struktur meint das Gefüge, den Aufbau, die zugrundeliegenden Elemente, die die epische Welt des Werkes schaffen. Die Frage nach der Struktur lautet also: wodurch entsteht eine epische Welt? Wie ist sie aufgebaut, was liegt ihr zugrunde?«[39] Bei aller Sorgfalt in der Interpretation hat man sich freilich zu Recht gefragt, ob die von Kayser übernommene Typologie (*Das sprachliche Kunstwerk*, 1948) nicht am falschen Objekt ausprobiert worden sei.[40] So konnte es Jeffrey Sammons 1963 als seine Aufgabe ansehen, »to describe

37 Siegrid Gölz, *Die Form der Unmittelbarkeit in den »Nachtwachen von Bonaventura«*, Diss. Frankfurt a. M. 1955; Heinrich Köster, *Das Phänomen des Lächerlichen in der Dichtung um 1800 (Jean Paul, E. T. A. Hoffmann, Bonaventura)*, Diss. Freiburg 1956; Joachim Stachow, *Studien zu den »Nachtwachen von Bonaventura« mit besonderer Berücksichtigung des Marionettenproblems*, Diss. Hamburg 1957.

38 Wolfgang Kayser, *Das Groteske in Malerei und Dichtung*, Reinbek bei Hamburg 1960, S. 48.

39 Dorothee Sölle-Nipperdey, *Untersuchungen zur Struktur der »Nachtwachen« von Bonaventura*, Göttingen 1959, S. 9.

40 Arendt (Anm. 25) Bd. 2, S. 488.

and interpret the *Nachtwachen* as a self-contained, consistently formed world of art«.[41] Seine Ergebnisse wurden in der folgenden Interpretation berücksichtigt.
Gleich nach Sammons hat sich Wolfgang Paulsen ein besonderes Verdienst um die Erschließung der *Nachtwachen* erworben, sowohl durch seine Reclam-Ausgabe mit Nachwort (1964 [u. ö.]) als auch durch seine eingehende Deutung von »Sprache und Struktur« (1965)[42], indem er, ohne die Frage nach den literarischen Abhängigkeiten (u. a. von Hans Sachs, Jean Paul, Brentano) zu scheuen, das Werk im Sinne Friedrich Schlegels als »Arabeske« begreift, deren durchaus nicht planlos angelegte Komposition vor allem durch die Leitmotivtechnik (z. B. die Marionette, der Teufel, das Lachen, die Welt als Theater) vereinheitlicht wird.
Der vorerst letzte umfassende Deutungsversuch ist 1972 von Dieter Arendt in seinem zweibändigen Werk *Der poetische Nihilismus in der Romantik* vorgelegt worden. Nach einleitenden Bemerkungen zum Verfasserproblem stellt er »die Frage nach der Vorgeschichte der Gattung«[43] und gelangt zu dem Schluß, daß die *Nachtwachen* nicht von der konventionellen Vorstellung »Roman«, sondern in der Nähe von Friedrich Schlegels »Willkür«-Begriff und der Kategorie des Grotesken anzusiedeln seien. Bevor er zu einer Strukturanalyse vorstößt, klärt er die »Frage nach der objektiven Erzählsituation und nach der subjektiven Erzählhaltung«.[44] Auf den Arbeiten von Kayser, Stachow, Sölle-Nipperdey und Paulsen aufbauend, kommt er zu dem Ergebnis, daß die *Nachtwachen* »eher von der Struktur des Marionettentheaters als von der Gattung des Romans« geprägt seien. Das betrifft

41 Jeffrey Sammons, *Die »Nachtwachen« von Bonaventura. A. Structural Interpretation*, London / Den Haag / Paris 1965, S. 31.
42 Wolfgang Paulsen, »Bonaventuras *Nachtwachen* im literarischen Raum. Sprache und Struktur«, in: *Jahrbuch der Deutschen Schillergesellschaft* 9 (1965) S. 447–510.
43 Arendt (Anm. 25) Bd. 2, S. 495.
44 Ebd., S. 498 f.

auch die Darstellung der Figuren. Abschließend ordnet Arendt die *Nachtwachen* dem Spielraum des poetischen Nihilismus zu.

Interpretation

Wie der Verfasser der *Nachtwachen* umstritten bleibt, so versagen auch alle üblichen literaturwissenschaftlichen Kategorien bei der Analyse seines Buches. Es handelt sich um ein Werk, das tief der mittelalterlichen Tradition verhaftet scheint und zugleich mit der ›Gestaltung des Ungestalteten‹ an Brentano[45] und darüber hinaus an Büchner und Kafka gemahnt. Es bedient sich bewußt der romantischen Stilprinzipien der Ironie, Arabeske und Groteske, um die Romantik zugleich zu parodieren. Hat es eine nachweisbare Struktur, oder ist es gerade der Eindruck der Strukturlosigkeit, den der Autor vermitteln wollte, weil er dadurch das Chaos der Welt unmittelbar widerspiegeln konnte? Ist es ein nihilistisches Kunstwerk, oder will es vor den Gefahren des Nihilismus warnen und in der satirischen Verkehrung der Welt und ihrer Werte die Hoffnung auf eine Änderung der Zustände ausdrücken? Das würde auch seine gesellschaftskritischen Implikationen haben. Diese und ähnliche Fragen sind von der Forschung immer wieder aufgeworfen und unterschiedlich beantwortet worden. Hier sei, im Rahmen eines Handbuches zur romantischen Prosaerzählung, noch einmal zum Fragenkomplex von Struktur und Sinn Stellung genommen.

Die Gesamtstruktur und die Tradition

Zwar verfehlt eine Strukturanalyse um ihrer selbst willen ihren Zweck; sobald sie allerdings in den Dienst der Werk-

45 »Das Ungestaltete hat freilich oft mehr Gestalt, als das Gestaltete vertragen kann.« (Clemens Brentano, *Godwi*, hrsg. von Anselm Ruest, Berlin 1906, S. 299.)

deutung tritt, sollte sie einen wichtigen Beitrag zur Sinnerhellung liefern können. Wenn mit den *Nachtwachen* keine zusammenhängende Handlung im aristotelischen Sinne vorzuliegen scheint, so darf dieser erste Eindruck nicht darüber hinwegtäuschen, daß darin strukturrelevante Gestaltungsprinzipien wirksam sind, die Beachtung verdienen. – Der Nachtwächter negiert Gott und Welt, die Kunst und sich selbst. Diese Umpolung der Werte muß sich in der Form des Buches ausdrücken. Wir fragen nach der ›Methode im Wahnsinn‹, um den formenden oder formauflösenden Grundsätzen Bonaventuras auf die Spur zu kommen.

Das Werk besteht aus sechzehn Vigilien, die sich in einer Art Holzschnittfolge (siehe NW 4) auf die Lebensgeschichte Kreuzgangs sowie seine zwischendurch eingestreuten Erlebnisse als Nachtwächter verteilen. Der Ich-Erzähler beginnt mit dem Ende seiner chaotischen Karriere, der Ausübung seines Nachtwächteramtes, und endet mit seiner Geburt. Das Ende bringt den Anfang seiner Lebensgeschichte und seine letzte Nachtwache. Das Erzählprinzip scheint das der ›verkehrten Welt‹ zu sein, weil es unmöglich ist, »so recht zusammenhängend und schlechtweg erzählen zu können, wie andre ehrliche protestantische Dichter und Zeitschriftsteller« (48). Der Erzähler hat, wie er selbst zugibt, »stets eine besondere Vorliebe für die Tollheit gehabt, und es zu einer absoluten Verworrenheit in mir zu bringen gesucht, eben um, wie unser Herrgott, erst ein gutes und vollständiges Chaos zu vollenden, aus welchem sich nachher gelegentlich, wenn es mir einfiele, eine leidliche Welt zusammenordnen ließe« (48). »Verworrenheit« und »Chaos« als subjektive Anlage im Erzähler korrespondieren einerseits mit dem Weltbild vom »allgemeinen Irrhause« (77), andererseits müssen sie sich notwendigerweise in der Darstellung widerspiegeln, worin Bonaventura »Fels- und Waldstücke« (112) in groteskem Durcheinander aufhäuft. Der Erzähler hat es offenbar auf die Zerstörung der Ordnung abgesehen, beginnt mit dem Ende, rollt den »Faden« (112) der Vorgeschichte allerdings nicht chronologisch rückwärtsschreitend ab, sondern antizipiert z. B. Kreuzgangs Geburt bereits in NW 4 und begräbt die Nonne Maria in NW 10, bevor er ihre Liebesgeschichte einfügt (NW 11). Oder er läßt die Tragödie von Don Juan und Don Ponce zweimal vortragen, als Marionettenspiel (NW 4) und als Prosabericht (NW 5). Und doch, trotz aller bewußt gesteuerten Verwirrung (vgl. 116: »In solchen und dergleichen Fragmenten habe ich mich abgearbeitet, und mich ordentlich methodisch auszuschreiben gesucht«), hat sich die Forschung der letzten Jahrzehnte wiederholt gefragt, ob sich nicht in den *Nachtwachen* »eine leidliche Welt zusammenordnen« ließe. Zumindest umrahmt ja ein zyklischer Bau gleichsam den zerstückelten Lebensfaden Kreuzgangs in einer chaotischen Narrenwelt, wobei die Frage nach dem Sinn immer wieder neu aus der Sinnleere der in sich kreisenden Zeit aufsteigt.[46] Über die zuerst von Wolfgang Paulsen entdeckte Kreisform hinaus[47] hat Jeffrey Sammons die Abfolge der sechzehn Nachtwachen im einzelnen untersucht und fünf Kreise unterscheiden können, die jeweils mit einer Satire beginnen und über zunehmenden Nihilismus, Verzweiflung und Bitterkeit zu einer Katastrophe führen. NW 5: Don Juan und Ponce; NW 8: Dichterselbstmord; NW 11: lebendig begrabene Nonne; NW 14: Kreuzgang im Tollhaus; NW 16: Absage an das Leben.[48] Jedesmal geht die Katastrophe in eine neue Satire über, wodurch innerhalb des Zyklus eine Wellenbewegung entsteht, aus der der Erzähler im Tollhause des Lebens (NW 9) und auf dem Friedhof (NW 16) herausragt; Narrenrevue und Selbstentlarvung gehen dabei Hand in Hand.[49]

46 Siehe Arendt (Anm. 25) Bd. 2, S. 526: »Die zyklische Form spiegelt die zyklische Zeit, und der Modus der Langeweile ist das genaue Indiz für die Sinnleere des Kreislaufes.«

47 Paulsen (Anm. 42) S. 498 f.

48 Sammons (Anm. 41) S. 38.

49 Peter Küpper (»Unfromme Vigilien. Bonaventuras *Nachtwachen*«, in: *Festschrift für Richard Alewyn*, Köln/Graz 1967, S. 325) formuliert dies so: »in die Zeitsatire [ist] die Selbstpersiflage verflochten«.

Die Frage nach der Einheit der *Nachtwachen* ist vielleicht eine Frage an den falschen Gegenstand, und doch kann auch ein negatives Ergebnis etwas zur Interpretation beitragen. Von einer strukturellen Geschlossenheit der Gesamtform kann keine Rede sein; und innerhalb des steigenden und fallenden Rhythmus sind die Vigilien in sich selbst wiederum unterteilt. Episoden werden aneinandergereiht, voneinander getrennt und später wiederaufgenommen. Aber als ihre Bauelemente lassen sich häufig Leitmotive erkennen, die in der Zusammenschau ein enges Netz von Bezügen über die lose Form werfen. Zentral ist z. B. der Motivkomplex der Marionette, auf den die Forschung wiederholt aufmerksam gemacht hat.[50] Von hier aus ergeben sich unmittelbare Beziehungen zum Leitmotiv der Masken, Larven und Hülsen, zu der Leitfigur des Teufels mit seinem unheimlichen Lachen, zum Menschen, zum Tod und zu Gott. Von der Marionette aus erschließt sich die Struktur als statische Folge von holzschnittartigen Bildern, das Zusammenleben der Menschen als Mummenschanz ohne Kommunikationsmöglichkeit – siehe z. B. NW 2: Der Pfarrer als Teufel; NW 4: Lebenslauf als Marionettenspiel; NW 11: Ophelias Kampf mit der Rolle; NW 15: Die Französische Revolution als Puppenspiel – sowie das Gleichnis von der Welt als Bühne, die von einem Marionettendirektor (33) geleitet wird. Daher resultiert der Eindruck erstarrter Typik, die den Figuren jegliche Möglichkeit zu psychologischer Entwicklung nimmt und sie statt dessen mit dem Merkmal der Selbstentfremdung behaftet.[51] Da hinter den Masken der Tod, »Teufel – oder das Nichts« (120)

50 Vgl. Paulsen (Anm. 42) S. 454 f.; Eleonore Rapp, *Die Marionette in der deutschen Dichtung vom Sturm und Drang bis zur Romantik*, Leipzig 1924; Joachim Stachow, *Studien zu den Nachtwachen von Bonaventura mit besonderer Berücksichtigung des Marionettenproblems*, Diss. Hamburg 1957; Sammons (Anm. 41) S. 87.

51 Hinter der Maskenhaftigkeit verbirgt sich nach Sölle-Nipperdey (Anm. 39) S. 70 das Formprinzip der »Einschachtelung«, das im Bild von der Zwiebel gipfelt (vgl. *Nachtwachen*, S. 74, 77 und 118).

lauert, ist es nicht verwunderlich, wenn der Erzähler selbst auf den »Baseler Totentanz« (87, 142) hinweist.

Damit berühren wir die Frage nach der Gattung dieses Werkes und seiner Tradition. Von wenigen Ausnahmen abgesehen ist es bisher üblich gewesen, die *Nachtwachen* dem Roman zuzuordnen. Als mögliche Vorbilder hat man Schlegels *Lucinde* und Brentanos *Godwi* in Betracht gezogen.[52] Dazu kommen nachgewiesene Einflüsse aus dem Trivialroman der Aufklärungsepoche[53] und das Modell von Sternes *Tristram Shandy*. Trotzdem lassen sich die *Nachtwachen* kaum als Roman im herkömmlichen Sinne ansprechen, da hier keine epischen Zusammenhänge harmonisch entwickelt um eine oder mehrere Einzelpersönlichkeiten konzentriert werden. Weil Bonaventura es in Struktur und Weltbild auf Inversion angelegt hat, spiegelt sich in seiner Formauflösung eher die Tendenz zum antikonventionellen Roman, der mehrere Dichtungstypen zum Muster genommen haben kann, um einen grotesken Gesamteffekt zu erzielen. Dadurch wird, wie Paulsen richtig erkannt hat, »das Buch, als Roman, aus dem Hauptstrom der deutschen Erzähltradition herausgelöst«.[54]

Faßt man die *Nachtwachen* als Anti-»Roman« auf, dann paßt zunächst kein anderes Wort besser zu ihrer Kennzeichnung als das von den »Nacht«- (7, 47) und »Schwanzstücken« (132), womit die Malerei zwischen Hieronymus Bosch, Michelangelo da Caravaggio, Pieter Breughel d. J.[55] und William Hogarth[56] Europa zuerst bekannt gemacht hatte. Die

52 Paulsen (Anm. 42) S. 458 f.; s. auch Paulsen (Anm. 35) S. 169 f.; vgl. Sölle-Nipperdey (Anm. 39) S. 83, die die *Nachtwachen* als Raumroman im Kayserschen Sinne interpretiert.

53 Siehe Sammons (Anm. 41) S. 106 f.

54 Paulsen (Anm. 35) S. 172.

55 Dazu vgl. Ernst Robert Curtius, *Europäische Literatur und lateinisches Mittelalter*, Bern/München 1958, S. 105, wo er auf Breughels Bild *Niederländische Sprichwörter* hinweist; s. Bonaventuras »Höllenbreughel« (*Nachtwachen*, S. 7 und 70).

56 Vgl. Gerald Gillespie, »Night-Piece and ›Tail-Piece‹; Bonaventura's Relation to Hogarth«, in: *Arcadia* 8 (1973) S. 284–295.

zunehmende Faszination durch die Nacht läßt sich von der Vorromantik im Übergang von Dryden zu Thomson, Young (*Night Thoughts on Life, Death and Immortality*, 1742) und Blake bis zu Novalis nachweisen. Bei Novalis erreichte die Nachtbegeisterung ihren Höhepunkt und zugleich die Umwertung der Nacht zum metaphysischen Prinzip. Im Zeichen der sogenannten Schwarzen Romantik[57] schlägt die romantische Nachtbegeisterung bei Bonaventura dialektisch in ihr Gegenteil um: »Wo keine Götter sind, walten Gespenster«, sagt Novalis.[58] Zu den Gespenstern zählen außer Dämonen, Tod und Teufel auch die entindividualisierten menschlichen Figuren, die wie Automaten über die Bühne des Lebens gehen: der Richter, der Pfarrer, der Poet, der Atheist, der Nachtwächter, dann die Rollenträger Don Juan, Hamlet, Ophelia, Hanswurst, Kolombine usw. Einerseits erinnert dies an das Reihungsprinzip des »Baseler Totentanzes«, andererseits an die Commedia dell'arte, deren Nachtszenen nach Gerald Gillespies Forschungen von Bonaventura in Nachtwachen (»scena di notte«) transformiert wurden.[59] Bonaventura verweist seinerseits auf das typenhafte »Fastnachtsspiel« (38 f., 93).

Solche Fingerzeige auf analoge Erscheinungen in der älteren Literatur mögen den Mechanismus in der Bildfolge und in der Konfiguration teilweise erklären, es fehlt allerdings noch ein wichtiger zusätzlicher Hinweis, um die discordia concors von Form und Gehalt zu kennzeichnen, nämlich der auf den Topos von der ›verkehrten Welt‹. Als Denk- und Ausdrucksschema verknüpft er den Darstellungsstil mit der satirischen

57 Siehe Gerhart Hoffmeister, *Deutsche und europäische Romantik*, Stuttgart 1978, S. 165 f.

58 Novalis, *Schriften*, hrsg. von Paul Kluckhohn und Richard Samuel, Leipzig 1929, Bd. 2, S. 80.

59 Vgl. Gerald Gillespie, »Kreuzgang in the Role of Crispin: ›Commedia dell' arte‹ Transformations in *Die Nachtwachen*«, in: *Herkommen und Erneuerung*, Festschrift für Oskar Seidlin, Tübingen 1976, S. 185–200; dazu Arendt (Anm. 25) Bd. 2, S. 519; s. die »stehenden italienischen Masken« Bonaventuras (39) und vgl.: »Der Kerl ist in Venedig geschnitzt« (124).

Absicht des Autors. ›Verkehrte Welt‹ bestimmt Themen und Formen besonders der sogenannten realistischen Literatur zwischen Brant und Grimmelshausen, antimimetischer Dichtung in einer Epoche des Wertzerfalls, einer Periode chaotischer sozial-politischer Verhältnisse und des Verlustes der Mitte. ›Verkehrte Welt‹ bedeutet nach Friedrich Gaede »mangelhafte Wirklichkeit, in der die tradierten Normen und gültigen Sinnsetzungen versagen«.[60] Diese Welt stellt sich grotesk bzw. satirisch dar, und zwar mit Vorliebe in der Narrenfigur, die alles umwertet.
Überraschend ist nur, daß sowohl Sebastian Brants *Narrenschiff* (1494) als auch die *Nachtwachen* lange in Struktur und Absicht mißverstanden worden sind, weil man die Tradition, in der sie stehen, nicht erkannt hatte. In beiden Fällen handelt es sich nicht um mißlungene Kunstwerke, sondern um Satiren nach dem römischen Vorbild des Juvenal,[61] für den auch die Welt aus den Fugen geraten war und der darüber verzweifelt zur Feder griff. Juvenal hinterließ sechzehn Hexameter-Satiren, die jeweils in fünf Bücher aufgeteilt sind. Rita Terras ist kürzlich den Parallelen zwischen Juvenal und Bonaventura nachgegangen, nachdem ihr der Zusammenhang schlagartig anhand von Sammons' Studie aufgegangen war.[62] Diese Zuordnung zur gattungsübergreifenden Stilform der Juvenalschen Satire hat manches für sich; man sollte darüber jedoch nicht vergessen, daß zwischen dem Topos von der ›verkehrten Welt‹ und dem Gleichnis von der Welt als Schauspiel ein enger Bezug herrscht, der sicher auch sehr viel mit dem Barockjahrhundert zu tun hat. Darauf weisen die bevorzugten Grundformen von Bild und Monolog hin,[63] darauf der »rhetorische Bombast« (18) der Marionetten. Aus der gleichen

60 Friedrich Gaede, *Humanismus, Barock, Aufklärung. Geschichte der deutschen Literatur des 16. bis 18. Jahrhunderts*, Bern/München 1971, S. 80.
61 Für Brant vgl. Edwin Hermann Zeydel, *Sebastian Brant*, New York 1967, S. 82 f.
62 Rita Terras, »Juvenal und die satirische Struktur der Nachtwachen von Bonaventura«, in: *The German Quarterly* 52 (1979) S. 18–29.
63 Sölle-Nipperdey (Anm. 39) S. 52 f.

Angst vor »Zeit und Vergänglichkeit« (6) fragt der Mensch bei Bonaventura: »Was ist nun dieser Palast [Mensch], der eine ganze Welt und einen Himmel in sich schließt [. . .]. O was ist die Welt [. . .]! – Was sind die Phantasien der Erde« (140 f.). Und genauso wie im 17. Jahrhundert lautet die unmißverständliche Antwort: »bei näherer Ansicht [ist] alles eitel« (85). Die Welt entpuppt sich als »falsche Welt«, »an der nichts mehr wahrhaft ist«, als »leerer abgeschmackter Tummelplatz von Narren und Masken« (105). Am Ende der Umwertung und Demaskierung der Welt des Scheins steht die Enttäuschung, der »desengaño«, jedoch nimmt er durchaus nihilistische Formen im Unterschied zum Barock an, wo die Szene, um mit Gryphius' *Catharina von Georgien* (I,1) zu sprechen, noch den Blick auf den Himmel über sich, die Hölle unter sich freigab. Nun ist der Himmel verloren, Gott zum wahnsinnigen Weltschöpfer geworden (NW 9), die Welt zum Narrenhaus deklariert.[64]

Noch einmal ergibt sich ein enger Bezug zum Barock, wenn man Kreuzgang als Erzähler und Protagonisten in den Blick nimmt. Denn der Nachtwächter geht als »armer Schelm« (21) und Narr durch die Welt, in Herkunft und Funktion eine Rolle spielend, die stark an den Pikaro gemahnt. Wie dieser nimmt er teil am bürgerlichen Leben und steht gleichzeitig als halber Außenseiter abseits, indem er es überlegen durchleuchtet. Er ist niederer Herkunft (NW 16) und sieht aus der Froschperspektive von unten in die oberen Schichten der Gesellschaft, schlüpft proteusartig in die verschiedensten Masken und erhebt sich dadurch ironisch spielend über das makabre Schauspiel der Welt.[65]

Er ist nicht mit dem pseudonymen Verfasser Bonaventura identisch. Aber gemeinsam ist beiden der Drang zur Maskerade: »Die Nachtwächter-Vermummung dient wie überhaupt seine niedere soziale Stellung als kaschierende Maskie-

64 Vgl. Johann Beer, *Das Narrenspital*, hrsg. von Richard Alewyn, Reinbek bei Hamburg 1957.

65 Zur Idee des Welttheaters vgl. auch Küpper (Anm. 49) S. 319.

rung einer Ausnahme-Haltung; er spielt zwar den sozial und geistig Beschränkten, aber das ist gerade seine Entschränkung«[66] zur Narrenfreiheit und Entlarvung. Auch wenn es so aussieht, als ob der gescheiterte Dichter Kreuzgang in einem schlichten ›bürgerlichen‹ Beruf Halt und Zuflucht sucht, so gehört die Wahl des Nachtwächteramtes doch wesentlich zu den zahlreichen anderen Rollen oder Hülsen, die er gespielt hat, um sich hinter der Maske über die Welt und sich selbst lustig zu machen. Vermummung[67] aus mangelndem geistigen »Spielraum« (142) ist gleichzeitig Ausdruck der Zugehörigkeit zur Welt der Larven, die er im »Lauf durch die Skala« (NW 10) exemplarisch darstellt. Er übt dieses Amt in der Nacht der bösen Geister, der Totenstille, des Schauderns vor teuflisch-dämonischen Mächten aus (NW 1): »Die Nacht ist still und fast schrecklich und der kalte Tod steht in ihr« (87). Aus der Erfahrung dieser Nacht wächst Kreuzgang seine Aufgabe zu, nämlich die Welt seiner Leser und »Mitnarren« (77) sowie sich selbst über die letzten Dinge satirisch aufzuklären (vgl. 27). Denn die Nacht ist nicht einfach identisch mit dem Dunkel – manche Nachtwachen würden dann nämlich aus dem Rahmen fallen (z. B. NW 9, 14, 15) –, sondern bedeutet den Raum der Satire, die im Altdeutschen als »Nachtgesang oder Mondlied« bezeichnet wurde. Darauf hat zuerst Terras im Anschluß an Karl Friedrich Flögels *Geschichte der komischen Literatur* (1784) wieder aufmerksam gemacht.[68] Wie vorher in der Rolle des Hanswursts (NW 15) will Kreuzgang »die Wahrheit sagen« (72) und stiftet durch seinen konstant bleibenden Gestus der Verneinung eine einheitliche Perspektive. Während sich Ophelia nicht mehr aus ihrer Rolle zurücklesen kann (121), gelingt es ihm, sich selbst bis zu seiner Geburt zurückzuverfolgen. Er findet

66 Arendt (Anm. 25) Bd. 2, S. 500.
67 Siehe Herman Meyer über den dreifachen Sinn der Vermummung (H. M., *Der Typus des Sonderlings in der deutschen Literatur*, Amsterdam 1943, S. 136 f.).
68 Terras (Anm. 62) S. 28.

»das große schreckliche Ich« (122) und unter der letzten Hülse das »Nichts« (143). Ob Dichter, Hanswurst, Bänkelsänger oder Nachtwächter, es handelt sich jeweils um Rollen, keineswegs um Stufen einer psychologischen Entwicklung, wenn er auch bei der Entdeckung seiner Eltern von dem Fund »eines gefährlichen psychologischen Schlüssels« (136) spricht. »Es ist alles Rolle, die Rolle selbst und der Schauspieler, der darin steckt« (119), dies Wort Kreuzgang-Hamlets an Ophelia trifft zu, denn dessen Funktion ist eher allegorisch als psychologisch zu verstehen.[69] Nicht umsonst hat der Teufel bei seiner Geburt Pate gestanden (136); darum spricht Kreuzgang als »advocatus diaboli« (62) und schwebt, die Welt verlachend, wie der Teufel über der Erde (105, vgl. 125 f.). Der Teufel hat allerdings nicht nur unmenschliche Züge, sondern steht wie Kreuzgang selbst im Dienste der Desillusionierung und Aufklärung.[70] Und so wird er mitverantwortlich für die doppelte Bewegung, die die *Nachtwachen* zusammenhält: die »Entlarvung des Ich und Entlarvung der Welt«.[71] Hanswurst spricht dem Teufel sowie Kreuzgang aus der Seele: »je mehr Masken übereinander, um desto mehr Spaß, sie eine nach der andern abzuziehen bis zur [. . .] letzten [. . .] – dem Schädel ohne Schopf und Zopf« (76).

Die Frage nach dem Sinn

Kreuzgang fährt wie der Teufel (vgl. 53) unter die Menschen und schleudert das Feuer seines Zornes gegen die Welt und Gott. Mit den Worten des Erzählers: Seine »Satire ist wie ein Probierstein, und jedes Metall das daran vorüberstreicht läßt das Zeichen seines Wertes oder Unwertes zurück« (60). Unter seiner Narrenkappe verbirgt sich der Weise, der die Welt durchschaut, »als wäre« er »aus einem andern Planeten

69 Vgl. Sammons (Anm. 41) S. 65 f., 77 f.
70 Vgl. Schönert (Anm. 33) S. 215.
71 Sölle-Nipperdey (Anm. 39) S. 14; vgl. Sammons (Anm. 41), der neben der zyklischen Struktur eine »structure of the genesis of attitude [. . .] in the watchman« feststellt (S. 78).

herabgefallen« (61). Zielstrebig steuert die Vigilienfolge auf den alles vernichtenden Schluß zu, das Nichts, geboren aus Langeweile, aus dem leeren Kreislauf der Masken und Larven und der Sinnlosigkeit des Daseins. Aus der absoluten Negation des Schlusses scheint es kein Entrinnen zu geben. Und doch stellt diese radikale Verneinung auch sich selbst in Frage; in der Vehemenz der Anklage, der Abstrafung der Laster und der Anprangerung der falschen Welt läßt sich die Hoffnung Bonaventuras auf eine Besserung der Zustände nicht überhören, wenn sein Protagonist Kreuzgang auch am Ende verzweifelt. Sölle-Nipperdey hat die Entwicklung zum Nihilismus treffend charakterisiert: »Der Geist der Erzählung lebt aus der Spannung von Hoffnung und Verzweiflung. Die von ihm erzählte Welt löst diese Spannung zugunsten der Verzweiflung. Was bleibt, ist der programmatische Nihilismus, der in der Hoffnungslosigkeit verharrt«.[72] Hinter dem »Geist der Erzählung« steht Bonaventura, dessen Protagonist der erzählten Welt angehört und selbst erzählt. Die anfängliche Ambivalenz der Unendlichkeit hat sich ihm nicht als Gott, sondern als Nichts enthüllt: »Es ist alles Nichts« (75).[73] »Kein Gegenstand war ringsum aufzufinden, als das große schreckliche Ich, das an sich selbst zehrte, und im Verschlingen stets sich wiedergebar« (122), so träumt es Kreuzgang im Tollhaus des Lebens.[74] Der »ichsüchtige« Willkürgeist hat »die Welt und das All vernichtet«,[75] sich und das Menschendasein demaskiert. Alle seine Hoffnungen haben getrogen, obwohl der Traum von Mensch und Liebe, Dichtern und Titanen des Geistes vorübergehend am Abgrund des Lebens aufgeflackert ist: »als ob das Leben das Höchste wäre, und nicht vielmehr der Mensch, der doch weiter geht als das

72 Sölle-Nipperdey (Anm. 39) S. 106.

73 Vgl. »Gott, oder Nichts« (71) mit Novalis (Anm. 58): »Gott ist bald 1.∞, [. . .] bald O« (Bd. 3, S. 247).

74 Vgl. dazu Jean Pauls »Rede des toten Christus vom Weltgebäude herab, daß kein Gott sei« im *Siebenkäs*.

75 Jean Paul, *Vorschule der Ästhetik*, § 2.

Leben« (29). Der Wahnsinn des Narren Nr. 1 im Tollhaus besteht z. B. darin, »die Menschheit zu hoch und sich selbst zu niedrig anzuschlagen« (79; vgl. den »Monolog«, 80 f.). Als Leitmotiv begegnet der Mensch in NW 8 (»Prolog«), außerdem in NW 10 (90 f.) und 13 (106). In der Gestalt des Dichters verkörpert sich die Humanität am reinsten, etwa im Stadtpoeten, der »als eine Mozartsche Stimme in ein schlechtes Dorfkonzert« eingefügt erscheint (68). Genialische oder prophetische Geister nennt der Erzähler »Enakssöhne«, denen es nur selten gelänge, »ihr Feuer zornig aus dem Vulkane gen Himmel zu schleudern« (60). Eine Hoffnung scheint noch in der letzten Nachtwache aufzuleuchten, als Kreuzgang zuschauen möchte, »wie mancher unermeßliche Geist auch seinen unermeßlichen Spielraum erhielte, und nicht mehr zu würgen brauchte und zu hassen, um groß zu sein, sondern frei in die Himmel emporsteigen könnte« (142), doch auch diese Hoffnung wird in dem darauffolgenden Bilde von den »stürzenden Titanen« (143) zu Grabe getragen. An Kreuzgang scheint sich das Wort seiner Mutter zu bewähren: »Es ist größer die Welt zu hassen, als sie zu lieben« (136 f.). Er stürzt in den Abgrund des Nichts, da sich ihm aus der Verzweiflung kein Absprung in den Glauben eröffnet.

Nun hat die Forschung immer wieder versucht, hinter der Sinnlosigkeit dieser Figur und ihrer Welt einen Sinn aufzuspüren. Da der Text selbst keine konkreten Anhaltspunkte dafür liefert und jede Position nur vorübergehend in einem umfassenden Zersetzungsprozeß aller Werte erscheint, hat man selbst in der Zerstörungswut die Sehnsucht des »Geistes der Erzählung« nach einem Ausweg aus dem Engpaß sehen wollen. Danach erscheint z. B. das Prinzip des Demaskierens als sinnvoll,[76] die Kommentare Kreuzgangs über die grotesken Zustände im Leben als Versuch der Sinngebung,[77] die Bejahung des Nichts sowie seine erschöpfende Darstellung

76 Sammons (Anm. 41) S. 99.
77 Kayser (Anm. 38) S. 48.

als existentielle bzw. stilistische Geste der Überwindung.[78] Man hat sogar mit der Formel vom »invertierten Humanismus«[79] operiert; mit Guthke könnte man sicher auch von einer »Theologie des Weltschmerzes«[80] oder einer negativen Theodizee sprechen, die den Mythos vom bösen Gott als »polemische Konstruktion«[81] gegen den Gott der Konvention und seine Welt verstehen läßt. Im Rückblick auf Sebastian Brants Intention ging es Bonaventura sicherlich um eine »negative Didaktik«,[82] eine Abstrafung der törichten Narrenwelt durch den weisen Narren, um dadurch eine positive Reaktion zu erzielen. Nach Jörg Schönert liegt hier ein »Erkenntnismodell« zugrunde, das in der »Haltung des Fragens« die Welt des Scheins zerstört aus dem »Verlangen nach einer Sinngebung des ›Unsinns‹«. Dadurch würde der »nicht mehr beschreibbare Weg zu einer neuen utopischen Existenz freigelegt«.[83] Damit stellt sich das Werk bewußt in den Dienst einer Aufklärung, die in der Absicht der »Weltreparatur« (36) einen idealen Maßstab an die Wirklichkeit hält (vgl. 66), aber auch sich selbst gleichsam wieder in Zweifel zieht. So überrascht es nicht, wenn Walter Pfannkuche in seiner Arbeit[84] nicht nur im Nihilismus Motive und Methoden des idealistischen Denkens etwa Fichtes entdeckt, sondern darüber hinaus geradezu die Idee von der Einheit und Bestimmung des Menschen als geheimen Zielpunkt des Werkes bewertet.

78 Siehe Arendt (Anm. 25) Bd. 2, S. 533; dagegen vgl. Rado Pribić, *Bonaventura's »Nachtwachen« and Dostojevsky's »Notes from the Underground«. A Comparison in Nihilism*, München 1974: »The watchman's nihilism is therefore not yet existential« (S. 148).

79 Paulsen (Anm. 35) S. 175.

80 Karl S. Guthke, »Der Mythos des Bösen in der westeuropäischen Romantik«, in: *Colloquia Germanica* 2 (1968) S. 35.

81 Ebd., S. 9.

82 Hans-Joachim Mähl, »Nachwort«, in: Sebastian Brant, *Das Narrenschiff*, hrsg. von H.-J. M., Stuttgart 1964 [u. ö.] (Reclams Universal-Bibliothek, 899 [6]), S. 496.

83 Schönert (Anm. 33) S. 222 f.

84 Walter Pfannkuche, *Idealismus und Nihilismus in den »Nachtwachen« von Bonaventura*, Frankfurt a. M. / Bern 1983.

Die Frage nach dem Sinn der *Nachtwachen* läßt sich noch auf zwei andere Weisen beantworten. Die *Nachtwachen* sind nämlich über den programmatischen Nihilismus hinaus zugleich Literaturparodie und Gesellschaftssatire. Nicht umsonst hat man sie als »Kehrseite der Frühromantik«,[85] als »negative Romantik«[86] oder im Gegenzug zur christlichen Romantik als »poetischen Nihilismus«[87] bezeichnet. Ob das Werk infolge seiner Inversion der Romantik noch als romantisches Buch angesehen werden darf, ist öfter bezweifelt worden.[88] Unserer Auffassung nach gehört zum Begriff »Romantik« nicht nur die naive, verträumte, heile Seite, sondern genauso ihr Gegenteil, sowohl die christliche als auch die satanische Richtung,[89] die Traumschönheit des Lebens wie die Nachtseiten, das bezaubernde Lied wie der entzaubernde »Fluch« (115). Bonaventura kannte die Frühromantik, ihre Dichter und Philosophen genau. Literarische Reminiszenzen an Brentano, Jean Paul, Hoffmann, Klingemann, Wetzel u. a. haben zur Abfassung ganzer Bücher geführt. Für uns besteht kein Zweifel, daß er die romantische Dichtungstheorie und -praxis hat parodieren wollen.

Deutlich unterzieht er die transzendentalphilosophischen Voraussetzungen des frühromantischen Subjektivismus einer vernichtenden Kritik. Indem er Fichte zitiert, der das Ich vergöttlicht und dadurch dem Dichter die ironische Selbstüberhebung über Ich und Werk möglich gemacht hatte, führt er den philosophischen Standpunkt der absoluten Emanzipation des Ich in dem »Monolog des wahnsinnigen Weltschöpfers« (80 f.) ad absurdum. Kreuzgang kommentiert: »Sehen Sie nur [. . .], wie grimmig der Kerl es auf die Welt angelegt

85 Hermann August Korff, *Geist der Goethezeit*, Bd. 3, Leipzig ^{2}1949, S. 225.

86 Richard Brinkmann, »Nachtwachen von Bonaventura. Kehrseite der Frühromantik?«, in: *Die deutsche Romantik*, hrsg. von Hans Steffen, Göttingen 1967, S. 134–158.

87 Arendt (Anm. 25).

88 Nadler (Anm. 9); s. Korff (Anm. 85) Bd. 3, S. 235; Sammons (Anm. 41) S. 45.

89 Siehe Hoffmeister (Anm. 57) S. 166 f.

hat; [...] er hat ebensogut sein konsequentes System wie Fichte, und nimmt es im Grunde mit dem Menschen noch geringer als dieser, der ihn nur von Himmel und Hölle abtrennt, dafür aber alles Klassische ringsumher in das kleine Ich [...] zusammendrängt« (83, vgl. 117: »alles [liegt] in uns selbst«). Im Gegenzug zum »Ichschöpfer« (69) Fichte endet Bonaventura mit der Parole »weg vom Ich« (93), da es ihm zu »schrecklich einsam« dünkt.

Von Fichtes Selbsttätigkeit und freiem Selbstdenken inspiriert, hatte Friedrich Schlegel sein Programm der »Progressiven Universalpoesie« entworfen, in der der romantischen Ironie eine Hauptrolle zufällt, der Ironie, die er als höchstes Selbstbewußtsein bei der künstlerischen Produktion zwischen »Selbstschöpfung und Selbstvernichtung« ansiedelt (*Athenäum*-Fragment Nr. 51). »Willkür« und Ironie als höchste Bewußtheit zielen auf einen neuen Formtypus ab, der den Prozeßcharakter des Schaffens betont, um den Bezug zum Unendlichen offenzuhalten. Diesem Formideal nähern sich in der Praxis »arabeske« Romane wie die *Lucinde*[90] oder Brentanos *Godwi*, ein »verwilderter Roman«[91]. Bonaventura bringt aus demselben Formprinzip ihre Parodie, indem er die Tradition der römischen Satire mit der deutschen Narrenliteratur und dem Roman der Frühromantik verschmilzt, um selbst eine »Arabeske« bzw. Groteske zu schaffen,[92] nur daß er mit dem Schlegelschen Ausspruch »Was sich nicht selbst annihiliert, ist nichts werth«[93] Ernst macht. Ironie ist das

90 Siehe Sölle-Nipperdey (Anm. 39) S. 55; Paulsen (Anm. 35) S. 178; Arendt (Anm. 25) Bd. 2, S. 494 f.

91 Siehe Marshall Brown, »*Godwi* und die Krise der deutschen Romantik«, in: *Goethezeit. Studien zur Erkenntnis Goethes und seiner Zeitgenossen*, Festschrift für Stuart Atkins, Bern 1981, S. 301–312.

92 Zur Arabeske vgl. Paulsen (Anm. 35) S. 178; ferner: Friedrich Schlegel, *Brief über den Roman*; Arendt (Anm. 25) Bd. 2, S. 534; dazu Kayser (Anm. 38) S. 46 f.

93 Marburger Handschriften, H. 1, S. 18, zit. nach: Ingrid Strohschneider-Kohrs, *Die romantische Ironie in Theorie und Gestaltung*, Tübingen 1960, S. 30.

vorwaltende Prinzip der Parodie in den *Nachtwachen*. Der Narr Kreuzgang hält den Mitnarren den Spiegel vor, distanziert sich dabei von dem Ironisierten und ironisiert sich selbst: »Was gäbe ich doch darum, so recht zusammenhängend und schlechtweg erzählen zu können« (48); er parodiert die Vorliebe der Romantik für den Mond (114 f.), die Liebe (115), für Sonnenaufgänge (126). Er stellt den »Pfaff seiner Teufelsrolle getreu« ironisch dar (8 f.), wie überhaupt seine Aufgabe darin besteht, die ironische Diskrepanz zwischen dem täuschenden Schein und dem nichtigen Sein der Dinge aufzuhellen, indem er sein »Ideal an die Wirklichkeit« (66) hält.

Während es Schlegel vorwiegend um die Befreiung aus einem »illiberalen Zustande« (*Lyceum*-Fragment Nr. 37) ging, hatte Wackenroder göttliche Inspiration vom Künstler gefordert, fromme Ehrfurcht als Haltung vor dem Kunstwerk, weil nur die Kunst in moderner Zeit Religionsersatz bieten könnte. Er suchte das Göttliche in der Kunst, um die Gespenster zu vertreiben. Bonaventura freilich entlarvt diese Kunstreligion als erbärmliches Flickwerk, indem er Kreuzgang im »Invalidenhaus unsterblicher Götter und Helden« (108) eine Rede auf den »jungen Kunstbruder« halten läßt: »Die Alten sangen Hymnen [...]; unsere moderne Kunstreligion betet in Kritiken, und hat die Andacht im Kopfe, wie echt Religiöse im Herzen. Ach, man soll die alten Götter wieder begraben!« (109.) Dadurch versetzt Bonaventura gleichzeitig dem Griechenkult der Klassik und Romantik[94] den Todesstoß, denn für ihn handelt es sich um einen »ganz verstümmelten Olymp« (111) mit »steinernen Göttern als Krüppel ohne Arme und Beine« (108), die man vergeblich ins Leben zu rufen trachtete.

Hier ergibt sich der Übergang zu Bonaventuras Kritik an dem Wunsche der Romantiker, z. B. Brentanos oder Lenaus, eine ästhetische Existenzform zu führen, die »wirkliche Person zu

94 Vgl. z. B. Friedrich Schlegel, *Rede über die Mythologie*.

einer poetischen« (113) umzuschaffen. Die Schauspielerin Ophelia, die sich nicht mehr zwischen den »Hülsen« von Schein und Sein »zurücklesen« kann (118), bezieht sich nämlich auf die Antike: »Die Alten hatten Götter, und auch einen darunter, den sie Traum nannten, es mußte ihm sonderbar zumute sein, wenn es ihm etwa einfiel sich für wirklich halten zu wollen« (119). Ophelia, diese in der Frühromantik so beliebte Shakespeare-Gestalt, verzichtet schließlich auf alle Rollen zugunsten des Ich, das sie erst im Tode wiedergewinnt: »hinter dem Stücke geht das Ich an«.[95]
An dem Briefwechsel Ophelia–Hamlet läßt sich auch formal die Parodie des romantischen Romans ablesen, der ohne Lyrik- und Briefeinlagen nicht zu denken ist. Wie der romantische Held sucht Kreuzgang zudem nach seinen wahren Eltern. Seine Lebensgeschichte entspricht darin etwa der des Heinrich von Ofterdingen, nur daß dieser in einem metaphysischen Roman mehrere Stufen der Einweihung in das Mysterium des Dichtertums durchläuft, während bei Kreuzgang der Teufel »Patenstelle« (136) vertreten hat. Sogar das »Lebensbuch« Heinrichs[96] kehrt in den Händen Kreuzgangs wieder (NW 4), indem es in Buchstaben und Holzschnitten (25 f.) den hier allegorisch zu verstehenden Weg bis zum Schluß antizipiert (s. 135). Der von Jakob Böhme inspirierte Schuster-Vater liest aus dem »Lebenslauf« seines Sohnes vor, der sich in »Naturwissenschaften« und »Theologie« verstiegen hatte – so wie Novalis, als er das Romanfragment *Die Lehrlinge zu Sais* (1802) verfaßte.[97] Zudem läßt sich die Umwertung der Nacht ins unheimliche Reich von Tod und Teufel als Kontrafaktur zu Novalis' *Hymnen an die Nacht*

95 Zu Ophelia vgl. besonders Karl J. Obenauer, *Die Problematik des ästhetischen Menschen in der deutschen Literatur*, München 1933, S. 298–300; Gerald Gillespie, »Bonaventura's Romantic Agony. Prevision of an Art of Existential Despair«, in: *Modern Language Notes* 85 (1970) S. 709–711; Werner Kohlschmidt, »Das Hamlet-Motiv in den *Nachtwachen*«, in: W. K., *Dichter, Tradition und Zeitgeist*, Bern/München 1965, S. 93 f.

96 Novalis, *Heinrich von Ofterdingen*, Kap. 5.

97 Siehe die Textkonfrontationen bei Sammons (Anm. 41) S. 61 f.

lesen, »Der Traum der Liebe« (88, vgl. 122) als Inversion seines Sophienkultes. Vielleicht ist auch noch der »pseudo-jüngste« Tag als Parodie auf die Erfüllungsphase Heinrichs zu verstehen.

Die *Nachtwachen* sind also Literaturparodie im großen Stil und im Detail, und dennoch ist damit noch nicht das letzte Wort über ihren Sinn gesagt. Es war früher vielfach üblich, die deutsche Frühromantik als verträumte Dichterperiode darzustellen, die nicht mit den politischen und sozialen Strömungen verflochten gewesen sei. Doch gedrängt durch die katastrophalen gesellschaftlichen Zustände im eigenen Lande, die der Auflösung des alten Kaiserreiches entsprachen, nahmen die Romantiker entschieden zur Französischen Revolution in Theorie und Praxis Stellung. Obgleich die Autoren vielfach durch Herkunft und Beruf im Bürgertum sowie im Zeitgeschehen verwurzelt waren, suchten sie freilich für ihre romantischen Helden häufig nach einem Ausweg aus der kleinbürgerlichen Enge oder dem Duodezformat der Hofwelt, indem sie sie in die Welt hinauswandern ließen. Dagegen setzt sich Bonaventuras Protagonist in Rede und Szene mit dem Konflikt zwischen dem einzelnen und der Gesellschaft auseinander, insbesondere dem unversöhnlichen Gegensatz zwischen Dichter und Welt. Die Schärfe des Konfliktes wird in dem Satz des Stadtpoeten klar: »Ich denke es ist mit dem Besänftigen jetzt nicht an der Zeit, und man soll vielmehr heftig erzürnen und aufwiegeln, weil sonst nichts mehr anschlägt« (72). Danach ist die »Frivolität des Zeitalters« (21) dem Dichter nicht günstig: »wer jetzt leben will, der darf nicht dichten!« (6). Der künstlerische Mensch muß verhungern in einer Gesellschaft, aus der alles »Absolute«, »Selbständige« (17), Genialische verbannt oder dem großen Mechanismus angepaßt wird: »Weise Einrichtung des Staates, der lieber gute brauchbare Maschinen, als kühne Geister unter seinen Bürgern duldet« (111). Das Schicksal des Poeten, der Lebenslauf Kreuzgangs sowie dessen Klage über die vergangenen Zeiten der Götter, Sänger und Titanen liefern

Beispiele für den »Fluch« (115), der auf dem modernen Dichter – und auf den Liebenden! – lastet.[98] Im mechanischen Staatsgebilde ist der außerordentliche Mensch sich selbst entfremdet (s. die Typennamen für die Figuren und ihren Marionettencharakter) und kann nur noch als Hanswurst über die Tragik Herr werden, nachdem er sich im Bänkelsang »an Seelenmorde durch Kirche und Staat« (62) gewagt hatte. Deshalb verurteilte ihn die Justiz zum Irrenhaus (65). Bei seiner Entlassung übernimmt er das pikareske Amt des Nachtwächters, was einem sozialen Aufstieg gleichkommt, der nur durch »Konnexionen« (131) gelingt. Die Bewerbungsszene erinnert sowohl an Lazarillos ambivalenten Aufstieg zur untersten Sprosse bürgerlicher Berufe als auch an Werthers Anstellung beim Minister.

An zwei Episoden läßt sich die bürgerliche Satire und antistaatliche Einstellung des Erzählers exemplarisch nachweisen; ihretwegen hat er es wahrscheinlich für nötig befunden, vor der politischen Zensur, der sogenannten »allgemeinen Feuerpolizei« (111, vgl. 130), in die Anonymität zu flüchten. Es geht zunächst um NW 6, in der Kreuzgang die Gerichtsposaune zum »pseudojüngsten Tage« (55) bläst und anschließend Narrenrevue hält in dem von ihm ausgelösten »Getreibe und Gedränge« (49): das Fest der Entlarvung der Wölfe in Justiz – man vergleiche den an Lessings Prinzen (*Emilia Galotti*) gemahnenden bürokratischen Mechanismus beim Staatsanwalt (NW 3) mit der Gerichtsszene (62 f.) – und Adel, Kirche und Berufsleben weitet sich zu einer Ständesatire im Stile der verkehrten Welt aus. Zwischen Schein und Sein wurde »so fast immer das Gegenteil zwischen Kleid und Mann« (50) entdeckt. Dabei wird nicht nur der destruktive Trieb des Nachtwächters, sondern auch seine aus dem Negativen schöpfende Didaktik deutlich, denn er möchte z. B. die

98 Vgl. dazu die Klage des Stadtpoeten, S. 100: »Ich hab's auf alle Weise versucht mich fortzubringen, aber immer vergeblich; bis ich endlich fand ich habe Kants Nase, Goethens Augen.«

»Segenswünsche der vielen wieder emporgeholfenen armen Teufel« (55) als Lohn entgegennehmen.
Der Übergang zum zweiten Beispiel ergibt sich aus der Frage: »Was soll ich gar von euch sagen, ihr Staatsmänner, die ihr das Menschengeschlecht auf mechanische Prinzipien reduziertet« (52). Damit meint er die absolutistischen Territorialfürsten in Deutschland, die ihre Untertanen ausbeuten (61, 140), und zugleich satirisiert er die der Französischen Revolution zugrundeliegende Staatsauffassung, wonach »Freiheit und Gleichheit« (128) das Gottesgnadentum abgelöst haben. Feudalsystem und Revolutionsstaat werden auf die gleiche Weise angegriffen und durch das Marionettenspiel des Hanswursts, der »lustig Menschenköpfe, statt der Schellen, schüttelte« (ebd.), zur Tragikomödie nivelliert, denn zwischen Monarchie, Republik und Despotie ist genauso schwer zu unterscheiden wie zwischen Posse und Tragödie (vgl. 103 mit 129 f.).
So gesehen stellen sich die *Nachtwachen* als Ausdruck der Zeit in doppelter Perspektive dar. Einerseits spiegelt der Text die Zeit des »deutschen Idealismus, in der Bewegungen der Aufklärung mit den literarischen Erscheinungen des Sturm und Drang, mit der deutschen Klassik und der Romantik zusammenstoßen, sich überkreuzen und gegenseitig befruchten«.[99] Andererseits sind die *Nachtwachen* erst als eminent gesellschaftskritisches Werk auf der Schwelle von Früh- und Hochromantik zu verstehen, worin Bonaventura sowohl den Subjektivismus der idealistischen Frühromantik ad absurdum führte als auch die Begeisterung für die Französische Revolution begrub, ohne bereits zu einer reaktionären patriotischen Einstellung durchzudringen. Schließlich griff er auch den korrupten Feudalstaat an, der kurz vor seinem Untergang stand und dringend der ›Reparatur‹ bedurfte.

99 Mielke (Anm. 34) S. 15.

Epilog

Die Frage der Verfasserschaft der *Nachtwachen* kann jetzt offenbar als gelöst gelten (s. Ruth Haag, »Noch einmal: Der Verfasser der *Nachtwachen von Bonaventura*«, in: *Euphorion* 81, 1987, S. 286–297). In der Autographensammlung von Pieter Arnold Diederichs (1804–74), die von der Universitätsbibliothek Amsterdam verwahrt wird, fand sich eine Mappe mit neun Briefen und einem Manuskript von August Klingemann. Bei dem Manuskript, das aus dem Jahr 1830 stammt, handelt es sich um einen biographischen Abriß und eine Zusammenstellung der selbständig erschienenen Schriften Klingemanns. In dieses von anderer Hand geschriebene Werkverzeichnis hat Klingemann selbst handschriftliche Ergänzungen eingefügt, u. a.: »Nachtwachen von Bonaventura, Penig Dienemann 1804«. »Die Literaturwissenschaft hat die Möglichkeit, die Werkinterpretation der *Nachtwachen* nun ungestört von der (leidigen) Verfasserfrage fortzusetzen.« (Ebd., S. 297.)

Literaturhinweise

Arendt, Werner Erich Wilhelm: Die Gestalt der Mutter in den Nachtwachen von Bonaventura, Diss. Queens University (Kanada) 1982.

Bernarth, Klaus: Mensura fidei. Zahlen und Zahlenverhältnisse bei Bonaventura. In: Mensura. Maß, Zahl, Zahlensymbolik im Mittelalter. Hrsg. von Albert Zimmermann. Halbbd. 1. Berlin / New York 1983. S. 65–85.

Brinkmann, Richard: Nachtwachen von Bonaventura. Kehrseite der Frühromantik? In: Die deutsche Romantik. Hrsg. von Hans Steffen. Göttingen 1967. S. 134–158.

Finger, Ellis: Bonaventura through Kreuzgang: »Nachtwachen« as autobiography. In: The German Quarterly 53 (1980) S. 282–297.

Gillespie, Gerald: Bonaventura's romantic agony. Prevision of an art of existential despair. In: Modern Language Notes 85 (1970) S. 697–726.

Gölz, Siegrid: Die Form der Unmittelbarkeit in den Nachtwachen von Bonaventura. Diss. Frankfurt a. M. 1955.

Gulyga, Arseni: Schelling als Verfasser der »Nachtwachen« des Bonaventura. In: Deutsche Zeitschrift für Philosophie 32 (1984) S. 1027–36. [Replik von Steffen Dietzsch: Ebd. 33 (1985) S. 352–355.]

Habersetzer, Karl-Heinz: Bonaventura aus Prag und der Verfasser der Nachtwachen. In: Euphorion 77 (1983) S. 470–482.

Heiduk, Franz: Bonaventuras Nachtwachen. Erste Bemerkungen zum Ort der Handlung und zur Frage nach dem Verfasser. In: Aurora 42 (1982) S. 143–165.

Hinderer, Walter: »Dieses Schwanzstück der Schöpfung«: Büchners »Dantons Tod« und die »Nachtwachen von Bonaventura«. In: Georg Büchner-Jahrbuch 2 (1982) S. 316–342.

Hoffmeister, Gerhart: [Rez. von:] »Neues aus der Wezel-Forschung«. In: The German Quarterly 58 (1985) S. 115–118.

Hunter-Lougheed, Rosemarie: Warum eigentlich nicht Hoffmann? Ein Beitrag zur Verfasserfrage der Nachtwachen. In: Mitteilungen der E. T. A. Hoffmann-Gesellschaft 23 (1977) S. 22–43.

– Bonaventura und E. T. A. Hoffmann, unter besonderer Berücksichtigung des Plozker Tagebuches. In: Germanisch-romanische Monatsschrift 32 (1982) S. 345–363.

– Der »Prolog des Hanswurstes«: Zur Entstehungsgeschichte und Datierung der Nachtwachen. In: Seminar 18 (1982) S. 27–43.

Köster, Heinrich: Das Phänomen des Lächerlichen in der Dichtung um 1800 (Jean Paul, E. T. A. Hoffmann, Bonaventura). Diss. Freiburg 1956.

Küpper, Peter: Unfromme Vigilien. Bonaventuras »Nachtwachen«. In: Festschrift für Richard Alewyn. Köln/Graz 1967. S. 329 bis 345.

Kuzniar, Alice A.: The Bounds of the Infinite: Self-Reflection in Jean Paul's »Rede des todten Christus«. In: The German Quarterly 57 (1984) S. 183–196.

Leopoldseder, Hannes: Groteske Welt. Ein Beitrag zur Entwicklungsgeschichte des Nachtstücks in der Romantik. Bonn 1973.

Mielke, Andreas: Zeitgenosse Bonaventura. Stuttgart 1984.

Montandon, Alain: Hamlet ou le fantôme du moi: Le Double dans le romantisme allemand. In: Le Double dans le romantisme anglo-americaine. Hrsg. von Christian La Cassaguère. Clermont-Ferrand 1984. S. 31–56.

Paulsen, Wolfgang: Bonaventuras »Nachtwachen« im literarischen Raum, Sprache und Struktur. In: Jahrbuch der deutschen Schillergesellschaft 9 (1965) S. 447–510.

Perez, Hertha: Betrachtungen zu den Nachtwachen von Bonaventura. In: Ansichten der deutschen Klassik. Hrsg. von Manfred Beyer. Berlin [Ost] 1981. S. 365–381.

Pfannkuche, Walter: Idealismus und Nihilismus in den »Nachtwachen« von Bonaventura. Frankfurt a. M. / Bern 1983.

Pribić, Rado: Bonaventura's »Nachtwachen« und Dostojevsky's »Notes from the Underground«. A comparison in nihilism. München 1974.

Proß, Wolfgang: Jean Paul und der Autor der »Nachtwachen«. In: Aurora 34 (1974) S. 65–74.

Sammons, Jeffrey: »Die Nachtwachen von Bonaventura«. A structural interpretation. London / Den Haag / Paris 1965.

Scherzer, Melitta: Zur Diskussion um die »Nachtwachen« des Bonaventura: Johann B. Erhard. In: Aurora 37 (1977) S. 115–133.

Schillemeit, Jost: Bonaventura, der Verfasser der »Nachtwachen«. München 1973.

Schönert, Jörg: Fragen ohne Antwort. Zur Krise der literarischen Aufklärung im Roman des späten 18. Jahrhunderts: Wezels »Belphegor«, Klingers »Faust« und die »Nachtwachen von Bonaventura«. In: Jahrbuch der Deutschen Schillergesellschaft 14 (1970) S. 183–229.

Sölle-Nipperdey, Dorothee: Untersuchungen zur Struktur der Nachtwachen von Bonaventura. Göttingen 1959.

Stachow, Joachim: Studien zu den Nachtwachen von Bonaventura mit besonderer Berücksichtigung des Marionettenproblems. Diss. Hamburg 1957.

Terras, Rita: Juvenal und die satirische Struktur der Nachtwachen von Bonaventura. In: The German Quarterly 52 (1979) S. 18–29.

Thiele, J.: Untersuchungen zur Frage des Autors der »Nachtwachen von Bonaventura« mit Hilfe einfacher Textcharakteristiken. In: Grundlagenstudien aus Kybernetik und Geisteswissenschaft 4 (1963) S. 36–44.

Wickmann, Dieter: Eine mathematisch-statistische Methode zur Untersuchung der Verfasserfrage literarischer Texte. Durchgeführt am Beispiel der »Nachtwachen. Von Bonaventura« mit Hilfe der Wortübergänge. Köln/Opladen 1969.

DIRK GRATHOFF

Heinrich von Kleist: *Die Marquise von O...* Drei Annäherungsversuche an eine komplexe Textstruktur

Erster Annäherungsversuch: Namen, Titel, Zeichen

Kleist, der Schriftsteller, begegnet uns, seinen Lesern, mit Schriftzeichen. Meist stellt er sie zu Worten zusammen, gelegentlich, so schon im Titel der Erzählung *Die Marquise von O...*, stehen sie für sich. Die drei Punkte hinter dem O – in zeitgenössischen Drucken werden dafür oft Asterisken gebraucht – verweisen auf andere, verschwiegene Schriftzeichen. Kleist nennt uns die Buchstaben nicht. Warum? Warum darf der Name nicht genannt werden, warum erscheint die Marquise bloß im Zeichen des O? Über diese Frage ist unlängst der letzte, ein wenig unergiebige Disput der Forschungsgeschichte geführt worden,[1] und ebenso sind schon die ersten Reaktionen auf den Erstdruck der Erzählung im Februarheft des *Phöbus* 1808 davon bewegt. Varnhagen von Ense war verärgert: »Der große Cervantes würde nimmer sagen: in dem ***Kriege, ein Oberst der *** Truppen, bei der Bestürmung von M***, die Marquise von O***. O über den ekelhaften Kerl, der als Dichter ordentlich an sich halten will und beileibe nicht die ganze Welt enthüllen mag, in der seine Gestalten leben!«[2] Womöglich hat Kleist als

1 Vgl. Steven R. Huff, »Kleist and Expectant Virgins: The Meaning of the ›O‹ in *Die Marquise von O...*«, in: *Journal of English and Germanic Philology* 81 (1982) S. 367–375, mit der These, das O verweise über eine iberische Marienfigur im schwangeren Zustand (*Madonna* oder *Maria de la O*) auf die Gottesmutter, sowie die Zurückweisung von H. H. J. de Leeuwe, »Warum heißt Kleists *Marquise von O...* von O...?«, in: *Neophilologus* 68 (1984) S. 478–479.

2 An Fouqué, 4. 4. 1808 (*Heinrich von Kleists Lebensspuren*, hrsg. von Helmut Sembdner, 4. Aufl., Frankfurt a. M. 1977, Nr. 260; im folgenden zit. als: LS,

Dichter gerade deshalb an sich gehalten, um im Nicht-Nennen etwas über die Welt zu enthüllen, in der seine Gestalten leben? Denn es ist ja nicht nur der Autor, der uns, seinen Lesern, etwas verhüllt, auch seine Gestalten hüllen sich in Schweigen: das Nicht-Nennen, das Nicht-Aussprechen ist offenbar ein thematisch bedeutendes Problem der Erzählung selbst. Die Beschränkung auf das Zeichen des O hat also einen immanenten Grund in der Erzählung selbst, und kann nicht bloß äußerlich entstehungs- oder wirkungsästhetisch begründet werden. Gewiß schließt Kleist mit seinen Namenskürzeln an eine lange Erzähl- und Romantradition des 18. Jahrhunderts an, wie de Leeuwe betont,[3] angefangen von Richardson und Gellert, bis hin zu Goethe und Schiller (vor allem im *Geisterseher*), gewiß übernimmt er das Stilmittel »aus den moralischen Erzählungen, Prozeßberichten und Kriminalgeschichten seiner Zeit«, um den Eindruck einer »Schlüsselerzählung« zu fingieren,[4] der angeblich »eine wahre Begebenheit« zugrunde liege, »deren Schauplatz vom Norden nach dem Süden verlegt worden« sei.[5] Aber all dies sind nur äußerliche taktische Gründe, genau wie die »Taktgründe«, die de Leeuwe bei Kleist vermutet, »indem er rein Privates zur Schau stellt, den Leser durchs Schlüsselloch gucken läßt, aber dabei wie ein anständiger Journalist sich distanziert und seine Gestalten so vor Zudringlichkeiten schützt«.[6] Nein, Kleist läßt seine Gestalten (die Frau von G...) und Leser ja nicht nur durchs Schlüsselloch gucken, um sich anständig zu distanzieren, im Gegenteil, er scheint obendrein geradezu ein

Nr.). In der Vorlage für LS 260 sind statt der Asterisken Punkte gebraucht (S. Rahmer, *Heinrich von Kleist als Mensch und Dichter*, Berlin 1909, S. 137).

3 de Leeuwe (Anm. 1).

4 Michael Moering, *Witz und Ironie in der Prosa Heinrich von Kleists*, München 1972, S. 237 f.

5 Dieser Zusatz findet sich nur im Inhaltsverzeichnis des zweiten *Phöbus*-Heftes (Februar 1808; dort S. 48), nicht beim Text des Erstdrucks oder dann in den *Erzählungen* (1810). Als Untertitel ist der Zusatz in den Textabdruck von Helmut Sembdner eingefügt worden.

6 de Leeuwe (Anm. 1) S. 478.

höchst unanständiger Schriftsteller zu sein, indem er das Zeichen des O für sich stehen läßt, und so den frivolsten Assoziationen Tür und Tor öffnet. Mindestens scheint er solche in Frankreich ausgelöst zu haben, wie Pierre Bertaux mutmaßte, der den großen Erfolg des *Marquise von O...*-Films von Eric Rohmer auch auf eine Verwechslung mit der *Histoire d'O* beim Publikum zurückführte.[7] Den Buchstaben O im Titel dieses pornographischen Romans von Pauline Reage (d. i. Anne Leclos) hat Susan Sontag in ihrer Studie *The Pornographic Imagination* folgendermaßen begriffen: »*O*'s quest is neatly summed up in the expressive letter, which serves her for a name. ›O‹ sugguests a cartoon of her sex, not her individual sex, but simply woman; it also stands for a nothing. But what *Story of O* unfolds is a spiritual paradox, that of the full word and the vacuity that is also a plenum.«[8] Das O changiert so zwischen Besagen und Nichtssagen, es besagt etwas und besagt zugleich nichts. Weder kann es vollständig in eine Bedeutung aufgelöst werden, etwa gar einen nördlichen oder südlichen Familiennamen, noch kann man so tun, als wolle Kleist alles verheimlichen, denn er offenbart zugleich Unerhörtes. So steckt im Sagen und Nichtssagen des Schriftzeichens O schon das zentrale Problem der gesamten Erzählung von Kleist: wie kann ich meinen Lesern eine Geschichte erzählen, die die beteiligten Gestalten in der Geschichte einander nicht erzählen können und dürfen? Sie dürfen es nicht aus Gründen, die man beim Autor vermutete: aus Taktgründen, und sie können es nicht, weil ihnen die Sprache dazu fehlt. Was für eine Sprache muß also der Schriftsteller Kleist finden, wenn er eine derartige Geschichte erzählen will? Offenbar die Sprache der skandalösen Zeichen.

7 Pierre Bertaux, »Die Kleist-Rezeption in Frankreich«, in: *Die Gegenwärtigkeit Kleists*, Reden zum Gedenkjahr 1977, Berlin 1980, S. 30–42; hier S. 39.

8 Susan Sontag, *Stiles of Radical Will*, New York 1969, S. 55 f. Den Hinweis auf diese Passage verdanke ich der schönen Freiburger Magisterarbeit von Hedwig Appelt, *Der Weg der Seele des Tänzers. Einsichten in die Prosa Heinrich von Kleists*, Freiburg 1982 [Masch.], S. 37.

Die Marquise von O... war ein Skandalon, sie war es von Anbeginn, seit dem Erstdruck im zweiten *Phöbus*-Heft, und ist es geblieben – mindestens bis in die jüngste Vergangenheit. Die Empörung nach dem ersten Erscheinen der Erzählung ist bekannt: »Nur die Fabel derselben angeben, heißt schon, sie aus den gesitteten Zirkeln zu verbannen«,[9] schrieb der Kritiker des *Freimüthigen*, und in der Dresdner Damenwelt war zu hören: »Seine Geschichte der Marquisin von O. kann kein Frauenzimmer ohne Erröten lesen.«[10] An die Wiedergabe des zentralen Skandalons der Erzählung, die Beschreibung der inzestuösen Versöhnung von Vater und Tochter schloß der Kritiker des *Freimüthigen* die Frage an: »Darf so etwas in einer Zeitschrift vorkommen, die sich *Goethes* besondern Schutzes, ankündigungsgemäß, zu erfreuen hat [...]?«[11] Goethe hat den Herausgebern dann, wie neuerdings bekannt wurde, »einen Verweis gegeben, daß sie seinen Namen verwenden«.[12]

Kleist reagierte seinerseits im April/Mai-Heft des *Phöbus* mit sechs bissigen, wunschgemäß eher schon »giftigen« Epigrammen (Nr. 19–24 der ersten Epigrammreihe)[13], von denen meist nur das erste (Nr. 19) wahrgenommen wird, das den Titel »Die Marquise von O...« trägt:

> Dieser Roman ist nicht für dich, meine Tochter. In Ohnmacht!
> Schaamlose Posse! Sie hielt, weiß ich, die Augen blos zu.

Erheblich schärfer ging er mit der doppelbödigen Moralität seines weiblichen Lesepublikums in den folgenden Epigram-

9 LS 235a.
10 LS 261.
11 LS 235a.
12 LS 239c.
13 Heinrich von Kleist, *Sämtliche Werke und Briefe*, hrsg. von Helmut Sembdner, 2 Bde., 7. Aufl., München 1983 (im folgenden zit. als: SW), Bd. 1, S. 22. Sembdner hat beim Abdruck der Epigramme die Numerierung des *Phöbus*-Drucks fortgelassen; es handelt sich bei Nr. 19–24 um die letzten sechs Epigramme auf S. 22.

men ins Gericht. Wenn sich eine »Sensitiva« schon durch seine Texte verletzt fühle, dann, bitte sehr, möge sein »Lied« doch gleich zu dem werden, was die »Sensitiva« daraus mache: »Pest und Gift«:

20. An ***

Wenn ich die Brust dir je, o Sensitiva, verletze,
Nimmermehr dichten will ich: Pest sei und Gift dann mein Lied.

Offenbar liegen solchen Attacken einschlägige Erfahrungen aus der Dresdner Zeit zugrunde, womöglich war Kleist in moralhüterischen Zirkeln der gehobenen Dresdner Damenwelt wegen seiner Frauengestalten in Verruf geraten, denn ähnlich äußerte er sich über seine *Penthesilea*: »Wenn man es recht untersucht, so sind zuletzt die Frauen an dem ganzen Verfall unsrer Bühne schuld, und sie sollten entweder gar nicht ins Schauspiel gehen, oder es müßten eigne Bühnen für sie, abgesondert von den Männern, errichtet werden. Ihre Anforderungen an Sittlichkeit und Moral vernichten das ganze Wesen des Drama, und niemals hätte sich das Wesen des griechischen Theaters entwickelt, wenn sie nicht ganz davon ausgeschlossen gewesen wären.«[14]
Die heimliche Lust, hinter den Schriftzeichen etwas Anzügliches entdecken zu wollen, was dort nicht ist (wie das Augenzuhalten statt der Ohnmacht), um zugleich im Brustton moralischer Empörung öffentlich zu lamentieren, dies Wechselspiel von heimlicher Lust und öffentlicher Empörung hat Kleist auch im folgenden Epigrammpaar der ersten *Phöbus*-Reihe parodistisch konterkariert:

21. Die Susannen

Euch aber dort, euch kenn' ich! Seht, schreib' ich dies Wort euch: שׁוּזאָכְּכ
Schwarz auf weiß hin: was gilt's? denkt ihr – ich sag' nur nicht, was.

14 SW II, 796.

22. Vergebliche Delicatesse
Richtig! Da gehen sie schon, so wahr ich lebe, und schlagen
(Hätt' ich's doch gleich nur gesagt) griechische Lexica nach.

Die keuschen Susannen, die den delikaten Zeichen nachspüren, suchen vergebens, finden sie doch nur sich selbst: die hebräischen Zeichen stehen für den Namen Susanna.
Dem verspottenden Spiel ist ein ausgeprägtes Bewußtsein von der Materialität wie der Zeichenhaftigkeit von Schriftzeichen, von ihrem Sagen wie ihrem Nichtssagen, eingeschrieben. So wird es gut sein, die von den überzeugenden neueren Werkinterpretationen (namentlich von Heinz Politzer und Eric Rohmer)[15] so erfolgreich praktizierte Maxime, den Text der *Marquise von O. . .* wörtlich zu lesen, zu erweitern in die Maxime, den Text nicht bloß wörtlich, sondern buchstäblich zu nehmen, und überdies neben Buchstaben gelegentlich andere Schriftzeichen zu beachten: hebräische, Asterisken, Gedankenstriche und womit sonst Kleist uns kommen mag. Kehren wir, so gewappnet, noch einmal zu den Worten, Buchstaben und Zeichen der Namen zurück.
Um das Nicht-Nennen der Namen treibt Kleists Erzählung nicht unerheblichen Aufwand. Von keiner Figur erfahren wir den vollständigen Namen. Nur zwei Personen werden mit dem Vornamen genannt, die Marquise (»Julietta«) und ihr Vater (»Lorenzo«) – auf den Jäger (»Leopardo«) gehe ich später ein. Niemals jedoch gebraucht der Erzähler die Vornamen Julietta oder Lorenzo, stets werden sie in indirekter oder direkter Rede von anderen Erzählfiguren ausgesprochen:

15 Heinz Politzer, »Der Fall der Frau Marquise. Beobachtungen zu Kleists *Die Marquise von O. . .*«, in: Heinrich von Kleist, *Die Marquise von O. . .*, hrsg. von Werner Berthel, Frankfurt a. M. 1979, S. 55–96; dort (S. 96, Anm. 56) mit dem Hinweis auf das wörtliche Lesen auch im Vergleich zu Rohmer (sonst zuvor gedruckt in: *Deutsche Vierteljahrsschrift für Literaturwissenschaft und Geistesgeschichte* 51, 1977, S. 98–128). Zu Eric Rohmers Prinzip seiner Verfilmung, dem »Kleistschen Text Wort für Wort zu folgen«, vgl. ebd., S. 111.

»Lorenzo« sagt die Mutter zu ihrem Mann (zweimal: 19, 36)[16], mit »Julietta« wird die Marquise vom Grafen F... (dreimal: 8, 21, 33) und von ihrer Mutter (fünfmal: 25, 26, 42, 46, 47) angeredet. Den Erzähler läßt Kleist also auch hier schweigen, und seltsam mutet es an, wenn in Sekundärschriften wie selbstverständlich der Name Julietta für die Marquise gebraucht wird,[17] denn außerhalb des Sprachnetzes der Erzählfiguren untereinander sind die sonst ungenannten Vornamen deplaziert. Um den Vornamen der Marquise hat Kleist zudem ein schönes einleitendes Versteckspiel inszeniert, indem sie den Ausruf des Grafen »Julietta! Diese Kugel rächt dich!« nicht auf sich, sondern auf eine »Namensschwester« (8) bezieht, und der Leser dann daraus rückschließen muß, daß auch ihr Name Julietta sei. Woher der Graf freilich ihren Namen kannte, bleibt genauso rätselhaft, wie die überraschende Mitteilung: »Sie [die Marquise] wußte schon, daß er der Graf F..., Obristlieutenant vom t... n Jägerkorps, und Ritter eines Verdienst- und mehrerer anderen Orden war.« (6.)

Wie der Erzähler können sich die Erzählfiguren weigern, Namen zu nennen. Als der Vater der Marquise dem kommandierenden russischen General von dem »frevelhaften Anschlag« auf seine Tochter berichtete, rief dieser »den Grafen F... bei Namen vor« (hier schweigt der Erzähler gewissermaßen doppelt hartnäckig), »und befahl ihm, zu sagen, wer sie [die Täter] seien? Der Graf F... antwortete, in einer verwirrten Rede, daß er nicht im Stande sei, ihre Namen anzugeben [...].« (7.) Der Graf weigert sich, mit dem Namen die Identität derjenigen preiszugeben, die die Mar-

16 Der Text der *Marquise von O...* wird zitiert nach der Ausgabe in Reclams Universal-Bibliothek, Nr. 8002 (Stuttgart 1984 [u. ö.]). Die den Textzitaten unmittelbar folgenden Seitenangaben beziehen sich auf diese Ausgabe.

17 Vgl. etwa Herta-Elisabeth Renk, »Heinrich von Kleist: Die Marquise von O...«, in: *Deutsche Novellen von Goethe bis Walser. Interpretationen für den Deutschunterricht*, Bd. 1, Königstein 1980, S. 31–52; bes. die Titelfragen in Abschnitt 3: »Wieso kann sich Julietta [...]«, »Wieso will Julietta [...]«, »Wieso läßt Julietta [...]«, S. 46 f.

quise vergewaltigen wollten, und an deren Stelle er sie vergewaltigte. Ein anderer nennt sie dann, und sie werden, da macht der General kurzen Prozeß, statt seiner hingerichtet. Die doppelbödige Ironie der Geschichte will es, daß sie gerade deshalb verurteilt werden, weil sie stellvertretend gehandelt, weil sie etwas »im Namen« eines anderen gemacht (oder versucht) haben: vor der oben zitierten Aufforderung, die Namen der Täter zu nennen, erklärt der russische General, »daß er die Schandkerle, die den Namen des Kaisers brandmarkten, niederschießen lassen wolle« (7). In dieser kurzen Textpassage wird also eine Brücke geschlagen vom Namen des Grafen über den Namen des Kaisers, der eigentlich der des Zaren sein müßte, zu den Namen der russischen Soldaten, wobei das Stellvertretungsverhältnis vom Grafen F. . . zu den Soldaten noch pointiert wird durch den dazwischengeschalteten Namen des Kaisers, in dessen Befehl und Auftrag Offizier wie Soldaten handeln. Wenn der Name die Identität einer Person verbürgt, und das Handeln eines Menschen wiederum aus der Identität seiner Person erfolgt (was mindestens in juristischen Belangen definitorisch gesetzt ist), dann ist genau dieses Verhältnis von Handeln und Identität in Kleists Erzählung dubios, zweideutig. Wer handelt dort eigentlich, wenn einer an der Stelle von anderen etwas macht, die dann gleichwohl den Kopf dafür hinhalten müssen, weil alle in herrschaftlichem Namen handeln? Die fehlenden oder verkürzten Namen in der *Marquise von O. . .* als Indiz für mangelnde Identitätsausprägung sprechen also weniger für ein Schweigen aus ›Anständigkeit‹, zu dem der Erzähler durch moralisch verwerfliche Handlungen genötigt wird, sondern dafür, daß der Zusammenhang von Handeln, aktivem wie passivem, und Identität keine Eindeutigkeit gewinnt, zweideutig bleibt. Und zweideutig gerade, insoweit er sich in der grundsätzlichen Mehrdeutigkeit sprachlicher Artikulation, sei's auch im Un- oder Halbausgesprochenen, manifestiert. Dies betrifft sowohl, im aktiven Handeln, den Grafen F. . . wie auch, im passiven Erleiden, die Marquise von O. . . .

Das Verschweigen oder Verkürzen von Namen verweist, so der erste – negative – Interpretationsbefund, auf einen Mangel an Identitätsausprägung. Doch sprechen die Rudimente von Namen nicht auch eine positive Sprache? Wenn der Erzähler sich schon so dezidiert zurückhält, sollten wir uns wohl um so mehr an das Wenige halten, das er uns nennt. Müssen die Figuren wenn nicht ihren Namen, so immerhin ihren Namensrudimenten und -fragmenten gehorchen, wie es in der sprachlichen Setzung literarischer Texte so oft geschieht? Kleist kennt und gebraucht dieses Verfahren mehrfach (bei den Schroffensteinern z. B., Licht, Walter, Wetterstrahl u. a.), er greift auch häufig zu den beziehungsreichen Anspielungen von Vornamen, man denke nur an die Agnes der *Familie Schroffenstein*, die Katharina des *Käthchen von Heilbronn*, Adam und Eve aus dem *Zerbrochnen Krug*, den Schutzengel Michael, der an die Stelle des historischen Hans Kohlhase getreten ist, oder das Spiel zwischen Nicolo und Colino im *Findling*. Ähnlich vielsagend scheinen die beiden genannten Vornamen der Marquise und ihres Vaters, Julietta und Lorenzo, hier nicht zu sein. Gewiß werden die beiden dadurch hervorgehoben zu einem ›Pärchen‹, aber es scheint überzogen, sie über die Silben- und Vokalanalogie von Lorenzo zu Romeo gleich noch zu einem Romeo-und-Julia-Pärchen werden zu lassen.[18] Der Name Julietta erinnert, wenn überhaupt, doch eher an Rousseaus Julie aus der *Nouvelle Heloise*, die ja bekanntlich die Vorlage für die inzestuöse Versöhnungsszene zwischen Vater und Tochter gestellt hat.

Wenn beim zweiten ›Pärchen‹, der Marquise und dem Grafen, wohl ihr Vorname genannt wird, er aber vornamenlos bleibt, so findet sich dazu ein vergleichbarer Vorgang in der *Penthesilea*, der aufschlußreich sein kann. In einer längeren Passage des 15. Auftritts (V. 1809–29) wird ausdrücklich die

18 Lilian Hoverland, *Heinrich von Kleist und das Prinzip der Gestaltung*, Königstein 1978, S. 149.

Bedeutung des Namens Penthesilea für Achill herausgestellt (»Mein Schwan singt noch im Tod: Penthesilea«; V. 1829), doch umgekehrt spricht Penthesilea niemals im gesamten Stück Achill mit seinem eigenen Namen an, sondern gebraucht stets die Geschlechtsbezeichnungen: Neridensohn, Göttersohn, Sohn des Peleus, Pelide oder Peleide. Während Achill also Penthesilea namentlich als individuelle Person identifiziert und anspricht, erfaßt sie ihrerseits sprachlich nicht das Individuum, sondern nur das Gattungswesen. Ebenso vermag der Graf nach dem Willen des Textes für die Marquise keine individuelle Identität zu gewinnen, er bleibt reduziert auf die Initiale seines Familien- oder Geschlechtsnamens.

Daß die Figuren dem Initialzeichen ihres Geschlechtsnamens gehorchen können, zeigte das O der Marquise im wörtlichen und buchstäblichen Sinn. Auch die Parallele zur iberischen »Madonna de la O«, von der Kleist kaum Kenntnis gehabt haben dürfte, rührt aus einer Korrespondenz von Schrift und Körper, zwischen der Buchstaben- und der Leibesform der schwangeren Maria.[19] Die Initiale F vom Nachnamen des Grafen mag vor allem als Abkürzung für das lateinische »fecit« (›hat es gemacht‹) ironisch auf den anspielen, der es gemacht hat.[20] Im Zentrum des Initialenspiels steht die Marquise, weil sie einen Namens- bzw. Initialenwechsel durchläuft. Sie war einstmals das Fräulein von G. . ., wurde dann zur nunmehr verwitweten Marquise von O. . . und wird am Ende der Erzählung zur Gräfin F. . . .[21] Der Titel hebt ihren

19 Huff (Anm. 1).

20 Nach Hedwig Appelt (Anm. 8) S. 37. Das Zeichen »f.« für einen überführten Täter war in der älteren Rechtsgeschichte gebräuchlich.

21 Übergangs- und kommentarlos vollzieht der Erzähler den Wechsel von der »Marquise«, die »die Ringe wechselte«, zur »Gräfin«, als welche sie »aus der Kirche heraus« trat (48 f.). Was die Namens-Initialen anlangt, wird neben der Familie G. . ., der Marquise von O. . . und dem Grafen F. . . ein Onkel des Grafen, General K. . . (13), erwähnt. Im übrigen mag zu fürchten sein, daß allzu eindringliche Nachforschungen nach dem möglichen Sinn des Initialenspiels mit den Buchstaben F – O – G im Nebel enden.

derzeitigen Zustand während der erzählten Zeit heraus, der sie im vieldeutigen Zeichen des Nichts, des leeren Raums erscheinen läßt. Mit Bedacht will sie diesen Zustand nicht verändern: »ich mag mein Glück nicht, und nicht so unüberlegt, auf ein zweites Spiel setzen« (18). Ein anderes Werk der Weltliteratur hebt – unausgesprochen – in seinem Titel das Gewicht von Namenswechseln bei einer Eheschließung hervor: Fontanes *Effi Briest*. Ihr wird die Ehe als Effi von Innstetten zum Verhängnis, doch wird an keiner Stelle des Romans von ihr in diesem Namen gesprochen, um zu indizieren, was Fontane am Schluß auf ihrem Grabstein festhalten läßt, daß ihr eigentliches Geschick in der Herkunft als »Effi Briest« begraben ist. Ein derartiger Namenswechsel zeigt ja weit mehr an als bloß einen Identitätswechsel, weil grundsätzlich der Subjektstatus einer Person nicht prästabiliert gegeben ist, solange ein möglicher Wechsel latent im Raum steht. Wenn man bedenkt, daß gesagt worden ist – von einem Mann, wie sich versteht –, »der Eigenname eines Menschen« sei wie »die Haut, ihm über und über angewachsen, an der man nicht schaben und schinden darf, ohne ihn selbst zu verletzen«,[22] dann kann man ermessen, welche Häutungsleistungen einer Frau wie der Marquise von O. . . abgefordert werden. Die Verletzungen erstrecken sich bei Kleist nicht auf die ganze buchstäbliche Namenshaut, sondern bleiben auf die Initialen begrenzt, doch mag der bloße Buchstabenanschluß an den Namen des Vaters und den Namen der Familie schon folgenreich sein.

Im Gegensatz zu den andern hat Kleist einer Figur einen offenbar überaus eindeutig sprechenden Namen gegeben, dem Jäger Leopardo. Die gezielte Künstlichkeit der Namenswahl ist deutlich, zumal das Wort als menschlicher Vorname ungebräuchlich ist. Zudem soll er Jäger sein, was ihn mit dem Grafen F. . . »vom t. . .n Jägerkorps« (6) verbindet, je-

22 Goethe, *Dichtung und Wahrheit*, 2. Teil, 10. Buch (*Werke*, Hamburger Ausgabe, Bd. 9, S. 407). Für den Hinweis danke ich Gerhard Meisel, Freiburg.

mand, der im Naturreiche seine Jagdbeute sucht. Eine exotische Raubkatze ist er also, Politzer hatte die Assoziation »eines sprungbereiten und lendenstarken Raubtiers«.[23] Wer sollte da nicht glauben, daß er seinem tierischen Namen alle Ehre gemacht haben müsse, wie die Mutter es der Marquise vorschwindelt (39 f.)? Und doch war er es nicht. Er, der niedrige Domestik mit dem animalischen Namen, hat doch nicht wie ein Tier gehandelt, nicht wie jene »Hunde« am Anfang, »die nach solchem Raub lüstern waren« (5), woran sie von einem Grafen F. . . gehindert werden mußten, der – kurz darauf – »die Naturen der Asiaten mit Schaudern« erfüllte (6). Die russischen Soldaten, asiatische Naturen, und der Jäger Leopardo stehen gesellschaftlich auf einer Stufe, die sie kaum dem Naturreich entwachsen läßt; solchen Naturen ist eine Vergewaltigung gewiß zuzutrauen, in dieser Vermutung bestätigt der Erzähler ausdrücklich die Marquise: »Immer noch sträubte sie sich, mit dem Menschen, der sie so hintergangen hatte, in irgend ein Verhältnis zu treten: *indem sie sehr richtig schloß*, daß derselbe doch, ohne alle Rettung, zum Auswurf seiner Gattung gehören müsse, und, auf welchem Platz der Welt man ihn auch denken wolle, nur aus dem zertretensten und unflätigsten Schlamm derselben, hervorgegangen sein könne.« (30; Hervorhebung von mir.) Die Sorge, daß der Vater des Kindes »von niedrigem Stande« (39) sein könne, teilen vor allem die Mutter und der Vater, der droht: »Aber die Kugel dem, der am Dritten morgens über meine Schwelle tritt! Es müßte denn schicklicher sein, ihn mir durch Bedienten aus dem Hause zu schaffen.« (36.) Die Sorgen sind, wie wir wissen, unbegründet. Die scheinbar so deutliche Sprache eines Namens enthüllt doch nicht die Wahrheit, Leopardo ist es nicht gewesen.

Wenn aber bei ihm der Vorname nicht die Wahrheit sagt, dann könnte bei den anderen Figuren vielleicht ebenso das-

23 Politzer (Anm. 15) S. 57. Politzer hebt im Rückgriff auf Moering (Anm. 4) vor allem die komischen Dimensionen der Leopardo-Episode hervor.

jenige täuschen, das an die Stelle der fehlenden Vornamen getreten ist: die Titel. Auffällig ist das dezidierte Hervorkehren der Adelsprädikate *Graf* F... und *Marquise* von O..., wie der militärischen Rangbezeichnungen »Kommandant«, »Obrist« und – ausstrahlend – »Obristin« bei »Herrn« und »Frau von G...«. Ans Kafkaeske grenzen die Berufsbezeichnungen »Forstmeister« (des Bruders), und natürlich jenes »Türstehers« (zuerst 30), der in der Erstfassung noch ein »Portier« war.[24] Kleist legt offenkundig besonderen Wert auf die Adelstitel und die Standeszugehörigkeit, demgegenüber ist die personelle Identität zurückgetreten. Zumal der Titel »Marquise« erhält ausgezeichnetes Gewicht, weil er in den Titel der Erzählung gesetzt ist. In der Regel wählt Kleist die Titel seiner Werke mit großem Bedacht in Hinblick auf zentrale thematische Aspekte,[25] so verweist etwa das beibehaltene Wort »Familie« in den Änderungen von *Die Familie Thierrez* zu *Die Familie Ghonorez* und *Die Familie Schroffenstein* auf das wichtigste Problemfeld des Stücks. Die Bedeutung der Namens- und Titelgebung des *Käthchen von Heilbronn*, um ein weiteres Beispiel zu nennen, wird von ihrem vermeintlichen Vater ausdrücklich hervorgehoben: »so lief es flüsternd von allen Fenstern herab: das ist das Käthchen von Heilbronn; das Käthchen von Heilbronn, ihr Herren, als ob der Himmel von Schwaben sie erzeugt, und von seinem Kuß geschwängert, die Stadt, die unter ihm liegt, sie geboren hätte«.[26] Wie in der *Marquise*, die zur Gräfin wird, muß im *Käthchen* die Vaterschaft des Himmels und die Mutterschaft der Stadt Heilbronn preisgegeben werden, damit sie ihren Wetterstrahl bekommen kann, am Ende steht ein Namenswechsel: »Und Katharina heißt sie jetzt von Schwaben«.[27]

24 SW II, 901.
25 An anderer Stelle habe ich dies für den Titel des *Zerbrochnen Krugs* zu zeigen versucht: »Der Fall des Krugs. Zum geschichtlichen Gehalt von Kleists Lustspiel«, in: *Kleist-Jahrbuch* (1981/82) S. 290–313.
26 SW I, 433.
27 SW I, 525.

Kleist setzt in den Titel die zentrale, die problematische, die verletzte und verletzliche Figur, um die sein Erzählen kreist; und indem er sie im Titel mit dem Titel nennt, nicht mit dem auch sonst vom Erzähler verschwiegenen Namen »Julietta von O. . .«, wird deutlich, daß die gesellschaftlichen und familialen Zugehörigkeitsformen zu dem problematischen Dasein dieser Frau gehören, es womöglich maßgeblich determinieren. Die skandalöse Geschichte, die Kleist erzählt, wird darüber hinaus durch das soziale Feld der gehobenen Adelsgesellschaft, in der sie spielt, um so mehr zum Skandalon. Er hat die angeblich »wahre Begebenheit« nicht bloß, wie er vorgibt, vom Norden nach dem Süden verlegt, er hat sie vor allem in sozialer Hinsicht von unten nach oben verlegt, wenn man an die Bauerswitwe und den Knecht in der Anekdote aus Montaignes *Essai über die Trunksucht* denkt, die wohl als gesicherte Quelle gelten darf.[28] Kontrastiv gesetzt sind in der Erzählung die hohe ›Kultur‹stufe der Adelswelt gegen die ans Tierreich grenzende Domestikenwelt. Indes versagen doch in beiden die Namen, die Bezeichnungen. Weder vermag ein Grafentitel moralisch unanstößiges Verhalten zu verbürgen – bekanntlich ist der »Ruf« eines Grafen, wie er selbst weiß, ohnehin die »zweideutigste aller Eigenschaften« (12), noch macht der Name Leopardo seinen Träger zum Tier.

Die sozialkritische Dimension des Textes, daß – nennen wir es der Deutlichkeit halber einmal so – ein adliges Schwein eine Vergewaltigung ausführt, woran tierische Domestiken nur denken mögen, diese sozialkritische könnte von einer zeitkritischen Dimension überlagert sein, von einer möglichen antifranzösischen und antinapoleonischen Tendenz der Erzählung. Dafür spräche womöglich auch der Hinweis, daß der

28 Zu den Quellen vgl. neben den Angaben bei Sembdner (SW II, 899 f.) vor allem: Lorenzo Bianchi, *Studien über H. v. Kleist I. Die Marquise von O. . .*, Bologna 1921; Alfred Klaar, *Heinrich von Kleist. Die Marquise von O. . . Die Dichtung und ihre Quellen*, Berlin 1922; Gerhard Dünnhaupt, »Kleist's *Marquise von O. . .* and its Literary Dept to Cervantes«, in: *Arcadia* 10 (1975) S. 147–157; sowie zuletzt Politzer (Anm. 15) S. 63–67.

Schauplatz der Begebenheit vom Norden nach dem Süden verlegt worden sei. Davon ist beispielsweise Hartmut Lange in seiner dramatischen Umsetzung der Erzählung in die Komödie *Die Gräfin von Rathenow* ausgegangen, indem er den Schauplatz in den Norden, nach Preußen zurückverlegte. »Ihr seht in diesem Stück den preußischen Staat«, heißt es eröffnend in Anlehnung an Brechts Bearbeitungstechniken im »Prolog«, »oder was Napoleon 1806 davon übriggelassen hat«.[29] Dennoch hat Lange mit Recht nicht einfach antinapoleonische Tendenzen hervorgekehrt, er hat die sozialkritische Dimension verstärkt (u. a. in einem fortgesponnenen Verhältnis seiner Gräfin – vormals der Marquise – mit Leopold/Leopardo) und er hat die komödienhaften Elemente, die ja bereits in Kleists prosaischer Version szenische Qualitäten besitzen,[30] zur Komödie gesteigert. Bei Lange heißt es – in Umkehrung der Kleistschen Titel, sein »Marquis de Beville« habe die Gräfin von Rathenow »mit dem barbarischen Recht des Eroberers genotzüchtigt«,[31] was wohl im Kontext seiner Komödie gesagt, aber nicht vereinfachend als mögliche Lesart auf Kleists Erzählung rückbezogen werden kann. Der Graf F... mag ein Barbar sein, aber er kann gewiß nicht einfach auf einen barbarischen Franzosen reduziert werden, der als Fremdherrscher über blonde teutsche Mädels herfällt. Dies nationale ist jedenfalls nicht das vordringliche thematische Problem von Kleists Erzählung, was im Vergleich mit einer thematisch eng verwandten, ›echten‹ antifranzösischen Kampfschrift Kleists aus dem Jahr 1809 schnell deutlich wird. Es handelt sich um den zweiten der *Satirischen Briefe*, den *Brief eines jungen märkischen Landfräuleins an ihren Onkel*.[32] Wie die Marquise »beim Drang unabänderlicher

29 Es gibt zwei Fassungen der Komödie: Hartmut Lange, *Die Gräfin von Rathenow*, Frankfurt a. M. 1969 (Zitat S. 7); zweite Fassung in H. L., *Theaterstücke 1960–72*, Reinbek bei Hamburg 1973, S. 191–233.

30 Vgl. dazu grundsätzlich Moering (Anm. 4), danach Politzer (Anm. 15).

31 Lange (Anm. 29) erste Fassung, S. 83.

32 SW II, 368–371.

Umstände« (3) schreibt das Landfräulein »von Verhältnissen [. . .] gedrängt« an ihren Onkel von der Verlobung mit einem Kapitän der französischen Besatzungsmacht, der in ihrem Hause einquartiert war. Auch hier arbeitet Kleist mit Abkürzungen für Ortsnamen: »B. . .« und »P. . .«, die sich dem Leser leicht als Berlin und Potsdam aufschließen, und der Name des französischen Besatzungsoffiziers ist ähnlich beredt: »Lefat«, der Geck, der Laffe. Das Landfräulein verteidigt in liebender Zuneigung und humanistischer Gesinnung die moralische Integrität des Besatzers gegenüber dem Onkel. Doch Kleist läßt zwischen den Zeilen nur zu deutlich aufscheinen, daß der Herr Lefat in seiner Heimat bereits verheiratet ist, in Abwesenheit der Verlobten zwischendurch von der Kammerjungfer des Hauses nicht hat lassen können, und es am Ende bloß auf die Erbschaft des Landfräuleins abgesehen hat. In diesem Text zwingt sich Kleist, gleichsam unter Kriegsbedingungen, zu einem borniert anklagenden Moralismus und zu einem platten Normalitätsbegriff, von dem seine anderen ästhetischen Texte, gerade auch *Die Marquise von O. . .*, sonst unüberbrückbar entfernt sind. Es ist ein bemerkenswertes Phänomen bei Kleist, daß er in der vehement patriotischen Phase der Jahre 1808/09 in der Lage war, den subtilen Zweifel, der sonst die Modernität seiner Werke auszeichnet, ins extreme Gegenteil einer bornierten Gewißheit umschlagen zu lassen. Und es bedarf eines kräftigen Gegen-den-Strich-Lesens,[33] um noch darin die früheren ästhetischen Qualitäten fortwirken zu sehen.

Der Vergleich mit dem *Brief eines Landfräuleins* zeigt, daß der Gehalt der *Marquise von O. . .* nicht auf eine unmittelbar zeitkritische, bloß antifranzösische Tendenz reduziert werden kann. Dafür spricht auch die Unstimmigkeit oder Verwirrung bei den Adelsprädikaten in der Erzählung. Der Adelsrang der Marquise hätte korrekt der einer italienischen

33 Wie es z. B. Claus Peymann in seiner Bochumer Inszenierung der *Hermannsschlacht* gelungen ist.

»Marchesa« sein müssen; Politzer hat diese Unstimmigkeit bemerkt und auf die französische Sprache zurückgeführt, in der die Beteiligten untereinander sprechen.[34] Es kann sich um ein echtes Versehen Kleists handeln, denn auch im *Bettelweib von Locarno* bezeichnet er die Frau des »Marchese« (dort also italienisch korrekt) als »Marquise«.[35] Wenn man jedoch die weiteren Unstimmigkeiten bei den Adelstiteln – abgesehen von den vielen sachlichen Widersprüchen[36] – hinzunimmt: den »Namen des Kaisers« (7) – statt, korrekt, des Zaren – und den deutschen Grafentitel für einen russischen Adligen, dann liegt die Vermutung nahe, daß es Kleist gerade darum ging, die Zweitrangigkeit oder Belanglosigkeit *nationaler* Identität herauszustreichen, und ungeachtet dessen die Bedeutung der standesmäßigen Zugehörigkeit zum Adel zu betonen.

In einer klassen- oder standesspezifischen Kritik erschöpft sich Kleists Erzählung freilich keineswegs. Was Kleist zur Sprache bringt, greift weit über Dinge hinaus, die in einer Rubrik ›Standesprobleme der Feudalgesellschaft‹ zur Verhandlung stünden. Im Zentrum des Textes geht es um Fragen der Identität des Menschen im Spannungsfeld von Sexualität, Gesellschaft – gesellschaftlicher Organisation von Sexualität – und Sprache. Diese Fragen sind, in der subtilen Radikalität, mit der sie in der *Marquise von O...* angesprochen werden, weder schon im Feudalzeitalter ad acta gelegt, noch erst im bürgerlichen Zeitalter aufgeworfen worden, und also »immer noch aktuell« – sie sind vielmehr auch heute als Problemfeld kaum schon aussprechbar. Wo Kleists Zeitalter die Sprache fehlte, fehlt sie uns immer noch – vielleicht mehr als die Worte, die Kleist wenigstens hat finden können.

34 Politzer (Anm. 15) S. 66.
35 SW II, 197.
36 Walter Müller-Seidel, »Die Struktur des Widerspruchs in Kleists *Marquise von O...*«, in: *Deutsche Vierteljahrsschrift für Literaturwissenschaft und Geistesgeschichte* 28 (1954) S. 497–515.

Zweiter Annäherungsversuch: Identitäten

Die Pluralform des Worts Identität mag irritieren, weil sie auflöst, was doch zusammengehalten werden soll. In Hinblick auf Kleist und in Hinblick auf seine *Marquise von O...* ist es allerdings unumgänglich, das Problem mehrfacher Identitätsausprägungen ins Auge zu fassen, wobei freilich der fromme Wunsch und die schöne Fiktion von Einheit und Ganzheit menschlicher Persönlichkeit in Mitleidenschaft gezogen werden. Im Zentrum der Kleistschen Erzählung stehen Identitätsverwirrungen: die Marquise von O... muß mit der Schwangerschaft eine Änderung ihrer Leiblichkeit wahrnehmen, wozu – infolge der unbewußten Empfängnis – ihr Bewußtsein in unauflöslichen Widerspruch gerät. Die Gewißheit leiblicher Identität gerät ins Wanken und mit ihr droht die psychische zu zerfallen. Die Marquise »hielt sich für verrückt« (23), sie fürchtet, »wahnsinnig« zu werden (24, 26), es ist »für ihren Verstand zu fürchten« (25), der schließlich doch stark genug bleibt: »Ihr Verstand, stark genug, in ihrer sonderbaren Lage nicht zu reißen, gab sich ganz unter der großen, heiligen und unerklärlichen Einrichtung der Welt gefangen.« (29.)
Zu der unerklärlichen Einrichtung der Welt gehört die dritte Form der Identitätssetzung und -bestimmung, die neben die leibliche und die psychische tritt: die soziale. Über die leibliche wachen in unserer Welt die Ärzte, die die Marquise ja auch zu Rate ziehen muß, um sich ihren Zustand bestätigen zu lassen. Für die psychische sind neuerdings die Therapeuten und Analytiker zuständig, für die soziale eine ganze Reihe von Instanzen, schlimmstenfalls die Polizei und die Gerichte. In der *Marquise von O...* sind es wesentlich die Familie und die Öffentlichkeit; so bleibt nach dem Lossagen von der Familie der Marquise nur »der Gedanke [...] unerträglich, daß dem jungen Wesen [...] ein Schandfleck in der bürgerlichen Gesellschaft ankleben sollte« (30). Die soziale Identität wird sprachlich durch den Namen gesetzt, wobei schon fest-

zustellen war, daß die Marquise selbst nicht eine, sondern mehrere Identitäten hat, einen Identitätswandel durchläuft von dem Fräulein von G... über die Marquise von O... zur Gräfin F.... Der geheime Skandal dieser sozialen Identitätssetzung ist offenbar die Zugehörigkeit zur Familie, der Skandal ist so groß, daß die Namen der Familien verschwiegen werden müssen: G... und O... und F.... Über die Adelsprädikate ist die Marquise in aufsteigender Linie einem Stand zugeordnet, so daß hier gesamtgesellschaftliche Faktoren identitätsprägend werden, denen Kleist das ausgesprochen größte Gewicht beimißt – doch mit einer ironischen Wendung, denn auch der Name Leopardo stempelte seinen Träger nicht sogleich zum Tier.
Die Adelsgesellschaft der *Marquise von O...* lebt in zwei Welten: sie ist eine Krieger- und Jägersippschaft (von Kommandant, Obrist, Forstmeister), die das gesellschaftliche Leben in Krieg und Jagd jedoch nicht als Normalität, sondern als Ausnahmezustand zu begreifen sucht, dem die zweite Lebenswelt, das von den Alltagsgeschäften abgesonderte, zurückgezogene Familienleben, als Normalzustand gegenübersteht. Das Prinzip Familie muß ausdrücklich außer Kraft gesetzt werden, wenn die Sprache des Krieges ergriffen werden soll: »Der Obrist erklärte gegen seine Familie, daß er sich nunmehr verhalten würde, als ob sie nicht vorhanden wäre; und antwortete mit Kugeln und Granaten.« (4.) Nach der kurzen kriegerischen Unterbrechung heißt es dann: »Alles kehrte nun in die alte Ordnung der Dinge zurück.« (9.) Doch der Schein der Trennung von hie Kriegs-, dort Familienleben in einen Ausnahme- und einen Normalzustand trügt. Die Vermittlung zwischen dem einen und dem anderen leistet – fast unmerklich zunächst – die Sprache. Unverdächtig beiläufig wirkt noch der Hinweis auf die Tischgespräche im Hause des Obristen, dort unterhält der Graf F... »den Kommandanten vom Kriege, und den Forstmeister von der Jagd« (17). Deutlicher schon ist die Sprache des Obristen und der übrigen Familienmitglieder, die darin übereinkommen, wie es

heißt, daß der Graf »Damenherzen durch Anlauf, wie Festungen, zu erobern gewohnt scheine« (15), daß seine Werbung um die Marquise wie »auf Kurierpferden« eilig sei (16), so daß der Vater schließlich erklärt: »ich muß mich diesem Russen schon zum zweitenmal ergeben!« (20). Die vielleicht schönste Karikatur dieser Art von Militärsprache hat Kleist in dem »Neujahrswunsch eines Feuerwerkers an seinen Hauptmann, aus dem siebenjährigen Kriege« gezeichnet, der zu Neujahr 1811 in den *Berliner Abendblättern* erschien.[37] Ist das alles nur so dahingesagt, weil der Obrist wie der einfältige Feuerwerker keine andere Sprache zu sprechen wissen, oder haben die Erstürmung einer Festung im Krieg und die Eroberung einer Dame in der Festung ihrer Familie doch mehr miteinander zu tun?[38]

In der definitorischen Setzung des Kriegszustandes ist die Marquise von O. . . ein Beutestück, sie ist nicht Subjekt, sondern bloß Objekt von Männer- und Kriegsgewalt, zufälliges, zufallendes Objekt einer Vergewaltigung. Dies wird scheinbar durch die ›Rettung‹ des Grafen aufgehoben, indem die gesittete Internationale des Adels sich allen nationalen Zwieträchtigkeiten zum Trotz durchzusetzen scheint. Wir wissen freilich, daß dies nur scheinbar geschah; die schöne – ohnmächtige – Beute mochte sich der Graf denn doch nicht entgehen lassen.

Völlig gewaltfrei geht es – zumindest in Krisenzeiten – auch in der Familie des Obristen nicht zu, wenn der Vater mit einem phallisch besetzten Akt der Gewalt, dem Pistolenschuß in die Decke (28), die Tochter des Hauses verweist. Sie soll damit aus dem Ordnungszusammenhang der Familie, aus ihrer genealogischen Kette ausgeschlossen werden, und auf Befehl des Kommandanten ihre Kinder zurücklassen (28). Diese

37 SW II, 274 ff.

38 Vgl. Erika Swales, »The Beleaguered Citadel: A Study of Kleist's *Die Marquise von O. . .*, in: *Deutsche Vierteljahrsschrift für Literaturwissenschaft und Geistesgeschichte* 51 (1977) S. 130–147; Politzer (Anm. 15) S. 71 f. »Festung« und »Haus« verstehe ich dabei allerdings wörtlich, nicht aufgelöst metaphorisch.

Auseinandersetzung in der Familie gemahnt fast an einen Kriegszustand, zumal die Marquise nach ihrer Weigerung die erretteten Kinder als »ihre liebe Beute« bezeichnet (29).[39] Das phallische Zeichen der Gewalt, das der Vater mit dem Pistolenschuß setzt, korrespondiert mit einem anderen symbolischen Akt des Textes, in dem militärisches Ritual und phallisches Zeichen zusammenfallen, in der Übergabe des Degens als Zeichen der Unterwerfung und des Aufgebens durch den Kommandanten an den siegreichen Grafen (5).[40] Es wäre gewiß als überzogene Spekulation zurückzuweisen, in diesem Vorgang mehr als nur ein militärisches Ritual sehen zu wollen, wenn sich nicht in auffälliger Wiederholung mehrfach in Kleists Werken Vergleichbares finden würde, und zwar stets im Kontext einer Figurenkonstellation von Vater, Tochter und dem Mann, der die Tochter ›haben möchte‹. So z. B. im *Käthchen von Heilbronn*, wo der Graf vom Strahl in einem Zweikampf mit Theobald den Beweis erbringen will, daß dieser nicht der Vater von Käthchen sei, und dem vermeintlichen Vater denn auch »das Schwert aus der Hand windet«.[41] Umgekehrt läßt der Kurfürst dem Prinzen von Homburg den Degen abnehmen,[42] vordergründig gewiß nur, um den jungen Heißsporn wegen seines militärischen Vergehens zurechtzustutzen. Unterschwellig geht es aber auch dort um etwas anderes: Homburg möchte vom ›Vater‹ Kurfürst die ›Tochter‹ Natalie bekommen, die er zeitweise vaterlos wähnte, so daß er um so schmerzlicher die Gewalt des Vaters verspüren mußte. Schließlich ist an den *Findling* zu erinnern, wo der Vater Piachi dem Adoptivsohn Nicolo nach dem Vergewaltigungsversuch an der Mutter zunächst wortlos mit einer »Peitsche« die Tür weist, nach der dreisten Weigerung des Findlings indes nur noch »entwaffnet« die Peitsche weg-

39 Ähnlich errettet Josephe ihr Kind aus den Wirren des Erdbebens in Chili als, wie es heißt, ihre »Beute« (SW II, 149).
40 Politzer (Anm. 15) hat auf die »tiefenpsychologische Bedeutsamkeit« des Vorgangs aufmerksam gemacht (S. 71).
41 SW I, 518 (Regieanweisung).
42 SW I, 664 ff.

legen kann.[43] Solche Textparallelen können Politzers Beobachtung unterstützen und verstärken, daß Kleists Erzählung mit »Zweideutigkeiten« durchsetzt sei, die »nicht ohne sexualsymbolischen Tiefsinn« sind, wobei im Text allerdings mehr entsteht, als bloß eine Kommunikation »zwischen dem Bewußtsein des Lesers und dem Unbewußten der Marquise«.[44] Kleist zielt keineswegs nur auf Subjektives, nur darauf, dem Leser Nachrichten aus dem Unbewußten seiner Hauptfigur zu übermitteln, sondern auf Objektives. Die Zwei- und Mehrdeutigkeiten bekunden sowohl einen objektiven Zustand der Sprache, der ästhetischen Sprache Kleists wie der kommunikativen Sprache der Erzählfiguren untereinander, als auch einen objektiven Weltzustand, und zwar hier den lebensweltlichen Zustand einer Familie.

Wenn die Schwiegersöhne in Kleists Werk, um die Tochter heiraten zu können, dem Vater erst den Phallus abnehmen müssen, dann impliziert dies eine Art von phallischem Recht des Vaters auf die Tochter. Kleist bricht also auf unerhört skandalöse Weise das Inzesttabu. Während aber im *Käthchen von Heilbronn* und im *Prinzen von Homburg* – wie übrigens in Abwandlung auch im *Findling* – stets ein sozialer Vater an die Stelle des natürlichen getreten ist, soll es in der *Marquise* in der Tat der leibliche, der natürliche Vater sein. Kleist läßt im Blick auf diesen Vater das Unbewußte der Marquise an zwei zentralen Stellen in Ausrufen zur Sprache kommen: »Herr meines Lebens!« ruft die Marquise, als der Pistolenschuß des Vaters »schmetternd in die Decke fuhr« (28). Und im Augenblick der vermeintlichen Aufdeckung des angeblichen Kindesvaters durch die Mutter entfährt es der Marquise: »Gott, mein Vater!« (40). Mit diesen Worten erinnert sie sich eines vergessenen Schläfchens. In der sprachlichen Setzung schlägt der Text ohnehin stets die Brücke von dem »Vater« des Kindes, nach dem gefahndet wird, und dem »Vater« der

43 Vgl. SW II, 213.
44 Politzer (Anm. 15) S. 68.

Marquise. Die Aufforderung der Mutter, »den Vater (zu) nennen« (26), weist zudem zurück auf den Befehl, die Namen derjenigen zu nennen, die den »Namen des Kaisers« gebrandmarkt hätten (7), so daß es in der sozialen Instanzenkette nur noch ein kleiner Schritt zum Herrn und Gott ist. Die natürlichen Beziehungen in der Familie sind überlagert und durchsetzt von sozialen, so daß Vorgänge wie die Begründung eines phallischen Rechts oder die Übernahme des Phallus als symbolische Akte sozialer Natur zu verstehen sind. Im Werk von Kleist haben sie zudem stets den Charakter von Rechts- oder Vertragshandlungen. Und mit dem Recht, mit den Gesetzen und den Verträgen, hält die Gewalt Einzug in die Familie. Die Errichtung des naturgegründeten und sozial verfaßten Bollwerks der Familie gegen die böse, unkontrollierbare Gewalt des Sozialen draußen ist um einen unbegriffnen Preis erkauft: den der vertraglich und rechtlich begründeten Gewalt in der Familie.

In der *Marquise von O...* führt Kleist die Bewegung zurück zu einem Naturschauspiel, zu dem inzestuösen Versöhnungsfest zwischen Vater und Tochter. Die Heimkehr der verlornen Tochter, nunmehr schon die zweite Heimkehr, denn sie war ja bereits nach dem Tod ihres ersten Gatten, des Marquis oder Marchese von O..., ins Vaterhaus zurückgekehrt, inszeniert Kleist als ein grotesk-komisches Kammerspiel, dem wir, die Leser, als Voyeure mit der Mutter »durchs Schlüsselloch« schauend beiwohnen dürfen, um zu beobachten, wie der Vater »eben wieder mit Fingern und Lippen in unsäglicher Lust über den Mund seiner Tochter beschäftigt war« (44). Seit man das Wagnis begonnen hat, über diese Inzest-Szene kritisch zu reflektieren und sich zu äußern,[45]

45 Den Anfang machte 1976 Hermann F. Weiss, der zunächst nichts mehr tat, als auf die Textpassage aufmerksam zu machen (vgl. »Precarious Idylls. The Relationship between Father and Daughter in Heinrich von Kleist's *Die Marquise von O...*«, in: *Modern Language Notes* 91, 1976, S. 538–542). Im gleichen Jahr erschien Thomas Fries, »The Impossible Object: The Feminine, the Narrative (Laclos' *Liaisons Dangereuses* and Kleist's *Marquise von O...*)«, in: *Modern Language Notes* 91 (1976) S. 1296–1326.

wurde insbesondere versucht, sie in Beziehung zu setzen zu dem Gedankenstrich am Anfang der Erzählung, hinter dem sich der Vergewaltigungsakt des Grafen F. . . verbirgt.[46] Politzer ist in seiner Interpretation so weit gegangen, daß die Marquise erst im Inzest als Frau dargestellt sei: »Das Über-Ich der Marquise gewährt ihr in den Armen des Vaters, was es ihr in der Umarmung des Mannes untersagt hatte: Hingabe, Bewußtsein und Genuß. Hier hat Kleist seine Marquise als Frau erkannt und dargestellt.«[47] Diese These klingt fast so, als ob die Marquise erst in der väterlichen Umarmung zu sich selbst, zu ihrer Identität finde. Letzteres wäre jedoch irreführend. Wenn überhaupt, könnte allenfalls das Lossagen von der Familie als ein Akt der Identitätsfindung aufgefaßt werden, insofern die Marquise in der bekannten Wendung Kleists mit »sich selbst« bekannt gemacht wird: »Durch diese schöne Anstrengung mit sich selbst bekannt gemacht [. . .].« (29.) Kleist verrät uns freilich nicht näher, womit sie dort bekannt gemacht wurde. Etwa mit der Einsicht, daß sie bisher (wie am Ende wieder und immer noch) in der genealogischen Kette väterlicher Macht nur ein Objekt, nicht ein Subjekt war? Erst G. . ., dann O. . ., dann F. . . – immerhin in aufsteigender Linie. Die Rückkehr zum Vater, in die Familie, führt die Marquise jedenfalls nicht eindeutig dazu, Liebessubjekt zu werden, sondern vielmehr in einen zweideutigen Zustand – in einen Zustand des Schweigens: »Die Tochter sprach nicht, er [der Vater] sprach nicht« (44), heißt es. Wie Kleist als Autor im Gedankenstrich vielsagend schwieg, schweigen hier seine Erzählfiguren. Vielleicht ist der Inzest in der Tat »unsäglich«, so daß man sich auch hier nicht über den Text hinwegsetzen, sondern Kleist beim Wort nehmen sollte?[48]

46 So – nach Fries (Anm. 45) S. 1316 – Erika Swales (Anm. 38) S. 137 f., und Politzer (Anm. 15) S. 74.

47 Politzer (Anm. 15) S. 74.

48 Hier weicht Politzer (Anm. 15) von seiner sonst befolgten Interpretationsmaxime ab (S. 74), wobei sowohl das Unsägliche wie das hochgradig Stilisierte und komödiantisch Inszenierte des Gesagten vernachlässigt werden.

Dritter Annäherungsversuch: Schweigen, Sprachen, Schriften

Über die Sprachformen der *Marquise von O...* ist nicht gut schreiben, ohne die Negation von Sprache, die Sprachlosigkeit, das Schweigen als (Nicht-)Ausdrucksformen mit zu bedenken. Das ist als Phänomen Kleistscher Sprachgebung seit Max Kommerell bekannt, der es als das »Unaussprechliche« zu fassen suchte.[49] In der *Marquise von O...* geht es oft ausgesprochen schweigsam zu, wie wir schon eingangs bemerkten, wenn etwa Autor wie Erzählfiguren sich weigern, Namen zu nennen. Kommerell meinte genau dieses Phänomen: die Zweideutigkeit der Identität lasse den Menschen unaussprechlich werden. Neben der Weigerung zu sprechen findet sich ebenso häufig der Befehl zu schweigen; besonders soll im Hause des Obristen geschwiegen werden: »Der Kommandant [...] forderte die Familie auf, davon weiter nicht in seiner Gegenwart zu sprechen« (16), er »bat immer, auf eine Art, die einem Befehle gleich sah, zu schweigen« (35), oder er bat seine Frau: »tu mir den Gefallen und schweig! und verließ das Zimmer. Es ist mir verhaßt, wenn ich nur davon höre« (37). Diese Art des Schweigens ist ein unterdrücktes Sprechen, es dürfte verwandt sein mit der zuletzt oft diskutierten Weigerung der Marquise, den Grafen anzuhören: »Ich *will nichts* wissen« (33) – mit diesen Worten stößt sie den halbgeständigen Grafen zurück. Man hat diese Weigerung unmißverständlich deutlich interpretiert: ihr Bewußtes wolle nicht wissen, was ihr Unbewußtes begehre.[50]

Eine andere Nuancierung des Verhaltens der Marquise ergibt sich, wenn man es in Beziehung setzt zu den übrigen

49 Max Kommerell, »Die Sprache und das Unaussprechliche. Eine Betrachtung über Heinrich von Kleist«, in: M. K., *Geist und Buchstabe der Dichtung*, Frankfurt a. M. ²1942, S. 200–274; (zuerst 1939).

50 Vgl. zusammenfassend Politzer (Anm. 15) S. 69, der auch die früheren Interpretationen seit Blöcker und Kunz erörtert.

Schweige-, Sprach- und Schriftformen der Kleistschen Erzählung, weil es dann nicht bloß einer isolierenden psychoanalytischen Betrachtung zugänglich, sondern in familial oder sozial gesetzten Schweige- oder Redekontexten situierbar wird. Insbesondere ist zu klären, wie die Weigerung der Marquise zu hören sich verhält zur Un- oder Halbfähigkeit des Grafen zu sprechen.

Ein Schweigen als unterdrücktes Sprechen ist von Kleist intentional, wie man mutmaßen darf, negativ akzentuiert. Dies gilt jedoch nicht von vornherein für jedwede Form des Schweigens. Es ist vorschnell, jedes Schweigen schlicht als gewalttätig den Vermittlungsformen der Sprache entgegenzusetzen.[51] Neben dem verordneten Schweigen gibt es zunächst vielfältige, oft komische Formen der Sprachlosigkeit. So verschlägt es gleich zu Beginn der Marquise die Sprache, die »Auftritte« der Vergewaltiger, heißt es, machen sie »sprachlos«, was nicht verwunderlich ist, wenn man hört, welche gegensätzlichen Sprachen dort gesprochen werden:

> Er [der Graf] stieß noch dem letzten viehischen Mordknecht, der ihren schlanken Leib umfaßt hielt, mit dem Griff des Degens ins Gesicht, daß er, mit aus dem Mund vorquellendem Blut, zurücktaumelte; bot dann der Dame, unter einer verbindlichen, französischen Anrede den Arm, und führte sie, die von allen solchen Auftritten sprachlos war [...]. (5)

Wenig später verschlägt es der Familie des Kommandanten die Sprache, als der totgeglaubte Graf zurückkehrt: »und das Erstaunen machte alle sprachlos« (9 f.). Der Obristin vergeht gleich mehrfach die Sprache: als ihre Tochter nach einer

51 Helmut Arntzen, »Heinrich von Kleist. Gewalt und Sprache«, in: *Die Gegenwärtigkeit Kleists* (Anm. 7) S. 62–78. Ein solcher Gedanke mag der Diskursethik von Jürgen Habermas verpflichtet sein (oder dem Therapiekonzept der Psychoanalyse), ist jedoch der Komplexität des Kleistschen Textes nicht adäquat.

Hebamme verlangt (»Und die Sprache ging ihr aus«; 24), als sie die Antwortannonce des Grafen in der Zeitung liest (36) und als der Graf am »gefürchteten Dritten« (45) im Hause des Obristen erscheint (46). Am Ende der Geschichte verfallen der Graf und die Marquise ins Schweigen: der Graf »konnte kein Wort hervorbringen« (47), die Marquise »antwortete nichts« (48), sie »stand auf [...] ohne ein Wort zu sprechen« (48) und der Graf »stammelte [etwas], das niemand verstand« (49). Dort kommunizieren die beiden allerdings bereits auf andere Weise miteinander, worauf noch näher einzugehen ist.

Die Belege zeigen, daß Kleist die vielfältigen Formen des Schweigens und der Sprachlosigkeit in seiner Erzählung offensichtlich mit großem Bedacht gesetzt hat. Wobei das Schweigen der Erzählfiguren zum Ausdruck bringt, in welchem Maße das Sprechen über Sexualität gesellschaftlichen Tabus unterworfen ist. Allenfalls flüchtet man zur perfidjovialen Metaphorik einer Krieger- und Jägersprache, die dann die Formen des Bewußtseins von Sexualität enthüllen mag.

Aber auch der Autor schweigt, auch seine Hauptfiguren mühen sich schmerzlich um ein Miteinandersprechen, auch das erotische Versöhnungsfest von Vater und Tochter wird im Schweigen gefeiert. Hier tut sich im Schweigen ein Feld der Zweideutigkeit auf, das in seiner Zweideutigkeit unauflöslich bleibt.[52] Kleist klagt diesen Zustand offenbar weder bedauernd noch bewußtseinskritisch an, er analysiert ihn bloß. Zweideutig sind in Kleists Geschichte das Schweigen des Menschen, wie sein Handeln und auch sein Sprechen. Dagegen sträubt sich der Wunsch nach Eindeutigkeit, es ›nun wirklich‹ wissen zu wollen – und vor allem in der Liebe wissen zu wollen, woran man ist. Aber Kleists Werk findet nicht zu der ersehnten und gesuchten »Sprache der Lie-

52 Vgl. aus anderer Perspektive Klaus Müller-Salget, »Das Prinzip der Doppeldeutigkeit in Kleists Erzählungen«, in: *Zeitschrift für deutsche Philologie* 92 (1973) S. 185–211.

be«,[53] schon deshalb, weil die ästhetische Sprache Kleists dialektisch konstruiert ist, wogegen gilt: »Der *dis-cursus* der Liebe ist nicht dialektisch«.[54] Wir sind, geschichtlich gesehen, mit Zweideutigkeit geschlagen, der wir mit dem Wunsch nach Eindeutigkeit, mindestens der Eindeutigkeit einer Liebessprache, zu entfliehen suchen. Doch wenn überhaupt, könnte diese eindeutige Liebessprache bei Kleist nur im Feld des Zweideutigen (und zuletzt vielleicht nur im Schweigen) gefunden werden, wo sie ihrer inneren Logik zufolge nicht sein kann: ein unauflöslicher Widerspruch. In seiner *Marquise von O...* hat Kleist einen Kommunikations- und Nichtkommunikationsprozeß zwischen dem Grafen und der Marquise komponiert und analysiert, der dem Begehren nach Eindeutigkeit folgt und konsequent nicht in der Sprache der Liebe, sondern im Heiratskontrakt endet.

Die drei Typen von Ausdrucksformen, mit denen – neben dem Schweigen – solche Kommunikationsprozesse im Werk von Kleist bestritten werden, sind in ihrer Differenzierung von der neueren Forschung erkannt,[55] in ihrer Wertigkeit allerdings noch nicht hinreichend erörtert worden. Neben den Formen der Körpersprache (wie Gestik, Mimik, Tränen, Erröten, Erbleichen usw.) sind es verschiedenartige Formen der Sprache, des Sprechens und der Schrift(en). Die Körpersprache erfreut sich im Zuge der Entdeckung der neuen Körperlichkeit zwar großer Beliebtheit, weil ihre Unmittelbarkeit vermeintlich wahrhaftiger sein könne als die getrübten Vermittlungen von Kultursprachen und -schriften, doch schlägt bei Kleist fast das Gegenteil durch. Die Körpersprache mag gelegentlich innere Vorgänge zum Ausdruck bringen

53 Gerhard Neumann, »Hexenküche und Abendmahl. Die Sprache der Liebe im Werk Heinrich von Kleists«, in: *Freiburger Universitätsblätter* 25 (1986) H. 91, S. 9–31.

54 Roland Barthes, *Fragmente einer Sprache der Liebe*, Frankfurt a. M. 1984, S. 20.

55 Anthony Stephens, »›Eine Träne auf den Brief‹. Zum Status der Ausdrucksformen in Kleists Erzählungen«, in: *Jahrbuch der Deutschen Schillergesellschaft* 28 (1984) S. 315–348.

– besonders in Tränen, im Erröten oder Erbleichen, doch ist Kleist ebenso mit Krokodilstränen vertraut wie mit grotesken Übersteigerungen, wenn er etwa seinen Kommandanten sich »ganz krumm« beugen und heulen läßt, »daß die Wände erschallten« (43). Letztlich kann die Körpersprache nicht weniger nichtssagend oder zweideutig sein als die anderen Sprachen und Schriften, so daß Kleist sie in der *Marquise von O...* vor allem als zweideutiges Kontrastivum zu anderen Ausdrucksformen benutzt.

Der Graf F... versucht zunächst, sich der Marquise von O... in der offensten Form des ästhetischen Sprechens, durch die Erzählung des Traums (17 f.), zu entdecken – doch sie sieht keine Veranlassung, sich als Traumdeuterin zu versuchen. Zuvor hatte er, wie er sagt, »mehrere Male die Feder ergriffen, um in einem Briefe, an den Herrn Obristen und die Frau Marquise, seinem Herzen Luft zu machen« (11), doch die Schriftform des Briefes hat er zu diesem Zeitpunkt denn doch noch nicht gewählt. Was solche Schriftformen bewirken können, erfahren wir, bevor der Graf zum zweitenmal Gelegenheit sucht, mit der Marquise zu sprechen. Dazwischen steht die Verweisung der Marquise aus dem Elternhaus, die ihr durch »ein Schreiben von der Mutter« überbracht wurde (27): »Der Brief war inzwischen von Tränen benetzt; und in einem Winkel stand ein verwischtes Wort: diktiert.« (27.) Der Vater kommuniziert mit der Tochter dort nicht nur in der Schriftform, sondern in der doppelt vermittelten und distanzierten Form des diktierten Schreibens – auf dem sich in kontrastiver Setzung die körpersprachlichen Zeichen der Tränen niedergeschlagen haben. Nach dem Rückzug der Marquise auf das Landgut dringt der Graf in ihren Garten ein und unternimmt dort den zweiten Versuch, sich ihr im Gespräch zu entdecken. Das, was er ihr zu sagen versucht, ist offenbar so skandalös, daß sie ihn zurückweist: »Ich *will nichts* wissen« (33). Wenn man an die offene Metaphorik seines ersten Geständnisversuchs in der Traumerzählung denkt, mag man erst recht den Skandal der metaphorischen Rede ermessen, die er dort führt:

> Von wo, Herr Graf, ist es möglich, fragte die Marquise – und sah schüchtern vor sich auf die Erde nieder. Der Graf sagte: von M. . ., und drückte sie ganz leise an sich; durch eine hintere Pforte, die ich offen fand. Ich glaubte auf Ihre Verzeihung rechnen zu dürfen, und trat ein. (32)

Anschließend stößt sie den Grafen zurück, woraufhin er »fühlte daß der Versuch, sich an ihrem Busen zu erklären, für immer fehlgeschlagen sei, [. . .] indem er einen Brief überlegte, den er jetzt zu schreiben verdammt war« (33). Wie Verdammung und unabänderlicher Zwang wirkt der Wechsel von der Rede zur fixierten Form der Schrift. Immerhin steht ihm noch die halbästhetische Weise des Briefschreibens offen, doch in dieser Situation wird ihm jene Zeitungsannonce der Marquise zur Kenntnis gebracht, mit der die Erzählung beginnt. »Der Graf durchlief«, formuliert Kleist und setzt wieder Körpersprache und Schrift kontrastiv zueinander, »indem ihm das Blut ins Gesicht schoß, die Schrift« (34). Die Marquise hatte mit ihrer Anzeige die öffentlichste der fixierten Formen von Schriftsprache gewählt. Diese Anzeige war ohne Kenntnis des Grafen bereits erschienen, als er seinen zweiten Bekenntnisversuch in metaphorischer Rede unternahm. Auch dies müßte im Rahmen des möglichen Motivationsgeflechts für ihre Weigerung zu hören bedacht werden. Der Graf meint jedenfalls, auf die veröffentlichte Schrift ebenso antworten zu müssen. Zunächst seinerseits mit einer Anzeige und dann mit den unzweideutigen Schriftformen bürgerlicher Verträge: dem »Heiratskontrakt« (48), anschließend mit »zwei Papieren«, »deren eines, wie sich nach seiner Entfernung auswies, eine Schenkung von 20000 Rubel an den Knaben, und das andere ein Testament war, in dem er die Mutter, falls er stürbe, zur Erbin seines ganzen Vermögens einsetzte« (49). Mit den letzten beiden Schriftstücken wird dem Grafen der Weg ins Haus des Obristen eröffnet und der versöhnliche Schluß eingeleitet. Das erste Dokument, den »Heiratskontrakt«, läßt Kleist in fast überdeutlicher Pointierung die Marquise genau lesen und studieren, damit sie auch recht den Sinn dieser Schrift erfasse:

> Der Vater [...] ordnete alles, nach gehöriger schriftlicher Rücksprache mit dem Grafen, zur Vermählung an. Er legte demselben einen Heiratskontrakt vor, in welchem dieser auf alle Rechte eines Gemahls Verzicht tat, dagegen sich zu allen Pflichten, die man von ihm fordern würde, verstehen sollte. Der Graf sandte das Blatt, ganz von Tränen durchfeuchtet, mit seiner Unterschrift zurück. Als der Kommandant am andern Morgen der Marquise dieses Papier überreichte, hatten sich ihre Geister ein wenig beruhigt. Sie durchlas es, noch im Bette sitzend, mehrere Male, legte es sinnend zusammen, öffnete es, und durchlas es wieder [...]. (48)

Nachdem sie so sinnend die Bedeutung der Schrift erfaßt hat, willigt die Marquise in die Heirat. Was ist ihr in den Sinn gekommen? Vielleicht dieses: daß die Eindeutigkeit, die sie in der Erscheinung eines rettenden Engels zu finden glaubte, sich in unserer Gesellschaft verformt hat zu der Perversion von Eindeutigkeit in Vertrags- und Rechtsschriften. Dort sind dann freilich leider keine Engel mehr zu Haus. So kommt es eben offenbar nicht darauf an, die Eindeutigkeit zu suchen, sondern die Dialektik von Engel und Teufel zu ertragen. Oder es kommt, was am Ende der *Marquise* leichter scheint, »um der gebrechlichen Einrichtung der Welt willen« (49), nur darauf an, die Zweideutigkeit auszuhalten, der wir geschichtlich ausgesetzt sind.

Kleists Erzählung ist ihrer Kompositionsform nach an dem Wechsel vom Schweigen zur Rede zur Schrift orientiert. Im axialen Zentrum des Textes, an seinem Wendepunkt steht die Zeitungsannonce, die uns gleich zu Beginn im Eröffnungssatz mitgeteilt wird. Bis zum Erscheinen der Anzeige versucht der Graf, sich der Marquise mündlich zu eröffnen, erst in der Traumerzählung, dann im (halb) unterdrückten Geständnis; danach sieht er sich gezwungen, zu Schriftformen zu greifen: zunächst zum Brief, dann zur Antwortanzeige, schließlich zur harten Form der Verträge und Dokumente. Dieses ästhetische Kompositionsprinzip hat Eric Rohmer in seinem *Marquise von O...*-Film nur einmal, dabei allerdings gravierend durchbrochen, wenn er am Ende des Films von seiner Maxime, Kleists Text wörtlich zu nehmen, abgewichen ist. Die Traumerzählung des Grafen, also die ›ästhetischste‹ Form des zweideutigen Geständnisses, hat Rohmer abweichend vom Text ganz ans Ende seines Films gesetzt, und damit die Komposition wie die analytische Kälte der Kleistschen Erzählung erheblich unterboten. Kleist endet eben nicht, wie Rohmer, bei der Schönheit ästhetischer Zweideutigkeit, sondern dort, wohin uns der Wunsch nach Eindeutigkeit führt: zu den Vertrags-Schriften. Kleist läßt keine harmonisierende, beschwichtigende Versöhnung zu, sondern nur eine, die der Dialektik menschlichen Daseins standhält. Bis zuletzt weicht Kleists Text nirgends der Dialektik von Kunst und Leben aus: der Unerträglichkeit des Zweideutigen in Liebe und Leben antwortet die Kunst, die ihre Schönheit eben solcher Zweideutigkeit verdankt. Nie jedoch bietet sie Versöhnung als Fluchtpunkt innerhalb ihrer selbst, wodurch die Dialektik harmonisierend aufgehoben wäre, sondern nur als Ganzes, in der Gesamtheit der Erzählung *Die Marquise von O....*

Literaturhinweise

Bauermeister, Thomas: Erzählte und dargestellte Konversation. Der Heiratsantrag des Grafen in Kleists und Eric Rohmers »Die Marquise von O...«. In: Erzählstrukturen – Filmstrukturen. Erzählungen Heinrich von Kleists und ihre filmische Realisation. Hrsg. von Klaus Kanzog. Berlin 1981. S. 90–141.

Beckmann, Beat: Kleists Bewußtseinskritik. Eine Untersuchung der Erzählform seiner Novellen. Bern / Frankfurt a. M. 1978. S. 66 bis 70.

Berthel, Werner (Hrsg.): Heinrich von Kleist. Die Marquise von O... Mit Materialien und Bildern zu dem Film von Eric Rohmer und einem Aufsatz von Heinz Politzer. Frankfurt a. M. 1979.

Bianchi, Lorenzo: Studien über H. v. Kleist I. Die Marquise von O... Bologna 1921.

Blankenagel, John Carl: Heinrich von Kleist's »Marquise von O...«. In: The Germanic Review 6 (1931) S. 363–372.

Cohn, Dorrit: Kleist's »Marquise von O...«: The Problem of Knowledge. In: Monatshefte 67 (1975) S. 129–144.

Crosby, Donald H.: Psychological Realism in the Works of Kleist: »Penthesilea« and »Die Marquise von O...«. In: Literature and Psychology 19 (1969).

Djemtschenko, Wladimir: Das Wesen des Tragischen in Kleists »Die Marquise von O...«. In: Beiträge zur Kleist-Forschung (1983) S. 39–49.

Dünnhaupt, Gerhard: Kleist's »Marquise von O...« and its Literary Dept to Cervantes. In: Arcadia 10 (1975) S. 147–157.

Durzak, Manfred: Zur utopischen Funktion des Kindesbildes in Kleists Erzählungen. In: Colloquia Germanica 3 (1969) S. 111–129.

Dyer, Denys: The Stories of Kleist. A Critical Study. New York 1977.

Ellis, John M.: Heinrich von Kleist. Studies in the Character and Meaning of his Writings. Chapel Hill 1979. S. 21–35.

Fries, Thomas: The Impossible Object: The Feminine, the Narrative (Laclos' »Liaisons Dangereuses« and Kleist's »Marquise von O...«). In: Modern Language Notes 91 (1976) S. 1296–1326.

Fuckel, A.: Ein älteres Seitenstück zu Kleists »Marquise von O...«. In: Euphorion 23 (1921) S. 295–298.

Hassoun, Jacques: Variations psychoanalytiques sur un thème généalogique de Heinrich von Kleist. In: Romantisme 8 (1974) S. 54 bis 63.

Heinritz, Reinhard: Kleists Erzähltexte. Interpretation nach formalistischen Theorieansätzen. Erlangen 1983.
Herrmann, Hans Peter: Zufall und Ich. Zum Begriff der Situation in den Novellen Heinrich von Kleists. In: Germanisch-romanische Monatsschrift. N. F. 11 (1961) S. 69–99. Wiederabgedr. in: Heinrich von Kleist. Aufsätze und Essays. Hrsg. von Walter Müller-Seidel. Darmstadt 1967. (Wege der Forschung. 147.) S. 367–411.
Horn, Peter: Ichbildung und Ichbehauptung in Kleists »Marquise von O...«. In: P. H.: Heinrich von Kleists Erzählungen. Eine Einführung. Königstein i. Ts. 1978. S. 82–111.
Horodisch, Abraham: Eine unbekannte Quelle zu Kleists »Die Marquise von O...«. In: Philobiblon 7 (1963) S. 136–139.
Hoverland, Lilian: Heinrich von Kleist und das Prinzip der Gestaltung. Königstein i. Ts. 1978. S. 139–153.
Huff, Steven R.: Kleist and Expectant Virgins: The Meaning of the »O« in »Die Marquise von O...«. In: Journal of English and Germanic Philology 81 (1982) S. 365–375.
Kayser, Wolfgang: Kleist als Erzähler. In: German Life and Letters 8 (1954/55) S. 19–29. Wiederabgedr. in: W. K.: Die Vortragsreise. Bern 1958. S. 169–183; und in: Heinrich von Kleist. Aufsätze und Essays. Hrsg. von Walter Müller-Seidel. Darmstadt 1967. (Wege der Forschung. 147.) S. 230–243.
Klaar, Alfred: Heinrich von Kleist. Die Marquise von O... Die Dichtung und ihre Quellen. Berlin 1922.
Koopmann, Helmut: Das ›rätselhafte Faktum‹ und seine Vorgeschichte. Zum analytischen Charakter der Novellen Heinrich von Kleists. In: Zeitschrift für deutsche Philologie 83 (1965) S. 508 bis 550.
Lange, Hartmut: Die Gräfin von Rathenow. Komödie. Frankfurt a. M. 1969.
Leeuwe, H. H. J. de: Warum heißt Kleists »Marquise von O...« »von O...«? In: Neophilologus 68 (1984) S. 478–479.
Moering, Michael: Witz und Ironie in der Prosa Heinrich von Kleists. München 1972. S. 231–290.
Müller-Salget, Klaus: Das Prinzip der Doppeldeutigkeit in Kleists Erzählungen. In: Zeitschrift für deutsche Philologie 92 (1973) S. 185–211. Wiederabgedr. in: Kleists Aktualität. Hrsg. von Walter Müller-Seidel. Darmstadt 1981. (Wege der Forschung. 586.) S. 166–199.
Müller-Seidel, Walter: Die Struktur des Widerspruchs in Kleists »Marquise von O...«. In: Deutsche Vierteljahrsschrift für Litera-

turwissenschaft und Geistesgeschichte 28 (1954) S. 497–516. Wiederabgedr. in: Heinrich von Kleist. Aufsätze und Essays. Darmstadt 1967. Hrsg. von W. M.-S. (Wege der Forschung. 147.) S. 244–268.

Ossar, Michael: Kleists »Das Erdbeben in Chili« und »Die Marquise von O...«. In: Revue des langues vivantes 34 (1968) S. 151–169.

Politzer, Heinz: Der Fall der Frau Marquise. Beobachtungen zu Kleists »Die Marquise von O...«. In: Deutsche Vierteljahrsschrift für Literaturwissenschaft und Geistesgeschichte 51 (1977) S. 98 bis 128. Wiederabgedr. in: Heinrich von Kleist: Die Marquise von O... Hrsg. von Werner Berthel. Frankfurt a. M. 1979. S. 55–96.

Renk, Herta-Elisabeth: Heinrich von Kleist: Die Marquise von O... In: Deutsche Novellen von Goethe bis Walser. Interpretationen für den Deutschunterricht. Hrsg. von Jakob Lehmann. Königstein i. Ts. 1980. Bd. 1. S. 31–52.

Samuel, Richard: Heinrich von Kleists Novellen. In: Deutsche Weltliteratur. Festschrift für J. Allan Pfeffer. Hrsg. von Klaus W. Jonas. Tübingen 1972. S. 73–88.

Schmidhäuser, Eberhard: Das Verbrechen in Kleists »Marquise von O...«. Eine nur am Rande strafrechtliche Untersuchung. In: Kleist-Jahrbuch (1986) S. 156–175.

Schmidt, Herminio: Heinrich von Kleist. Naturwissenschaft als Dichtungsprinzip. Bern/Stuttgart 1978. S. 107–115.

Stephens, Anthony: »Eine Träne auf den Brief«. Zum Status der Ausdrucksformen in Kleists Erzählungen. In: Jahrbuch der Deutschen Schillergesellschaft 28 (1984) S. 315–348.

– Name und Identitätsproblematik bei Kleist und Kafka. In: Jahrbuch des Freien Deutschen Hochstifts (1985) S. 223–259.

Swales, Erika: The Beleaguered Citadel: A Study of Kleist's »Die Marquise von O...«. In: Deutsche Vierteljahrsschrift für Literaturwissenschaft und Geistesgeschichte 51 (1977) S. 130–147.

Tiedemann, Rolf: Ein Traum von Ordnung. Marginalien zur Novellistik Heinrichs von Kleist. In: Heinrich von Kleist: Erzählungen. Frankfurt a. M. 1977. S. 295 323.

Weiss, Hermann F.: Precarious Idylls: The Relationship between Father and Daughter in Heinrich von Kleist's »Marquise von O...«. In: Modern Language Notes 91 (1976) S. 538–542.

Werner, Richard M.: Kleists Novelle »Die Marquise von O...«. In: Vierteljahresschrift für Literaturgeschichte 3 (1890) S. 483–500.

PAUL MICHAEL LÜTZELER

Heinrich von Kleist: *Michael Kohlhaas*

So können wir Heinrich Kleist [. . .]
einen juridischen Dichter nennen.

Fouqué, 1816

Kleists *Kohlhaas* ist aktuell. Gisela Elsner fühlt sich provoziert durch »das Frohlocken angesichts des Richtblocks« am Schluß der Erzählung, Yaak Karsunke (als Dramatiker) schildert des »Colhaas' letzte Nacht«, Heiner Müller läßt in einem »Greuelmärchen« Kleist den Michael Kohlhaas spielen, Volker Schlöndorff verfilmt den Stoff, Elisabeth Plessen schreibt »aus Faszination und aus Ärger«[1] über den Kleistschen Fiktionshelden ihren Geschichtsroman, in welchem es um das Leben des Hans Kohlhase der Chroniken geht, dem gleichzeitig Kurt Neheimer einen ausführlichen historischen Bericht widmet, Otto F. Best fällt als Literatur-Leporello aus der Rolle, um *Michael Kohlhaas* weiterzudichten, Stefan Schütz setzt die Prosa fürs Theater ins Dramatische um (ähnlich verfahren der Regisseur Adolf Dresen aus Berlin sowie der englische Autor James Saunders), und in dem amerikanischen Roman *Ragtime* versetzt E. L. Doctorow den Roßhändler in das New York am Anfang unseres Jahrhunderts, wo er als schwarzer Musiker mit dem Namen Coalhouse ähnlichen Schikanen ausgesetzt ist wie sein brandenburgischer Ahn.[2] Mit »Faszination und Ärger« läßt sich auch die

1 Elisabeth Plessen, »Über die Schwierigkeiten, einen historischen Roman zu schreiben (Am Beispiel des *Kohlhaas*)«, in: *Deutsche Literatur in der Bundesrepublik seit 1965*, hrsg. von Paul Michael Lützeler und Egon Schwarz, Königstein 1980, S. 197.

2 Gisela Elsner, *Das Frohlocken angesichts des Richtblocks. Einige Überlegungen zur Novelle »Michael Kohlhaas«* (Norddeutscher Rundfunk / Kulturelles Wort. Bibliothek des Dritten Programms), Hamburg 1977. – Heiner Müller, »Heinrich von Kleist spielt Michael Kohlhaas« (aus: *Leben Gundlings Fried-*

Reaktion der akademischen Welt während der siebziger Jahre auf die Kohlhaas-Erzählung umschreiben: In ihren Studien geht es vor allem um den Kleistschen Gerechtigkeitsbegriff,[3] von dem etwa der Südafrikaner Peter Horn wissen will, was er »uns heute eigentlich noch angeht«. Die so zwiespältige Einstellung zu wie intensive Auseinandersetzung mit Kleists *Kohlhaas* während der letzten Dekade ist zu verstehen auf dem Hintergrund der weltweiten kulturellen und politischen Unruhe. Gisela Elsner, Volker Schlöndorff, Yaak Karsunke und Elisabeth Plessen verarbeiten Erfahrungen der Studen-

rich von Preußen Lessings Schlaf Traum Schrei. Ein Greuelmärchen), in: *Spectaculum* 26 (1977) S. 165. – Yaak Karsunke, *Des Colhaas' letzte Nacht*, in: *dazwischen*, Berlin 1979 (Rotbuch 206). – Volker Schlöndorff, *Michael Kohlhaas, der Rebell* (1969). – Elisabeth Plessen, *Kohlhaas*, Roman, Zürich/Köln 1979. – Kurt Neheimer, *Der Mann, der Michael Kohlhaas wurde. Ein historischer Bericht*, Düsseldorf/Köln 1979. – Otto F. Best, »Die drei Tode des Michael Kohlhaas«, in: *Leporello fällt aus der Rolle. Zeitgenössische Autoren erzählen das Leben von Figuren der Weltliteratur weiter*, hrsg. von Peter Härtling, Frankfurt a. M. 1971, S. 82–96. – Zu Adolf Dresens Aufführung vgl.: Rudolf Heukenkamp, »*Michael Kohlhaas* auf der Bühne«, in: *Weimarer Beiträge* 23 (1977) H. 9, S. 171–178; Christoph Müller, »Kleists Preußen und die DDR. Adolf Dresen bringt in Ostberlin *Michael Kohlhaas* aufs Theater«, in: *Theater heute* 18 (1977) H. 3, S. 20–21. – James Saunders, *Hans Kohlhaas*, Ein Stück nach der Novelle von Heinrich von Kleist, Deutsche Fassung (nach Kleist) von Hilde Spiel, Reinbek bei Hamburg 1973. – E. L. Doctorow, *Ragtime*, London 1976; vgl. dazu die Aufsätze von John Ditsky, »Coalhouse und Kohlhaas«, übers. von Heide Lipecky, in: *Sinn und Form* 29 (1977) H. 3, S. 580–581, und Lieselotte E. Kurth-Voigt, »Kleistian Overtones in E. L. Doctorow's *Ragtime*«, in: *Monatshefte* 69 (1977) S. 404–414. – Zu Stefan Schütz vgl. Anm. 7.

3 Peter Horn, »Was geht uns eigentlich der Gerechtigkeitsbegriff in Kleists Erzählung *Michael Kohlhaas* noch an?«, in: *Acta Germanica* 8 (1976) S. 59–92. Vgl. ferner: Dieter Huhn / Jürgen Behrens, »Über die Idee des Rechts im Werk H. v. Kleists«, in: *Jahrbuch des Wiener Goethe-Vereins* 69 (1965) S. 170–205. – Robert E. Helbling, »The Search for Justice. *Michael Kohlhaas*, in: R. E. H., *The major works of Heinrich von Kleist*, New York 1975, S. 193 ff. – Peter Horwath, »Gerechtigkeit und Gnade in Kleists Michael Kohlhaas: Über die Substanzkraft traditionell-religiöser Elemente«, in: *Husbanding the Golden Grain*, Festschrift für Henry W. Nordmeyer, hrsg. von Luanne T. Frank und Emery E. George, Ann Arbor 1973, S. 151–168. – Lilian Hoverland, »Heinrich von Kleists Michael Kohlhaas jenseits der Gerechtigkeit«, in: *Colloquia Germanica* 9 (1975) S. 269–290.

tenbewegung; Stefan Schütz und Adolf Dresen reagieren indirekt auf das Phänomen des Dissidententums in der DDR;[4] E. L. Doctorows Roman ist ohne das Civil Rights Movement in den USA und Peter Horns Studie ohne die Menschenrechtskampagne in Südafrika nicht zu verstehen. In jedem Falle identifiziert man sich so weit mit dem Kleistschen Kohlhaas, als er den Widerstand gegen staatliche Rechtsverletzung verkörpert, und ist gleichzeitig provoziert von dem, was Elisabeth Plessen seine »Staatsfrömmelei«[5] nennt.

Faszination und Ärger sind in der Rezeptionsgeschichte der Kleistschen Erzählung ganz allgemein die vorherrschenden Reaktionsweisen. Je nach politischem Standpunkt, ästhetischer Empfänglichkeit, historischem Verständnis, psychologischem Einfühlungsvermögen, literarischer Schulung und juristischer Urteilskraft des Lesenden bzw. je nach literaturgeschichtlich-kultureller und gesamtgesellschaftlich-politischer Konstellation fallen die Wertungen unterschiedlich aus. Konstant bleiben lediglich die außerordentlich große Verbreitung der Erzählung und ihre allgemeine Etikettierung als »Meisterwerk«. Abgesehen von den etwa siebzig deutschsprachigen Kleist-Werkausgaben, die seit Ludwig Tiecks erster Gesamtedition von 1826 erschienen sind und in denen der *Michael Kohlhaas* mit veröffentlicht ist, wurden seit der Erstauflage von 1810 etwa hundertzwanzig deutschsprachige Einzelausgaben der Erzählung publiziert, wobei viele davon mehrere Auflagen erlebten und erleben.[6] Kaum eine Prosa-

4 Vgl. dazu: Paul Michael Lützeler, »Von der Intelligenz zur Arbeiterschaft: Zur Darstellung sozialer Wandlungsversuche in den Romanen und Reportagen der Studentenbewegung«, in: *Deutsche Literatur in der Bundesrepublik seit 1965* (Anm. 1) S. 115–134; Geoffrey V. Davis: »›Bloß kein Berufs-Dissident werden!‹: Zum Phänomen der DDR-Literatur in der Bundesrepublik«, ebd., S. 230–245.

5 Plessen (Anm. 1) S. 197.

6 Ich beziehe mich auf die Vollständigkeit anstrebende Bibliographie der Kleist-Primärliteratur im Kleist-Archiv der Berliner Amerika-Gedenkbibliothek. Die in der Folge zitierten Ausgaben- bzw. Reihentitel zitiere ich nach den dort befindlichen Karteien.

Reihe deutscher Belletristik-Verlage wollte das gewinnversprechende Büchlein missen. Der *Kohlhaas* wurde eingepaßt in all jene Serien, deren mehr hohl- als wohlklingende Bezeichnungen hundertfünfzig Jahre deutscher Verleger- und Lektorenphantasie dokumentieren. Die Verkaufskategorien waren in erster Linie das Jugend- und Schulbuch (»Lebensspiegel für die reifere Jugend«, 1840; »Lebensbücher der Jugend«, 1924; »Klassikerbibliothek für die deutsche Jugend«, 1954; »Juventus-Bücherei: Drachenbücher«, 1956; »Sammlung deutscher Schulausgaben«, 1895; »Deutsche Schulausgaben«, 1926; »Schulbücherei«, 1948). Danach folgte die Sparte »Meisterwerk« für ein Bildungsbürgertum, dem die Lektüre zur Erbauung und Innerlichkeitspflege bzw. als kulinarischer Leckerbissen angeboten wurde (»Hausbücherei«, 1903; »Auserlesene Werke der Literatur«, 1910; »Meisterwerke der Weltliteratur«, 1916; »Die Bücher der deutschen Meister«, 1921; »Hausschatz-Buch«, 1922; »Der lichte Steg«, 1923; »Aus deutschen Gärten«, 1926; »Trösteinsamkeit«, 1940; »Meisterwerke deutscher Prosa«, 1946; »Spiegel der Muse«, 1964). Auch in imperiale und militante Reihen mußte der *Kohlhaas* sich einberufen lassen (»Germanische Bibliothek«, 1926; »Weltgeist-Bücher«, 1927; »Soldatenbücherei«, 1942; »Kleine Feldpost-Reihe«, 1943), und schließlich findet man den *Kohlhaas*-Dichter wieder als Kollegen des Conan Doyle und der Agatha Christie (»Lutz' Kriminal- und Detektivromane«, 1921 – eine Ausgabe übrigens, aus der die spannungshemmenden Fremdwörter entfernt wurden; »Kriminalnovellen deutscher Dichter«, 1975). Ein Indikator der Ausstrahlungskraft der Kleistschen Erzählung bzw. der Attraktivität ihres Stoffes ist auch die Tatsache, daß *Michael Kohlhaas* während der letzten hundertfünfzig Jahre häufig dramatisiert wurde. Insgesamt liegen achtzehn Kohlhaas-Stücke, frei nach Kleist, vor;[7] Arnolt Bronnen bearbei-

7 Gotthilf August von Maltitz, *Hans Kohlhaas*, Historisch-vaterländisches Trauerspiel in 5 Akten, Berlin 1828. – Wilhelm von Ising, *Michael Kohlhaas*, Trauerspiel in 5 Akten, Kassel 1861. – Robert Prölss, *Michael Kohlhaas*,

tete die Geschichte 1929 für den Funk,[8] und Paul von Klenau[9] regte sie zur Komposition einer Oper an. Das – nicht nur europäische – Ausland fand kein geringeres Interesse an der Erzählung. Sie ist in etwa dreißig Sprachen übertragen worden;[10] allein in Frankreich existiert ein Dutzend verschiedener Übersetzungen. Der Weltrang dieser Dichtung und ihre universelle Geltung wird denn auch allgemein anerkannt. Sieht man von Goethes mißvergnügter Kritik ab – der »große Geist des Widerspruchs« im *Kohlhaas* war dem Olympier

Trauerspiel in 6 Aufzügen, Berlin 1863. – Louis Schenk, *Michael Kohlhaas*, Romantisches Trauerspiel in 4 Akten, nach Heinrich von Kleists historischer Novelle *Michael Kohlhaas* frei bearbeitet, Tübingen 1863. – Hermann Riotte, *Michael Kohlhaas*, Romantisches Trauerspiel in 5 Akten, Leipzig 1886. – Wilhelm Paul Graff, *Michael Kohlhaas*, Trauerspiel in 5 Handlungen, Leipzig 1871. – Carl Weitbrecht, *Schwarmgeister*, Tragödie, Stuttgart 1900. – Rudolf Holzer, *Hans Kohlhase*, Deutsches Trauerspiel in 5 Aufzügen, Wien/Leipzig 1905. – Gertrud Prellwitz, *Michel Kohlhas*, Ein Trauerspiel in 5 Akten, Freiburg i. Br. 1905 und Oberhof 1922. – Ernst Geyer, *Michael Kohlhaas*, nach der Novelle von Heinrich von Kleist (1910), für die Volksschauspiele bearb. von Wilhelm Kappler (Bühnenfassung 1975 von Kurt Müller-Graf), Ötigheim 1975. – Hermann Klasing, *Michael Kohlhaas*, in: H. K., *Dramatische Dichtungen*, Bielefeld/Leipzig 1930, S. 1–61. – Karl Mayer-Exner, *Ein Mann sucht Gerechtigkeit*, Schauspiel (Bühnenmanuskript), Berlin 1933. – Walter Gilbricht, *Michael Kohlhaas*, Drama in 9 Szenen und einem Vorspiel, Berlin 1935. – Max Geisenheyner, *Petra und Alla* (Obrist Michael), Ein Volksstück um zwei Pferde in drei Aufzügen, Leipzig 1935. – Richard Friedel, *Michael Kohlhaas*, Schauspiel in 3 Abteilungen nach Heinrich von Kleist, Koblenz 1943. – Arnolt Bronnen, *Michael Kohlhaas*, Schauspiel nach der Novelle Heinrich von Kleists, Salzburg/Wien 1948. – Wolfgang Friedebach, *Michael Kohlhaas*, Schauspiel in 3 Abteilungen nach Heinrich von Kleist, Landesbühne Rheinland-Pfalz 1952/53. – Stefan Schütz, *Kohlhaas*, Schauspiel nach Kleist, Velber 1978. – Auch Brechts *Die Rundköpfe und die Spitzköpfe* ist durch Kleists *Kohlhaas* beeinflußt; vgl. dazu Siegfried Mews, »Brechts ›dialektisches Verhältnis zur Tradition‹. Die Bearbeitung des *Michael Kohlhaas*«, in: *Brecht-Jahrbuch* (1975) S. 63–78.

8 Arnolt Bronnen, *Michael Kohlhaas*, für Funk und Bühne bearb., Berlin 1929. Vgl. ferner: Rüdiger Dörr, *Michael Kohlhaas*, Ein Hörspiel nach der Kleistschen Novelle, Berlin 1933.

9 Paul von Klenau, *Michael Kohlhaas*, nach der Novelle von Heinrich von Kleist, Oper in 4 Akten, Wien/Leipzig 1933. Vgl. in diesem Zusammenhang ferner: Paul Wiens, *Ballade vom Hans Kohlhas*, in: P. W., *Gedichte*, Berlin 1976, S. 5–8. (Diese Ballade erschien erstmals 1953.)

10 Nach Neheimer (Anm. 2) S. 8.

nicht ganz geheuer –, begegnet man bei Durchsicht der Kommentare meistens Lob und Anerkennung. Thomas Mann strich die »gewaltige Prominenz dieser vielleicht stärksten Erzählung deutscher Sprache« heraus, Kafka las sie immer wieder »mit wirklicher Gottesfurcht«, Gundolf sah in ihr »Kleists größte und berühmteste Erzählung«, Wilhelm Schäfer mußte »an Beethoven denken, um ein Beispiel gleicher Wucht in der seelischen Bewegung zu finden«. Fontane dagegen betonte, daß er diese »bekannteste« seiner Geschichten nicht für Kleists »beste« halte. Wie übrigens auch Kafka gefiel ihm die zweite Hälfte des Werkes nicht, das dort »zu etwas relativ Unbedeutendem« herabsinke, ein Urteil, dem sich Julius Hart anschloß, der hier »Kindisches und Abstruses« buntscheckig zusammengesetzt sah. Die germanistische Fachwelt ist sich aber von Meyer-Benfey (»Krone der deutschen Novelle«) über Muschg (»unschätzbares Dokument«) bis zu Fricke (»klassisches Prosastück«[11]) in der hohen Achtung vor dem Kunstwerk einig und betreibt die Kanonisierung für jede Studentengeneration aufs neue.

Bei der Inanspruchnahme des *Michael Kohlhaas* für die Propagierung der jeweils zeitbedingten kulturpolitischen und gesellschaftlichen Interessen verfuhr man keineswegs zimperlich. Ideologen des Wilhelminismus wie Treitschke und Hart reklamierten die Erzählung, gleichsam ohne mit der Wimper zu zucken, für ihre Anschauungen. Dem Nationalisten Treitschke nach zu urteilen, kann nur »der Deutsche

11 Johann Wolfgang Goethe, *Gespräche*, Tl. 1, Zürich 1964 (Artemis-Gedenkausg., 22), S. 616. – Friedrich Gundolf, *Heinrich von Kleist*, Berlin 1932, S. 158. – Wilhelm Schäfer, »Der Dichter des Michael Kohlhaas«, in: *Jahrbuch der Kleist-Gesellschaft* (1933–37) S. 37. – Julius Hart, *Das Kleist-Buch*, Berlin 1912, S. 259. – Heinrich Meyer-Benfey, *Kleist*, Leipzig/Berlin 1923, S. 90. – Walter Muschg, *Kleist*, Zürich 1923, S. 255. – Gerhard Fricke, »Kleists *Michael Kohlhaas*«, in: G. F., *Studien und Interpretationen*, Frankfurt a. M. 1956, S. 214. – Thomas Mann zit. nach: *Mit der Zukunft im Bunde*, hrsg. von Peter Goldammer, Berlin/Weimar 1965, S. 507. – Kafka und Fontane zit. nach: *Schriftsteller über Kleist. Eine Dokumentation*, hrsg. von Peter Goldammer, Berlin/Weimar 1976, S. 569 und 566.

ganz die tragische Macht« dieser Geschichte empfinden, und Julius Hart entfiltert bei seiner Interpretation dem Werk die Kernthese: »Alles Recht ist nur Kriegsrecht«. Für Karl Wächter, der sein Kohlhaas-Buch während des Ersten Weltkriegs, als er »unter den Fahnen« stand, verfaßte, ist Kohlhaas »ein echt preußischer Held«. In diesem »Sturmgesang des brandenburgischen Dichters« Kleist, der »gut preußisch bis auf die Knochen« gewesen sei, ist nach Wächter der »Geist« enthalten, »den unsere Feinde nie begreifen, dessen eiserne Härte uns aber zu Lüttich und Tannenberg führte und in unbeugsamer Entschlossenheit einer Welt von Feinden trotzen läßt, Monat um Monat und Jahr um Jahr«. Ein Beispiel für die von ihm vertretene Blut-und-Boden-Ideologie sieht zur Zeit der Weimarer Republik Friedrich Braig im *Kohlhaas*. Braig meint, daß aus der Erzählung Kleists »glühende Sehnsucht« nach der »blut- und schicksalhaften Einheit mit seinem Volke« spreche. Gleichzeitig feiert Wilhelm Herzog in der *Roten Fahne* Kohlhaas als Vorläufer des proletarischen Revolutionärs. Wenige Jahre später (1937) hinwiederum vergleicht der Franzose Jean Cassou ihn mit Hitler. Zahlreich sind die Stellen, an denen während des »Dritten Reiches« – sei es in der *Zeitschrift für Deutsche Bildung* oder in den *SS-Leitheften* – vom »herben, nordischen Geist« der Erzählung und von Kohlhaas als Verkörperung »deutschen Rechtsgefühls« die Rede ist. Ähnlich dubios sind nach dem Kriege Behauptungen, daß Kleist in seiner Geschichte »an das Geheimnis der östlich-slawischen Seele gerührt« habe, »von der es heißt, daß sie einen Dämon und einen Engel in sich vereine«. In den fünfziger Jahren erkennt Günther Anders in dem Roßhändler den literarischen Vorfahren der weltlosen Helden des Samuel Beckett, und in den sechziger Jahren schließlich entwirft Richard Matthias Müller das Idealbild des Super-Republikaners Kohlhaas, eines »aufrechten Bürgers« und »deutschen Märtyrers«, gleichsam eines märkischen Che Guevaras, dessen fiktive Biographie er der rebellions-

willigen Studentengeneration als Anleitung zum Handeln empfiehlt.[12]
Freilich ist die Rezeptionshistorie zum *Kohlhaas* nicht nur ein Reflex deutscher Ideologiegeschichte. Positivistische Quellenstudien, historische Erläuterungen, psychologische Deutungen, theologische Erörterungen, juristische Analysen, geistesgeschichtliche Versuche, rechtsphilosophische Traktate, staatspolitische Thesen, motivgeschichtliche Untersuchungen, komparatistische Arbeiten, poetologische Formstudien und schließlich das allzu häufig vorkommende bare Nacherzählen entstehen gleichzeitig, lösen einander ab und werden wiederaufgegriffen. Am Beispiel der Interpretationsgeschichte zum *Kohlhaas* wird erneut deutlich, daß die positivistischen, geistesgeschichtlichen, werkimmanenten und soziologischen Methoden eher synchron und in Konkurrenz miteinander als zeitlich aufeinander folgend praktiziert wurden. Die gründlichste Studie über die historischen Quellen, die Kleist wahrscheinlich bei der Arbeit am *Kohlhaas* vorlagen, hat Pniower[13] bereits 1901 verfaßt. Seit dieser Analyse wird (s. Davidts, Schlösser, Wächter, Hagedorn und Neheimer)[14] allgemein angenommen, daß Kleist die drei wichti-

12 Heinrich von Treitschke, »Heinrich von Kleist«, in: H. v. T., *Ausgewählte Schriften*, Bd. 2, Leipzig 1907, S. 234. – Hart (Anm. 11) S. 320. – Karl Wächter, *Kleists Michael Kohlhaas, ein Beitrag zu seiner Entstehungsgeschichte*, Weimar 1918, Vorwort und S. 90, 71. – Friedrich Braig, *Heinrich von Kleist*, München 1925, S. 484. – Herzog und Cassou zit. nach: *Heinrich von Kleists Nachruhm. Eine Wirkungsgeschichte in Dokumenten*, hrsg. von Helmut Sembdner, Bremen 1967, S. 433 f., 455. – Konrad Krause, »Kleists Michael Kohlhaas«, in: *Zeitschrift für Deutsche Bildung* 16 (1940) S. 279. – [Ohne Verfasserangabe:] »Aus Recht wird Unrecht. *Michael Kohlhaas* – neu gesehen«, in: SS-Leithefte 7 (1941) F. 6b, S. 17–19. – Günther Anders, *Die Antiquiertheit des Menschen*, München 1956, S. 217. – Heinz Demisch, *Heinrich von Kleist*, Stuttgart 1964, S. 83. – Richard Matthias Müller, *Über Deutschland*, 103 Dialoge, Olten / Freiburg i. Br. 1965, S. 141–149.

13 Otto Pniower, »Heinrich von Kleists Michael Kohlhaas«, in: *Brandenburgia* 9 (1901) S. 314–337. Auch in: O. P., *Dichtungen und Dichter*, Essays und Schriften, Berlin 1912, S. 177–214.

14 Hermann Davidts, *Die novellistische Kunst Heinrich von Kleists*, Berlin 1913, S. 51–61. – Rudolf Schlösser, *Die Quellen zu Heinrich von Kleists*

gen Chroniken von Peter Hafftitz, Nicolaus Leutinger und Balthasar Mentz benutzte. Relativ einig ist man sich in der Forschung, daß der Autor den ersten Hinweis auf den Stoff durch seinen Freund Ernst von Pfuel 1804 erhalten haben dürfte. Rahmers These,[15] daß Kleist die Story von einem Nachkommen des Kohlhaas erzählt worden sei, wird von Davidts und Wächter wohl mit Recht zurückgewiesen. Detaillierte Informationen über den historischen Hans Kohlhase verdanken wir vor allem C. A. H. Burkhardt[16] und Neheimer. Über die Entstehungsgeschichte der Erzählung ist bei Meyer-Benfey[17], Wächter und Davidts viel spekuliert worden. Da ist von einer Urfassung die Rede, die noch vor dem *Phöbus*-Fragment von 1808 geschrieben worden sei, ferner von einer Interimsversion, die man für die Zeit zwischen 1808 und 1810 (dem Publikationsjahr des fertigen Werkes) anzunehmen habe. Die angeführten Argumente, die häufig auf nur scheinbaren Widersprüchen in der Schlußfassung basieren, überzeugen nicht recht. Was uns vorliegt, ist das Fragment der *Phöbus*-Fassung sowie die Schlußversion, und eine gute Untersuchung ihrer Differenzen hat Peter Horwath[18] geleistet. Es ist die Verschärfung und Zuspitzung des Rechtskonfliktes, die er in der Schlußfassung feststellt.
Es liegt in der Natur der Sache, daß fast alle Untersuchungen zum *Kohlhaas* das Rechtsthema berühren, und ein Großteil der Studien behandelt es zentral. An dieser Diskussion über

Michael Kohlhaas, Bonn 1913. – *Heinrich von Kleist: Michael Kohlhaas, Erläuterungen und Dokumente*, hrsg. von Günter Hagedorn, Stuttgart 1970 [u. ö.] (Reclams Universal-Bibliothek, 8106).

15 Sigismund Rahmer, *Heinrich von Kleist als Mensch und Dichter*, Berlin 1909, S. 236–251.

16 Carl August Hugo Burkhardt, *Der historische Hans Kohlhase und Heinrich von Kleists Michael Kohlhaas*, nach neu aufgefundenen Quellen dargestellt, Leipzig 1864.

17 Heinrich Meyer-Benfey, »Die innere Geschichte des *Michael Kohlhaas*«, in: *Euphorion* 15 (1908) S. 99–140.

18 Peter Horwath, »Michael Kohlhaas: Kleists Absicht in der Überarbeitung des Phöbus-Fragments: Versuch einer Interpretation«, in: *Monatshefte* 57 (1965) H. 2, S. 49–59.

Recht und Gerechtigkeit beteiligten sich nicht nur Literaturwissenschaftler, sondern auch Rechtstheoretiker wie Rudolf von Jhering, Rechtshistoriker wie Rudolf Stammler, H. C. Caro, Hans Fehr und Eugen Wohlhaupter sowie der Philosoph Ernst Bloch.[19] Nur Persönlichkeiten wie Kohlhaas, die auf der Erfüllung ihrer Rechtsforderungen bestehen, garantieren, so Jhering, den Fortbestand und die Weiterentwicklung freiheitlicher Staatsordnungen. Im Gegensatz dazu erscheint Ernst Bloch Kohlhaas als »Querulant« und »Paragraphenreiter«[20], der so tue, als handle es sich bei dem positiven Recht um das Naturrecht. In der literaturwissenschaftlichen Forschung ist man sich aber darüber einig, daß Kohlhaas durchaus von naturrechtlichen Überlegungen ausgeht, daß diese während seines Streits durch das Berufen auf – in Paragraphen faßbares – positives Recht wirksam werden. Auf diesen Problemkomplex wird im Interpretationsteil dieser Studie noch eingegangen werden. Die Frage nach dem Recht zum Widerstand wird vor allem in den theologischen Untersuchungen gestellt. Den Kontrast zwischen Kohlhaas als einem Anhänger des Naturrechts und Luther als dem Verfechter eines obrigkeitsgläubigen Gottesgnadentums arbeiten – bei unterschiedlichen Parteinahmen – Holz, Reske, Hammelsbeck, Ihlenfeld, Heber und Dürst heraus.[21]

19 Rudolf von Jhering, *Der Kampf ums Recht*, Wien [20]1921. – Rudolf Stammler, *Lehrbuch der Rechtsphilosophie*, Berlin 1923. – Heinrich Christian Caro, *Heinrich von Kleist und das Recht*, Berlin 1911. – Hans Fehr, *Das Recht in der Dichtung*, Bern 1931, S. 466 f. – Eugen Wohlhaupter, *Dichterjuristen*, Bd. 1, Tübingen 1953, S. 527–545. – Ernst Bloch, *Über Rechtsleidenschaft innerhalb des positiven Gesetzes (Kohlhaas und der Ernst des Minos)*, in: E. B., *Naturrecht und menschliche Würde*, Frankfurt a. M. 1961, S. 93–102.

20 Bloch (Anm. 19).

21 Hans Heinz Holz, »Das Gespräch zwischen Kohlhaas und Luther«, in: H. H. H., *Macht und Ohnmacht der Sprache. Untersuchungen zum Sprachverständnis und Stil Heinrich von Kleists*, Frankfurt a. M. 1962, S. 107–110. – Hermann Reske, »Der religiöse Auftrag. Michael Kohlhaas«, in: H. R., *Traum und Wirklichkeit im Werk Heinrich von Kleists*, Stuttgart 1969, S. 129–145. – Oskar Hammelsbeck, »Die biblischen Motive in Kleists *Michael Kohlhaas*«, in: *Die Furche* 23 (1937) S. 500–507. – Kurt Ihlenfeld,

Die Psychologen streiten darüber, ob Kohlhaas ein krankhafter Paranoiker sei oder nicht. Büttner und Geyer attestieren ihm psychische Gesundheit und sind der Meinung, daß er durchaus »normal« reagiere; Tellenbach sieht dagegen den Fall wahnhafter Querulanz gegeben: Kohlhaas sei reif für die Behandlung beim Psychotherapeuten. Eine differenziertere psychoanalytische Deutung liefert Dettmering mit seiner Studie über die Psychodynamik des Kleistschen Helden. Dettmering wendet die Kategorien der Narzißmus-Theorie Kohuts auf die Erzählung an. Kohlhaas erscheint unter diesem Aspekt als ein narzißtischer Charakter, dessen Anpassungsgleichgewicht durch eine Reihe von Traumen derart erschüttert sei, daß er – sein Leben und das seiner Familie gefährdend – die Junkergesellschaft des 16. Jahrhunderts in »narzißtischer Wut« mit einem Privatkrieg überziehe. Das von Kleist in die Erzählung eingeführte Personal dient nach Dettmering vor allem dazu, Vaterhaß und Muttersehnsucht in Szene zu setzen. In einer struktural-psychoanalytischen Interpretation, die sich der Lektüre Lacans verdankt, stellt Helga Gallas bei ihrer Analyse der latenten Begehrensaussage des Textes die Bedeutung des »verdeckten Signifikanten ›Phallus‹« heraus: Der Verlust der Pferde deute auf Kastration, und in der Personenkonstellation (Kohlhaas, Kurfürst von Sachsen, Zigeunerin) erkennt sie »die Struktur des Ödipus«.[22]

»Dichter im Dialog mit Luther. Die Luther-Szene in Kleists Kohlhaas-Novelle«, in: *Luther. Zeitschrift der Luther-Gesellschaft* 38 (1967) H. 2, S. 69–85. – Fritz Heber, »*Michael Kohlhaas.* Versuch einer neuen Textinterpretation«, in: *Wirkendes Wort* 1 (1950/51) S. 98–102. – Rolf Dürst, *Heinrich von Kleist. Dichter zwischen Ursprung und Endzeit. Kleists Werk im Lichte idealistischer Eschatologie*, Bern 1965, S. 129–147. – Zur Interpretation der religiösen Metaphorik vgl. Henrik Lange, »Säkularisierte Bibelreminiszenzen in Kleists *Michael Kohlhaas*«, in: *Kopenhagener germanistische Studien*, Bd. 1, hrsg. von Karl Hyldgaard-Jensen und Steffen Steffensen, Kopenhagen 1969, S. 213–226.

22 Ludwig Büttner, »Michael Kohlhaas – eine paranoische oder heroische Gestalt?«, in: *Seminar* 4 (1968) S. 26–41. – Horst Geyer, *Dichter des Wahnsinns*, Frankfurt a. M. / Berlin 1955, S. 115–144. – Hubert Tellenbach, »Die

Während man früher gerne den Kleistschen *Kohlhaas* mit Schillers *Maria Stuart*[23] oder *Wilhelm Tell*[24] bzw. mit Goethes *Götz*[25] verglich, herrschen in den komparatistischen Studien der letzten Jahre Vergleiche mit Kafkas *Prozeß* vor[26]. Daß in der Literaturwissenschaft so ziemlich alles mit allem in Beziehung gebracht werden kann, zeigt ein Aufsatz Hertlings, der Parallelen zwischen dem *Kohlhaas* und Fontanes *Grete Minde* aufweisen zu können glaubt.[27] Fruchtbarer scheint das Vorgehen Horwaths zu sein, der einen möglichen assoziativen Einfluß von Bildern Teniers', Vouets und Raffaels auf bestimmte Motive der Erzählung – wie das St.-Michaels-Thema – untersucht.[28] Bei den Kohlhaas-Kapiteln in den Kleist-Monographien, wie sie uns von Brahm bis Graham[29]

Aporie der wahnhaften Querulanz. Das Verfallen an die Pflicht zur Durchsetzung des Rechts in Heinrich von Kleists *Michael Kohlhaas*«, in: *Colloquia Germanica* 7(1973) S. 1–8. – Peter Dettmering, *Heinrich von Kleist. Zur Psychodynamik in seiner Dichtung*, München 1975, S. 85–104. – Helga Gallas, *Das Textbegehren des »Michael Kohlhaas«. Die Sprache des Unterbewußten und der Sinn der Literatur*, Reinbek bei Hamburg 1981, S. 75.

23 Friedrich Koch, *Heinrich von Kleist. Bewußtsein und Wirklichkeit*, Stuttgart 1958, S. 282 ff.

24 Richard Matthias Müller, »Kleists *Michael Kohlhaas*«, in: *Deutsche Vierteljahrsschrift für Literaturwissenschaft und Geistesgeschichte* 44 (1970) S. 117.

25 Wächter (Anm. 12). – Hans M. Wolff, *Heinrich von Kleist. Die Geschichte seines Schaffens*, Bern 1954.

26 J. M. Lindsay, »Kohlhaas and K. Two Men in Search of Justice«, in: *German Life and Letters* N. F. 13 (1959/60) S. 190–194. – Eric Marson, »Justice and the Obsessed Character in *Michael Kohlhaas*, *Der Prozeß* and *L'Etranger*«, in: *Seminar* 2 (1966) H. 2, S. 21–33. – David E. Smith, *Gesture as a Stylistic Device in Kleist's »Michael Kohlhaas« and Kafka's »Der Prozeß«*, Bern 1976.

27 Gunter H. Hertling, »Kleists Michael Kohlhaas und Fontanes Grete Minde: Freiheit und Fügung«, in: *The German Quarterly* 40 (1967) S. 24 bis 40.

28 Peter Horwath, »Auf den Spuren Teniers, Vouets und Raphaels in Kleists *Michael Kohlhaas*«, in: *Seminar* 5 (1969) S. 102–113.

29 Otto Brahm, *Heinrich von Kleist*, Berlin ^{3}1903. – Franz Servaes, *Heinrich von Kleist*, Leipzig 1902. – Wilhelm Herzog, *Heinrich von Kleist. Sein Leben und sein Werk*, München 1914. – Philipp Witkop, *Heinrich von Kleist*, Stuttgart/Berlin 1921. – Walter Muschg, *Kleist*, Zürich 1923. – Joachim von Kürenberg, *Heinrich von Kleist. Ein Versuch*, Hamburg 1948. – Helmut Prang, *Irrtum und Mißverständnis in den Dichtungen Heinrich von Kleists*,

vorliegen, handelt es sich meistens um erläuternde Nacherzählungen des Kleistschen Werkes, um das, was man in der Philologie der angelsächsischen Länder close reading nennt. Sie sind – wie auch die Aufsätze von Fricke, Lucas, Cary und von Wiese[30] – für den Studenten eine Hilfe bei der Einarbeitung in die komplexe Problematik der Erzählung. Daneben entstand eine Reihe von Spezialanalysen, bei welchen es um die Funktion von Gebärden geht (z. B. des Ans-Fenster-Tretens oder des Errötens)[31] und wo einzelne Szenen, Themen oder Figuren behandelt werden (so etwa die Abdeckerszene, das Nicht-um-die-Welt Thema, der Luther-Brief, das Wetter, die Familie oder die Zigeunerin)[32]. In diesem Zusammen-

Erlangen 1955. – Günter Blöcker, *Heinrich von Kleist oder das Absolute Ich*, Berlin ²1960. – Walter Silz, *Heinrich von Kleist. Studies in His Works and Literary Character*, Philadelphia 1962. – Jacques Brun, *L'Univers tragique de Kleist*, Essai, Paris 1966. – Hans Joachim Kreutzer, *Die dichterische Entwicklung Heinrich von Kleists*, Berlin 1968. – John Geary, *Heinrich von Kleist. A Study in Tragedy and Anxiety*, Philadelphia 1968. – Ilse Graham, *Heinrich von Kleist. Word into Flesh: A Poet's Quest for the Symbol*, New York 1977.

30 Gerhard Fricke, *Gefühl und Schicksal bei Heinrich von Kleist*, Berlin 1929, S. 123–136. – R. S. Lucas, »Studies in Kleist«, in: *Deutsche Vierteljahrsschrift für Literaturwissenschaft und Geistesgeschichte* 44 (1970) S. 120–170. – John R. Cary, »A Reading of Kleist's *Michael Kohlhaas*«, in: *Publications of the Modern Language Association* 85 (1970) S. 212–218. – Benno von Wiese, »Heinrich von Kleist: Michael Kohlhaas«, in: B. v. W., *Die deutsche Novelle von Goethe bis Kafka*, Düsseldorf 1962, S. 47–63.

31 Hans-Wilhelm Dechert, »Indem er ans Fenster trat ... Zur Funktion einer Gebärde in Kleists *Michael Kohlhaas*«, in: *Euphorion* 62 (1968) S. 77–84. – Smith (Anm. 26). – Ditmar Skrotzki, *Die Gebärde des Errötens im Werk Heinrich von Kleists*, Marburg 1971, S. 50–58.

32 Clifford A. Bernd, »The ›Abdeckerszene‹ in Kleist's *Michael Kohlhaas*«, in: *Studia Neophilologica* 39 (1967) S. 270–280. – Peter Horwath: »The ›Nicht-um-die-Welt‹-Theme. A Clue to the Ultimate Meaning of Kleist's *Michael Kohlhaas*«, in: *Studia Neophilologica* 39 (1967) S. 261–269. – Walter Müller-Seidel, *Versehen und Erkennen. Eine Studie über Heinrich von Kleist*, Köln ²1967, S. 106 ff. – Beat Beckmann, *Kleists Bewußtseinskritik. Eine Untersuchung der Erzählformen seiner Novellen*, Bern 1978, S. 71–81. – J. M. Ellis, »Der Herr läßt regnen über Gerechte und Ungerechte: Kleists *Michael Kohlhaas*«, in: *Monatshefte* 59 (1967) S. 35–40. – H. W. Paulin, »Kohlhaas and Family«, in: *Germanic Review* 52 (1977) S. 170–182. – Clara Kuoni, *Wirklichkeit und Idee in Heinrich von Kleists Frauenerleben*, Frauenfeld/Leipzig

hang sei auch die syntaktische Analyse zum »langen Satz« im *Kohlhaas* erwähnt.[33] Obgleich Kleist selbst den *Michael Kohlhaas* eine Erzählung nannte, hat man immer wieder versucht, das Werk der Novellengattung zuzuschlagen, und so wurden einmalige Begebenheiten, Wende- und Höhepunkte, Bildsymbole und Falken in Fülle entdeckt.[34] Doch hat sich gegen die herkömmliche Novellentheorie schon immer die These behauptet, daß es sich bei diesem Werk Kleists um eine schwer definierbare Gattungsmischung mit Merkmalen des Romans[35], des Dramas[36] und vor allem der Chronik[37] handle.

1937, S. 243–247. – Otto F. Best, »Schuld und Vergebung. Zur Rolle von Wahrsagerin und ›Amulett‹ in Kleists *Michael Kohlhaas*«, in: *Germanisch-Romanische Monatsschrift* N. F. 20 (1970) S. 180–189.

33 Jutta Goheen, »Der lange Satz als Kennzeichen der Erzählweise im *Michael Kohlhaas*«, in: *Wirkendes Wort* 17 (1967) S. 239–246.

34 Fricke (Anm. 11) S. 234. – von Wiese (Anm. 30) S. 52. – Benno von Wiese, »Bildsymbole in der deutschen Novelle«, in: *Publications of the English Goethe Society* N. F. 24 (1955) S. 135. – Bernd (Anm. 32) S. 270. – Gehl und Lugowski erklärten Kleists *Michael Kohlhaas* 1936 gar zur germanischen Saga. Vgl. Walther Gehl, »Kleists *Michael Kohlhaas* und die isländische Saga«, in: *Zeitschrift für Deutsche Bildung* 12 (1936) S. 594–603; Clemens Lugowski, *Wirklichkeit und Dichtung. Untersuchungen zur Wirklichkeitsauffassung Heinrich von Kleists*, Frankfurt a. M. 1936, S. 190 ff.

35 Mann (Anm. 11) S. 507. – Meyer-Benfey (Anm. 17) S. 107. – Hart (Anm. 11) S. 328. – Kreutzer (Anm. 29) S. 193.

36 Schäfer (Anm. 11) S. 35. – Smith (Anm. 26) S. 44. – Charles E. Passage, »Michael Kohlhaas: Form Analysis«, in: *Germanic Review* 30 (1955) S. 182. – Johannes Klein, *Geschichte der deutschen Novelle von Goethe bis zur Gegenwart*, Wiesbaden 1954, S. 52. – Helmuth Stahleder, »Dramatische Szenenbildung und ihre Elemente in Heinrich von Kleists *Michael Kohlhaas*«, in: *Literatur in Wissenschaft und Unterricht* 9 (1976) S. 167–181.

37 Adolf Wilbrandt, *Heinrich von Kleist*, Nördlingen 1863, S. 332. – Josef Körner, *Recht und Pflicht. Eine Studie über Kleists »Michael Kohlhaas« und »Prinz Friedrich von Homburg«*, Leipzig/Berlin 1926, S. 5. – Klein (Anm. 36) S. 56. – Skrotzki (Anm. 31) S. 53. – Denys Dyer, *The stories of Kleist. A Critical Study*, New York 1977, S. 111. – Blöcker (Anm. 29) S. 213. – Wolfgang Kayser, »Kleist als Erzähler«, in: *German Life and Letters* N. F. 8 (1954/55) S. 22.

Perspektiven des Erzählers

Wie steht es um die Behauptung, daß *Michael Kohlhaas* eine Chronik sei, aufgezeichnet von einem »Chronisten aus der Reformationszeit«[38]? Daß der Berichterstatter kein Chronist des 16. Jahrhunderts, sondern nur ein Zeitgenosse Kleists sein kann, läßt sich leicht beweisen: Am Ende des Werkes erwähnt der Erzähler die Nachfahren des Kohlhaas, welche »noch im vergangenen Jahrhundert« (117)[39] – und damit kann nur das 18. gemeint sein – gelebt hätten. Wie die Gattungsbezeichnung »Erzählung« ist auch der Untertitel »Aus einer alten Chronik« von Kleist absichtsvoll gewählt. Der – vom Autor her gesehene – zeitgenössische Erzähler »erstattet Bericht aus« (112) einer Chronik, die offenbar Hinweise auf andere Dokumente enthält, wodurch die Pluralform »Chroniken« (112) zu erklären ist, die in der Folge gebraucht wird. Ähnlich war Kleist selbst verfahren, der die Hafftitzsche Chronik benutzte, in deren Anmerkungen bei Schöttgen/Kreysig auf die Berichte von Leutinger und Mentz Bezug genommen wurde.[40] Sicherlich handelt es sich beim *Michael Kohlhaas* nicht um eine Chronik im engeren Sinne. Der Chronikenstil scheint aber an vielen Stellen durch, denn über weite Strecken referiert der Erzähler kommentarlos faktisches Geschehen in zeitlicher Abfolge. Da der Berichterstatter sich als Historiker gibt, gilt es, seinen Standort innerhalb der Tradition der Geschichtsschreibung zu lokalisieren. Er scheint eine für die Zeit um 1800 typische Mittelstellung zwischen zwei Konventionen der Historiographie einzunehmen, zwischen der älteren, d. h. seit dem Mittelalter beliebten *referierenden* Darstellungsmethode einerseits und der seit Leib-

38 Körner (Anm. 37) S. 5.

39 In der Folge wird zitiert nach: Heinrich von Kleist, *Michael Kohlhaas*, Stuttgart 1971 [u. ö.] (Reclams Universal-Bibliothek, 218). Die Ziffern in runden Klammern bedeuten jeweils die Seitenangabe dieser Ausgabe.

40 Vgl. die Chroniken in: *Heinrich von Kleist: Michael Kohlhaas, Erläuterungen und Dokumente* (Anm. 14) S. 57–69.

niz und Herder sich allmählich durchsetzenden und im 19. Jahrhundert mit Ranke und Droysen zur vollen Entfaltung gelangenden *genetischen* Beschreibungsart andererseits. Freilich steht der Erzähler dem Historismus des 19. Jahrhunderts näher als anderen Schulen der Geschichtsschreibung: Nicht nur, daß er letztlich bestrebt ist, den einheitlichen Zusammenhang äußerer und innerer Ursachen der berichteten Begebenheiten vor Augen zu führen (ein Bestreben, das dem Chronisten fremd ist), er arbeitet auch mit den Mitteln exakter Kritik. So erwähnt er die Quellen, vergleicht Chroniken, gibt die Unkenntnis über Vorgänge zu, die er nach den vorliegenden Unterlagen nicht zu rekonstruieren vermag, und berichtet über verlorengegangene Dokumente, etwa im Falle des letzten Briefes von Luther an Kohlhaas (113). Wie der Vertreter der romantisch-historistischen Schule bemüht der Erzähler sich ferner um ein geschichtliches Verständnis, sucht die Vergangenheit als Gegenwart zu empfinden, sie nachzuerleben. Typisch für die Verstehensauffassung des Historismus ist, daß selbsterlebte innere Ereignisse in die Seele desjenigen hineinverlegt werden, über den man als Geschichtsschreiber berichtet.[41] Diese Verstehensauffassung macht sich auch im *Kohlhaas* bemerkbar, etwa wenn es dort über die Beweggründe des Protagonisten einmal heißt, daß sie für jeden leicht zu erraten seien, »der in seiner« – nämlich der eigenen – »Brust Bescheid« (76) wisse.

Einfühlsam-kommentierender, historistisch orientierter Bericht und faktischer, für sich sprechender Chronisten-Report stehen also nebeneinander, und man kann mit Recht von zwei Erzählebenen des Werkes sprechen.[42] Bewußt wählt Kleist diese Historikerrolle mit ihren unterschiedlichen Präsentiermöglichkeiten statt des konventionellen Erzählers im Sinne des allwissend-olympischen Beobachters. Einfühlung, demonstrierte Unkenntnis und kommentarloser Be-

41 Wilhelm Bauer, *Einführung in das Studium der Geschichte*, Tübingen ²1928.
42 Lilian Hoverland, *Heinrich von Kleist und das Prinzip der Gestaltung*, Königstein 1978, S. 133.

richt werden innerhalb der Erzählstrategie als taktische Mittel (sei es ironischer oder kritischer Art) genutzt. So kann der Erzähler im *Kohlhaas* als einfühlsamer Geschichtsschreiber einerseits »die Höflichkeit eines Hofberichterstatters«[43] an den Tag legen, während andererseits die für sich sprechenden Fakten auf eine Kritik an Hof und Adel hinauslaufen.

Die politische Situation

Die ersten Seiten der Erzählung enthalten nicht nur eine Exposition zu dem sich in der Folge eskalierenden Konflikt zwischen adligen und nichtadligen Schichten, sondern vermitteln auch ein Bild von der anzustrebenden Harmonie der Stände. Der »alte Herr«, Wenzel von Tronkas Vorgänger, hatte »seine Freude am Verkehr der Menschen«, an »Handel und Wandel« gehabt. Statt einen Schlagbaum zu errichten, wie es sein Nachfolger tut, ließ er zur Beförderung des Handelsverkehrs die Straßen befestigen (4). Bei der Lektüre von Kohlhaas' Erinnerungen an den alten Tronka drängen sich Assoziationen an zu Kleists Zeiten so neue wie populäre nationalökonomische Theorien auf, Überlegungen, wie sie vor allem von Adam Smith angestellt worden waren. Die Studien Smiths waren Kleist spätestens 1805 durch seinen Lehrer Christian Jakob Kraus an der Universität Königsberg vermittelt worden, und er wurde erneut mit ihnen konfrontiert, als er im Winter 1808/09 Adam Müllers Vorlesungen *Elemente der Staatskunst* hörte. Produktion und Wettbewerb sollen nach Adam Smith frei sein; der Staat müsse sich darauf beschränken, Produktionshindernisse aus dem Wege zu räumen, den Kommerz durch prompte Justiz und durch das Bauen von Kanälen und Landstraßen usw. zu erleichtern. Kleist selbst war ein Anhänger dieser liberalen Wirtschaftsvorstellungen. Als er 1805 als Diätar bei der Kriegs- und

43 Müller (Anm. 24) S. 116.

Domänenkammer in Königsberg tätig war, schrieb er seinem Gönner Karl Freiherr vom Stein zum Altenstein, daß sein liebstes Arbeitsgebiet die »Wiederherstellung der natürlichen Gewerbsfreiheit« sei.[44] Gewohnt an Verhältnisse, in denen staatlicherseits der bäuerlich/bürgerliche Handel befördert wird, findet sich Kohlhaas nun mit den entgegengesetzt lautenden wirtschaftspolitischen Auffassungen des neuen Herrn konfrontiert, der den merkantilistischen Dirigismus des Absolutismus vertritt. Ein »landesherrliches Privilegium« gibt dem Junker Wenzel angeblich das Recht, einen Schlagbaum zur Erhebung von Zöllen zu errichten, sowie den Import von Pferden einzuschränken. Handeltreibende sind in den Augen der Gehilfen des Junkers »filzige Geldraffer«, die zu »nützlichen Aderlässen« (5) gut seien. Der Konflikt, den Kleist hier zwischen Kohlhaas und Wenzel von Tronka sich entwickeln läßt, versinnbildlicht den Streit der nichtadligen Bevölkerungsschichten um größere staatsbürgerliche Rechte, den Kampf gegen die Privilegien des Adels im absolutistischen Staat. Hans M. Wolff hat die Ursache des »Problems Adliger–Bürger« in Kleists Erzählung prägnant bezeichnet, wenn er von dem »typischen Übergriff des Mitgliedes eines höheren Standes gegen einen verachteten, niederen Stand« spricht. Er fährt fort: »Der Staat ist durch die Machinationen einer übermütigen Adelskaste und durch ungetreue Beamte ein Gewaltstaat geworden, in dem von dem Recht des Individuums, seiner Priorität gegenüber dem Staat und der Gleichheit nichts mehr übrig geblieben ist«.[45] Was als Streit zwischen einzelnen beginnt, weitet sich bald aus zu einem Gruppenkonflikt, der die Landes- und Reichsordnung zu gefährden droht. Die Darstellung der Konfrontationen von Individuen, Ständen und Ländern gewährt Einblick in das

44 Brief vom 10. 2. 1806, zit. nach: Heinrich von Kleist, *Briefe 1805–1811. Lebensdaten*, hrsg. von Helmut Sembdner, München 1964 (dtv-Gesamtausg., 7), S. 18.

45 Hans M. Wolff, *Heinrich von Kleist als politischer Dichter*, Berkeley / Los Angeles 1947, S. 415, 426.

Machtgefüge eines absolutistischen Staates, der sich mit allen Mitteln der Ansprüche abhängiger und unterprivilegierter Schichten zu erwehren sucht.
Kohlhaas ist nicht nur der Einzelkämpfer, als der er oft geschildert wird.[46] Wie seine Gegner sucht er sich der Unterstützung Dritter zu vergewissern.[47] Seine Verbündeten sind zunächst seine Frau Lisbeth, die ihm gerade deshalb beisteht, weil das Vorgehen gegen die Tronkas im Interesse der Allgemeinheit liegt (17), ferner ein ihm bekannter Advokat in Dresden, dann der Stadthauptmann Heinrich von Geusau und schließlich – wenn auch nur potentiell – der Kastellan des kurfürstlichen Schlosses in Berlin, ein früherer Verehrer Lisbeths. Die Basis der Hilfe durch andere ist, wie der Erzähler berichtet, anfangs breit: »Es fehlte Kohlhaas auch, während er sich in der Residenz umsah, keineswegs an Freunden, die seine Sache lebhaft zu unterstützen versprachen; der ausgebreitete Handel, den er mit Pferden trieb, hatte ihm die Bekanntschaft, und die Redlichkeit, mit welcher er dabei zu Werke ging, ihm das Wohlwollen der bedeutendsten Männer des Landes verschafft« (18). Wie seiner Frau geht es auch Kohlhaas, dem »Muster eines guten Staatsbürgers« (3), darum, stellvertretend im allgemeinen bürgerlichen Interesse zu handeln. Er fühlt, daß »er mit seinen Kräften der Welt in der Pflicht verfallen sei, sich Genugtuung für die erlittene Kränkung, und Sicherheit für zukünftige seinen Mitbürgern zu verschaffen« (11). Wie bereits Montesquieu in *Sur l'esprit des lois* feststellte, reagieren einzelne und Gruppen dann am heftigsten und aggressivsten, wenn sie sich in ihren eigentümlichen Lebensbedingungen unmittelbar bedroht fühlen. Wenn Kohlhaas sein Handelsgut, die Pferde, geraubt werden, wenn durch unrechtmäßige Zölle und Einfuhrbeschränkungen sein Gewerbe gefährdet wird, fürchtet er um seine bürgerliche Existenz und muß alles daransetzen, seine Rechte

46 Horn (Anm. 3) S. 72.
47 Hoverland (Anm. 42) S. 122.

einzuklagen, auch wenn der Wert der Pferde an sich kein Vermögen ausmacht oder die Höhe des Zolls gering bzw. die Einfuhrbeschränkung befristet ist. Andererseits geht es auch den Adligen im absolutistischen Staat um die Aufrechterhaltung, die Verteidigung und den Ausbau ihrer Privilegien, ihrer aristokratischen Lebensweise, um die Protektion der möglichst uneingeschränkten Herrschermacht. Es ist im wörtlichen Sinne ein Kampf auf Leben und Tod, der zwischen Kohlhaas als dem Vertreter des Handelsbürgertums und dem Junker bzw. dem sächsischen Kurfürsten als Repräsentanten der Aristokratie entbrennt, ein Streit, in dem es schließlich nur Verlierer gibt. Das harmonische Zusammenspiel von Adel und Bürgertum, von Herrschaft und Gewerbe, von Regierung und Volk, wie es zu Beginn der Erzählung beschrieben wird, verwandelt sich in einen blutigen Kampf der Interessengegensätze, sobald ein Stand sich auf Kosten des anderen Rechte aneignen will. Daß Kleist das Unrecht mit Willkürakten der Aristokratie beginnen läßt, daß er einen Bürger zeigt, dessen Rechtsgefühl »einer Goldwaage glich« (9), verdeutlicht, daß seine Sympathien dem Kampf der unterprivilegierten Schichten um ihre Freiheitsrechte gelten.

In seinem Rechtsstreit steht Kohlhaas bald alleine da: Seine Frau wird beim Überreichen einer Bittschrift tödlich verletzt, sein Dresdener Anwalt gibt den Prozeß auf, noch bevor er begonnen hat, der Stadthauptmann von Geusau rät, die Sache auf sich beruhen zu lassen, und den Geschäftsfreunden wird die Unterstützung des Klägers zu riskant. Der Kriegshaufe, den Kohlhaas um sich schart, besteht vor allem aus Landsknechten, Gesindel und Kriminellen. Kein Wunder, daß er ihn auflöst, sobald sich die Chance der Durchführung eines rechtmäßigen Prozesses gegen den Junker von Tronka bietet. Zwar verficht Kohlhaas eine Sache, die im Interesse der Bürger liegt, aber er ist nicht in der Lage, sie für einen Kampf gegen die »Volksbedrücker« (57) zu mobilisieren. Das Volk in seiner Mehrheit ist zwar dem Adel gegenüber feindselig eingestellt, aber es unterstützt auf keine konkrete Weise Maßnahmen gegen ihn. Luther stellt fest, daß »die öffentliche Meinung« auf »eine höchst gefährliche Weise auf dieses Mannes Seite« (51) sei, doch es bleibt bei Meinungen – einmal für, einmal gegen ihn. Das Bürgervolk von Wittenberg bedenkt den Junker von Tronka mit »entsetzlichen Verwünschungen«, nennt ihn einen »Blutigel, einen elenden Landplager und Menschenquäler« (39), aber so wie es den Amtsmißbrauch der Herrschenden verabscheut, so wenig Verständnis hat es letztlich für die extreme Reaktion des Kohlhaas, dem Gefolgschaft zu leisten es nicht bereit ist. Nicht daß das Volk, wie der Erzähler es schildert, quietistisch und ängstlich wäre (es weiß sich gegebenenfalls auch handfest zu wehren, wie die Vorfälle auf dem Marktplatz zu Dresden zeigen), nur revolutionswillig ist es nicht. Die vorherrschende Stimmung scheint die zu sein, daß man sich gegen einzelne Mißstände zur Wehr zu setzen habe, daß aber das Ständesystem an sich intakt sei. Dies zeigt auch der Fall des Meister Himboldt und die Art der Unterstützung, die er seitens der Bürgerschaft erhält. Himboldt ist in einer ganz ähnlichen Lage wie Kohlhaas: Von einem Adligen wird er in seiner bürgerlichen Ehre gekränkt. Wie sein Vetter Wenzel beugt der Kämmerer Kunz von Tronka das Recht, wenn er von einem Bürger verlangt, eine Arbeit auszuführen, die unter seiner Standeswürde ist. Wie Kohlhaas wehrt sich Himboldt als einzelner, und in beiden Fällen beraubt der beleidigte bzw. gedemütigte Bürger den Adligen der Zeichen seiner Macht. Kohlhaas brandschatzt die Burg Wenzels, und Himboldt entreißt dem Kunz Mantel, Helm und Schwert (68). Das Volk verhält sich in beiden Fällen dem sich wehrenden Bürger gegenüber sympathisierend, doch unternimmt es letztlich nichts gegen die bewaffnete Ordnungsmacht. Die Übergriffe der Adligen werden nicht als Symptome einer Staatsordnung begriffen, die an sich beseitigenswert wäre, sondern als Ausnahmen, die eine Revolution nicht rechtfertigen. Wie Kohlhaas wird auch Himboldt verhaftet und ihm der Prozeß gemacht, ohne daß diese Vorfälle Zeichen zu einem Aufstand abgäben.

Im Volk also findet Kohlhaas keine wirkliche Unterstützung. Er ist weder ein Robin Hood noch ein Wilhelm Tell. So ungeschichtlich und gegen alle historische Wahrheit gerichtet die Darstellung einer vom Volk getragenen Revolution mit Kohlhaas an ihrer Spitze gewesen wäre, so realistisch – mag das zunächst auch paradox klingen – war es jedoch, eine Helferfigur zu erfinden, die der Sphäre des Irrealen zuzuordnen ist. Die einzige Figur nämlich, die Kohlhaas konkret Hilfe leistet, ist die Zigeunerin. Mit ihrer Gestaltung fängt Kleist einen wichtigen Aspekt des Zeitkolorits und der Atmosphäre der Reformationszeit ein. Wunderglaube und das Vertrauen in Wahrsagerei, Astrologie und in die Macht der Magie waren bei allen Ständen des 16. Jahrhunderts – einschließlich der Kirche – verbreitet. Davon wissen auch die alten Chroniken, die Kleist studiert hatte, zu berichten. Hafftitz erzählt von einem Mitkämpfer und Freund des Kohlhase, der ein Schwarzkünstler war, und nach Leutinger bezog Kohlhase selbst seine Kräfte von der Magie.[48] In der Sekundärliteratur wurde die Zigeunerin zur Heiligen stilisiert,[49] zur »Botin des Jenseits«[50] und »Abgesandten des Himmels«[51] bzw. zur von den Toten wiederauferstandenen Frau des Kohlhaas erklärt. Dazu besteht wenig Anlaß. Was Kleist beschreibt, ist eine wahrsagende Zigeunerin, die eine gewisse äußere Ähnlichkeit mit der verstorbenen Gattin aufweist und deren Namen Elisabeth ebenfalls an sie erinnert. Bei dem Aufweis dieser Ähnlichkeiten läßt es der Erzähler bewenden; eine Identität der beiden Frauen wird nirgendwo direkt behauptet, bleibt vielmehr eine Vermutung des Lesers. Das Ungefähre, Geheimnisvolle, Rätselhafte, Nichtauflösbare und Mysteriöse sind notwendig Teil der Charakterisierung der Zigeunerin. Um

48 Pniower (Anm. 13) S. 195.
49 Horwath (Anm. 32) S. 265.
50 Müller (Anm. 24) S. 119.
51 Kreutzer (Anm. 29) S. 250.

1540 gab es Zigeuner in Deutschland erst seit wenig mehr als hundert Jahren, man wußte nicht, woher sie kamen, und die Faszination, die von den alten Zigeunerinnen ausging, welche das Wahrsagen üblicherweise berufsmäßig ausübten, muß groß gewesen sein. Offenbar machte Kleist mit der Einführung der Zigeunerin weniger Zugeständnisse an »die gewohnten Bedürfnisse der Lesewelt« seiner Zeit, wie Tieck es sah,[52] sondern zeichnete eine Figur, die einen typischen Charakterzug der Menschen des 16. Jahrhunderts verdeutlichte. Aufgrund der von ihnen ausgeübten Tätigkeiten und ihres Bekenntnisses wegen – an ein Fortleben nach dem Tode glaubten sie nicht – standen die Zigeuner außerhalb der bürgerlichen Gesellschaft. So ist es denn auch unwahrscheinlich, daß ausgerechnet die Zigeunerin in Kleists Erzählung das Volk vertreten und verkörpern soll.[53] Auf diese Weise will man interpretatorisch eine handfeste Hilfe des Volkes für Kohlhaas retten, die aber nicht gegeben ist. Ausgestoßen aus dem staatlichen Gemeinwesen, kommt ihm Hilfe von einer Instanz zu, die selbst nicht gebunden ist an Denk- und Verhaltensschemata, welche die Konventionen der Gesellschaft vorschreiben. An sich ist das Mittel zur Gegenwehr wertlos, das die Zigeunerin Kohlhaas mit dem Zettel in die Hand spielt. Er demonstriert nur, wie sehr der Aberglaube über den Kurfürsten von Sachsen Macht gewonnen hat, und es ist dieser Irrationalismus, der ihn von Kohlhaas abhängig macht.[54] Was – oder ob überhaupt irgend etwas – auf dem Zettel gestanden hat, bleibt offen. Es ist der Phantasie des Interpreten überlassen, diese textliche Leerstelle zu füllen. Schultze-Jahde[55] nimmt an, daß der Zettel folgende historischen Daten enthalten habe: den Namen des Ernestiners Johann Friedrich

52 Zit. nach: *Schriftsteller über Kleist* (Anm. 11) S. 565. Ähnlich auch Hart (Anm. 11) S. 263. – Koch (Anm. 23) S. 278. – Schäfer (Anm. 11) S. 40.
53 So sieht es Müller (Anm. 24) S. 116 ff.
54 Das ist auch die Auffassung von Horn (Anm. 3) S. 85.
55 Karl Schultze-Jahde, »Kohlhaas und die Zigeunerin«, in: *Jahrbuch der Kleist-Gesellschaft* (1933–37) S. 133.

des Großmütigen, das Jahr 1547 (Wittenberger Kapitulation) und den Namen Moritz, des siegreichen Albertiners. Doch das ist Spekulation. Schaut man sich die Information über die Prophezeiung der Zigeunerin genauer an, können die Antworten auch ganz anders gelautet haben. Es geht nämlich um erstens »den Namen des letzten Regenten deines Hauses«, zweitens »die Jahrszahl, da er sein Reich verlieren«, und drittens »den Namen dessen, der es, durch die Gewalt der Waffen, an sich reißen wird« (104). Dabei muß man sich in Erinnerung rufen, daß der Ernestiner Johann Friedrich zwar 1547 seine Kurfürstenwürde an den Albertiner Moritz abtreten mußte, daß er aber keineswegs der letzte Regent seines Hauses war, denn ihm verblieb immerhin das Herzogtum Sachsen. Als Kleist die Erzählung schrieb, regierte ein direkter Ernestinischer Nachfahre Johann Friedrichs im Staate Sachsen-Weimar-Eisenach, nämlich Herzog Karl August, der Protektor der Weimarer Denker und Dichter. Der letzte Regent des Ernestinisch-Wettinischen Hauses im Großherzogtum Sachsen war Wilhelm Ernst, der 1918 zurücktrat, doch das konnte weder Kleist noch eine seiner Figuren im *Kohlhaas* voraussehen. Zudem spielt sich die Handlung in einem historischen Ungefähr um die Mitte des 16. Jahrhunderts ab unter einem nicht namentlich genannten sächsischen Kurfürsten, der in Dresden residiert. Dresden war aber seit dem späten 15. Jahrhundert die Residenzstadt der Albertinischen Wettiner; die Hauptstadt des Ernestinischen Kurfürstentums Sachsen war dagegen Wittenberg. Auch die Tatsache, daß ein Prinz von Meißen am sächsischen Hof dient, legt die Vermutung nahe, daß Kleist die Albertiner, nicht die Ernestiner im Sinne hatte, denn Meißen gehörte seit 1486 zum Machtbereich der Albertiner. Sollte also vielleicht der Untergang des Albertinischen Hauses prophezeit werden? Zur Zeit der Niederschrift der Erzählung residierte in Dresden der sächsische Albertiner König Friedrich August I., und erst mehr als zweihundert Jahre später mußte sein Nachfahre Friedrich August III. im November 1918 den Thronverzicht erklären. Anachronismen und historische Unstimmigkeiten enthält Kleists Erzählung auf jeden Fall. Wenn er den Abstieg der Ernestinischen Linie im Auge hatte, sind die Ortsangabe Dresden als Residenzstadt und das Nennen der Dienste eines Prinzen von Meißen falsch; wenn er die Albertiner meinte, kann Luther kein Zeitgenosse des sächsischen Kurfürsten gewesen sein, denn er verstarb ein Jahr, bevor der erste Albertiner 1547 die Kurwürde erhielt. Nicht, was der Zettel mit der Prophezeiung enthielt, ist wichtig, sondern seine Funktion als Katalysator für das weitere Geschehen. Mit ihm ist dem scheinbar völlig abhängigen und machtlosen Bürger Kohlhaas das Schicksal eines absolutistischen Herrschers in die Hand gegeben. Sein »größter Wunsch« ist es, mit Hilfe des Zettels dem Landesherrn »weh zu tun«, ihn zu »vernichten« (97).

Im gleichen Maße, wie Kohlhaas versucht, seine Rechtsansprüche mit Hilfe von Verbündeten durchzusetzen, formieren sich auch die Kräfte auf der Seite des Adels, der sich in der Defensive befindet. Wenzel von Tronka genießt die Protektion des sächsischen Hofes. Seine Lehns-, d. h. Erbvettern Hinz und Kunz von Tronka sind daran interessiert, den Besitz und die Privilegien ihres Verwandten zu erhalten. Als Mundschenk und Kämmerer haben sie direkten Kontakt zum Kurfürsten, eine Verbindung, die sie auszunutzen wissen. Auch steht der Kurfürst zur Frau des Kämmerers, der Dame Heloise, in einem Vertrauens- und Liebesverhältnis. Sie wiederum ist eine geborene Gräfin Kallheim und zieht Vorteile aus ihren engen Verwandtschaftsbeziehungen zum sächsischen Präsidenten der Staatskanzlei von Kallheim und zum brandenburgischen Erzkanzler Siegfried von Kallheim. »Als geborene von Kallheim und verehelichte von Tronka ist Heloise das Verbindungsglied, über das alle mit Kohlhaas zusammenhängenden Korruptionslinien in Sachsen und Brandenburg laufen.«[56] Aus Standes- und Familienrücksich-

56 Müller (Anm. 24) S. 113.

ten schützen die Dresdener Tronkas ihren Neffen, die Dame Heloise ihren Gatten und Schwager, und der Kurfürst mit »seinem für Freundschaft sehr empfänglichen Herzen« (55) deckt den Kämmerer, der ihm seine Frau als Mätresse überläßt. Die Freundschaft des Kurfürsten zum Kämmerer Kunz von Tronka geht weit, denn dieser ist der einzige, dem er das Geheimnis der Kapsel und damit seine intimsten Ängste anvertraut. Umgekehrt scheint auch der Kämmerer keine Geheimnisse vor dem Kurfürsten zu haben. Zumindest wahrscheinlich ist, daß er mit Wissen des Kurfürsten den Prozeß des Kohlhaas niederschlug. Denn als Prinz Christiern von Meißen die Notwendigkeit herausstellt, dem Kunz von Tronka »wegen Mißbrauch des landesherrlichen Namens den Prozeß zu machen«, wird der Kurfürst »über das ganze Gesicht rot« (54) und wendet sich ab. Der Schluß liegt nahe, daß der Herrscher die Anklage auf sich selbst bezieht, da er offenbar Mitwisser ist. Vergleicht man die von Kleist in *Michael Kohlhaas* geschilderte sächsische Aristokratie mit jenen Adelsspiegeln der Zeit, die der Autor kannte und bejahte, etwa jenen Adam Müllers aus den *Elementen der Staatskunst*, so wird deutlich, wie wenig sie der dort formulierten Norm entspricht. »Die Macht der Sitte und des Geistes im Staate«[57] soll der Adel nach Adam Müller repräsentieren. Das Gegenteil verkörpern die Tronkas, wie – nomen est omen – schon ihre Vornamen andeuten: Wenzel ist der aus dem Kartenspiel bekannte Bube, und Hinz und Kunz stehen für das Gewöhnliche und Dumme. Kleist demonstriert, um es mit Adam Müller auszudrücken, »wie aller entweihte Adel notwendig zur äußersten Verworfenheit wird«.[58] Durch sein Verhalten degradiert der sächsische Kurfürst sich selbst, was seinen sichtbaren Ausdruck darin findet, daß er gegen Ende der Erzählung als Graf verkleidet auf der Szene erscheint. Viel weiter noch geht die Demütigung bzw. Selbsterniedri-

57 Adam Müller, *Die Elemente der Staatskunst*, Berlin 1968, 5. Vorlesung, S. 70.

58 Ebd., 8. Vorlesung, S. 142.

gung bei den Tronkas. Kunz läßt sich auf dem Marktplatz von Dresden in aller Öffentlichkeit in die Verhandlung mit einem Abdecker ein, dem Vertreter eines nicht-ehrlichen Standes. Die Szene wiederholt sich ähnlich in Berlin, als er den Kontakt zur Zigeunerin bzw. Trödlerin aufnimmt, die nach der Konvention der Zeit der gleichen sozialen Schicht wie der Abdecker zuzurechnen ist. Wenzel wird in Haft genommen, schließlich gar zu zwei Jahren Gefängnis verurteilt. Symbolisiert wird sein Ehrverlust dadurch, daß er beim Weg in die Ritterhaft ständig seinen Helm, das Zeichen seiner Adelswürde, verliert (10). Aus Familienrücksichten gibt der brandenburgische Erzkanzler von Kallheim sich dazu her, die berechtigte Klage des Kohlhaas niederzuschlagen. In Kleists Erzählung wird immer wieder deutlich, wie sehr der Adel seine Standes- bzw. Familieninteressen über die geltenden Rechtsnormen setzt. Als z. B. Prinz Christiern von Meißen verlangt, daß gegen Kunz von Tronka prozessiert werden müsse, erhebt Graf Kallheim, Präsident der sächsischen Staatskanzlei, nicht etwa mit juristischen Argumenten Einspruch, sondern zeigt auf, daß man in diesem Falle auch gegen einen Neffen des Prinzen vorgehen müsse, der bei einem Kriegszug seine Instruktion überschritten habe (54 f.). Eine Adelsfamilie rechnet hier der anderen die Nachteile strikter Rechtspflege vor, woraufhin man sich unausgesprochen einigt, es mit der Wahrung der Gesetze nicht so genau zu nehmen. Die Freiherren von Wenk, bezeichnenderweise »Bekannte« (64) Kunz von Tronkas, leiten die Schlußphase der sächsischen Adelsintrige gegen Kohlhaas ein. Siegfried von Wenk beseitigt die letzten Zweifel darüber, ob Kohlhaas sich – trotz des zugesicherten freien Geleits – als Gefangener zu betrachten habe (81). So wird Kohlhaas gleichsam mit einem Netz aus adligen Verwandtschafts-, Freundschafts- und Bekanntschaftsbeziehungen überworfen, aus dem es kein Entrinnen zu geben scheint.

Die Intensität der Rechtspflege ist in Brandenburg nicht größer als in Sachsen. Hier wie dort geht es vor allem um die

Durchsetzung der Interessen des fürstlichen Hauses. Sind die Vorgänge in Sachsen vor allem durch die Liaison des Kurfürsten mit der Dame Heloise zu erklären, steht im Zentrum des fürstlichen Interesses in Brandenburg die Sicherung der Macht. In dem Augenblick, da das Königreich Polen Sachsen kriegerisch bedrängt (87) und eine Koalition Polen–Brandenburg gegen den sächsischen Staat zur Diskussion steht, wird dem brandenburgischen Kurfürsten eröffnet, daß in einem Streitfall – zufällig dem des Kohlhaas – sein Erzkanzler Siegfried von Kallheim unrechtmäßigerweise zugunsten seiner ausländischen sächsischen Adelsverwandtschaft und gegen einen brandenburgischen Staatsbürger entschieden habe. Bei einem Konfliktfall Brandenburg–Sachsen kann der brandenburgische Kurfürst keinen Chef der Staatskanzlei dulden, der im Interesse des potentiellen Feindes handelt. Wohl in erster Linie deswegen wird der Erzkanzler abgesetzt. Betrieben wird der Sturz vom Stadthauptmann Heinrich von Geusau, der Kallheims Nachfolger wird. Unwahrscheinlich ist, daß Geusau aus purer Gerechtigkeitsliebe den Kurfürsten über Kallheims Verhalten informiert. Offenbar hatte der Stadthauptmann das hohe Amt schon länger angestrebt, denn als er Kohlhaas mitteilen läßt, daß seine Klage in Berlin wegen Kallheims verwandtschaftlicher Beziehungen zu den Tronkas niedergeschlagen worden sei, bittet er ihn gleichzeitig, »sich in Geduld zu fassen« (21), damit wohl andeutend, daß die Amtsperiode Kallheims nicht mehr allzu lange dauern würde. Der Erzähler schildert den Kanzlerwechsel in Berlin in der für ihn üblichen ironischen Manier: Es scheint zunächst, als hätte man es in Brandenburg mit märchenhaft gerechten Kurfürsten und Stadthauptmännern zu tun, die in ihren Handlungen von nichts anderem als dem Interesse des kleinen Mannes geleitet würden. Die außenpolitischen Implikationen des ganzen Falles werden wie beiläufig am Rande erwähnt, und der Leser muß sich den Reim auf die Gesamtkonstellation des Vorganges selbst machen.

Diskutiert man die politischen Themen der Erzählung,

kommt man nicht umhin, jene seit Kleists Zeiten ständig wiederholte Interpretation zu erwähnen, die besagt, daß der Autor mit der negativen Darstellung des sächsischen Kurfürsten die Napoleonfreundliche Politik des rheinbündlerischen sächsischen Königs Friedrich August I. hatte bloßstellen wollen.[59] Als Patriot habe der anti-napoleonische Kleist dagegen den Brandenburgischen Kurfürsten als vorbildlich-integren Herrscher gepriesen. Aber weder kann man das Preußen von 1809 als sonderlich Frankreich-feindlich bezeichnen, denn im November 1808 mußte der Napoleon-Gegner Freiherr vom Stein seinen Abschied nehmen und aus Preußen fliehen, und Kleist selbst war mit der Politik Friedrich Wilhelms III. durchaus nicht einverstanden, noch ist der brandenburgische Herrscher in Kleists Erzählung als ein Muster an Gerechtigkeit geschildert. Wohlweislich möchte Kohlhaas aus seinem sächsischen Gefängnis ja auch nicht ins Brandenburgische entkommen, sondern »nach der Levante oder nach Ostindien« (85). Und obgleich Kohlhaas' Söhne zu brandenburgischen Rittern geschlagen werden, leben seine Nachfahren bezeichnenderweise »im Mecklenburgischen« (117). Wie aber kommen brandenburgische Adlige nach Mecklenburg, in ein Land, das in der deutschen Geschichte nie zu Brandenburg-Preußen gehört hat? Zur Vermehrung von Preußens Gloria jedenfalls scheinen die Herren von Kohlhaas nicht beigetragen zu haben.[60] Eher liegt der Schluß nahe, daß sie wie Kleist selbst den preußischen Dienst quittierten und ihr Glück im Ausland versuchten, weshalb die Kohlhaas-Söhne wohl auch die Vornamen Kleists und seines Bruders (nämlich

59 Das behaupten: Brahm (Anm. 29) S. 261, Pniower (Anm. 13) S. 213, Meyer-Benfey (Anm. 35) S. 110, Wächter (Anm. 12) S. 61, Braig (Anm. 12) S. 504, Krause (Anm. 12) S. 280, Klein (Anm. 36) S. 53. Gegen diese Annahme sprechen sich aus: Körner (Anm. 37) S. 17 und Schultze-Jahde (Anm. 55) S. 120, 132.

60 So ist es zweifelhaft, ob Kohlhaas' Söhne »in den Kreis jenes Führertums berufen« wurden, »das – der Geschichte verantwortlich – zu ihrer Gestaltung bestimmt« sei, wie es ein Interpret 1940 annahm. Vgl. Fritz Martini, *Heinrich von Kleist und die geschichtliche Welt*, Berlin 1940, S. 130.

Heinrich und Leopold) tragen. Bei genauer Lektüre läßt sich die Anti-Sachsen- und Pro-Preußen-These nicht halten, und daß Kleist mit dem *Kohlhaas* gegen den unpatriotischen sächsischen König streiten wollte, ist eine unhaltbare Legende.

Juristische Probleme

Die Meinung darüber, ob Kohlhaas in seinem Streit mit dem Junker von Tronka alle Rechtsmittel erschöpft hat, ist in der Sekundärliteratur geteilt.[61] Man argumentiert z. B., daß Kohlhaas den Artikel 16 der Reichskammergerichtsordnung von 1495 nicht beachtet habe, wonach ihm bei Justizverweigerung durch landesfürstliche Gerichte der Weg zum kaiserlichen Reichskammergericht in Speyer offenstand. Käme Kleist in seiner Erzählung nicht auf die kaiserliche Rechtsinstanz zu sprechen, könnte man vermuten, daß er mit den Rechtsgepflogenheiten des 16. Jahrhunderts nicht vertraut genug war, daß er den juristischen Instanzenweg der Reformationszeit nicht kannte. In den rechtshistorischen Gegebenheiten der Lutherzeit ist der Autor jedoch bewandert. Die Reichsinstanz wird nämlich in Kleists Dichtung – und in der Realität – von den Kurfürsten nur dann angerufen und beachtet, wenn es in ihrem eigensten Interesse ist; sie wird ignoriert, wenn sich Nachteile daraus ergeben könnten. Der sächsische Kurfürst, damals einer der mächtigsten Territorialherren des Reiches, wendet sich erst an Wien, nachdem Kohlhaas als brandenburgischer Bürger vom Kurfürsten in Berlin reklamiert worden ist; eigentlich hätte er sich aber gleich mit der Sache Landfriedensbruch an den Kaiser wenden müssen. Ähnlich handelt der brandenburgische Kurfüst: Ihm geht es in erster Linie um die »Statuierung eines abschreckenden Beispiels« (101). Deshalb wünscht er die Verurteilung des Kohlhaas zum Tode. Das strenge Urteil aus Wien kommt ihm

61 Ja: Silz (Anm. 29) S. 188. Nein: Wohlhaupter (Anm. 19) S. 535.

daher aus Gründen des politischen Eigennutzes gelegen.[62] Der Erzähler betont, daß der brandenburgische Kurfürst das Urteil des kaiserlichen Anklägers umständlich geprüft und erst dann unterschrieben habe (112). Da der Prozeß am brandenburgischen Kammergericht in Berlin stattfand und nicht etwa durch das Reichskammergericht in Speyer (kompetent bei Fehdevergehen) verhandelt oder durch den Reichshofrat in Wien (zuständig für Landfriedensbruch) entschieden wurde, wäre es für den Kurfürsten ein leichtes gewesen, das Urteil abzuändern. Tatsache ist, daß die protestantischen Fürsten – und um solche handelte es sich um die Mitte des 16. Jahrhunderts bei den brandenburgischen und sächsischen Landesherren – sich um die Justizentscheide des katholischen Kaisers in Wien wenig kümmerten. Die Mitglieder des Reichshofrates in Wien waren sämtlich katholisch, und so ist es nicht verwunderlich, daß die Jurisdiktion der Reichsgerichte kein großes Gewicht in den protestantischen Ländern erlangte, die zudem in ihrem Widerstand gegen die Zentralgewalt durch Luther gestützt wurden.[63] So kann denn auch nicht die Rede davon sein, daß Kohlhaas, um im Recht zu bleiben, an das Reichskammergericht hätte appellieren müssen. Nachdem die brandenburgischen und sächsischen Landesherren die Klage niedergeschlagen hatten, wäre eine Berufung bei der Reichsinstanz unter den gegebenen historischen Umständen aussichtslos gewesen.
Mit der Fehde, die Kohlhaas dem Junker von Tronka erklärt, verstößt Kohlhaas gleich doppelt gegen das geltende Recht des 16. Jahrhunderts: Zum einen ist es Bauern und Händlern wie Kohlhaas verboten, Waffen zu tragen, und zum anderen ist mit Verkündigung des ewigen Landfriedens durch Kaiser Maximilian I. auf dem Reichstag zu Worms im Jahre 1495 der fernere Gebrauch des Fehde- und Faustrechts durch Adlige

62 So sieht es auch Schultze-Jahde (Anm. 55) S. 120.
63 Vgl. den Abschnitt zum Stichwort »Landfriede« im *Handwörterbuch zur deutschen Rechtsgeschichte*, hrsg. von Adelbert Erler und Ekkehard Kaufmann, Berlin 1978, Bd. 2.

für Landfriedensbruch erklärt worden.[64] Anders als im Falle der Berufungsverfahren sind die Landesfürsten an der strikten Einhaltung dieses kaiserlichen Gebotes interessiert, denn seine Beachtung garantiert den Frieden im eigenen Staat. Kohlhaas' Selbsthilfe ist mit dem Begriff der Fehde nicht ganz richtig beschrieben. Der Prinz von Meißen will Kohlhaas mit einem »Kriegshaufen« militärisch »erdrücken« (54), faßt das Ganze nicht als Fehde, sondern als Casus belli auf. Hier wird jene revolutionäre Seite der Kohlhaas-Affäre angesprochen, die an die seinerzeit erst fünfzehn Jahre zurückliegenden Bauernkriege erinnert. Ohne juristische Legitimation hatten sich hier die Bauern gegen die Landesherren erhoben. Die Rechtfertigungsbasis, auf die sie zurückgriffen, war vor allem die Bibel, und auch Kohlhaas versucht, seine Rebellion mit theologischen Argumenten bzw. quasireligiöser Attitüde zu legitimieren. Andererseits kann bei der Selbsthilfe des Kohlhaas von keinem Bürger- oder Volkskrieg die Rede sein: Es bleibt letztlich beim Kampf eines einzelnen, und dies bringt den Fall Kohlhaas doch wieder in die Nähe der Fehde. Fehdeberechtigt waren bis zum ewigen Landfrieden aber nur Adlige, und so müssen jene Beteiligten, die das Ganze wie eine Fehde auffassen, daran interessiert sein, Kohlhaas zu nobilitieren. Als Fehde wollen Kohlhaas selbst und der Kurfürst von Brandenburg die Rebellion betrachtet wissen: Kohlhaas, damit sein Vorgehen nicht als Revolution oder Bauernkrieg mißverstanden werde, der Kurfürst von Brandenburg – da der Fall des Bürgerkriegs nicht gegeben ist –, weil er eine juristische Handhabe braucht, den Aufständischen als Landfriedensbrecher durch die kaiserliche Instanz aburteilen zu lassen. Deswegen nobilitiert Kohlhaas sich selbst, und daher wird er vom brandenburgischen Landesfürsten wie ein Adliger behandelt. Kohlhaas bestattet seine Gemahlin wie eine »Fürstin« (29) und beansprucht ein Gottesgnadentum, wie es damals nur den Herrschenden zugestanden wurde. Das wird deutlich,

64 Vgl. Wohlhaupter (Anm. 19).

wenn er in einem Mandat das Land auffordert, den Junker Wenzel von Tronka als vogelfrei zu betrachten (35), und sich selbst zum »Statthalter Michaels, des Erzengels« (42), bzw. »Gott allein unterworfenen Herrn« (36) erklärt. Zwar hat der Kurfürst von Brandenburg kein Interesse daran, Kohlhaas in dessen landesfürstlicher Amtsanmaßung zu bestärken, aber er läßt ihm ein »ritterliches Gefängnis« (106) anweisen und nobilitiert seine beiden Söhne (117), d. h. seine Familie.
Wahrt der Kurfürst von Brandenburg zumindest die juristischen Formen, wenn es ihm um die Durchsetzung seiner innen- und außenpolitischen Interessen geht, so kann davon bei dem Kurfürsten von Sachsen keine Rede sein. Gesetzt den Fall, daß letzterer tatsächlich nichts von der widerrechtlichen Benutzung seines Namens durch den Kämmerer gewußt habe, so macht er doch durch die eigene Behandlung des Falles nach Luthers Eingreifen deutlich, daß er glaubt, das Recht auf machiavellistische Weise wie andere Machtmittel beliebig einsetzen zu können. Zunächst vergeht er sich gegen Artikel 5 des Ewigen Landfriedens von 1495, indem er einem Landfriedensbrecher Amnestie gewährt, eine Gnade, die er bald rückgängig macht. Kurz danach strengt er beim Hof in Wien gegen Kohlhaas einen Prozeß wegen Landfriedensbruch an, und schließlich will er diese Klage wiederum zurücknehmen. Aber gewährt der sächsische Kurfürst Kohlhaas wirklich Amnestie? Kohlhaas bittet Luther lediglich um freies Geleit nach Dresden (46, 48), damit er seine abgewiesene Klage »noch einmal bei dem Tribunal des Landes« (48) vorbringen kann. Und Luther verspricht Kohlhaas nicht mehr, als sich für freies Geleit einzusetzen (49). Freies Geleit für Kohlhaas würde bedeuten, daß er unter dem gesetzlichen Schutz des Landesfürsten ungefährdet in Dresden vor Gericht erscheinen könnte und während des Prozesses von der Untersuchungshaft befreit wäre. In Luthers Sendschreiben an den sächsischen Kurfürsten ist – wie Kohlhaas es wünschte – von der »Erneuerung seines Prozesses« die Rede, aber statt für freies Geleit wird für Amnestie, d. h. für Straf-

freiheit plädiert (51). Während der Staatsratssitzung, in der über den Inhalt des Lutherschen Schreibens verhandelt wird, macht der Mundschenk Hinz von Tronka darauf aufmerksam, daß Kohlhaas bloß um »freies Geleit nach Dresden und erneuerte Untersuchung seiner Sache« gebeten habe; über Amnestie sei »seines Wissens« (55) während der Unterhaltung mit Luther nicht gesprochen worden.[65] Luther dürfte die beiden Rechtsbegriffe »freies Geleit« und »Amnestie« nicht verwechselt haben, wie Hinz ihm unterstellt. Es wird so sein, daß Luther nach Berücksichtigung aller juristischen, rechtsphilosophischen und politischen Implikationen des Falles in seinem Gesuch an den Kurfürsten weiter geht, als er es Kohlhaas zugesagt hatte, und sich daher bewußt für Amnestie statt für freies Geleit einsetzt. Die Situation, in der sich der Kurfürst befindet, ist äußerst heikel: Einerseits will er nichts gegen eine bis zur Intimität mit ihm befreundete Adelsfamilie unternehmen, eine Familie, die immerhin die Vertreter höchster Staatsämter stellt; andererseits kann er nicht den Wunsch Luthers ignorieren, eines Mannes, der jene moralische Macht verkörpert, welcher sein Fürstenhaus ein gut Teil Legitimität verdankt; ferner gilt es, die Interessen mächtiger Adelsgruppen zu berücksichtigen, wie sie durch den Prinzen von Meißen vertreten werden, die mit den Adelsfamilien der Kallheims und Tronkas um Einfluß am Hofe rivalisieren,[66] und schließlich gibt es – ähnlich wie den Camillo Rota in Lessings *Emilia Galotti* – in Kleists Erzählung einen Grafen

65 Hinz hat diese Information wahrscheinlich vom Kurfürsten. In direktem Kontakt mit Luther scheint er nicht zu stehen, denn er wird im Sendschreiben negativ erwähnt.

66 Der Prinz von Meißen sieht die Gelegenheit gegeben, den Kämmerer aus dem Amt zu verdrängen, indem er einen Prozeß gegen ihn eröffnen will. Der Anschlag wird jedoch abgefangen durch den Hinweis Kallheims auf das Vergehen eines Mitgliedes der prinzlichen Familie. Zur Darstellung von Adelsrivalitäten in der Dichtung vgl. auch die Studie von Paul Michael Lützeler, »Lessings *Emilia Galotti* und *Minna von Barnhelm*. Der Adel zwischen Aufklärung und Absolutismus«, in: *Legitimationskrisen des deutschen Adels 1200–1900*, hrsg. von Peter Uwe Hohendahl und Paul Michael Lützeler, Stuttgart 1979, S. 101–118.

Wrede, seines Zeichens Großkanzler des Tribunals, einen Mann, dessen juristische Auffassungen aus vor-absolutistischer Zeit zu stammen scheinen und der für »schlichtes Rechttun« (53) plädiert. All diese widersprüchlichen Interessen zu vereinigen ist an sich ein Unding, doch findet der Kurfürst die machiavellistische Formel, mit der er alle Parteien glaubt zufriedenstellen zu können. Er nähert sich dabei Wredes Standpunkt, nicht weil er ihn für rechtlich einwandfrei, sondern für »zweckmäßig« (56) hält. Zunächst gewährt der Kurfürst »freies Geleit nach Dresden« (56), wogegen kein Protest der Parteien zu gewärtigen ist. Dann aber wird die Amnestie ausgesprochen und an eine eigenartig verklausulierte Bedingung geknüpft: »Völlige Amnestie seiner in Sachsen ausgeübten Gewalttätigkeiten« werde nur zugestanden, wenn Kohlhaas mit seiner Klage »bei dem Tribunal in Dresden« nicht »abgewiesen werden sollte« (56). Das Wort »abweisen« hat in der Rechtssprache aber eine doppelte Bedeutung: Es kann einerseits besagen, daß eine Klage als *unzulässig* abgewiesen wird, wenn die formellen Voraussetzungen der Prozeßhandlung fehlen. So könnte etwa das Tribunal in Dresden seine Unzuständigkeit erklären und den Fall an eine untergeordnete Gerichtsbehörde delegieren. »Abweisen« kann andererseits aber auch den Sinn haben, daß eine Klage als *unbegründet* beurteilt wird, d. h., der Kläger verliert den Prozeß, den er anstrengte, weil er seinen Anspruch nicht beweisen kann.[67] Je nach ihrem Interessenstandpunkt legen die Beteiligten das Verb »abweisen« zu ihren Gunsten aus. Kohlhaas fällt zwar die »bedingungsweise Sprache« (56) des kurfürstlichen Schreibens auf, aber er versteht das Wort im ersteren Sinne. Auch Graf Wrede und der Prinz von Meißen sind der Meinung, daß der Kurfürst die Amnestie wirklich ausgesprochen habe und daß er an sie

67 *Rechtswörterbuch*, hrsg. von Carl Creifelds, München 1976, Stichwort »Klage«. Für die Hilfe bei der Klärung rechtswissenschaftlicher Details möchte ich den Bonner Juristen Inga Haase-Becher und Ulrich Haase danken.

gebunden ist, sobald Kohlhaas seine Klage in Dresden in aller Form eingereicht habe und sie von Wrede als Chef der obersten sächsischen Gerichtsbehörde angenommen worden ist (59). Die andere Partei aber – und ihrem Verständnis schließen sich eigenartigerweise nicht wenige germanistische Interpreten an[68] – handelt so, als müsse Kohlhaas zunächst seinen Prozeß gewinnen, bevor die Amnestie rechtskräftig wird. Deshalb unternehmen die Tronkas alles, um »in Wendungen arglistiger und rabulistischer Art« die Schuld Wenzels »gänzlich zu leugnen« (75). Klar geworden ist, daß Kohlhaas mit dem doppeldeutigen Wort »abweisen« im Brief des Kurfürsten eine Falle gestellt wurde. Auch weiterhin macht sich der Kurfürst gravierender »Unziemlichkeiten« (87) im Verfahren schuldig, so wenn man Kohlhaas mit dem Nagelschmidt-Brief auf die Probe stellt. Kohlhaas' Wille zur Flucht wird offenbar, womit er das freie Geleit verwirkt hat, denn dieses erlischt, sobald der Prozeßbeteiligte Anstalten macht zu fliehen. De facto hatte der Kurfürst auch das freie Geleit schon vor Kohlhaasens Fluchtversuch gebrochen, indem er ihn wie einen Gefangenen bewachen ließ (81). Nachdem der Kurfürst das – von Kohlhaas aus gesehen nur scheinbar – geplante Komplott mit Nagelschmidt aufgedeckt hat, glaubt er kurzen Prozeß machen zu können. Ohne die anhängige Klage des Kohlhaas zu beachten, will er ihn wegen des beabsichtigten Vergehens hinrichten lassen. Um dieses Unrechtsverfahren schneller abwickeln zu können, wird Wrede als Chef des Tribunals entlassen und an seine Stelle der parteiliche Kallheim gesetzt. Auch das verhängte Todesurteil zeigt in der angedrohten Ausführung, daß man nicht gewillt ist, sich an die juristischen Vorschriften der Zeit zu halten, sondern daß es vor allem um Rache, um die psychische und physische Vernichtung des Angeklagten geht. Während der brandenburgische Herrscher sich später an den Gesetzesbuchstaben

68 von Wiese (Anm. 34) S. 138. – Helbling (Anm. 3) S. 203. – Wilhelm König, *Erläuterungen zu Kleists »Robert Guiskard« und »Michael Kohlhaas«*, Hoffeld [o. J.], S. 59. – Hoverland (Anm. 3) S. 288, Anm. 33.

der Carolina hält, die bei »Landschädlingen« oder »Landzwingern« den Tod durch das Schwert vorsieht,[69] muß Kohlhaas nach sächsischem Urteil einen vierfach ehrlosen Tod sterben: Nicht Scharfrichter, sondern Schinder-, d. h. Abdeckerknechte sollen ihn mit glühenden Zangen kneifen; danach ist Vierteilung und schließlich Verbrennung zwischen Rad und Galgen vorgesehen (85). Dieses Urteil stand wahrscheinlich schon lange fest, denn Luther droht bereits in seinem Plakat mit »Rad und Galgen« (44). Der Kämmerer, der sich auf dem Dresdener Marktplatz vor dem Abdecker entehrt hatte, dürfte, wie die Nennung der Abdeckerknechte zeigt, an der endgültigen Formulierung des Urteils beteiligt gewesen sein. Nach Verkündung dieses Spruchs wird das erneute Rachebedürfnis des Kohlhaas verständlich, das seinerseits auf die Vernichtung des Gegners, also jetzt des sächsischen Kurfürsten, abzielt.

Rechtsphilosophische Aspekte

Wie in allen historischen Romanen bzw. Erzählungen mischen sich auch im *Kohlhaas* Denkweisen der porträtierten Epoche mit denen jener Zeit, welcher der Verfasser angehörte. Kleists Geschichte ist weder eine nur objektive Darstellung der gesellschaftlichen Verhältnisse des 16. Jahrhunderts noch lediglich ein historisch verfremdetes Epochengemälde deutscher Zustände während der Napoleonischen Herrschaft. So gehen auch in die rechtsphilosophischen Überlegungen, die den Aktionen und Argumenten der Protagonisten der Erzählung zugrunde liegen, sowohl Gedanken der Reformationszeit als auch Thesen des 18. bzw. frühen 19. Jahrhunderts ein.

Das brisanteste rechtsphilosophische Problem, das zwischen 1808 und 1810, also zur Zeit der Niederschrift des *Michael*

69 Wohlhaupter (Anm. 19) S. 534.

Kohlhaas, in Europa diskutiert wurde, war das des legitimen Rechts auf politischen Widerstand. Die Erhebung gegen Napoleon 1808 in Spanien sowie der Tiroler Aufstand und die Schillsche Aktion in Preußen von 1809 hatten auch auf Kleist ihren Eindruck nicht verfehlt. So versuchte er auf publizistische Weise, in den deutschen Ländern den Widerstandsgeist gegen Napoleon zu mobilisieren.[70] Das Thema des Rechts auf Résistance gegen herrscherliche Willkür ist auch das Zentralproblem in der hier behandelten Erzählung Kleists. Kohlhaas lebt in jenen Dekaden des frühen 16. Jahrhunderts, als sich der absolutistische Staat zu etablieren beginnt,[71] gleichzeitig aber das staatsrechtliche Denken des Mittelalters seinen Einfluß noch nicht verloren hat. Im absolutistischen Staat ist der Selbsthilfe kein Raum mehr gegeben. Das unterscheidet, wie Fehr herausstellt,[72] den Staat der Neuzeit von der mediävalen Gesellschaftsverfassung. Der mittelalterliche *Sachsenspiegel* des Eike von Repgow drückte nämlich nicht nur das Recht, sondern gar die Pflicht des einzelnen aus, die ungesetzlichen Handlungen der Obrigkeit zurückzuweisen. Dort war von einem individualen Widerstandsrecht gegen das Unrecht der Herrschaft die Rede. Im Lehnsrecht des Mittelalters hatten die Begriffe »Treubruch des Herrn« und »Widerstandsrecht des Mannes« eine Rechtsform auf der Basis des Vertragsgedankens erlangt. Die Rechtsverweigerung des Lehnsherrn ermächtigte den Vasallen zur Fehde, setzte beide wie unabhängige Kriegsmächte gegeneinander.[73] Nun ließe sich argumentieren, daß dieses mittelalterliche

70 Vgl. Kleists politische Schriften von 1809 in Bd. 5 der dtv-Gesamtausg. (Anm. 44) S. 82–113; ferner die Studie von Rudolf Berg, »Intention und Rezeption von Kleists politischen Schriften des Jahres 1809«, in: *Text und Kontext. Quellen und Aufsätze zur Rezeptionsgeschichte der Werke Heinrich von Kleists*, hrsg. von Klaus Kanzog, Berlin 1979, S. 193–253.

71 Zum Thema des »werdenden Absolutismus« vgl. Friedrich Meinecke, *Die Idee der Staatsräson in der neueren Geschichte*, Stuttgart 1960.

72 Fehr (Anm. 19).

73 Vgl. Fritz Kern, *Gottesgnadentum und Widerstandsrecht im frühen Mittelalter. Zur Entwicklungsgeschichte der Monarchie*, Münster 1954, S. 222.

Rechtsdenken bei Kohlhaas kaum nachwirken könne, da er kein adliger Vasall, sondern ein Bauer und Händler war. Aber in der rechtsphilosophischen Diskussion des Mittelalters gibt es auch eine starke Tendenz, die den Widerstand des Volkes gegen den ungerechten Herrscher mit modern anmutenden Souveränitätsthesen vertritt. So fragt Manegold von Lautenbach: Wenn das Volk die Gewalt auf den Herrscher zu einem bestimmten Regierungszweck überträgt, den der Herrscher nicht erfüllt, was hindert das Volk daran, die Herrschaft wieder zurückzunehmen und einem besseren Verwalter zu übergeben? Fritz Kern[74] meint, daß diese Theorie Manegolds der mittelalterlichen Widerstandspraxis näherstand als die gegnerische Lehre von der unwiderruflichen Herrschaftsübertragung durch die Lex Regia.[75] Von hier aus gesehen, kann man sagen, daß in Kleists *Kohlhaas* mittelalterliche und frühabsolutistische Rechtsvorstellungen miteinander im Streit liegen. Der werdende Absolutismus wird, wie es historisch richtig in der Erzählung dargestellt ist, von Luther mit religiösen Argumenten unterstützt. Anders als fünfzig Jahre später der Calvinist Johannes Althusius verneint Luther unter Berufung auf Paulus (Römer 13,1)[76] das Widerstandsrecht des einzelnen grundsätzlich und verwirft die Lehre von der Erlaubtheit des Tyrannenmords. Er unterstützt die Auffassung vom Gottesgnadentum der Fürsten, wonach der Herrscher von Gott unmittelbar eingesetzt ist und die Staatsgewalt als göttliche Gegebenheit erscheint.[77] »Wer anders als Gott«, fragt Luther den Kohlhaas, dürfe den Herrscher »zur Rechenschaft ziehen« (47)? Luther mußte die Rebellion des Roßhändlers an den Bauernaufstand, sein pseudoreligiöses Gehabe an das der Wiedertäufer erinnern. Die Verurteilung des Kohlhaas in

74 Ebd., S. 216.

75 Wohlhaupter (Anm. 19) S. 537.

76 »Jedermann sei untertan der Obrigkeit, die Gewalt über ihn hat. Denn es ist keine Obrigkeit ohne von Gott; wo aber Obrigkeit ist, die ist von Gott verordnet.«

77 So auch Wolff (Anm. 45) S. 412.

Luthers Plakat erfolgt so schroff wie seinerzeit die der Bauern und Schwärmer: Ein »Vermessener« und »Rebell« sei Kohlhaas, auf dessen »Missetat« und »Gottlosigkeit« ewige »Verdammnis« (43 f.) warten. Luthers mit der Lehre von den zwei Reichen begründete Absage an den Rechtsbiblizismus der Bauern und Wiedertäufer bedeutete gleichzeitig ein Aufgeben des mittelalterlichen Widerstandsrechts. Nach dem Gespräch mit Kohlhaas stellt Luther in dem Sendschreiben an den sächsischen Kurfürsten den Sachverhalt dann allerdings so dar, als handle es sich bei Kohlhaas gar nicht um »einen Rebellen, der sich gegen den Thron auflehnt«, sondern um »eine fremde, in das Land gefallene Macht« (52). Durch diese Uminterpretation der Kohlhaasschen Aktionen braucht Luther seine Auffassung des Widerstandsrechts nicht zu revidieren und kann sowohl Kohlhaas als dem Kurfürsten einen Weg aus der verworrenen Situation weisen.

Ein Anachronismus schleicht sich allerdings in Luthers Brief ein, wenn der Erzähler ihn schreiben läßt, daß Kohlhaas »durch das Verfahren, das man gegen ihn beobachtet, auf gewisse Weise außer der Staatsverbindung gesetzt worden sei« (52). Hier greift Luther ein Argument auf, das Kohlhaas während seiner Unterhaltung mit ihm vorgetragen hatte und der Naturrechtsdiskussion des 17. und 18. Jahrhunderts entnommen ist. Zur Zeit der Entfaltung des Absolutismus in Europa hatte Thomas Hobbes eine Theorie dieser Staatsverfassung geschrieben, in deren Mittelpunkt die Vertragslehre steht: Zur Vermeidung des Krieges aller gegen alle begibt sich der Bürger im Staatsvertrag seiner politischen Rechte, erhält als Gegenleistung dafür herrscherlichen Schutz seiner Person und seines Eigentums vor Übergriffen anderer.[78] Von Rousseau wurde die Vertragstheorie im Sinne der Aufklärung verändert und verfeinert. Nach Rousseau kann sich der Landesherr nicht mehr mit dem Staat schlechthin identifizieren, sondern nur mit dessen Regierung, welcher im Volk ein

78 Vgl. Reinhart Koselleck, *Kritik und Krise*, Frankfurt a. M. [2]1973.

Gegenpol erwachsen ist. Die Staatsgewalt ist dem Volk untergeordnet; der Herrscher hat gemäß des allgemeinen, nicht seines je besonderen Willens zu handeln. Bei Rousseau kann der Gesellschaftsvertrag von dem einen Partner gekündigt werden, wenn der andere sich nicht an die Vereinbarungen, d. h. an die Gesetze hält. Es ist die Zeit des Aufgeklärten Absolutismus, da – jedenfalls in der Theorie – der Hobbessche absolutistische Herrschaftsgrundsatz »auctoritas, non veritas facit legem« nicht mehr gilt und auch der Fürst zur Einhaltung der Gesetze verpflichtet ist. Rousseau meint, daß der einzelne freie Mensch aus Zweckmäßigkeitsgründen mit anderen freien Individuen eine Abmachung treffe, die bei Zuwiderhandeln rückgängig gemacht werden könne.[79] Kohlhaas fühlt sich aus dem Staatsverband »verstoßen« (47); er tritt aus ihm heraus und sieht sich an die bestehenden Gesetze nicht mehr gebunden, da man ihm selbst den »Schutz der Gesetze versagt« habe, einen Schutz, dessen er zum »Gedeihen« seines »friedlichen Gewerbes« bedürfe. Er betrachtet sich als aus der Gemeinschaft hinausgestoßen zu den »Wilden der Einöde« (47). Wie der Partner im Rousseauschen Gesellschaftsvertrag begibt sich Kohlhaas nach dem Vertragsbruch in den Naturzustand ursprünglicher Freiheit und kehrt der Gemeinschaft den Rücken oder genauer: Er empfindet, daß die Gesellschaft ihn verläßt und in den Naturzustand zurückstößt. Kohlhaas umschreibt auf plastische Weise seinen neuen Status mit den Worten: »Lieber ein Hund sein, wenn ich von Füßen getreten werden soll, als ein Mensch!« (25.) Bis hierher kann man das Verhalten Kohlhaas' mit Rousseaus Ideen von

79 Zum Einfluß Rousseaus auf Kleists *Michael Kohlhaas* vgl.: Koch (Anm. 23) S. 289, Körner (Anm. 37) S. 9, Oskar Ritter von Xylander, *Heinrich von Kleist und Jean-Jacques Rousseau*, Berlin 1937, S. 336, Wolff (Anm. 25) S. 58 ff., Siegfried Streller, »Heinrich von Kleist und Jean-Jacques Rousseau«, in: *Weimarer Beiträge* 8 (1962) S. 551. – Elsa Kanduth, *Puschkins Erzählung »Dubrovskij« und Kleists »Michael Kohlhaas«. Ein Kapitel aus der Nachwirkung naturrechtlicher Lehren in der schönen Literatur*, Diss. Graz 1945. – Den Einfluß von Kants Rechtsphilosophie auf Kleist nimmt Ulrich Gall an (*Philosophie bei H. v. Kleist*, Bonn 1977, S. 172 ff.).

dem *Contrat Social* in Verbindung bringen. Aber anders als der enttäuschte Vertragspartner bei Rousseau, der die Folgen der wiedererlangten natürlichen Freiheit nicht beschreibt, nimmt Kohlhaas die »Keule«, die ihn »selbst schützt, in die Hand« (47) und schlägt mit ihr auf den Vertragsbrüchigen los. Hans Matthias Wolff meint nachweisen zu können, daß Kleist die Widerstandsideen, wie sie im *Kohlhaas* literarisch umgesetzt sind, nicht von Rousseau übernommen habe, sondern von seinem Frankfurter Lehrer Ludwig Gottfried Madihn, bei dem er im Jahre 1800 Naturrecht gehört hatte. Im Gegensatz zu Rousseau gestehe Madihn in seinem Werk *Grundsätze des Naturrechts* für den Fall, daß der Staat seiner Pflicht zur Rechtsgewährung nicht nachkomme, das Recht auf gewaltsame Selbsthilfe zu.[80] Wenn Rousseau auch auf das Problem der Selbsthilfe im *Contrat Social* nicht eingeht, so räumt er doch in einem anderen Werk das Widerstandsrecht ein, nämlich in dem *Discours sur l'inégalité parmi les hommes*, worauf Xylander bereits hingewiesen hat.[81]

Aber sicherlich ist Kohlhaas alles andere als ein idealer Rousseauscher Held. Im Verlauf seiner Selbsthilfe-Aktionen begeht er größtes Unrecht; entsprechend häufig wird er vom Erzähler getadelt und sein Unternehmen als »allzurascher Versuch« gewertet, »sich selbst [. . .] Recht verschaffen zu wollen« (113). Die gegen Rousseaus Naturrechtslehre gerichtete Staats- und Rechtsphilosophie Adam Müllers dürfte von ebenso nachhaltigem Einfluß auf Kleist gewesen sein. Mit Müller war er zur Zeit der Abfassung seiner *Kohlhaas*-Erzählung befreundet, gab mit ihm gemeinsam die Zeitschrift *Phöbus* heraus und hörte im Winter 1808/09 seine Vorlesungen *Elemente der Staatskunst*, die er auch im Manuskript studierte. Dem preußischen Finanzminister Karl Freiherrn vom Stein zum Altenstein empfahl Kleist seinen Freund für den Staatsdienst, weil er »so begeisterten Anteil« nehme an der

80 Wolff (Anm. 25) S. 423 ff.
81 Xylander (Anm. 79) S. 336.

»Wiedergeburt des Vaterlandes«.[82] In der Erzählung ist es ein Hofassessor Franz Müller, den der Kaiser aus Wien als Anwalt des Reiches nach Berlin entsendet (100, 114), um Anklage gegen Kohlhaas zu erheben. Wie die meisten anderen Namen in der Erzählung dürfte Kleist auch diesen unter dem Aspekt der Anspielung gewählt haben. Der Vorname Franz erinnert an den zu Kleists Zeiten in Wien residierenden österreichischen Kaiser Franz I., und der Nachname Müller dürfte auf Adam Müller verweisen. (Mit dem kaiserlichen Vornamen wird wohl hingewiesen auf die Österreich-Neigungen des Konvertiten Adam Müller, der drei Jahre später – vermittelt durch Gentz – in Franz' I. Dienste trat und in der Folge nicht nur Hofassessor, sondern Hofrat in Wien wurde.) Gleich dem Assessor Franz Müller, der Kohlhaasens Heraustreten aus dem Staatsverband, seine Selbsthilfe und den Widerstand gegen die herrscherliche Gewalt aufs schärfste verurteilt, verdammt der Staatsphilosoph Adam Müller – nach den Erfahrungen der Französischen Revolution sowie beeinflußt durch Edmund Burke und Friedrich von Gentz – die Naturrechtslehren Rousseaus und dessen Auffassung vom Gesellschaftsvertrag.[83] Die Vorstellung, »der einzelne könne wirklich heraustreten aus der gesellschaftlichen Verbindung und von außen« gegen »das Werk der Jahrtausende protestieren«, erklärt Adam Müller für einen »unglücklichen Irrtum«, einen »Wahn«, für die »Grundformel« zur »Rechtfertigung aller Greuel in jener Zeit« der Französischen Revolution.[84] Das Naturrecht im Sinne der Aufklärung qualifiziert er kurz und bündig als »Schimäre« ab; Geltung habe nur das positive Recht, das er zum Naturrecht erhebt. Ein »großer Irrtum«, eine »unselige Lehre« sei die Behauptung, daß es

82 Vgl. Kleists Brief vom 1. 1. 1809 an Karl Freiherr vom Stein zum Altenstein, dem er die zehnte Vorlesung sandte ([Anm. 44] S. 71). Vgl. dort auf S. 109 auch den Brief Kleists an Fouqué vom 25. 4. 1811, in dem er ebenfalls die *Elemente der Staatskunst* lobt.

83 Müller (Anm. 57) 7. Vorlesung, S. 91.

84 Ebd. und 2. Vorlesung, S. 21.

»einen Naturzustand ohne Staat, eine Zeit vor allem Staate« gebe. Müllers Kernthese lautet: *»Der Mensch ist nicht zu denken außerhalb des Staates.«* Er schließt daher, »daß es nichts Menschliches gebe außerhalb des Staates«.[85] Müllers Gesellschaftslehre setzt sich also bewußt vom naturrechtlichen Individualismus ab, der dem Staate nur eine engbegrenzte Sphäre zuerkennt.[86] Da nach Müller die historische Entwicklung organisch vor sich geht, verwirft er alles Revolutionäre. Das Recht auf Widerstand wird nicht einmal diskutiert. An die Adresse der Bürger gerichtet, vertritt er die eigentlich treffliche Devise: »Die Schranke für die Freiheit des einzelnen Bürgers ist nichts andres als die Freiheit der übrigen Bürger.« Und für den Staat gilt, daß er »das schwächere Recht in Schutz [zu] nehmen« habe.[87] Von Müllers rechtsphilosophischem Standpunkt aus würde also einerseits das – für ihn an sich gar nicht mögliche – Rousseausche Heraustreten des Kohlhaas aus dem Staatsverband verurteilt und seine Rebellion gegen den Staat verdammt; andererseits gälte die Kritik auch einer Regierung, die das Recht des Schwächeren nicht in Schutz nimmt. Es dürfte kaum eruierbar sein, ob Kleist um 1810 der Rousseauschen Position näherstand als der Adam Müllers. Sein Held Kohlhaas scheint sich am Ende der Erzählung zwischen den Fronten der zeitgenössischen rechtsphilosophischen Kämpfe zu bewegen. Denn zum einen akzeptiert er das Todesurteil des kaiserlichen Hofassessors Müller und des brandenburgischen Staatsoberhauptes, aber zum anderen gibt er seinen Widerstand gegen den ungerechten Herrscher nicht auf und zerstört mit dem ihm verbliebenen Mittel des Zettels den sächsischen Kurfürsten. Bildlich vor Augen geführt wird diese zwiespältige Einstellung durch Kohlhaa-

85 Ebd., S. 29, 27, 23, 24.
86 Jakob Baxa, *Adam Müller. Ein Lebensbild aus den Befreiungskriegen und aus der deutschen Restauration*, Jena 1937, S. 100. Zu diesem Themenkomplex vgl. ferner: Paul Michael Lützeler, »›Kosmopoliten der europäischen Kultur‹: Romantiker über Europa«, in: *Romantik. Ein literaturwissenschaftliches Studienbuch*, hrsg. von Ernst Ribbat, Königstein 1979, S. 213–236.
87 Müller (Anm. 57) 7. Vorlesung, S. 85, 86.

sens Verhalten vor dem Tode. Er bezeugt die Demutsgeste der »kreuzweis auf die Brust gelegten Hände« (115) und des Kniefalls vor dem brandenburgischen Kurfürsten, aber was den sächsischen Kurfürsten betrifft, so hat Kohlhaas »das Auge unverwandt« auf ihn geheftet, bis der Herrscher »ohnmächtig, in Krämpfen« (117) niedersinkt.

Kleist, so könnte man als Historiker der Rechtsphilosophie sagen, läßt im literarischen Experimentierfeld seiner *Kohlhaas*-Erzählung u. a. die Naturrechtslehre der Aufklärung mit der neuen romantischen Auffassung vom organisch sich entwickelnden positiven Recht kollidieren. Tatsächlich liegen die Vertreter der aufgeklärten Vertragslehren während der Wende vom 18. zum 19. Jahrhundert in heftigem Streit mit den Theoretikern der sich gerade erst etablierenden historischen Rechtsschule. Deren Begründer, Gustav Hugo, ein Kronzeuge in Adam Müllers *Elementen der Staatskunst*,[88] nimmt damals den Kampf auf gegen die Verfechter der naturrechtlichen Position, wie sie vor allem von dem Liberalen Karl von Rotteck vertreten wurde. Nur wenige Jahre nach Kleists Tod knüpfte Friedrich Karl von Savigny, seit 1810 Professor an der Berliner Universität und künftiges Haupt der historischen Rechtsschule, an Überlegungen Adam Müllers und Gustav Hugos an. In seiner 1814 erschienenen Schrift *Vom Beruf unsrer Zeit für Gesetzgebung und Rechtswissenschaft* propagiert er eine gegen die rationalistisch-naturrechtliche Doktrin des 18. Jahrhunderts gerichtete These, daß das Recht (wie Sprache und Sitte) ein mit dem Volk von selbst gegebenes und organisch wachsendes Element sei. Rudolf von Jhering geht es in seinem Buch *Der Kampf ums Recht* (1872) um eine Widerlegung der Savignyschen Rechtsphilosophie. »Es ist eine [. . .] auf einer falschen Idealisierung vergangener Zustände beruhende Vorstellung«, schreibt er, »daß das Recht sich schmerzlos, mühelos, taten-

88 Ebd., 3. Vorlesung, S. 37. Müller beruft sich auf Hugos Schrift *Philosophie des positiven Rechts.*

los bilde gleich der Pflanze des Feldes; die rauhe Wirklichkeit lehrt nur das Gegenteil.« Statt »vertrauensselig abzuwarten, was aus dem angeblichen Urquell des Rechts: der nationalen Rechtsüberzeugung nach und nach an's Tageslicht trete«, gelte es, »mit Aufbietung aller Kräfte« und mit »klarem Bewußtsein des Zwecks« für sein Recht zu kämpfen.[89] Kleists Kohlhaas erscheint Jhering als Verkörperung des Kämpfers ums Recht im antiromantischen Sinne. Diese Interpretation ist sicherlich nicht falsch, aber sie bleibt einseitig. Die Schwierigkeiten, die sich bei der Deutung der Erzählung ergeben, resultieren nicht zuletzt aus der komplizierten Verschränkung rechtsphilosophischer Gedanken des Mittelalters, des Absolutismus, der Aufklärung und der Romantik. Dieses Ineinander bestimmt auch die Form der Erzählung, die, wie wir eingangs darlegten, sowohl Züge der zwischen Mittelalter und Neuzeit populären Chronik trägt als auch einen Erzähler aufweist, der im Stil des romantisch-historistischen Geschichtsschreibers berichtet. Und mit der Verbindung ganz entgegengesetzter rechtsphilosophischer Denktraditionen dürfte auch die anhaltende Aktualität der Kleistschen Geschichte vom Kohlhaas zu tun haben. Denn Widerstand und Ergebung, Revoltieren und Einlenken, Individualismus und Kollektivismus, Rache und Sühne, Staatsverachtung und Staatsgehorsam, Rechtsverletzung und Rechtsbefolgung, Standesinteresse und Staatsräson sind nur in der Theorie juridischer Reflexion getrennte und gegeneinanderstehende Bereiche, in der Praxis des politisch-gesellschaftlichen Lebens kommen sie auch heute in den widersprüchlichsten Vermischungen, eigenartigsten Synthesen und überraschendsten Wechselwirkungen vor.

89 von Jhering (Anm. 19) S. 10.

Literaturhinweise

Blöcker, Günter: Heinrich von Kleist oder das Absolute Ich. Berlin [2]1960.

Bogdal, Klaus-Michael: Heinrich von Kleist: »Michael Kohlhaas«. München 1981.

Dettmering, Peter: Heinrich von Kleist. Zur Psychodynamik in seiner Dichtung. München 1975.

Dyer, Denys: The Stories of Kleist. A Critical Study. New York 1977.

Gallas, Helga: Das Textbegehren des »Michael Kohlhaas«. Die Sprache des Unterbewußten und der Sinn der Literatur. Reinbek bei Hamburg 1981.

Graham, Ilse: Heinrich von Kleist. Word into Flesh: A Poet's Quest for the Symbol. New York 1977.

Erläuterungen und Dokumente: Heinrich von Kleist. »Michael Kohlhaas«. Hrsg. von Günter Hagedorn. Stuttgart 1970 [u. ö.]. (Reclams Universal-Bibliothek. 8106.)

Helbling, Robert E.: The Major Works of Heinrich von Kleist. New York 1975.

Horn, Peter: Was geht uns eigentlich der Gerechtigkeitsbegriff in Kleists Erzählung »Michael Kohlhaas« noch an? In: Acta Germanica 8 (1973) S. 59–92.

Hoverland, Lilian: Heinrich von Kleist und das Prinzip der Gestaltung. Königstein 1978.

Huhn, Dieter / Behrens, Jürgen: Über die Idee des Rechts im Werk Heinrich von Kleists. In: Jahrbuch des Wiener Goethe-Vereins 69 (1965) S. 170–205.

Körner, Josef: Recht und Pflicht: Eine Studie über Kleist's »Michael Kohlhaas« und »Prinz Friedrich von Homburg«. Leipzig/Berlin 1926.

Kreutzer, Hans Joachim: Die dichterische Entwicklung Heinrich von Kleists. Berlin 1968.

Kurth, Jörg: Über literaturwissenschaftliche Erkenntnis oder: Was geht mich Michael Kohlhaas an? Zürich 1975.

Lange, Henrik: Säkularisierte Bibelreminiszenzen in Kleists »Michael Kohlhaas«. In: Kopenhagener germanistische Studien. Bd. 1. Hrsg. von Karl Hyldgaard-Jensen und Steffen Steffensen. Kopenhagen 1969. S. 213–226.

Lucas, R. S.: Studies in Kleist. »Michael Kohlhaas«. In: Deutsche

Vierteljahrsschrift für Literaturwissenschaft und Geistesgeschichte 44 (1970) S. 120–170.
Meyer-Benfey, Heinrich: Die innere Geschichte des »Michael Kohlhaas«. In: Euphorion 15 (1908) S. 99–140.
Müller, Richard Matthias: Kleists »Michael Kohlhaas«. In: Deutsche Vierteljahrsschrift für Literaturwissenschaft und Geistesgeschichte 44 (1970) S. 101–119.
Müller-Seidel, Walter: Versehen und Erkennen. Eine Studie über Heinrich von Kleist. Köln [2]1967.
Passage, Charles E.: Michael Kohlhaas: Form Analysis. In: The Germanic Review 30 (1955) S. 181–197.
Schultze-Jahde, Karl: Kohlhaas und die Zigeunerin. In: Jahrbuch der Kleist-Gesellschaft (1933–37) S. 108–135.
Silz, Walter: Heinrich von Kleist. Studies in His Works and Literary Character. Philadelphia 1962.
Wiese, Benno von: Bildsymbole in der deutschen Novelle. In: Publications of the English Goethe Society, N. F. 24 (1955) S. 131–158.
Wolff, Hans M.: Heinrich von Kleist. Die Geschichte seines Schaffens. Bern 1954.

GÜNTER OESTERLE

E. T. A. Hoffmann: *Der goldne Topf*

Genese eines wunderbegabten, ehemals unappetitlichen Requisits: Der goldne Topf

Immer wieder und nachhaltig hat E.T.A. Hoffmann sein erstes Märchen, den *Goldnen Topf*, eines seiner Meisterwerke genannt.[1] Noch fünf Jahre nach der Niederschrift bemerkt der inzwischen außerordentlich produktive Schriftsteller in einem Brief, er habe »bis jezt, das Mährchen vom goldnen Topf vielleicht ausgenommen, nichts von eigentlicher Bedeutung geliefert«.[2]
Vieles spricht dafür, daß E.T.A. Hoffmann – trotz Krankheit und finanzieller Sorgen – glaubt, er könne sich während der Arbeit an diesem Märchen ganz und gar der Kunst widmen: Es ist ihm gelungen, im Frühjahr 1813 Bamberg den Rücken zu kehren, und damit eine kleinstädtische Lebensweise zu verlassen, die ihm, zumindest im Rückblick, als seinem Kunstschaffen abträglich, ja feindlich erschien.[3] Zudem hat er einen »Kontrakt wegen Literatur«[4], also einen Verlagsvertrag, in seinem Reisegepäck. Hinzu kommt, daß er sich 1813 gleichsam als Rettung vor den Unerträglichkeiten dieser »düstern verhängnisvollen Zeit, wo man seine Existenz von Tage zu Tage fristet« vom »Schreiben so angesprochen«[5]

Der Text wird zitiert nach: E.T.A. Hoffmann, *Der goldne Topf*, Stuttgart 1953 [u. ö.] (Reclams Universal-Bibliothek, 101 [2]).

1 E.T.A. Hoffmann, *Briefwechsel*, hrsg. von Friedrich Schnapp, 2 Bde., München 1967–68, Bd. 2, S. 106.

2 Ebd., Bd. 2, S. 178.

3 Ebd., Bd. 1, S. 396 f.

4 E.T.A. Hoffmann, *Tagebücher*, hrsg. von Friedrich Schnapp, München 1971, S. 199 (18. März 1813).

5 Briefwechsel (Anm. 1) Bd. 1, S. 408.

fühlt. Als er dann nach der Völkerschlacht zu Leipzig, der Niederlage Napoleons, in sein Tagebuch notiert: »So habe ich gegründete Hoffnung zum bessern fröhlichen Leben in der Kunst und alle Noth wird geendet seyn«[6], scheint der Wunsch auf ein von mancherlei Zwängen befreites Künstlerleben der Erfüllung nahe. Wenige Wochen später, am 26. November kann er dann festhalten: »Krank zu Hause – jedoch das Mährchen ›Der goldne Topf‹ mit Glück angefangen.«[7] Ein Vierteljahr später, am 15. Februar 1814 findet sich schließlich im Tagebuch die Notiz: »Vollendung des Mährchens mit Glück beim Punsch.«[8]
Die zündende, »neue« Idee zu einem »Märchen aus der neuen Zeit«, wie der Untertitel später lauten wird, nämlich die Verlegung des Phantastischen mitten in die Stadt Dresden, ist allerdings älter. Schon im August 1813 weiß Hoffmann seinem Verleger nach Bamberg zu berichten, daß das geplante Märchen wenig mit der zeitabgehobenen Scheherezade in der Art von *Tausendundeine Nacht* zu tun haben wird. Das Ganze soll »feenhaft und wunderbar aber keck ins gewöhnliche alltägliche Leben« treten.[9] Der Briefschreiber deutet an, wie er sich den »in kühnster Manier«[10] ausgeführten Eintritt des Feenhaften in den Alltag vorstellt. Er setzt nämlich die in der Aufklärung vorgenommene säuberliche Einteilung des Grotesken in phantastische Tiere und bizarre oder außergewöhnliche Menschen außer Kraft.[11] Lindhorst, der Spiritus rector der Fabel, ein Geheimer Hofrat und Archivarius in

6 Tagebücher (Anm. 4) S. 231.
7 Ebd., S. 237.
8 Ebd., S. 247. Meine Deutung widerspricht Klaus Günzel, der die Produktion des Märchens schon überschattet sieht von der sich abzeichnenden Kündigung der Kapellmeisterstelle durch Seconda (vgl. K. G., *E. T. A. Hoffmann. Leben und Werk in Briefen, Selbstzeugnissen und Zeitdokumenten*, Berlin [3]1984, S. 276).
9 Briefwechsel (Anm. 1) Bd. 1, S. 408.
10 Ebd., S. 455.
11 So in der *Encyclopédie* von Diderot und d'Alembert, Bd. 1 (1751), Paris 1788, S. 399 ff.; vgl. Paul Knaak, *Über den Gebrauch des Wortes »grotesque«*, Greifswald 1913, S. 18.

Dresden, ist eine wunderliche, stadtbekannte Figur; insgeheim ist er aber zugleich ein Salamander, aus uraltem mythischem Geschlechte. »So z. B. ist«, heißt es im Brief, »der Geheime Archivarius Lindhorst ein ungemeiner arger Zauberer, dessen drey Töchter in grünem Gold glänzende Schlänglein in Krystallen aufbewahrt werden, aber am H. DreyfaltigkeitsTage dürfen sie sich drey Stunden lang im HollunderBusch an Ampels Garten sonnen, wo alle Kaffee und Biergäste vorübergehn – aber der Jüngling, der im Fest-[t]agsRock sei[ne] Buttersemmel im Schatten des Busches verzehren wollte ans morgende Collegium denkend, wird in unendliche wahnsinnige Liebe verstrickt für eine der grünen – er wird aufgeboten – getraut – bekommt zur MitGift einen goldnen Nachttopf mit Juwelen besezt – als er das erstemahl hineinpißt verwandelt er sich in einen MeerKater u. s. w. – Sie bemerken Freund! daß Gozzi und Faffner spuken!«[12] Unschwer ist hier schon ein Erzählstrang des *Goldnen Topfes*, genauso deutlich allerdings auch die Abweichung vom endgültigen Plot zu erkennen. Die signifikanteste Veränderung ist die Verwandlung des burlesken Nachttopfes in einen erhabenen, spirituellen Blumentopf, den späteren Behälter für die Lilie der Reinheit und Keuschheit. Was im geselligen Freundschaftsbrief noch ein ordinärer Gegenstand ist, wird im romantischen Märchen zu einem sublimen Kunstgebilde geläutert. An dieser Transformation des Topfes aus dem niedrig Komischen, ja Obszonen ins hohe Traum- und Spiegelreich ästhetischer Harmonie von Mensch und Natur läßt sich der gewonnene Abstand des romantischen Märchens vom Kunstmärchen der Aufklärung ermessen. Denn im französischen Feenmärchen, insbesondere in der Parodieform der »Contes licencieux«, fungiert das obligat unappetitliche Nachtgeschirr als gewichtiges Requisit der Entzauberung – so beispielsweise in Charles Duclos *Acajou et Zerphile* (1744),[13] so auch in Christoph Martin Wielands Biribinker-

12 Briefwechsel (Anm. 1) Bd. 1, S. 408.

13 Vgl. *Französische Feenmärchen des 18. Jahrhunderts*, hrsg. von Klaus Hammer, Stuttgart 1980, S. 458 und 473.

märchen.[14] Nun wird es umgekehrt Gegenstand romantischer Verzauberung. Der Goldtopf in seiner Eigenschaft als Hochzeitsmitgift für die Tochter des Hauses bietet seit Plautus' *Aulularia* Anlaß zur Komödie (in der vom Verleger Kunz in Zusammenarbeit mit Hoffmann eingerichteten Leihbibliothek in Bamberg war diese Komödie verdeutscht unter dem Titel *Goldtopf* zu finden[15]); jetzt wird er zum Spiegelbild eines Mythos erhoben. Seinen Standort erhält er in der Bibliothek des Archivarius Lindhorst, wo sich das Geheimnis von der Herkunft der goldenen Schlange offenbaren wird.

Man weiß, daß Hoffmann es liebt, für seine phantastischen Höhenflüge und mythischen Expektorationen von konkreten vorfindbaren Gegenständen auszugehen. So auch hier. In den Bibliotheken der Renaissance, den »Studiolos«, befanden sich seltene Krüge und Vasen aus wertvollem Material, sogenannte Preziosen. Sie galten als Symbole für bestimmte Tugenden und als Zeichen für eine »dynastische Verkettung«.[16] In Hoffmanns erstem Märchen übernimmt der goldne Topf vergleichbare Funktionen. Er steht symbolisch für die Einheit von Mensch und Natur und ist zugleich Zeichen für ein naturphilosophisch begründetes utopisch-ästhetisches Reich, das den durch Plato überlieferten Namen »Atlantis« trägt.

14 Christoph Martin Wieland, *Der Sieg der Natur über die Schwärmerei oder Die Abenteuer des Don Sylvio von Rosalva*, hrsg. von Fritz Martini, München 1964, S. 281.

15 Vgl. *Verzeichniß der in dem Königlich Privilegirten neuen Leseinstitute Distr. III. Nro. 1469 sich befindenden Bücher und Musicalien*, Bamberg 1813, Nr. 1338 und 1339; vgl. Peter Vodosek, »Eine Leihbibliothek der Goethe-Zeit. Das ›Königlich Privilegirte neue Leseinstitut‹ des Karl Friedrich Kunz zu Bamberg«, in: *Jahrbuch des Wiener Goethe-Vereins* 77 (1973) S. 110–113; Wulf Segebrecht, »Neues zum ›Neuen Lese-Institut‹ des Carl Friedrich Kunz«, in: *Mitteilungen der E. T. A. Hoffmann-Gesellschaft* 23 (1977) S. 50–56.

16 Heike Frosien-Leinz, »Das Studiolo und seine Ausstattung«, in: *Natur und Antike in der Renaissance*, Ausstellungskatalog Liebighaus – Museum alter Plastik, Frankfurt 1985, S. 275.

Verschiedene französische Feenmärchen weisen vergleichbare Titel auf, wie *Der goldene Spiegel* oder – durch Wieland ins Deutsche übersetzt – *Der goldene Zweig.*[17] Der goldne Topf, romantisch uminterpretiert, überhöht also das wunderbegabte Requisit aus der Aufklärung mythisch-naturphilosophisch, zugleich bricht er aber diesen Mythos ironisch durch die Erinnerung an dessen burleske Herkunft.[18] Mythisch überhöhen und ironisch unterlaufen – diese romantische Doppelstrategie setzt zweierlei voraus: auf der einen Seite präzis ausmachbare konkrete Gegenstände in der empirischen Welt und auf der anderen Seite literarisch vorgeprägte Fiktionsfelder (in diesem Fall etwa die französischen Feenmärchen). Weiß man erst einmal, daß sich seit der Renaissance in den Bibliotheken neben Büchern und Manuskripten nicht nur Preziosen, sondern auch sakrale Gegenstände wie z. B. »ein Kristallreliquiar« oder eine »Pax-Tafel aus Kristall« sowie »Naturalien«, insbesondere ausgetrocknete Schlangen, Kröten etc. befanden,[19] so ist die Vorstellung von drei »in grünem Gold glänzenden Schlänglein«, aufbewahrt in Kristall, nicht mehr so fremd wie zuvor. Seit der Renaissance gilt die Bibliothek als Kosmos, als ›Mundus intelligibilis‹. Die blaue Bibliothek desArchivarius und Alchemisten Lindhorst mit ihren Preziosen, Naturalien und seltenen Manuskripten

17 Christoph Martin Wieland, *Der goldene Zweig* [freie Übersetzung von Marie-Catherine Aulnoy, *Le Rameau d'or*], in: C. M. W., *Gesammelte Schriften*, Abt. 1: *Werke*, Bd. 18: *Dschinnistan oder auserlesene Feen- und Geistermärchen*, hrsg. von Siegfried Mauermann, Berlin 1938, S. 171–190.

18 Vgl. die wichtigen Hinweise zur Darstellung des Komischen und Burlesken durch E.T.A. Hoffmann bei Wulf Segebrecht, »Heterogenität und Integration bei E.T.A. Hoffmann«, in: *Romantik heute*, Bonn 1972, S. 50 f.

19 Frosien-Leinz (Anm. 16) S. 272 und 544. In diesem Zusammenhang scheint es mir berücksichtigenswert zu sein, daß Dresden im sogenannten »Zwinger« eine »Kunstkammer« besaß, die »ursprünglich [. . .] Raritätenkammer genannt« wurde. Dort, so heißt es in einem Führer durch Dresden, findet man »alte seltsame Spiegel, in Bergkrystall und venetianisches Glas geschnittene Kunststücke, [. . .] kostbare Vasen, Trinkgeschirre und dergleichen«. Adolph von Schaden, *Unentbehrliches Taschenbuch für Fremde oder Neueste Beschreibung der Stadt Dresden und ihrer Merkwürdigkeiten*, Dresden 1821, S. 20.

ist eine hermetische Gelehrten- und Kunstwelt, der Fokus eines phantastischen Reiches, für das jeder von uns, so hofft der Erzähler, seinen »innern Sinn« (130) noch nicht ganz verschlossen hat.

Die Struktur: Weiße und Schwarze Magie oder böse und gute Phantasietätigkeit

Will man Inhalt und Handlungsverlauf des *Goldnen Topfs* skizzieren, so kommt der Erzähler dem Interpreten selbst zu Hilfe. In der 5. Vigilie sucht ein »junges, beherztes, sechzehnjähriges Fräulein« mit dem Namen Veronika Paulmann, Tochter eines wohlbestallten Konrektors, wohnhaft in der Pirnaer Vorstadt von Dresden, in der entlegenen Seestraße eine alte Wahrsagerin auf, um über ihre Zukunftserwartungen Gewißheit zu erhalten. Veronika liebt den Studenten Anselmus und hofft, durch ihn Hofrätin zu werden, ist aber wegen seines rätselhaften Verhaltens unsicher, ob auch er ihr »gut« sei (46). Die Alte eröffnet ihr, in welch geheimnisvolle Beziehungen ihr Geliebter verstrickt ist: »Der Anselmus hat mir viel zuleide getan, doch wider seinen Willen; er ist dem Archivarius Lindhorst in die Hände gefallen, und der will ihn mit seiner Tochter verheiraten. Der Archivarius ist mein größter Feind [...]. Er ist der weise Mann, aber ich bin die weise Frau [...] – Ich merke nun wohl, daß du den Anselmus recht lieb hast, und ich will dir mit allen Kräften beistehen, daß du recht glücklich werden und fein ins Ehebette kommen sollst, wie du es wünschest« (56). Die Handlungsvorgabe ist also denkbar einfach: zwei sich befehdende Mächte kämpfen um einen Jüngling. Beide benutzen für ihre Zwecke jeweils ein Mädchen als Lockvogel: Der Archivarius Lindhorst bedient sich seiner Tochter Serpentina, die Alte dagegen verbündet sich mit Veronika, der uns schon bekannten Tochter des Konrektors Paulmann. Ganz offenbar sind zwei junge Menschen, Veronika und Anselmus, in die Hände zweier sich bekämpfender Magier, einer alten Wahrsagerin, zuweilen auch als Äpfelweib auftretend, und eines Archivars, Alchemisten und Geheimrats mit Namen Lindhorst, geraten. Achtet man bei der Einschätzung der beiden Gegenspieler auf das soziale Milieu, in dem sie sich jeweils bewegen, auf ihre Wohnung, ihr jeweiliges Auftreten und Gebaren, so spricht viel dafür, daß in der Alten, der in einer plebejischen Kemenate wohnenden »Rauerin«, mit ihren Hexen- und Zauberkünsten eine Vertreterin der Schwarzen Magie zu sehen ist, dagegen in Lindhorst, der in einer stattlichen großbürgerlichen Villa residiert und gute Beziehungen zum Hof hat, ein Vertreter der Weißen Magie, eines »ehrwürdigen, spätantiken meist auf der Gnosis beruhenden religiös-philosophischen Systems« zu erblicken sein dürfte.[20] Da es sich im Tauziehen um den Studenten Anselmus nicht nur um einen zukünftigen Bräutigam handelt, sondern auch um einen werdenden Dichter, liegt es nicht fern, sich in den beiden Gegenspielern zugleich Verfechter eines alternativen Gebrauchs von Phantasietätigkeit zu denken.

Die undurchsichtigen Intrigen und Kämpfe der beiden magischen Welten prägen die komplizierte Struktur der Erzählung. In den ersten beiden Vigilien verschränken sich die beiden magischen Reiche kreuzweise. Medias in res beginnend, läßt Hoffmann den Studenten Anselmus durch das Schwarze Tor von Dresden rennen und in den Apfelkorb einer Marktfrau stürzen. Dieser unangenehme Vorfall kostet ihn nicht nur sein mühselig erspartes Geld, sondern nimmt auch noch plötzlich, durch einen gellenden Ausruf der Alten ausgelöst, eine Wendung ins Unheimliche. Der Anfang der 1. Vigilie in der Stadt wird von den Machenschaften der Alten geprägt, dagegen endet die Vigilie mit einer Vision in der Einsamkeit

20 Vgl. Richard Cavendish, *Die Schwarze Magie*, Frankfurt 1967, sowie die Rezension von Marianne Kesting, in der *Frankfurter Allgemeinen Zeitung*, 1970, Nr. 14, S. 32. Vgl. Hans Schumacher, *Narziß an der Quelle: das romantische Kunstmärchen. Geschichte und Interpretationen*, Wiesbaden 1977, S. 120.

freier Natur unter einem Holunderbusch. Anselmus sieht zum ersten Mal die drei Töchter Lindhorsts als Schlangen und verliebt sich in eine von ihnen. Umgekehrt sind die Machtverhältnisse in der 2. Vigilie verteilt. Zunächst setzt sich dort die Macht Lindhorsts und seiner Töchter fort – sinnfällig zunächst in der Kahnpartie auf der Elbe, unterschwellig dann in Konrektor Paulmanns Wohnung –, dann aber wird Anselmus, am Ende der Vigilie, unmittelbar vor seinem Eintritt in die Villa Lindhorsts, von einer gräßlichen Angstvision überfallen, die die Alte inszeniert hat. Am Ende der 1. Vigilie erschien ihm das liebliche Schlänglein Serpentina, am Schluß der 2. Vigilie wird er von einer »weißen [. . .] durchsichtigen Riesenschlange« (25) stranguliert. Von der 5. bis zur 8. Vigilie beherrschen abwechselnd Macht und Gegenmacht das Thema je einer Nachtwache. In der 5. Vigilie besucht Veronika – wir wissen es schon – die Alte abends in der Vorstadt; in der 6. Vigilie gelingt Anselmus mittags um 12 Uhr endlich der Eintritt in die Villa des Archivarius. Alles ist somit vorbereitet für den Höhepunkt des Märchens in der 7. bis 10. Vigilie: um 12 Uhr in der Äquinoktialnacht, auf einem Kreuzweg weit draußen vor der Stadt, versucht die Alte unter Beihilfe von Veronika, Anselmus durch eine magische Beschwörung in einen Metallspiegel zu bannen (7. Vigilie), in der 8. Vigilie offenbart Serpentina Anselmus im mysteriösen Interieur der Villa Lindhorst, der blauen Bibliothek, das Geheimnis der mythischen Herkunft ihrer Familie. In den beiden folgenden Vigilien (9 und 10), in denen sich die Katastrophe, der Fall ins Kristall sowie die tätliche Auseinandersetzung der beiden Magier abspielt, verschränken sich die gegnerischen Mächte vielfach und dennoch genau symmetrisch angeordnet. Nach dem Sieg Lindhorsts und damit dem Sieg der weißen Magie, bleiben schließlich nur noch die Prosa der Alltagswelt (11. Vigilie) und das ferne Reich der Serpentina, Atlantis. Von der dort vollzogenen liebenden Vereinigung Serpentinas mit Anselmus weiß der Erzähler in einer Schlußvision zu berichten (12. Vigilie).

Sooft nun auch im Verlauf dieser Ereignisse von »Feerei« (36), »den Wundern des Feenreichs« (92), »feeischem Unwesen« (104) oder »Feengarten« (60) die Rede ist, so wenig sind die handelnden Figuren, neben den vier uns schon bekannten Hauptpersonen auch der Konrektor Paulmann und der Registrator Heerbrand, in ein »feenhaftes Reich« (35) entrückt – im Gegenteil, sie sind plastisch eingefügt in die Topographie der Stadt Dresden. Beugt man sich über einen zeitgenössischen Stadtplan,[21] lassen sich mit zwei Ausnahmen (die Villa Lindhorsts und die Wohnung des Anselmus) die Orte, ja die Bewegungen der Protagonisten zwischen den Schauplätzen innerhalb und außerhalb der Stadt präzis ausmachen. Vorstädte, Tore, Parks, Gärten, Kaffees, Hotels und Ausflugslokale werden einzeln benannt.

Aus Mangel an einer Hauptstadt fehle der komischen Literatur in Deutschland die Möglichkeit zu individualisieren, klagte Jean Paul im Anschluß an Justus Möser noch in seiner *Vorschule der Ästhetik*: Es sei zu hoffen, daß in Zukunft, den englischen Humoristen vergleichbar, die komischen Begebenheiten topographisch individualisiert werden könnten.[22] E.T.A. Hoffmann realisiert diese poetologische Forderung mit dem *Goldnen Topf*. Dresden, jene Stadt, in der sich auf einzigartige Weise großstädtischer Weltton und philisterhafte Kleinstadtmentalität treffen und verschmelzen, wie ein zeitgenössischer Kenner europäischer Städte schreibt,[23] bietet den geeigneten Boden für die Präsentation romantischer

21 *Plan der Stadt Dresden im Jahre 1813, mit den Napoleonischen Feldbefestigungen*, nach der Kopie einer Handzeichnung von C. H. Aster im Stadtmuseum, in: *Atlas zur Geschichte Dresdens*, Pläne und Ansichten der Stadt aus den Jahren 1521 bis 1898 auf 40 Lichtdrucktafeln, mit einem Abriß der geschichtlichen Ortskunde von Dresden hrsg. von Otto Richter, veröffentlicht vom Verein für Geschichte Dresdens, Dresden 1898, Nr. 28.

22 Jean Paul, *Vorschule der Ästhetik* (§ 35), in: J. P., *Werke*, hrsg. von Norbert Miller, Bd. 5, Darmstadt 1967, S. 141 f. Vgl. Mösers Brief an Abbt, in: Justus Möser, *Harlekin*, hrsg. von Henning Boetius, Bad Homburg 1968, S. 64.

23 Johann Friedrich Reichhardt, *Briefe eines reisenden Nordländers*, geschrieben in den Jahren 1807 bis 1809, Leipzig ^{2}1816, S. 122.

Mythologie. Bezeichnenderweise gibt der Archivarius Lindhorst die Geschichte seiner mythischen Herkunft nicht in einem geheimnisvollen Ambiente, sondern in einem Kaffeehaus zum besten (26 f.). Den topographischen Relationen des Handlungsablaufs entsprechen binäre Oppositionen, denen sich Requisiten und Attribute bis ins kleinste Detail zuordnen lassen. Das reicht von den typischen Zeiten für die entscheidenden Handlungen über die Begleittiere der beiden Magier bis hin zu den Aufputschmitteln Kaffee auf der einen, Punsch auf der anderen Seite. Das sich in den Augen des Anselmus bei jedem Besuch verwandelnde Gewächshaus des Archivarius mit seinen herrlichen Düften, Tönen und Erscheinungen hat sein groteskkomisches Gegenbild in der von Veronika besuchten Hexenstube der Alten (54 f.). Selbst den Tönen ist in der Erzählung dieser Kontrast eingeschrieben. Der Physiker und Naturphilosoph Johann Wilhelm Ritter schreibt in seinem E.T.A. Hoffmann gut bekannten Buch *Fragmente aus dem Nachlaß eines jungen Physikers*: »Jeder tönende Körper oder vielmehr sein Ton ist gleichsam der gefärbte Schatten seiner inneren Qualität« und »der Geist des Tons kann gut und böse sein«.[24] In der Tat hat »die rauhe, aber sonderbar metallartig tönende Stimme des Archivarius Lindhorst« für Anselmus »etwas geheimnisvoll Eindringendes« (30), während die »gellende, krächzende Stimme« des Äpfelweibs für ihn »Entsetzliches« bedeutet (5). Geht man diesen kontrastiven Korrespondenzen sorgfältig nach, sei es den verhexten »Äpfelchen der Alten« (55), die die Welt des Handels repräsentieren, sei es den geheimnisvollen Manuskripten des Archivarius, die die Welt mythischer Weisheit vertreten, oder, noch deutlicher, dem »kleinen runden Metallspiegel«, den die Alte mit Hilfe Veronikas herstellt und der das »deutliche Bewußtsein« (94) verkörpert, wogegen der Smaragd am Finger des Archivarius das »Selbstbewußtsein« des in

24 Johann Wilhelm Ritter, *Fragmente aus dem Nachlasse eines jungen Physikers*, Bd. 2, Heidelberg 1810, S. 234.

ihn schauenden Studenten Anselmus spiegelt, so stößt man immer auf eine versteckte allegorische Spur.

Begreiflicherweise haben bislang die Interpreten des *Goldnen Topfs* ihr Augenmerk auf die explizit und programmatisch am Beginn der 4. Vigilie (34–36) formulierte Poetik der »doppelten Wirklichkeit«, die Versetzung des Wunderbaren ins Alltägliche gerichtet. Vielleicht wurde gerade deshalb die ›Geheimpoetik‹ des *Goldnen Topfs* vernachlässigt. Der Konflikt zwischen Weißer und Schwarzer Magie ist vor allem und zugleich eine Auseinandersetzung zweier ästhetischer Lebensentwürfe und Kunstprinzipien, nämlich von niederländischer Realistik und manieristischer Phantastik, wie wir es vorläufig nennen wollen. – Ein Beispiel für jenen verkürzenden Ansatz bietet Franz Fühmann.[25] Er deckte das Unheimliche dieses Erzählstrangs an der »Wiederkehr des Alten« im modernen Alltag auf. Er endet aber mit seiner Deutung genau *vor* der Textstelle, die wir als poetologischen Schlüssel der ganzen Erzählsequenz begreifen. Die Pointe dürfte darin liegen, daß die Wiederkehr des Alten im Modernen sich nicht nur in den gespenstisch erscheinenden gesellschaftlichen Widersprüchen der politischen Restauration spiegelt, sondern auch im Bereich des Ästhetischen selbst.

Das nächtliche Abenteuer am Kreuzweg, wo Veronika mit Hilfe der Alten Macht über Anselmus zu gewinnen trachtet, wird in der 7. Vigilie zweimal erzählt. Einmal auf der Ebene des Erzählvorgangs, wobei der Erzähler das Geschehen und die Handlungen der beiden Protagonisten genau beschreibt; das zweite Mal suggeriert der Erzähler dem Leser selbst die fiktive Teilnahme am nächtlichen Ereignis: »auf der Reise nach Dresden begriffen«, »siehst du deutlich das schlanke holde Mädchen, die im weißen dünnen Nachtgewande bei dem Kessel kniet. Der Sturm hat die Flechten aufgelöst, und das lange kastanienbraune Haar flattert frei in den Lüften.

25 Franz Fühmann, *Fräulein Veronika Paulmann aus der Pirnaer Vorstadt oder Etwas über das Schauerliche bei E. T. A. Hoffmann*, Hamburg 1980, S. 55 ff.

Ganz im blendenden Feuer der unter dem Dreifuß emporflackernden Flammen steht das engelschöne Gesicht, aber in dem Entsetzen, das seinen Eisstrom darüber goß, ist es erstarrt zur Totenbleiche [...]! So kniet sie da, unbeweglich wie ein Marmorbild. Ihr gegenüber sitzt auf dem Boden niedergekauert ein langes, hageres, kupfergelbes Weib mit spitzer Habichtsnase und funkelnden Katzenaugen« (72 f.). Durch Leseransprache ausdrücklich abgehoben, wird die schaurige Szene das zweite Mal als »tableau vivant«[26], als »ins Leben getretenes« »Nachtstück«, als »Rembrandtsches oder Höllenbreughelsches Gemälde« (74) vorgestellt.

Der Verweis auf Höllenbreughel und Rembrandt ist nicht bloß als Bildungsreminiszenz zu lesen, sondern gibt – wie Jean Paul in § 72 seiner *Vorschule der Ästhetik* lehrte – Aufschluß über den künstlerischen Stil dieser Darstellung, den niederländischen, der im Unterschied zum italienischen und deutschen das traditionell Niedrige vertritt.[27] Die 7. Vigilie bezweckt allerdings mehr noch als die metaphorische Anspielung auf das herkömmliche Genus humile. Die ironische, parodistische Metareflexion eines spannenden Schauergeschehens macht zugleich dessen ästhetische Funktion transparent. Die gruselige Inszenierung der Alten besteht aus einem Amalgam von materiellen Interessen und antiquiert Ästhetischem, das heißt jederzeit abrufbarer »niederländischer« Schauerrealistik nach den Rezepten der Gespensterbücher von Apel und Laun (beide lernte E.T.A. Hoffmann damals in einem Kaffeehaus Dresdens persönlich kennen).[28] Die traditionelle Aufführung des Schrecklichen wirkt konsequenterweise auf die »beherzte«, sich ihrer Ziele und Wünsche bewußte Veronika nur anfänglich erschreckend, zuneh-

26 Vgl. Norbert Miller, »Mutmaßungen über lebende Bilder. Attitude und ›tableau vivant‹ als Anschauungsform des 19. Jahrhunderts«, in: Helga de La Motte-Haber (Hrsg.), *Das Triviale in Literatur, Musik und bildender Kunst*, Frankfurt 1972, S. 106 ff.

27 Jean Paul (Anm. 22) S. 253 f.

28 Vgl. beispielsweise die *Zauberliebe* in: Johann August Apel / Friedrich Laun (Hrsg.), *Gespensterbuch*, Bd. 1, Leipzig 1813, S. 133 f.

mend jedoch attraktiv: »Ihr Vertrauen auf die alte Liese wuchs mit jedem Tage, und selbst der Eindruck des Unheimlichen, Grausigen stumpfte sich ab, so daß alles Wunderliche, Seltsame ihres Verhältnisses mit der Alten ihr nur im Schimmer des Ungewöhnlichen, Romanhaften erschien, wovon sie eben recht angezogen wurde« (70). Anders Anselmus. Er, im Begriff, sich eine neue Lebensform als Elegant zu wählen, gibt der Alten Macht über sich. So lange ihm nur der »liebliche Klang« blanker »Speziestaler« (23), die er von seinen Kopierdiensten beim Archivarius erhofft, in den Ohren liegt, wird er seine materiell fehlgeleitete Phantasie mit bis an Wahnsinn grenzendem Entsetzen und Grausen bezahlen müssen. Der Eintritt in das Haus des Archivarius gelingt ihm bezeichnenderweise erst, als er ausschließlich »Serpentinas Liebe« als »Preis einer mühevollen gefährlichen Arbeit« (59) anstrebt.

In der Forschung wird die These vertreten, der Läuterungs-, Prüfungs- und Lernprozeß des Anselmus erfolge mit Hilfe des tierischen Magnetismus.[29] Hoffmann rekuriert im *Goldnen Topf* allerdings nicht nur auf die zeitgenössischen psychologischen Arbeiten über Magnetismus und Mesmerismus,

29 Die Bedeutung des Magnetismus und Mesmerismus im Werk E.T.A. Hoffmanns ist in jüngster Zeit häufig und detailliert untersucht worden. In unserem Zusammenhang interessiert die Übertragung der medizinischen und psychologischen Problematik, der guten und bösen Verwendung des Magnetismus auf den ästhetischen Bereich der Einbildungskraft. Dazu gibt es in der Forschung nur wenige Hinweise. Vgl. Maria M. Tatar, »Mesmerism, Madness and Death in E.T.A. Hoffmanns ›Der goldne Topf‹«, in: *Studies in Romanticism* 14 (1975) S. 365–390; Josefine Nettesheim, »E.T. A. Hoffmanns Phantasiestück ›Der Magnetiseur‹. Ein Beitrag zum Problem ›Wissenschaft‹ und Dichtung«, in: J. N., *Poeta doctus oder die Poetisierung der Wissenschaft von Musäus bis Benn*, Berlin 1975, S. 39–56; Wulf Segebrecht, »Krankheit und Gesellschaft. Zu E.T.A. Hoffmanns Rezeption der Bamberger Medizin«, in: Richard Brinkmann (Hrsg.), *Romantik in Deutschland*, Stuttgart 1978, S. 267–290; Werner Obermeit, *»Das unsichtbare Ding, das Seele heißt«. Die Entdeckung der Psyche im bürgerlichen Zeitalter*, Frankfurt 1980; Franz Loquai, *Künstler und Melancholie in der Romantik*, Frankfurt 1984; Friedhelm Auhuber, *In einem fernen dunklen Spiegel. E. T. A. Hoffmanns Poetisierung der Medizin*, Opladen 1986.

sondern vor allem auf deren romantische, theologische und hermeneutisch überhöhte Interpretation durch den Naturphilosophen Johann Wilhelm Ritter. Diesem dient der Magnetismus als Beispiel für die »Kraft« der Liebe. In religiöser Aura, in der der Magnetiseur zum Priester wird, gestaltet sich die Beziehung zum Geliebten frei von allen eigennützigen Zwecken, in reinem Willen, bis der Magnetismus »gegenseitig« wird. In der Liebe sind »beide Teile« gleichzeitig »Magnetiseur und Somnambüle«.[30] Dieses »heilige« Wechselverhältnis bestätigt »die Macht der Phantasie«.[31] Ritter läßt auf der anderen Seite keinen Zweifel daran, daß der »Mißbrauch der Allmacht [des Magnetismus] zur sündlichen Magie, zum Teuflischen« führe.[32] Diese Gedankengänge aufgreifend, stellt E.T.A. Hoffmann im *Goldnen Topf* nicht bloß eine Liebesgeschichte dar, in der der Magnetiseur Lindhorst nach der zeitgenössischen Kurmethode des Psychologen Reil den Patienten Anselmus zur Besonnenheit führt;[33] erzählt wird vielmehr eine Geschichte vom guten und bösen, vom richtigen und falschen Gebrauch von Phantasie und Liebe. Der Frage nach dem guten oder bösen Einsatz des Magnetismus korrespondiert bei Hoffmann das ästhetische und gesellschaftliche Problem einer guten oder bösen Verwendung der Phantasie im Leben. Unter der Hand verwandelt sich das medizinische Problem zu einem von Poesie und Leben. Dabei kommt der Interferenz von Theologie und Ästhetik eine bislang kaum berücksichtigte Bedeutung zu. Wir kommen darauf später zurück.

Die »Hauptidee« des *Goldnen Topfes* besteht in der Alternative einer bösen, weil instrumentell verwendeten, und einer guten, weil autonomen ästhetischen Phantasietätigkeit. Eine Lebensanschauung, die ihre Potenz an Phantasie in Form

30 Ritter (Anm. 24) S. 85.
31 Ebd., S. 88.
32 Ebd., S. 91.
33 Johann Christian Reil, *Rhapsodien über die Anwendung der psychischen Curmethode auf Geisteszerrüttungen*, Halle 1803, S. 73.

ästhetischer Stereotypen in den »gemeinen« Dienst der Welt – von der Karriere bis zur Mode – stellt, ist verwerflich, weil sie das Leben funktionalisiert und die Poesiefähigkeit des Menschen erstickt. Ein Lebensverständnis hingegen, das die Phantasie von den Zwängen materieller Interessen, gesellschaftlicher Konventionen und Standardisierungen befreit, eröffnet die Möglichkeit zu einem »Leben in der Kunst«. Es liegt nahe, diese Ambivalenz auch auf die ästhetische Einbildungskraft selbst zu übertragen. Ein genialer Einfall ist es aber, die naturphilosophischen Einsichten des Magnetismus mit kunsttheoretischen Stilprinzipien zu verbinden.

Eine der Projektionen haben wir kennengelernt: Veronika imaginiert sich als zukünftige Hofrätin, die ein »schönes Logis« in einer der schönsten Straßen Dresdens bewohnt, »im eleganten Negligé im Erker« sitzt und »der Köchin die nötigen Befehle für den Tag« erteilt (46). Sie hat – und das wird uns im Detail vorgeführt – eine Begabung für angepaßte Phantasie. Da sie diese ausschließlich instrumentell, gezielt, zweckgerichtet einsetzt, muß sie notwendig zum Werkzeug der Alten werden, sich in der Schauerrealistik niederländischer Provenienz verlieren. Und die Alternative? Sie verbirgt sich in der Liebe Anselmus' zu Serpentina. Man hat längst erkannt, daß Serpentina die Allegorie für das dichterische Vermögen sein muß, für, sagen wir, die autonome Phantasietätigkeit. Bei der Plastizität und Konkretionsliebe E.T.A. Hoffmanns wäre das als Kontrapost zu dem Höllenbreughel-Rembrandtschen Stilprinzip noch etwas blaß. Es dürfte sich lohnen, hier genauer zu lesen und zu recherchieren. Beginnen wir aber vorerst nicht mit Serpentina, sondern mit ihrem Geliebten, dem Studenten Anselmus und seiner sozialpsychologischen Disposition fürs Phantastische. Welche Eigenschaften bringt er mit, um auserwählt zu sein für eine derart ehrenvolle Aufgabe, oder anders gefragt, was unterscheidet ihn von Veronika? Zunächst einmal, so müssen wir enttäuscht konstatieren, gar nichts. Er hat vergleichbare Karrierewünsche; er will nämlich Hofrat werden. Im Unterschied zu Veronika, die »beherzt« ihr Ziel im Auge hat, es auch erreicht, scheinen ihm allerdings alle seine Pläne zu mißlingen. Sehen wir uns dies einmal in der ersten Vigilie genauer an. Der Leitgedanke dieses Interpretationsabschnitts greift auf eine Formulierung im Text zurück, auf den Wunsch des Anselmus nämlich »ein ganz anderer Mensch« zu werden.

Die Sozialpsychologie: Die Verwandlung des zerstreuten Studenten Anselmus

Wie wir in der 1. Vigilie erfahren, war es die feste Absicht des Studenten Anselmus, am Himmelfahrtstag etwas über seine Verhältnisse zu leben. Im »Linkischen Bade«, einem »Gartenlokal mit hohen Linden und Lauben«, vor den Toren der Neustadt Dresdens gelegen, wollte er einige Bierchen trinken wie andere »eleganten jungen Leute der Hauptstadt an Sonn- und Feiertagen«,[34] das Konzert anhören, die jungen Mädchen anschauen oder vielleicht sogar ein bißchen mehr. Kurz: »er hatte es bis zu einer halben Portion Kaffee mit Rum und einer Bouteille Doppelbier treiben wollen und, um so recht schlampampen zu können, mehr Geld eingesteckt, als eigentlich erlaubt und tunlich war« (7). Anselmus wollte wenigstens einmal im Jahr ein Elegant sein. Am Himmelfahrtstag hatte er sich vorgenommen, »ein ganz anderer Mensch« zu werden; freilich in wenig christlichem Sinne: »Ich wollte den lieben Himmelfahrtstag recht in der Gemütlichkeit feiern, ich wollte ordentlich was daraufgehen lassen« (9). Nun, die Erfüllung dieses profanen Wunsches ist ihm nicht vergönnt; rennt er doch kurz nach dem Schwarzen Tor (welch schlechte

34 Schaden (Anm. 19) S. 9 f.: Linkes Bad »auf dem rechten Ufer der Elbe« gelegen, »ist – an Sonntagen vorzüglich – seiner reizenden Situation halber der besuchteste Vergnügungsort der Dresdner. Sonntags, Mittwochs und Freitags werden hier wohlbesetzte Konzerte im Freien gegeben, und am bequemsten kann man dann die versammelte *beau monde* der Residenz schauen. [. . .] Ein Fußsteig dicht am Strome hinführend, ist der nächste Weg nach dem Bade.«

Vorbedeutung!) in einen Apfelkorb, den eine Marktfrau dort zum Verkauf aufgestellt hat. Was er, der Student, umgangssprachlich dem Satan zuschreibt, (»aber da führt mich der Satan in den verwünschten Äpfelkorb«; 10), dürfte das Apfelweib mit ihrem mysteriösen boshaften Ruf (»Ja, renne – renne nur zu, Satanskind – ins Kristall bald dein Fall«; 5) ernst gemeint haben. Es ist jedenfalls offensichtlich, daß Anselmus sich eben nicht »auf den leichten Weltton«, den er so sehnlich erwünscht, versteht.

Warum muß er auch rennen, wo doch jedermann am Sonntag spazierengeht? Volker Klotz hat sich in einem brillanten Essay 1976 die Frage gestellt: »Warum die in Hoffmanns Märchen wohl immer so herumzappeln?«, und die Antwort unter Heranziehung des vom Namensvetter unseres Dichters, Dr. Heinrich Hoffmann, 1847 publizierten *Struwwelpeters* gegeben. Geahndet wird hier das »den bürgerlich frühkapitalistischen« Umgangsformen nicht mehr entsprechende »Übermaß an Motorik«. Diese zivilisationsgeschichtliche Beobachtung »vom Verbot der ungegängelten, verschwenderischen Bewegung« und vom Gebot »zweckgerichteter, sinnvoll eingesetzter Investitionen der Kräfte und der Gelder«[35] läßt sich historisch genauer eingrenzen und zugleich auf die Sprache und den Wandel des Sprechverhaltens selbst ausweiten.

In Adolph von Knigges gegen Ende des 18. Jahrhunderts entstandenem Buch *Über den Umgang mit Menschen* gilt als eine der obersten Verhaltensregeln für die notwendige Selbstbeherrschung, in »seinem Gang Anstand zu beobachten«. Bei der Beurteilung anderer Menschen schlägt Knigge vor: »richte deine Achtsamkeit auf die kleinen Züge, nicht auf die Haupthandlungen«, und dazu gehört unter anderem: »Gib acht [. . .] auf seinen Gang und Anstand [. . .], ob er in einer graden Linie fortschreiten kann oder seines Nebengängers

35 Volker Klotz, »Warum die in Hoffmanns Märchen wohl immer so herumzappeln? Ein paar Hinweise zum 200. Geburtstag von E.T.A. Hoffmann«, in: *Frankfurter Rundschau*, 24. Januar 1976, Nr. 20, S. III.

Weg durchkreuzt, oft an andre stößt und ihnen auf die Füße tritt«.[36] Knigges Räsonnement läßt keinen Zweifel über die standesinterne Disziplinierung des Bürgertums: »Der Anstand und die Gebärdensprache sollen edel sein; man soll nicht bei unbedeutenden, affektlosen Unterredungen wie Personen aus der niedrigsten Volksklasse, mit Kopf, Armen und andern Gliedern herumfahren und um sich schlagen«.[37] Warum rennt aber dann Anselmus, wo er doch ein flanierender Elegant zu sein wünscht? Erst nachträglich, nach dem »fatalen Tritt in den Äpfelkorb« (7) und unmittelbar nach der Irritation einer ehrbaren bürgerlichen Familie durch Anselmus' Verhalten am Anfang der 2. Vigilie, kann der Leser die Ursache dieser Hast erschließen: »Mehrere Bürgersmädchen waren dazugetreten, die sprachen heimlich mit der Frau und kickerten miteinander, indem sie den Anselmus ansahen. *Dem* war es, als stände er auf lauter spitzigen Dornen und glühenden Nadeln. Sowie er nur Pfeife und Tabaksbeutel erhalten, rannte er spornstreichs davon.« (16.) Anselmus ist nicht nur äußerlich, wie es sein »ganz aus dem Gebiet aller Mode liegender Anzug« (6) genugsam kenntlich macht, eine komische Gestalt, er ist es auch und vor allem in seiner »inneren Gemütsstimmung«.[38] Er lebt in dem Widerspruch von forcierten Anpassungswünschen und mißglücktem Benehmen. Die Sensibilität für die Normen bürgerlichen Verhaltens ist bei ihm derart extrem ausgebildet, daß seine Fehltritte ihm seine Stellung als stigmatisiertem Außenseiter schmerzlich bewußt machen.

E.T.A. Hoffmann entwirft mit der Figur des Anselmus das Soziogramm eines »Zerstreuten«. Die Selbstcharakteristik des Studenten unter dem Holunderbusch am Elbstrand

36 Adolph Freiherr von Knigge, *Über den Umgang mit Menschen*, eingel. von Max Rychner, Bremen 1964, S. 82. [Text der 3., verb. und verm. Aufl. 1790.]

37 Ebd., S. 65.

38 Vgl. E.T.A. Hoffmanns Rechtfertigungsschrift des Märchens »Meister Floh«, in: E.T.A. H., *Späte Werke*, hrsg. von Wulf Segebrecht, München 1965, S. 909.

macht dies zur Genüge deutlich. Nach seinem »fatalen Tritt in den Äpfelkorb« mittellos geworden, muß Anselmus sich die Vergnügungen einer Lustpartie versagen. Sich auf ein Rasenbänkchen unter einem Holunderbusch trollend, verfällt er melancholisch in ein Selbstgespräch, in dem er alle seine Mißgeschicke der letzten Zeit aufzuzählen beginnt:

> Ziehe ich wohl je einen neuen Rock an, ohne gleich das erstemal einen Talgfleck hineinzubringen oder mir an einem übel eingeschlagenen Nagel ein verwünschtes Loch hineinzureißen? Grüße ich wohl je einen Herrn Hofrat oder eine Dame, ohne den Hut weit von mir zu schleudern oder gar auf dem glatten Boden auszugleiten und schändlich umzustülpen? [...] Bin ich denn ein einziges Mal ins Kollegium, oder wo man mich sonst hinbeschieden, zu rechter Zeit gekommen? (8)

Jean la Bruyère, einer der bekannten Moralisten Frankreichs, hat in seiner Schrift *Die Charaktere oder die Sitten im Zeitalter Ludwigs XIV.* (1688) im Kapitel »De l'homme« den Typus des Zerstreuten karikiert. Eines der am schärfsten attackierten Symptome ist dessen mangelnde Geistesgegenwart. Der Zerstreute sei »in einer Gesellschaft weder mit dem Geiste gegenwärtig, noch aufmerksam auf das, was den Gegenstand der Unterhaltung ausmacht« – er spricht oft »für sich«.[39] Ein solcher »Selbstredner« ist Anselmus. Anders als bei La Bruyère, wo der zerstreute Monsieur Menalque der Lächerlichkeit preisgegeben wird, ohne daß jener selbst davon nennenswert berührt zu sein scheint, zeigt sich Anselmus zutiefst von seiner Ungeschicklichkeit betroffen. Da er die bürgerlichen Verhaltensnormen aufs schärfste internalisiert hat, empfindet er Abweichungen als Auswirkungen eines inneren Satans. Anselmus produziert Metabilder,[40] das

39 Jean de La Bruyère, *Die Charaktere*, übers. von Karl Eitner, Leipzig [o. J.], S. 245.

40 Ich verdanke den Hinweis auf diesen Begriff und Hilfe bei der Redaktion des Aufsatzes Harald Schmid.

heißt, er glaubt in den Augen der anderen eine lächerliche Figur zu sein.
Fataler noch als der Fehltritt in den Apfelkorb, also die körperliche Disziplinlosigkeit, ist für Anselmus das Schamgefühl nach der – er weiß nicht wie – über ihn gekommenen Vision von der grünen Schlange. Nachher besann er sich nämlich »nur, daß er unter dem Holunderbusch allerlei tolles Zeug ganz laut geschwatzt, was ihm denn um so entsetzlicher war, als er von jeher einen innerlichen Abscheu gegen alle Selbstredner gehegt« (16). Gleichermaßen wie die Disziplinierung der körperlichen Motorik wurde die sprachliche im Prozeß der Aufklärung vorangetrieben. Das Sprechen wurde auf zweckhafte Kommunikation ausgerichtet. La Bruyère zählte zu den Merkmalen des »Zerstreuten« das Selbstgespräche-Führen und Gottsched empfahl in seiner auf Wahrscheinlichkeit bedachten Lehre von der Dichtkunst dringend, daß eine Person nicht mit sich selbst zu reden habe: »kluge Leute [...] pflegen nicht laut zu reden, wenn sie allein sind [...]. Man hüte sich also davor, so viel man kann.«[41] In seiner *Philosophischen Anthropologie oder Menschenkunde* steigert Kant diese Abwehr des Selbstredens bis hin zum Verdacht eines pathologischen Symptoms. »Ein Mensch der mit sich selbst spricht, kommt in den Verdacht, nicht recht gescheit zu sein, wie es viele heftige Menschen thun. Wenn man mit sich selbst spricht«, weiß man »sich nicht in den Standpunkt eines Dritten zu versetzen, wie man da erscheinen würde [...] wer dieß aber nicht kann, der ist gestört«.[42] Mit der Diffamierung des Selbstredens, mithin in

41 Johann Christoph Gottsched, *Versuch einer critischen Dichtkunst*, in: J. Ch. G., *Ausgewählte Werke*, hrsg. von Joachim und Brigitte Birke, Bd. 6, Tl. 2, Berlin 1973, S. 353.

42 Immanuel Kant, *Menschenkunde oder philosophische Anthropologie*, hrsg. von Fr. Ch. Starke, Leipzig 1831, S. 185. Mit der Unterscheidung in entspannendes Sich-Zerstreuen und pathologische Zerstreutheit hat Kant die problematische Ausgangskonstellation des Studenten Anselmus präfigurativ umschrieben: »Es ist also eine nicht gemeine Kunst sich zu zerstreuen, ohne doch jemals zerstreut zu sein; welches letztere, wenn es habituell wird, dem

der Fixierung des Sprechens auf gesellschaftliche Kommunikation, die Hand in Hand mit der Logisierung der Sprache geht, sehen die Romantiker die Vertreibung der nur wenig sichtbaren Seite des Imaginären. Novalis formuliert das in geradezu programmatischer Weise in dem posthum berühmt gewordenen *Monolog*:

> Es ist eigentlich um das Sprechen und Schreiben eine närrische Sache; das rechte Gespräch ist ein bloßes Wortspiel. Der lächerliche Irrtum ist nur zu bewundern, daß die Leute meinen – sie sprächen um der Dinge willen. Gerade das Eigentümliche der Sprache, daß sie sich bloß um sich selbst bekümmert, weiß keiner. Darum ist sie ein so wunderbares und fruchtbares Geheimnis, – daß wenn einer bloß spricht, um zu sprechen, er gerade die herrlichsten, originellsten Wahrheiten ausspricht. Will er aber von etwas Bestimmtem sprechen, so läßt ihn die launige Sprache das lächerlichste und verkehrteste Zeug sagen. Daraus entsteht auch der Haß, den so manche ernsthafte Leute gegen die Sprache haben. Sie merken ihren Mutwillen, merken aber nicht, daß das verächtliche Schwatzen die unendlich ernsthafte Seite der Sprache ist.[43]

E. T. A. Hoffmann hat im Märchen vom *Goldnen Topf* den Mutwillen der sich selbst sprechenden Sprache in verschiedenen Varianten dargestellt. Im Bereich des Komischen läßt er sich in der Gestaltung der Punschgesellschaft nachweisen (9. Vigilie). Unter dem Einfluß des herrlich zubereiteten Punsches sprudelt aus den normalsten Bürgern Dresdens – sie wissen selbst nicht wie – »tolles Zeug« heraus (98 f.). Eine

Menschen, der diesem Übel unterworfen ist, das Ansehen eines Träumers gibt und ihn für die Gesellschaft unnütze macht, indem er seiner durch keine Vernunft geordneten Einbildungskraft in ihrem freien Spiel blindlings folgt.« (Immanuel Kant, *Anthropologie in pragmatischer Hinsicht*, in: I. K., *Gesammelte Schriften*, hrsg. von der Königlich preußischen Akademie der Wissenschaften, Bd. 7, Berlin 1917, S. 208.)

43 Novalis, *Werke*, hrsg. und komm. von Gerhard Schulz, München ^{2}1981, S. 426.

Situationsburleske verwandelt sich auf diese Weise in groteske Komik.[44] Für den allmählichen, unmerklichen Übergang vom Komischen zum Grotesken lassen sich viele Beispiele anführen; wir geben eine Probe aus der 2. Vigilie. Bei einer abendlichen musikalischen Geselligkeit in Konrektor Paulmanns Wohnung macht ein Bekannter des Anselmus, der Registrator Heerbrand, der Sängerin des Abends – es ist Veronika – ein Kompliment: »Werte Mademoiselle [...], Sie haben eine Stimme, wie eine Kristallglocke!« Dem am Klavier sitzenden Studenten Anselmus fährt bei diesem Stichwort (das ihn unbewußt an die vorausgehende Vision erinnert) »heraus, er wußte selbst nicht wie«: »Das nun wohl nicht!« – »und alle sahen ihn verwundert und betroffen an. ›Kristallglocken tönen in Holunderbäumen wunderbar! wunderbar!‹ fuhr der Student Anselmus halbleise murmelnd fort. Da legte Veronika ihre Hand auf seine Schulter und sagte: ›Was sprechen Sie denn da, Herr Anselmus?‹« (21.) Dieses Intermezzo umreißt die gesamte Konstellation. Das Wunderbare tritt im Medium des Unterdrückten, der Fehlleistung, dem Versprechen, dem Selbstreden auf. Es erscheint in dem von der Norm Abweichenden, dem Skurrilen, dem Wunderlichen, dem Seltsamen, in diesem Fall im Zustand des Zerstreutseins. Der Bürger, der das Skurrile lächerlich macht, wird die Verbindung des Wunderlichen mit dem Wunderbaren pathologisieren und als Symptom des Wahnsinns aus der Gesellschaft ausschließen, wie die Reaktionen auf das immer wundersamere Verhalten des Anselmus belegen.

Aber fassen wir zunächst erst einmal die nun erkannten

44 In Auseinandersetzung mit Wolfgang Kaysers Definition des Grotesken hat Wolfgang Preisendanz auf das Sprach- und Mitteilungsproblem beim Grotesken hingewiesen: »M. E. sieht Kayser im Grotesken zu entschieden die Darstellung einer objektiven Wirklichkeit, während sich das Groteske wenigstens für die Romantik viel eher, ähnlich wie die Ironie, aus der Notwendigkeit und Unmöglichkeit der Mitteilung ergibt« (W. P., [Diskussionsbeitrag zu der Verhandlung: Die Wilhelm-Meister-Kritik der Romantiker und die romantische Romantheorie,] in: Hans Robert Jauß [Hrsg.], *Nachahmung und Illusion*, München ^{2}1969, S. 217).

sozialpsychologischen Dispositionen für die zwei kontrastiven Phantasiewelten zusammen. Beide jungen Leute, Veronika und Anselmus, haben, geschlechtsspezifisch differenziert, die gleichen »süßen Träume von einer heiteren Zukunft«. Anselmus, aus ärmlicheren Verhältnissen als Veronika stammend, wird aus dem extremeren Widerspruch zwischen Träumen und der ihn blamierenden Realität ein zerstreuter Jüngling, ein Pechvogel, während Veronika, die älteste Tochter des Konrektors, »standhaft« und bestimmt ist. Sozialpsychologisch plausibel ist, daß die auf ihre materiellen und sinnlichen Wünsche zielbewußt ausgerichtete Veronika in die Hände der Schwarzen Magie fallen wird. Diese kann qua Prinzip nichts als materiellen Gewinn versprechen und setzt die Phantasie nur ein, um die Realität zu bezwingen. Dagegen ist der unsichere, zerstreute, zu seinen Wünschen und ihrer Realisierung in einem gebrochenen Verhältnis stehende Anselmus disponiert zu spirituellen Erscheinungen, d. h. zur Aufhebung der Realität. Weil ihm die karrieristischen und damit angepaßten Phantasien faktisch mißlingen, kann seine überschießende Einbildungskraft eine poetisch autonome Phantasierichtung einschlagen. Anselmus ist nämlich nicht nur durch überschüssige Motorik und ungezügeltes Sprechverhalten gekennzeichnet, sondern ebenso durch überschießende, nicht realitätskonforme Einbildungskraft.

Verhaltensdisziplinierung und Phantasiekritik, Restriktion der Motorik und materiell motivierte Depravation der Imagination gehen im Prozeß der Zivilisation Hand in Hand. Eine derartige gesellschaftliche Verhaltensmodellierung fordert eine Antwort der Kunst heraus, da sie zutiefst davon betroffen ist. E.T.A. Hoffmann gibt sie im *Goldnen Topf*. In *dem* Menschen, dem die neue Verhaltenslehre noch nicht zur zweiten Natur geworden ist, schlummert die Möglichkeit zu freier autonomer Phantasie. Der Zerstreute als der gesellschaftlich Diffamierte ist der versteckte, wahre Poet.

Wir können in der Interpretation aber noch einen Schritt weitergehen. Zu Beginn des Märchens werden nicht nur gesellschaftlich bedingte phantasieeinschränkende oder phantasiebefreiende Verhaltensnormen durchgespielt, sondern zugleich ihre theologischen Implikationen mitpräsentiert. Im Anschluß an die von Anselmus geäußerte, uns schon bekannte »innerliche Abscheu gegen alle Selbstredner« zitiert er seinen ehemaligen Rektor: »Der Satan schwatzt aus ihnen« (16). Diese und ähnliche Redensarten – insgesamt neun – können als Schlüssel- und Leitworte am Anfang des *Goldnen Topfs* gelten. Hoffmann liebt es, derlei Redensarten buchstäblich zu nehmen. Rechnet man noch weitere Anspielungen hinzu, etwa daß ein Bürger den Anselmus für einen Theologen, einen »Mann Gottes« (15) ansieht, oder den ironischen Einfall, vom Ausflugslokal vor den Toren Dresdens als dem »Linkischen Paradies« (7) zu sprechen (in das der linkische Anselmus nicht hineinkommt), so liegt es nahe, den sozialpsychologischen Typus des Zerstreuten bestimmten theologischen Vorstellungen zuzuordnen. Sie sind auch das Ferment, das die sozialpsychologische Ausgangskonstellation in eine ästhetisch deutbare umwandelt. Der Schlüssel dazu findet sich in der Poetikgeschichte der Aufklärung, in der Rezeption von La Bruyères Typus des Zerstreuten durch den Schweizer Breitinger. Interessierte den Franzosen La Bruyère im 17. Jahrhundert das soziale Moment der gesellschaftlichen Unangemessenheit des Zerstreuten, die er mit der Waffe der Lächerlichkeit zu besiegen hoffte, so deckte der protestantische Theologe und Poetiker Breitinger im 18. Jahrhundert die Innenansicht des Zerstreuten auf und führte sie einer theologisch motivierten Phantasiekritik zu: »Der gesellschaftlich ironisierte Zerstreute wird zusammengeschaut mit dem dogmatisch verdammenswerten Schwarmgeist.«[45] Nach orthodoxer protestantischer Lehre durfte der Mensch sich nicht durch eigenen Willen und Imagination Gott herbeisehnen: »Der Mensch ist ein Wesen, das in die

45 Hans Peter Herrmann, *Naturnachahmung und Einbildungskraft. Zur Entwicklung der deutschen Poetik von 1670 bis 1740*, Bad Homburg 1970, S. 206.

Irre geht, wenn es selbst produzieren und etwas setzen will; seine ›Fantasie‹ ist ›Hochmuth‹ und sein Vertrauen auf die eigene ›Empfindung‹ Selbstüberschätzung; nur demütig empfangend ist er in der Wahrheit.«[46] In christlicher, insbesondere in hermetisch-mystischer Tradition ist die Entscheidung für eine böse oder gute Imagination zentral. Jakob Böhmes Schriften, eine der Lieblingslektüren der Romantiker, sind geprägt von dieser Ambivalenz. Nach ihm hat »Lucifers Eigen-Wille [. . .] das Reich der Phantasie gestiftet«. Böhme kennt aber auch die positiv gewertete »Imagination« oder »Einbildung« im mystischen Sinne.[47] E.T.A. Hoffmann macht sich diese Dichotomie auf höchst ironische Weise zunutze. Aus christlicher Perspektive gesehen, sind Anselmus' Wünsche und Phantasien – ausgerechnet am Himmelfahrtstag – nach »Doppelbier«, Musik und dem Anblick »herrlich geputzter schöner Mädchen« (9) unchristlich: eingegeben vom Satan. Der Sturz in die Äpfel, die, wie später die Alte zugibt, verhext sind (55), ist, obgleich vom Bösen initiiert, in christlichem Sinne: er bringt Anselmus notgedrungen ab von seinen irdischen Gelüsten. Die Serpentina-Vision kann als säkularisierte göttliche Inspiration gelten; sie wird nicht aus eigener Machtvollkommenheit entwickelt, sondern vollzieht sich an Anselmus unfreiwillig. Der Student, der am Himmelfahrtstag eine christliche Botschaft profaniert, indem er im Blick auf sein imaginiertes Benehmen als Elegant meint prophezeien zu können: »Ich weiß es schon, der Mut wäre mir gekommen, ich wäre ein ganz anderer Mensch geworden« (9), wird nun tatsächlich unwissend und ohne sein Zutun zu einem anderen Menschen.

Aus der Sicht des aufgeklärten Bürgers, Rektor Paulmanns beispielsweise, grenzt dieser andere Zustand, dieses geistige Leben in einer anderen Welt, an Wahnsinn. Die zeitgenössischen Pathologien bestätigen diese Auffassung. Die von

46 Ebd., S. 209.
47 Ebd., S. 191 ff.

Hoffmann oft herangezogenen *Rhapsodien über die Anwendung der psychischen Curmethode auf Geisteszerrüttungen* (1803) von Johann Christian Reil behaupten, daß »Zerstreuung« und »Vertiefung« sowie deren Steigerung, die »Entzükkung« – hier haben wir genau den Prozeß, den Anselmus in der ersten Nachtwache durchläuft – Anomalien seien: sie widersprächen den Normen aufgeklärten Selbstbewußtseins, nämlich Aufmerksamkeit und Besonnenheit. Der Prozeß der Aufklärung ist damit perfekt. Er reicht von der sozialen Kritik La Bruyères am Typ des Zerstreuten im 17. Jahrhundert über die theologisch und ästhetisch motivierte Kritik an der Zerstreuung und Geistesabwesenheit als Folge einer vagierenden »Imagination« bis zur Pathologisierung dieses Verhaltens an der Wende des 18. zum 19. Jahrhundert. E.T.A. Hoffmann nutzt diese gesellschaftlichen und theologischen Vorgaben in ästhetischer Absicht. Der Archivarius Lindhorst fordert im entscheidenden Moment der Lehrzeit von dem Typ des gesellschaftlich Zerstreuten, dem jungen Adepten und angehenden Dichter Anselmus ausgerechnet »die größte Vorsicht und Aufmerksamkeit« beim Kopieren der ihm aufgetragenen Schriften: »ein falscher Strich, oder, was der Himmel verhüten möge, ein Tintenfleck auf das Original gespritzt, stürzt Sie ins Unglück« (81). Anselmus' Geistesabwesenheit in der nützlichen Welt entspricht seiner Besonnenheit in der phantastischen Kunstwelt, umgekehrt zerstören Nüchternheit und Aufmerksamkeit in der gewöhnlichen Welt seine poetische innere Energie. »Hohe Besonnenheit, welche vom wahren Genie unzertrennlich ist«, fordert E.T.A. Hoffmann in allen seinen poetologischen Äußerungen ganz im Sinne von Herders berühmter Sprachschrift.[48] Sie ist jedoch gänzlich zu unterscheiden von einer Art der Aufmerksamkeit, die in der »sogenannten Weltbildung« (89) gilt; letztere ist nur äußerliche Form, Etikette, hermeneutisch

48 E.T.A. Hoffmann, *Kreisleriana Nro. 4: Beethovens Instrumental-Musik*, in: E.T.A. H., *Fantasiestücke in Callots Manier*, hrsg. von Walter Müller-Seidel, München 1979, S. 44.

gesprochen: Buchstaben fixierend und Geist tötend. Es ist abzusehen, daß diese extreme Polarisierung von Aufmerksamkeit in der Welt der Zwecke und Besonnenheit in der Welt der Kunst Anselmus mit sich selbst entzweien wird. Immer wenn sich der Verstand durchzusetzen anfängt, erscheinen ihm die Erlebnisse mit der Schlange als »phantastische Einbildungen« (96), als »Blendwerk der befangenen Sinne« (101), als Erzeugnis seiner erhitzten, überspannten Einbildungskraft (39), die nur »innere Zerrüttung hervorrufe« (93); dagegen »keimt jedesmal mit der Liebe zur Schlange in ihm der Glaube an die Wunder der Natur, ja an seine eigne Existenz in diesen Wundern glutvoll und lebendig auf« (88). Ein schockhaftes Wechselreiten zwischen der Welt Veronikas, dem Bereich des deutlichen Wirklichkeitsbewußtseins, und der Welt der Serpentina, dem phantastischen Reich des Selbstbewußtseins, ist die unvermeidbare Folge.

In diesen »tollen Zwiespalt« (18) wird der Leser mit hineingezogen. Indem Hoffmann die Rezeptionshaltung der aufgeklärten Leser bis in die feinsten Nuancen kalkuliert, bildet er eine Erzählstrategie aus, die erneut dem Phantastischen zu seinem Recht verhelfen soll. Die Aufklärung hatte das Wunderbare aufs Wahrscheinliche eingegrenzt; sie hatte damit das Einmalige, Besondere durch psychologische Erklärungsversuche aufs Allgemeine reduziert.[49] Hoffmanns Erzählen schlägt den umgekehrten Weg ein. Nachdem die Vernunft sich durchgesetzt hatte, blieb der Einbildungskraft nur noch die Verführung der Vernunft übrig. Die Erklärung des Wunderbaren jedoch hatte die Lust am Wunderbaren nicht stillen können. Das war, wie Wieland schon in seinem Essay *Über den Hang der Menschen, an Magie und Geistererscheinungen zu glauben*, behauptet hatte, der Hebel für die phantastische Dichtung:

49 Vgl. Wolfgang Preisendanz, »Die Auseinandersetzung mit dem Nachahmungsprinzip in Deutschland und die besondere Rolle der Romane Wielands (Don Sylvio, Agathon)«, in: Jauß (Anm. 44) S. 75 f. und 88.

> Die Dichter, welchen mit dem Wunderbaren die reichste Quelle von Erfindung und Interesse genommen wurde, nähren diese Anlage auf eine so verführerische Art, daß wenn wir gleich Verstand genug haben, zu sehen, daß sie uns täuschen, wir doch mit Vergnügen einwilligen, so angenehm getäuscht zu werden.[50]

Während aber in der Aufklärung die Sekurität des Verstandes – trotz aller ins Werk gesetzten Verführung – nie in Zweifel geraten war, wird sie in der Romantik, allen voran in E.T.A. Hoffmanns Werk, bis hin zum Wahnsinn erschüttert. Das aufgeklärte, normierte Leben wird durch eine Radikalkur, durch Schockästhetik aufgebrochen. Die Inszenierung eines psychischen Ungleichgewichts soll zur Verunsicherung des Lesers führen.[51] Sie wird aber nicht nur rezeptionspsychologisch beim Leser während der Lektüre ausgelöst, sie wird zugleich Thema des Märchens selbst. An der Reaktion zweier Figuren, des Rektors Paulmann und des Registrators Heerbrand, wird die Herausforderung des Bürgers durch das Phantastische und dessen brutale Abwehr – man ist fast versucht zu sagen – demonstriert. Was anfangs als fürsorgliche Kritik am »Romanhaften« (im zeitgenössischen Sinne von illusionären Vorstellungen über das Leben[52]) oder an melancholischen Zuständen erscheint, verschärft sich zum unbarmherzigen Ausschluß aus der Gesellschaft. Nach einem Zechgelage, das die Bürger zu den phantastischsten Kapriolen treibt, geben die Betroffenen am nächsten Tag dem »verdammten Studenten [...] an all dem Unwesen schuld« (115). Im Geist der Aufklärung hatte Knigge behauptet, Schwärme-

50 Christoph Martin Wieland, *Über den Hang der Menschen, an Magie und Geistererscheinungen zu glauben*, in: C. M. W., *Werke*, Tl. 32, Berlin [o. J.], S. 351.

51 Vgl. Wolfgang Trautwein, *Erlesene Angst. Schauerliteratur im 18. und 19. Jahrhundert*, München 1980.

52 Werner Krauss, »Zur Bedeutungsgeschichte von ›romanesque‹ im 17. Jahrhundert«, in: W. K., *Gesammelte Aufsätze zur Literatur- und Sprachwissenschaft*, Frankfurt a. M. 1949, S. 400 f.

rei stecke »zum Unglück [...] an wie der Schnupfen«;[53] der Registrator Heerbrand, der zukünftige Hofrat und Ehemann Veronikas läßt in diesem Sinne vernehmen: »Merken Sie denn nicht, daß er schon längst mente captus ist? Aber wissen Sie denn nicht auch, daß der Wahnsinn ansteckt? – Ein Narr macht viele; verzeihen Sie, das ist ein altes Sprichwort; vorzüglich, wenn man ein Gläschen getrunken, da gerät man leicht in die Tollheit und manövriert unwillkürlich nach und bricht aus in die Exerzitia, die der verrückte Flügelmann vormacht.« (115.) Aus Angst vor der Verführbarkeit und im Interesse der Selbsterhaltung der Vernunft schlägt der Philister eine »schmerzhafte Heilung durch Amputation« vor.[54] »›Der Anselmus soll mir nicht mehr über die Schwelle‹, sprach der Konrektor Paulmann zu sich selbst, ›denn ich sehe nun wohl, daß er mit seinem verstockten innern Wahnsinn die besten Leute um ihr bißchen Vernunft bringt; [...] ich habe mich bisher noch gehalten, aber der Teufel, der gestern im Rausch stark anklopfte, könnte doch wohl am Ende einbrechen und sein Spiel treiben. – Also apage Satanas! – fort mit dem Anselmus!‹« (115 f.)

Pathologie und Ästhetik: Der »Fall ins Kristall«

Wir erinnern uns noch an den Beginn des Märchens: Gerade wähnt Anselmus der peinlichen Situation entkommen zu sein, die sich aus dem Sturz in den Apfelkorb ergeben hat, da gellt ihm der Ruf der Alten nach: »Ja renne – renne nur zu, Satanskind – ins Kristall bald dein Fall – ins Kristall!« (5). Die Verwünschung erfüllt sich am Ende der 9. Vigilie, als Anselmus »ungeduldig« und ungläubig geworden, einen Tinten-

53 Knigge (Anm. 36) S. 132. Vgl. das Motiv der Ansteckungsangst der Philister in Ludwig Tiecks *Gestiefeltem Kater*, in: Ludwig Tieck, *Phantasus*, hrsg. von Manfred Frank, Frankfurt 1985, S. 562.

54 Hans Blumenberg, *Die Legitimität der Neuzeit*, Frankfurt 1966, S. 469 Anm. 366.

fleck auf eines der wertvollen Manuskripte in der Bibliothek des Archivarius spritzt. Diese Fehlleistung beschwört die Katastrophe endgültig herauf. Anselmus wird in ein infernogleiches Flammenmeer getaucht; »Basilisken« und »Feuer-Katarakte« schießen auf ihn los, Schlangen schnüren seinen Leib ein. Eine Strafe wird ihm angekündigt. Die schwindenden Sinne vermögen Hitze- und Kälteempfindung nicht mehr zu unterscheiden. Als er aus seiner Ohnmacht erwacht, »konnte er sich nicht regen und bewegen, er war wie von einem glänzenden Schein umgeben, an dem er sich, wollte er nur die Hand erheben oder sonst sich rühren, stieß. – Ach! er saß in einer wohlverstopften Kristallflasche auf einem Repositorium im Bibliothekszimmer des Archivarius Lindhorst« (103). Vergleichbar den beliebten Segelschiffen in der Flasche kommt ein Student en miniature als Rarität in einem Glasbehälter auf das Bücherbrett einer Bibliothek zu stehen. Sie reiht sich ins übliche Inventar von Bibliotheken seit der Renaissance, hier freilich eher als eine biedermeierlich anmutende Kuriosität. Kristall ist auch das Medium der drei goldgrünen Schlänglein, in einem Brief Hoffmanns noch der Situation des Anselmus in der Kristallflasche vergleichbar. Im *Goldnen Topf* ist es das zum Kristallspiegel vergegenständlichte Strahlen-, Funken- und Lichtspiel eines blitzenden Steins in einem Ring (40). Kristall, so viel ist hier deutlich, ist verfestigter, erstarrter Schein, innegehaltene Lichtbewegung und zugleich synästhetisch Klangkörper der goldgrünen Schlangen. Der Fall ins Kristall ist ein Fall aus der Wirklichkeit heraus in »glänzenden Schein«,[55] jedoch nicht ganz. Auch die Welt des Scheins hat, wie sich herausstellt, in der Wirklichkeit Ort und Funktion. Sie ist Schmuck, der Ring am

55 Pikulik macht auf eine zeitgenössische Rezension in den *Heidelberger Jahrbüchern der Litteratur* (November 1815, S. 1041–56) aufmerksam, in der der »Fall ins Kristall« als Eingesperrtsein »in die Welt des Scheins« interpretiert wird. Die anonyme Rezension stammt von dem Hoffmann gut bekannten Bamberger Redakteur Friedrich Gottlob Wetzel (Lothar Pikulik, »Anselmus in der Flasche. Kontrast und Illusion in E. T. A. Hoffmanns ›Der goldne Topf‹«, in: *Euphorion* 63 (1969) S. 358 f.

Finger des Archivarius Lindhorst, bzw. Dekor einer Bibliothek. Sie ist Sphäre der Einbildung und Einbildungskraft. Anselmus gerät mit dem Fall ins Kristall in die Überschneidungszone von Einbildung und Einbildungskraft, von Pathologie und Ästhetik. Er fällt aus der Wirklichkeit heraus in den starren, unfreien Zustand der Einbildungskraft, die pathologische Einbildung, aus der er sich schließlich zugunsten der poetischen Einbildungskraft befreit. Mit dem Fall ins Kristall beginnt ein Läuterungs- und Reinigungsvorgang. Das beschränkte, bürgerlichen Zwecken geltende Leben weist Schein und Einbildungskraft einerseits die Funktion des Dekors zu, sie haben die Existenz des künstlichen Kuriosums, sofern sie Wirklichkeit einfangen, bannen und verkleinern und insgesamt verharmlosen. Andererseits aber kann die bürgerliche Zweckrationalität, das belegt die Indienstnahme der Hexenkünste durch Veronika, gewissermaßen als sich selbst unterbietende List der Vernunft dazu verleiten, die Widerspiegelungs- und Abbildpotenz des Ästhetischen zu rituellen Bemächtigungs- und Überwältigungsversuchen des Wirklichen zu mißbrauchen. Der Verharmlosung zum Schmuck, der Erniedrigung zum Absonderlichen und dem falschen Schein dort, steht hier die Vergewaltigung der Wirklichkeit, die Entfesselung des Bösen und die Täuschung entgegen. Beides, die Verharmlosung und die Verteufelung, die Erstarrung des Wirklichen im bloßen Schein und die realistische Wiedergabe des Wirklichen zu Beherrschungszwecken, gilt es für Hoffmann abzuwehren. Die Substantialisierung des Scheins und die Funktionalisierung der Wirklichkeit löst Hoffmann durch die Verbindung von Ästhetik und Pathologie auf. Sie gewährleistet eine Entfesselung der Einbildungskraft, in der die Wahrnehmungserweiterung des Wirklichen im Schreck, in der Verstörung und Verfehlung ebenso legitim ist wie ihre bis zum Amimetischen gehende Freisetzung ins Phantastische und Arabeske. Tangiert davon ist das in der Hoffmannforschung vielbesprochene Verhältnis von Realismus und Phantastik. Die Aufnahme des Pathologischen in die Kunst bedeutet Wirklichkeitszuwachs und

Wahrnehmungsverschärfung; demgegenüber setzt das autonome Formspiel der Arabeske frei von Realität, um einen Raum zu eröffnen für artistische Metamorphosen und Assoziationen. Beide ergänzen und begrenzen sich im *Goldnen Topf* gegenseitig.

Was sich von außen besehen als glänzender Schein darstellt, wie er in der bildenden Kunst wohl Heilige umgibt, ergreift den Betroffenen im Innern des Glases mit »schneidendem Schmerz« (105). Drei Sinnesorgane werden aufs peinvollste bis zur Grenze des Wahnsinns gereizt: das Gehör (durch »mißtönenden Klang«), das Auge (durch »blendenden verwirrenden Schein«) und das Tastgefühl (durch die »zentnerschwere Last« auf der Brust). Anselmus faßt seine Qualen in Worte christlich-religiöser Herkunft; er spricht von »Höllenqual«, beschuldigt das »Hexenweib« der »höllischen Künste« (108), durch die er »zum Bösen verlockt« (109) worden sei, ja er bezeichnet sie direkt als »Satans-Geburt«.

Der »Fall ins Kristall« ist mehrdeutig: er ist ein Straf- und Purifikationsakt zugleich. Verschiedene Vorstellungswelten werden synchronisiert: die mystisch-religiöse, die naturphilosophische, die psychologische und die antike Überlieferung.[56] Aus ihrer Mischung mit empirischen Substraten speist sich die Polyphonie der Perspektiven und ergibt sich eine subkutane Vernetzung divergierender Motive im ganzen Textgefüge. Im naturphilosophischen Bildfeldspender schließen sich Reinigungsmotiv, geschlossener Glasbinnenraum, Element des Feuers und Salamanderreich, zu dem in der Welt des *Goldnen Topfs* der Archivarius Lindhorst zählt, zusammen. So lautet eine naturphilosophische Anweisung in den *Gesprächen über die verborgenen Wissenschaften*: »Wer die Herrschaft über die Salamander wieder erlangen will, der reinige und erhöhe das Element des Feuers, das in ihm

56 Vgl. Günter Oesterle, »*Vorbegriffe zu einer Theorie der Ornamente*. Kontroverse Formprobleme zwischen Aufklärung, Klassizismus und Romantik am Beispiel der Arabeske«, in: *Ideal und Wirklichkeit der bildenden Kunst im späten 18. Jahrhundert*, hrsg. von Herbert Beck [u. a.], Berlin 1984, S. 120 f.

liegt [...]. Er darf nur das Feuer der Welt durch Hohlspiegel in eine Glaskugel concentriren [...]. In dieser Kugel bildet sich ein Sonnen-Pulver, das sich durch sich selbst von der Vermischung der andern Elemente reinigt, und nach der Kunst zubereitet, in kurzer Zeit außerordentlich geschickt wird, das Feuer in uns zu erhöhen, und uns gleichsam eine feurige Natur zu geben.«[57]
Der angestammte problemgeschichtliche Ort des »Falls ins Kristall« aber ist die Melancholie. Seit der Antike werden Glas und Melancholie einander zugeordnet;[58] Hoffmann versetzt diese Überlieferung in den Kontext neuester Beobachtungen der Psychopathologie. Er verschränkt im Zustand der Melancholie empirisch Unverwechselbares. Was in Wirklichkeit disparat erscheint, der Sitz im gläsernen Gefängnis und der Blick von der Elbbrücke, ist nurmehr Variante der Melancholie, die sich im Gewebe des Textes den Bildfeldern und Motivkomplexen der gegensätzlichen Elemente Feuer und Wasser assoziiert. Die Elemente Feuer und Wasser steuern metakinetisch die Bildfelder der Wiedergeburt und des Todes.[59] Am Anfang des Märchens präsentieren sich die drei Schlangen in himmelwärts gerichteter Pose im Medium des Elektrischen, danach als Erscheinungen »unter den Fluten« (17) der Elbe, in die sich der entzückte Anselmus auch prompt selbstmörderisch zu stürzen versucht. Am Märchenende dominiert das Element des Feuers, denn die Schlußvision des Erzählers steigt gleichsam aus der »blauen« hoch empor knisternden Flamme des »angezündeten Arraks« (126); gleichwohl erinnert der Name des in der Ferne geschauten Ritterguts »Atlantis« (129) an die seit Plato überlieferte, ins Meer versunkene utopische Inselwelt. Während der Katastrophe nun scheinen die aus den Elementen Feuer

57 [Montfaucon de Villars,] *Graf von Gabalis oder Gespräche über die verborgenen Wissenschaften*, Berlin 1782, S. 35.

58 Vgl. Hans-Jürgen Schings, *Melancholie und Aufklärung*, Stuttgart 1977, S. 59 f., 163, 321, 377, und Franz Loquai, *Künstler und Melancholie in der Romantik*, Frankfurt 1984, S. 6.

59 Vgl. Hans Blumenberg, *Paradigmen zu einer Metaphorologie*, Bonn 1960, S. 11.

und Wasser sich konkretisierenden Bilder unvereinbar zu werden, sich als Phantasma und Realitätsprinzip gegenseitig auszuschließen. Denn während Anselmus wähnt, als Strafe für seinen Unglauben an Serpentina in eine »wohlverstopfte Kristallflasche« (103) verbannt zu sein und zu seiner nicht geringen Überraschung »drei Kreuzschüler und zwei Praktikanten« (106) auf dem Bücherbrett entdeckt, die sein Schicksal teilen, sehen diese selbst ihre und des Anselmus Lebenssituation gänzlich anders: »Der Studiosus ist toll, er bildet sich ein, in einer gläsernen Flasche zu sitzen und steht auf der Elbbrücke und sieht gerade hinein ins Wasser« (107). Diese beiden sich ausschließenden Lokalisierungen sind in der Erzählung vorbereitet durch die magisch schaurige Vorhersage des Falls ins Kristall auf der einen, Registrator Heerbrands nüchtern empirische Ankündigung des bevorstehenden Unheils als Sturz aus dem Fenster der Villa des Archivarius (23) auf der anderen Seite. Die divergierenden Optiken, die nüchtern empirisch und die phantastisch erscheinende, konvergieren jedoch als Varianten melancholischer Zustände, die gleichermaßen theologisch wie pathologisch auslegbar sind. Der Blick in den Strom existiert bei den Pietisten als Bild der Läuterung[60] ebenso wie bei den Mystikern die Vorstellung der Starrheit.[61] Der Blick über das Brückenge-

60 Vgl. Mme. Guyon [Jeanne-Marie Bouvier de la Motte], *Les Torrents Spirituels* (1683), deutsch: *Der Mme Guyon geistliche Ströme, darinne unter dem Sinnbild eines Stromes vorgestellet wird, wie Gott die Seelen, welche allhier zu einem neuen und gantz göttlichen Leben gelangen sollen, läutere und auf das nächste zubereite* [...], Leipzig 1728; vgl. Richard M. Müller, *Das Strommotiv und die deutsche Klassik*, Bonn 1957, S. 28.

61 Für dieses alchemistische und mystische Ritual einer Läuterung durch Erstarrung gibt es eine Bildsprache. Wolfgang Kayser verweist in seinem Buch über die Groteske auf die gläsernen Kugeln und Kolben beispielsweise bei den Malern Hieronymus Bosch und Pieter Breughel – vgl. z. B. dessen Bild *Die tolle Grete* in Antwerpen (W. K., *Das Groteske in Malerei und Dichtung*, Reinbek bei Hamburg 1960, S. 25). Solche Vorstellungen finden ihre eher spielerische Fortsetzung in Raritäten, etwa in einem objet d'art von Fabergé: »eine Kristallhülle umschließt die Auferstehungsszene« (Lona du Bois-Reymond, »Des Zaren kostbare Ostereier. Fabergés luxuriöse Kleinkunst«, in: Frankfurter Allgemeine Zeitung, 29. März 1986).

länder in die Fluten steht bei Karl Philipp Moritz für einen melancholischen Zustand der Identitätskrise[62] genauso wie der Vorgang des Zuglaswerdens in zeitgenössischen medizinischen Handbüchern als Symptom für psychische Krankheit gilt. E.T.A. Hoffmann reaktiviert gegen die Aufklärung die verdrängte Ambivalenz der Melancholie. Sie war seit Aristoteles' *Problemata physica* Ausdruck einer psychischen Krise und Möglichkeit künstlerischer Kreativität zugleich; Wahnsinn und Genie wohnten dicht beieinander.[63]

Der untergründige Zusammenhang der Sinnbilder »gläsernes Gefängnis« und starrer Blick in den Elbstrom kann jedoch nicht über die eindeutige Dominanz der einen Motivkonstellation hinwegtäuschen. Die Optik der Praktikanten zu übernehmen[64] und den befreienden Sturz aus dem Glas als tödlichen Sprung in die Fluten der Elbe zu deuten, vereinseitigt nicht nur unzulässig die Polyphonie der Perspektiven, sondern wird zudem der Gattung des Märchens nicht gerecht. Statt dessen ist nach dem Grund zu fragen, warum im *Goldnen Topf* das Strommotiv nicht führend wird (und vielleicht nicht werden darf), obgleich es von der Tradition her alle

62 Karl Philipp Moritz, *Anton Reiser*, Stuttgart 1972, S. 265. Vgl. Ruth Ghisler, »*Vorbegriffe zu einer Theorie der Ornamente* von Karl Philipp Moritz«, in: *Jahrbuch des Freien Deutschen Hochstifts* (1970) S. 44. Die beiden Mediziner Mauchart und Reil geben ein eindrückliches Beispiel für eine pathologische Situation, bedingt durch den Blick ins Wasser. Sie berichten von einem gerade aus der Irrenanstalt Entlassenen, der an einem Fluß steht und sein Spiegelbild in melancholischer Stellung (»seinen Kopf auf den rechten Arm gestützt«) betrachtet: »Es schien als beobachtete er seinen Schatten, den der glatte Spiegel des Stroms im Wiederschein der Sonne zurückwarf. Sie scheinen in tiefes Nachdenken versenkt! so redete ein Vorübergehender ihn an. Ich weiß nicht, sagte er, mit langsam abgemessenem Tone [...] *bin ich das in dem Strome dort, oder das*, indem er auf sich deutete, *was hier in den Strom sieht?* Was Sie dort sehn, antwortete ihm der Vorübergehende, scheinen Sie zu seyn: was hier sitzt, sind Sie. Nicht so? Scheinen Sie zu seyn, fiel er ein: Ja wohl, scheinen: Scheinen das ists! Ich scheine nur zu seyn! Wer doch wüßte, ob, und was er wäre!« (Reil [Anm. 33] S. 73).

63 Schings (Anm. 58) S. 38 f.; Loquai (Anm. 58) S. 21.

64 James McGlathery, »The Suicide Motif in E.T.A. Hoffmanns ›Der goldne Topf‹«, in: *Monatshefte* 58 (1966) S. 115–123; Auhuber (Anm. 29) S. 40.

Dispositionen mitbringt, den melancholischen Zustand auch als Anlage zum Schöpferischen, als Verfassung des Genies darzustellen. Die Antwort richtet den Blick auf poetische Gesetzmäßigkeiten der literarischen Gattungen Märchen und Nachtstück. Die Tendenz des Motivkomplexes Wasser ist zu realitätsnah und schauerbelastet, um für das auf abschließende Harmonie bedachte Märchen[65] mehr als eine nur beiherspielende Rolle übernehmen zu können. Die Ausgestaltung des Schauers zum Grauen bleibt einer anderen Gattung, dem Nachtstück, vorbehalten. In Hoffmanns Nachtstück *Der Sandmann* wird der Dichter Nathanael vom Turm springen und Selbstmord begehen. Dieser Sprung ließe sich als das Verlassen der Kunst, als Sprung aus der Kunst heraus denken. Hier dagegen gelingt eine Wendung in die Kunst zurück. Im Märchen vom *Goldnen Topf* wird der Student Anselmus aus dem Kuriosum, dem Sitz in einer gläsernen Flasche, befreit durch eine weitere Kuriosität: das Gläserzersingen. Diese seit der Renaissance bekannte Merkwürdigkeit, die von zeitgenössischen Akustikern (z. B. Chladni) und Naturphilosophen (etwa Ritter)[66] erneut beachtet wurde, dient E.T.A. Hoffmann dazu, das disharmonische Tönen des Glases durch Zerspringen in einen harmonischen, der *Zauberflöte*[67] huldigenden Dreiklang umzuwandeln: ein ästhetisch kühner und innovatorischer Versuch dem Schrecklichen, Mißtönenden das Schöne abzugewinnen, gleichsam als Eröffnung einer aus dem Chaos sich formenden Synästhesie aller Sinne wie sie der Erzähler in der Schlußvision dann auszumalen und, mit Aussicht auf eine utopische Welt, glücklich zum Ende zu fügen weiß.

65 Vgl. Volker Klotz, »Weltordnung im Märchen«, in: *Neue Rundschau* 81 (1970) S. 73–91.

66 Ernst Florenz Friedrich Chladni, »Akustisch literarische Bemerkungen«, in: Johann Friedrich Rochlitz (Hrsg.), *Allgemeine Musikalische Zeitung*, Nr. 43, Juli 1804, S. 720; vgl. Ritter (Anm. 24) S. 256.

67 Vgl. Heide Eilert, *Theater in der Erzählkunst. Eine Studie zum Werk E.T.A. Hoffmanns*, Tübingen 1977, S. 5.

Das ästhetische Geheimnis: Die figura serpentinata

Aber wer ist denn nun Serpentina, dieses Gegenbild zum Rembrandtschen-Höllenbreughelschen Gemälde der alten Kartenlegerin? Sie ist, wie abschließend der inzwischen zum Hofrat avancierte »Heerbrand« vermutet, wohl eine »poetische Allegorie« oder, wie Veronika meint, ein »Traum« (121) oder noch wahrscheinlicher beides; sie ist aber auch noch mehr, sie ist ein Kunstprinzip, das sich nicht nur allegorisch zum Bild oder Begriff verfestigt, sondern das ganze Märchen durchwebt. Es ist die *figura serpentinata*, die Inkarnation der Metamorphose, der Bewegung, des unendlich Wandelbaren, der somatischen Prozesse, der »je ne sais quoi«. Anders als Serpentina herrscht die ›figura serpentinata‹ im mythischen Gesamtkomplex des *Goldnen Topfs*, also sowohl im Reich Lindhorsts als auch in der Gegenwelt der Alten (es bedarf gar nicht einzelner Motivverweise, wie etwa auf den »Schweif« des Katers, den er »in Wellenringeln hin und her dreht«; 52). Man hat den »Kunstgriff« Hoffmanns bemerkt, »alle Beobachtungen, soweit es irgend möglich ist, in Bewegungsvorgänge zu übertragen und durch möglichst ausdrucksstarke Verben zu charakterisieren«[68] – das ist eine Äußerungsform der ›figura serpentinata‹. Sie ist es, die mit ihrer Fähigkeit zur Linienabwandlung in den zeichnenden Künsten die Hand von Rubens geführt hat und die auf diese Weise »vermittelst eines einzigen Zuges ein lachendes Gesicht in ein weinendes«[69] oder, wie bei Hogarth, ein schönes in ein häßliches verwandelt. In der Renaissance wurde sie entdeckt von Leonardo da Vinci und dann vor allem von dem Kunsttheoretiker Lomazzo als eine immer bewegte, schlangengleiche, den Kosmos durchwaltende Schönheitslinie. Ihre Gestalt wurde beschrieben in der Buchstabenform des »S«, ihr Sinnbild fand

68 Paul Wolfgang Wührl, *Die poetische Wirklichkeit in E.T.A. Hoffmanns Kunstmärchen. Untersuchungen zu den Gestaltungsprinzipien*, Diss. München 1963, S. 139.

69 Bonaventura, *Nachtwachen*, Stuttgart 1968, S. 62.

sich in der Natur der Feuerflamme, dem Element der Salamander, und den Wellen des Wassers. Die geistesgeschichtlichen Filiationen und Zusammenhänge der ›figura serpentinata‹ von Leonardo da Vinci, Lomazzo zu dem »je ne sais quoi« Descartes' und der Schönheitslinie von Hogarth bis hin zu E.T.A. Hoffmann kann hier nicht mehr verfolgt werden.[70] So viel läßt sich wahrscheinlich machen: Hoffmann hat zunächst die Schönheitslinie durch den in der Aufklärung allenthalben diskutierten Hogarth und seine Theorie (*Analysis of beauty*) kennengelernt,[71] dann hat er als Kenner italienischer Kunst[72] die mythisch-kosmische und formale Bedeutung der ›figura serpentinata‹ in der Hochrenaissance rekonstruiert. Diese Wiederentdeckung des Manierismus in der Romantik durch Hoffmann hat Schule gemacht u. a. bei Poe, bei Baudelaire und Gogol.

Sollte etwa dereinst ein Jüngling unter einem Holunderbusch sitzend (denn – so steht es im Märchen vom *Goldnen Topf* – zu den übriggebliebenen zwei Schlänglein müssen noch zwei weitere hoffnungsvolle Anwärter »erfunden« werden) erneut überrascht und hypnotisiert werden von dem »Gelispel und Geflüster und Geklingel« (10 f.), so raten wir ihm zur Lektüre von Paul Valérys *Ebauche d'un Serpent*: »Je vais, je viens, je glisse, plonge, / Je disparais dans un cœur pur!«[73] Auch im 20. Jahrhundert scheint die ›figura serpentinata‹ in der Poesie fortzuleben.

70 Demnächst wird von mir ein Aufsatz erscheinen unter dem Titel: »Hieroglyphe, Arabeske und Figura serpentinata. ›Ur- und Natursprache‹ im *Goldnen Topf* E.T.A. Hoffmanns.«

71 Vgl. *William Hogarth*, [Katalog der] Ausstellung [...] Berlin 1980, Giessen 1980, S. 171–183.

72 E.T.A. Hoffmann sprach und schrieb italienisch. Für das Leseinstitut seines Verlegers Kunz (vgl. Anm. 15) richtete er (neben der musikalischen) die italienische Abteilung ein.

73 Paul Valéry, *Poésies*, Paris 1956, S. 134. (›Ich gehe, komme, gleite, tauche ein, verschwinde in einem reinen Herzen.‹)

Literaturhinweise

Apel, Friedmar: Die Zaubergärten der Phantasie. Zur Theorie und Geschichte des Kunstmärchens. Heidelberg 1978. S. 200–209.
Auhuber, Friedhelm: In einem fernen dunklen Spiegel. E.T.A. Hoffmanns Poetisierung der Medizin. Opladen 1986. S. 36–54.
Eilert, Heide: Theater in der Erzählkunst. Eine Studie zum Werk E.T.A. Hoffmanns. Tübingen 1977. S. 1–39.
Feldges, Brigitte / Stadler, Ulrich: E. T. A. Hoffmann. Epoche – Werk – Wirkung. München 1986. S. 64–85.
Fühmann, Franz: Fräulein Veronika Paulmann aus der Pirnaer Vorstadt oder Etwas über das Schauerliche bei E.T.A. Hoffmann. Hamburg 1980. S. 55–91.
Klotz, Volker: Warum die in Hoffmanns Märchen wohl immer so herumzappeln? In: Frankfurter Rundschau. 24. 1. 1976. S. III.
Martini, Fritz: Die Märchendichtungen E.T.A. Hoffmanns. In: Der Deutschunterricht 7 (1955) H. 2. S. 56–78.
Miller, Norbert: E.T.A. Hoffmanns doppelte Wirklichkeit. Zum Motiv der Schwellenüberschreitung in seinen Märchen. In: Literaturwissenschaft und Geschichtsphilosophie. Festschrift für Wilhelm Emrich. Berlin / New York 1975. S. 357–372.
– Das Phantastische – Innensicht, Außensicht. Nachtstücke und Märchen bei E.T.A. Hoffmann. In: Phaicon 3. Almanach der phantastischen Literatur. Hrsg. von Rein A. Zondergeld. Frankfurt a. M. 1978. S. 32–56.
Pikulik, Lothar: Anselmus in der Flasche. Kontrast und Illusion in E.T.A. Hoffmanns »Der goldne Topf«. In: Euphorion 63 (1969) S. 341–370.
– Romantik als Ungenügen an der Normalität. Am Beispiel Tiecks, Hoffmanns, Eichendorffs. Frankfurt 1979.
Preisendanz, Wolfgang: Humor als dichterische Einbildungskraft. München 1963. S. 47–117 und 290–307.
Segebrecht, Wulf: Autobiographie und Dichtung. Eine Studie zum Werk E.T.A. Hoffmanns. Stuttgart 1967.
Schilling, Silke: Die Schlangenfrau. Über matriarchale Symbolik weiblicher Identität und ihre Aufhebung in Mythologie, Märchen, Sage und Literatur. Frankfurt 1984. S. 207–231.
Strohschneider-Kohrs, Ingrid: Die romantische Ironie in Theorie und Gestaltung. Tübingen 1960. S. 337–424.
Schumacher, Hans: Narziß an der Quelle: das romantische Kunst-

märchen. Geschichte und Interpretationen. Wiesbaden 1977. S. 115–123.

Tatar, Maria Magdalene: Mesmerism, Madness and Death in E.T.A. Hoffmann's »Der goldne Topf«. In: Studies in Romanticism 14 (1975) S. 365–389.

Thalmann, Marianne: Der Trivialroman des 18. Jahrhunderts und der romantische Roman. Ein Beitrag zur Entwicklungsgeschichte der Geheimbundmystik. Berlin 1923. S. 260 f.

– Das Märchen und die Moderne. Zum Begriff der Surrealität im Märchen der Romantik. Stuttgart 1961. S. 78–103.

Wührl, Paul Wolfgang (Hrsg.): Erläuterungen und Dokumente: E. T. A. Hoffmann. »Der goldne Topf«. Stuttgart 1982. (Reclams Universal-Bibliothek. 8157 [2].)

DAGMAR WALACH

Adelbert von Chamisso: *Peter Schlemihls wundersame Geschichte*

Gelegentlich des Werks von Nikolai Lesskow verbreitet Walter Benjamin einige grundsätzliche Anmerkungen zum Erzähler und zur Erzählung, an die zu erinnern angesichts Adelbert von Chamissos Novelle *Peter Schlemihls wundersame Geschichte* angezeigt ist. Benjamin schreibt dort von der »Bewandtnis, die es mit jeder wahren Erzählung hat. Sie führt, offen oder versteckt, ihren Nutzen mit sich. Dieser Nutzen mag einmal in einer Moral bestehen, ein andermal in einer praktischen Anweisung, ein drittes in einem Sprichwort oder in einer Lebensregel – in jedem Fall ist der Erzähler ein Mann, der dem Hörer Rat weiß.«[1] So treffend diese Ausführungen für die wissenschaftliche und literarische Rezeption – wie sich zeigen wird – auch sein mögen, die wundersame Geschichte will in ihrer gleichsam pragmatischen Nutzbarmachung nicht ohne weiteres aufgehen. Freilich ist recht verstandener Rat »ja minder Antwort auf eine Frage als ein Vorschlag, die Fortsetzung einer (eben sich abrollenden) Geschichte angehend«.[2] Dazu aber regt Chamissos Erzählung nachgerade an, und literarische Fortsetzungen wie etwa *Peter Schlemihl's Heimkehr* von Friedrich Förster[3] oder Ludwig Bechsteins[4] Roman *Die Manuscripte Peter Schlemihl's*

Der Text wird zitiert nach: Adelbert von Chamisso, *Peter Schlemihls wundersame Geschichte*, Stuttgart 1980 [u. ö.] (Reclams Universal-Bibliothek, 93). Nachweise in Klammer jeweils unmittelbar hinter dem Zitat.

1 Walter Benjamin, *Der Erzähler. Betrachtungen zum Werk Nikolai Lesskows*, in: W. B., *Gesammelte Schriften*, hrsg. von Rolf Tiedemann und Hermann Schweppenhäuser, Frankfurt a. M. 1977. Bd. 2,2, S. 442.

2 Ebd.

3 Leipzig 1843.

4 *Kosmologisch-literarische Novelle*, Berlin 1851. – Eine kommentierte Zusammenstellung der Fortsetzungen, Nachahmungen und Bearbeitungen des *Peter*

treten hierfür im engeren Sinn den Beweis an. Was das Original unmittelbarer auszeichnet, ist die den Adressaten, den Zuhörer bzw. Leser, zum Ko-Fabulieren einladende Haltung eines Märchens. Doch das Irgendwann und Irgendwo einer Zauberwelt, in der »das Wünschen noch geholfen hat«, so der verheißungsvolle Anfang des Grimmschen *Froschkönigs*, ist dieser Geschichte fern. Vielmehr drängt sie mit dem Gestus realistischer Gestaltung auf die Wirklichkeit in ihrer erst wahrzunehmenden Phantastik, und eben dafür borgt die Erzählung viel vom einstigen Wunder der Märchen. Nichts ist ihr realer als das vermeintlich Unwirkliche; aber dies nur deshalb, weil es sich im literarischen Gewand als das Natürliche zu geben versteht, d. h. Ausweis des Alltäglichen wird. Dahinter nun ist mehr verborgen, steckt doch das Widersinnige bereits in einer objektiven Welt, die den Wert der Dinge nur noch als klingende Münze kennt. Die bürgerliche, sprich: die kapitalistische Gesellschaft selbst produziert eine geradezu groteske Umkehrung des Verhältnisses der Menschen zueinander. Was Karl Marx im ersten Kapitel des *Kapitals*, einem Werk voll realistischer Brisanz, zum Fetischcharakter der Ware ausführt, liest sich wie eine Kostprobe phantastischer Literatur.

> Eine Ware scheint auf den ersten Blick ein selbstverständliches, triviales Ding. Ihre Analyse ergibt, daß sie ein sehr vertracktes Ding ist, voll metaphysischer Spitzfindigkeit und theologischer Mucken. Soweit sie Gebrauchswert, ist nichts Mysteriöses an ihr, ob ich sie nun unter dem Gesichtspunkt betrachte, daß sie durch ihre Eigenschaften menschliche Bedürfnisse befriedigt oder diese Eigenschaften erst als Produkt menschlicher Arbeit erhält. Es ist sinnenklar, daß der Mensch durch seine Tätigkeit die Formen

Schlemihl gibt Albert Ludwig, »Schlemihle. Eine Studie zum Fortleben des Chamissoschen Märchens in Deutschland und England«, in: *Archiv für das Studium der neueren Sprachen und Literaturen*, Jg. 74, Bd. 142 (1921) S. 124 ff. – Siehe weitergehend Gero von Wilpert, *Der verlorene Schatten. Varianten eines literarischen Motivs*, Stuttgart 1978.

der Naturstoffe in einer ihm nützlichen Weise verändert. Die Form des Holzes z. B. wird verändert, wenn man aus ihm einen Tisch macht. Nichtsdestoweniger bleibt der Tisch Holz, ein ordinäres sinnliches Ding. Aber sobald er als Ware auftritt, verwandelt er sich in ein sinnlich übersinnliches Ding. Er steht nicht nur mit seinen Füßen auf dem Boden, sondern er stellt sich allen anderen Waren gegenüber auf den Kopf und entwickelt aus seinem Holzkopf Grillen, viel wunderlicher, als wenn er aus freien Stücken zu tanzen begänne.[5]

Die Eskapaden des Tisches stehen für ein gesellschaftliches Verhältnis, das in der Waren- bzw. Wertform die gespenstische Realität eines Verhältnisses von Dingen annimmt. Dies wird zu exemplifizieren sein an der exklusivsten Ware, dem Geld, das ja in seiner ursprünglichsten Form als Gold für Peter Schlemihl und seine wundersame Geschichte so bedeutungsvoll ist. Die hier postulierte Verschränkung von literarischer und realer Phantastik in ihrem *logischen* Kern begreifen zu können, bedarf es eines *historisch* fortgeschrittenen Bewußtseins, das die allseitige Ausbildung bürgerlicher Gesellschaft zu seiner Voraussetzung hat. Denn erst im Entwickelten geben sich dessen Vorstufen zu erkennen. Den Zeitgenossen Chamissos wie auch der unmittelbar folgenden Generation von Literaten und Wissenschaftlern ist so kein Vorwurf zu machen, wenn sie sich vornehmlich mit dem poetologischen Sinn der phantastischen Novelle beschäftigen.

»Nun muß ich aber sofort einen Warnungsbrief schreiben; nun gehen Sie mir wieder ins Extrem! *Undine, Peter Schlemihl, Germelshausen* – schön! Ich meine, so weit dürfen und müssen Sie gehen, daß Sie Erzählungen, die ins Phantastische hinaufsteigen, aufnehmen. – Wo blieben auch sonst diese armen Fledermäuse – das reine Märchen aber muß ebenso

5 Karl Marx, *Das Kapital. Kritik der politischen Ökonomie*, Bd. 1, Berlin [Ost] 1969, S. 85.

ausgeschlossen bleiben wie diese Novalissche Blumenspielerei, die weder das eine noch das andre ist.«[6] So Theodor Storm Ende Oktober 1872 an die Adresse Paul Heyses. Anlaß seiner Bedenken ist die Arbeit des Freundes am *Deutschen Novellenschatz*, einer Anthologie deutscher Novellistik, die Heyse gemeinsam mit Hermann Kurz seit 1871 in Folge herausgab. Mit Storms Wort von den »armen Fledermäusen« ließe sich aber auch das Schicksal umschreiben, das literarischen »Zwitterexistenzen« (Storm) in der germanistischen Forschung und Literaturgeschichtsschreibung widerfuhr. Der *Schlemihl* legt davon beredtes Zeugnis ab; unentschieden bleibt freilich nicht allein die Frage der Gattungsspezifik des kleinen Prosawerks. Gerade der »Doppelpunkt«, so jüngst Jens Tismar, »den Chamisso in die Reihe romantischer Erzählungen setzt«,[7] zeigt unausgesprochen eine gewisse Hilflosigkeit an.

Seit dem Erscheinen im Jahre 1814 hat dieses »seltsame Ding von Chamisso«[8] mit »der sonderbaren Idee, die ihm zugrunde liegt«[9], haben der Held und sein Schatten die Interpreten vor Probleme, nicht zuletzt unter autobiographischem Aspekt auch mit der Person des Dichters, gestellt. Seltsam, sonderbar, wunderlich – all diese Paraphrasierungen des Wundersamen, wie es sich bereits im Titel der Geschichte ankündigt, sind mit einem Ausdruck des Staunens verbunden. Und erstaunlich ist die Erzählung zweifellos, selbst nach ihrer äußerlichen Seite, der des Erfolgs. »Dieses wunderliche

6 Brief vom 30. 10. 1872. In: Theodor Storm, *Briefe*, hrsg. von Peter Goldammer, Berlin/Weimar 1972, Bd. 2, S. 48 f.

7 Jens Tismar, »Volks- und Kunstmärchen, Volks- und Kunstlieder«, in: *Deutsche Literatur. Eine Sozialgeschichte*, hrsg. von Horst Albert Glaser, Bd. 5: *Zwischen Revolution und Restauration: Klassik, Romantik 1786–1815*, Reinbek bei Hamburg 1980, S. 221.

8 Jean Paul, Brief an Georg Christian Otto [1814 oder 1815], in: J. P., *Sämtliche Werke*, hist.-krit. Ausg., Abt. 3, Bd. 4, hrsg. von Eduard Berend, Berlin [Ost] 1960, S. 416.

9 Wilhelm Hauff, *Peter Schlemihls wundersame Geschichte* [Rezension der 2. Ausg. Nürnberg 1827], in: W. H., *Sämtliche Werke*, München 1970, Bd. 3, S. 228.

Märchen«, beschließt Eichendorff in seiner *Geschichte der poetischen Literatur Deutschlands* das Kapitel Chamisso, »das durch seine pikante Unbestimmtheit sich überall beliebt gemacht, gehört zu jenen glücklichen Aperçüs deren Werth und Bedeutung die Poetischen in der Philosophie, und die Philosophischen in der Poesie suchen«.[10] Nichts Entschiedenes, aber auch nichts Entscheidendes an Wert vermag der Zeitgenosse der Geschichte abzugewinnen. Als ein zwar glücklicher, gleichwohl nur geistreicher Einfall bleibt sie ihm ohne tieferen Sinn und poetisch nachhaltige Bedeutung. Für »ein Märchen [. . .] *zu* geistreich«,[11] wird späterhin Hermann August Korff einwenden, den Mangel eines handfesten und eindeutigen Sinns beklagend. Anstößig wirkt in jedem Falle die zuweilen in recht enge Affinität zum Unverständlichen bzw. Sinnlosen gesetzte Unausdeutbarkeit der Geschichte. Was der Romantiker Eichendorff nicht ohne merklichen Unterton zum geschmäcklerischen Reiz des Pikanten erklärt, betrifft – einmal über das bloße Moment der Unbestimmtheit hinausgehend – die der Erzählung eigentümliche Ambivalenz von Phantastischem und Alltäglichem, von Unglaublichem und Wahrscheinlichem. Die gattungsspezifische Analyse hat dieses Verhältnis mit dem Namen der phantastischen Novelle[12], der Märchennovelle bzw. des Novellenmärchens[13],

10 Joseph von Eichendorff, *Geschichte der poetischen Literatur Deutschlands*, Paderborn ²1861, Tl. 2, S. 226.

11 Hermann August Korff, *Geist der Goethezeit. Versuch einer ideellen Entwicklung der klassisch-romantischen Literaturgeschichte*, Tl. 4: *Hochromantik*, 2., durchges. Aufl., Leipzig 1956, S. 350. – Für Korff markiert Schlemihl einen individuellen Sonderling, wodurch das ganze »Märchen den symbolischen Ausdruck darstellt für einen Sonderfall«, dem letztlich »in der *großen* Dichtung kein eigentliches Daseinsrecht« zukomme (ebd., S. 351).

12 Vgl. Thomas Mann, *Chamisso*, in: T. M., *Leiden und Größe der Meister*, Frankfurt a. M. 1982 (Gesammelte Werke in Einzelbänden, Frankfurter Ausgabe), S. 515–538, hier S. 529.

13 Vgl. Benno von Wiese, »Adelbert von Chamisso: Peter Schlemihls wundersame Geschichte«, in: B. v. W., *Die deutsche Novelle von Goethe bis Kafka. Interpretationen*, Bd. 1, Düsseldorf 1956, S. 97–116. – Wiese kommt zu dieser Gattungsbezeichnung unter Hinzuziehung des Mannschen Essays (Anm. 12) und einer von ihm betreuten Dissertation von Peter Albert Kro-

des Wirklichkeitsmärchens[14] und des romantischen Kunstmärchens[15] belegt, um nur jene Begriffe anzuführen, die in der wissenschaftlichen Diskussion virulent sind. Die Vielzahl der Gattungsbezeichnungen, die sich jeweiligen Akzentverschiebungen verdankt, deutet zumindest auf eine Unsicherheit gegenüber dem Phänomen des Phantastischen und seiner Funktion im Werk. Tatsächlich gründet eine erste Schwierigkeit der Interpreten in der unerwarteten Selbstverständlichkeit, mit der Märchenhaftes und wirklich Glaubwürdiges, Phantastisches und Realistisches die kleine, scheinbar so einfache Dichtung durchziehen. Eben der hohe Grad an Selbstverständlichkeit, Ergebnis der unprätentiösen Haltung des Erzählers, ließ schon Fouqué, der als Herausgeber der noch anonym erscheinenden Nürnberger Erstausgabe des *Schlemihl* fungierte, von »dem ernsten Scherze der mährchenhaften Wahrheit«[16] sprechen. Nun ist für viele Werke der romantischen Literatur die Einbindung von Wunderbarem, stärker noch: die Auszeichnung des Märchenhaften vor der prosaischen Alltagswelt, durchaus Kennzeichen; doch was dort poetisch-feinsinniges Kunstmittel werden kann und es vielfach auch sein will, bescheidet sich hier in erklärtermaßen unbeabsichtigter, ja zudem unangestrengter Hervorbringung. So jedenfalls Chamissos Bekenntnis in dem bekannten, wiederholt zu Rate gezogenen Brief an den Petersburger Staatsrat Trinius aus dem Jahre 1829, die Entstehungsgeschichte seines *Schlemihl* verallgemeinernd:

ner, *Chamisso, sein Verhältnis zu Romantik, Biedermeier und romantischem Erbe*, Diss. Erlangen 1941.

14 Vgl. dazu besonders Rolf Schneider, »Wirklichkeitsmärchen und Romantik. Bemerkungen zum Werk Adelbert von Chamissos«, in: *Aufbau* 13 (1957) S. 203–210.

15 Vgl. die Monographie von Hans Schumacher, *Narziß an der Quelle: das romantische Kunstmärchen. Geschichte und Interpretationen*, Wiesbaden 1977 (bes. Kap. 7).

16 Brief an Julius Eduard Hitzig vom 1. 1. 1814, zit. nach: Helmuth Rogge, »›Peter Schlemiels Schicksale‹. Die Urschrift des ›Peter Schlemihl‹«, in: *Das Inselschiff* 2 (1921) H. 6, S. 10.

> Wenn ich selber eine Absicht gehabt habe, glaube ich es dem Dinge nachher anzusehen, es wird dürr, es wird nicht Leben, – und es ist, meine ich, nur das Leben, was wieder das Leben ergreifen kann. [...] Der Schlemihl ist auch nicht anders entstanden. Ich hatte auf einer Reise Hut, Mantelsack, Handschuhe, Schnupftuch und mein ganzes bewegliches Gut verloren; Fouqué frug: ob ich nicht auch meinen Schatten verloren habe? und wir malten uns das Unglück aus. Ein ander Mal ward in einem Buche von Lafontaine [...] geblättert, wo ein sehr gefälliger Mann in einer Gesellschaft allerlei aus der Tasche zog, was eben gefordert wurde – ich meinte, wenn man dem Kerl ein gut Wort gebe, zöge er noch Pferd' und Wagen aus der Tasche. Nun war der Schlemihl fertig und wie ich einmal auf dem Lande Langeweile und Muße genug hatte, fing ich an zu schreiben.[17]

Die von Chamisso so nachdrücklich reklamierte Absichtslosigkeit gibt nicht etwa der Bescheidenheit des Dichters Ausdruck, sondern ist vielmehr Maxime seiner literarischen Produktion. Derart zum poetologischen Postulat zitiert, artikuliert sie Einspruch gegen artifizielle Gebilde und Kunstmanier, gegen insgesamt »künstliche Mache«[18]. Zugleich aber tritt Chamisso damit als Autor hinter das Werk selbst zurück, um es dem eigenen hohen Anspruch an Dichtung zu überantworten: ausgehend von Erfahrungen des Alltäglichen, Leben in natürlicher, gleichsam aus sich selbst schöpfender Wahrhaftigkeit zu gestalten. In dieser Immanenz, daß »nur das Leben [...] wieder das Leben ergreifen kann«, wie es oben in dem Brief heißt, verbirgt sich nachgerade die intendierte Wirkung der Erzählung. Die Abwehr jeglichen bewußten, dem

17 Brief vom 11. 4. 1829; Julius Eduard Hitzig, *Leben und Briefe [Adelbert von Chamissos]*, Bd. 2, Berlin 1864, (A. v. C., *Werke*, 5., verm. Aufl., hrsg. von Friedrich Palm, Bd. 6.) S. 114 f.

18 Volker Hoffmann, »›Drücken, Unterdrücken – Drucken‹. Zum Neubeginn von Chamissos politischer Lyrik anhand eines erstveröffentlichten Briefs an Uhland«, in: *Jahrbuch der Deutschen Schillergesellschaft* 20 (1976) S. 69.

literarischen Schaffensprozeß äußerlich aufgesetzten Interesses, mithin die Abwehr einer »Autorschaft, die auf dem aktiven Willen zum kunstvollen Machen fußt«[19], hat in der Rezeption dazu geführt, die subjektive Absichtslosigkeit des Dichters mit einer objektiven Anspruchslosigkeit der Dichtung in eins zu setzen bzw. einander verdächtig nahe zu bringen. Die unaufdringliche Form, in der *Peter Schlemihl* an die literarische Öffentlichkeit tritt, scheint solches Verständnis nur bestätigen zu können. Durchaus folgerichtig schließt sich dann die Subsumierung der wundersamen Geschichte unter den Gattungsnamen des Märchens an. »Wundersam«, so Friedrich Chabozy in der ersten, 1879 vorgelegten Dissertation zum *Schlemihl*, »ist die Erzählung sicherlich, denn sie verlangt viel poetischen Glauben, indess die Einfachheit und Flüssigkeit der Darstellung führen leicht über alle Zweifel hinweg. Als Ganzes ist die Geschichte *Schlemihl's* ein Märchen.«[20] Eingängigkeit der Fabelführung (Klaus J. Heinisch wird hier später von der »›Einfalt‹ des kontinuierlichen Berichtes«[21] sprechen) und die Existenz des Wunderbaren bürgen auch im Urteil Oskar Walzels für das Märchen. Und doch steht, entgegen dieser Voraussetzung, die Geltung der Geschichte als Märchen in Rede, indem das Wunderbare gleichsam einer realistischen Kontrolle zugeführt wird. So dankt der Dichter »die Glaubwürdigkeit seiner Märchenzüge

19 Ebd. – Daß die Abwehr der Autorschaft ein bewußtes Stilmittel Chamissos ist, verdeutlicht Hoffmann nachdrücklich am *Peter Schlemihl*: »Gerade weil die Geschichte eine intim autobiographische Erzählung ist, wird sie durch mehrere literarische Fiktionen geschützt. Es ist die Funktion der Vorreden, welche die Erzählung erst in die richtige Perspektive rücken, dieses Fiktionsspiel aufzubauen, indem sie die Geschichte als quasi-anonymen Bericht ausgeben und so die autobiographische Brisanz der Selbstreflexion zu verbergen suchen« (V. H., »Nachwort«, in: Adelbert von Chamisso, *Sämtliche Werke*, München 1975, Bd. 2, S. 678).

20 Friedrich Chabozy, *Über das Jugendleben Adelberts von Chamisso. Zur Beurteilung seiner Dichtung »Peter Schlemihl«*, München 1879, S. 20.

21 Klaus J. Heinisch, »Adelbert von Chamisso: Peter Schlemihls wundersame Geschichte«, in: K. J. H., *Deutsche Romantik. Interpretationen*, Paderborn 1966, S. 49.

lediglich seinen realistisch eindringlichen Motivierungen. [...] Die einzelnen Geschehnisse schließen sich in so mathematischer Folgerichtigkeit an einander, das Wunderbare greift in diesem Kausalnexus der Thatsachen so unauffällig ein, ist in jedem Falle so gut vorbereitet, daß man es schließlich gern in Treu und Glauben aufnimmt.«[22] Solch pointierte Darstellung der Erzählstruktur ist neu. Aber was der Interpret durchaus hellsichtig zu beschreiben versteht, weiß er für die Geschichte und damit für deren Analyse nicht anzuwenden. Ganz in »Treu und Glauben« angenommen, bleiben derart tradierte Requisiten, wie sie dem Leser in Fortunati Glückssäckel, dem unsichtbaren Vogelnest, der Tarnkappe oder den Siebenmeilenstiefeln allenthalben begegnen, auf ihre Funktion innerhalb der Erzählung weitgehend unbefragt. Als »bekannte und nicht wohl bezweifelbare Sagen- und Märchenmotive«,[23] so wenig spater Thomas Mann, scheinen sie durch ihre Tradition hinreichend legitimiert und keiner weiteren Einlassung zu bedürfen. Doch die Erfahrungskette des Überlieferten, welche der Erinnerung eingeschrieben ist,[24] verbindet sich mit Schlemihls Geschichte auch einem neuen Sinnzusammenhang. Ihm ist Ernst Fedor Hoffmann auf der Spur, indem er auf das Wie des Erfahrens hinweist. Denn aus der Perspektive des Helden bzw. des Ich-Erzählers werden die »märchenhaften Utensilien [...] insgesamt [...] als noch nicht erforschte, aber dem Bereich der Empirie und ihren Gesetzen unterstellte Phänomene betrachtet«.[25] Das magi-

22 Oskar Walzel, »Einleitung«, zu: Adelbert von Chamisso, *Werke*, hrsg. von O. W., Stuttgart [1892] (Deutsche National-Literatur, 148), S. LI.

23 Mann (Anm. 12) S. 529.

24 Vgl. Benjamin (Anm. 1) S. 453.

25 Ernst Fedor Hoffmann, »Spiegelbild und Schatten. Zur Behandlung ähnlicher Motive bei Brentano, Hoffmann und Chamisso«, in: *Lebendige Form*, hrsg. von Jeffrey L. Sammons und Ernst Schürer, München 1970, S. 184. – Gero von Wilpert (Anm. 4) sieht den Gebrauch der ›märchenhaften Utensilien‹ gleichsam unter dem Aspekt einer Versuchsreihe physikalischer Experimente: »Sie beziehen sich ja nicht nur auf den Schatten, sondern ebenso auf das Glückssäckel, das ›erprobt‹ wird und zu der Erfahrung führt, daß es einmal herausgeholtes Geld nicht mehr zurücknimmt, oder auf die Sieben-

sche Wunschgerät und weitergehend das Motiv des verkauften bzw. verlorenen Schattens bewahrheitet sich demnach durch seinen empirischen Effekt. Damit wird ein Moment der Nachprüfbarkeit suggeriert, das dem Märchen als mündlich überlieferter Form fremd ist. Die wundersame Begebenheit wird zum Ereignis einer wiedererkennbaren Gegenwart.

> Unser Freund Doktor Adelbert von Chamisso hat es in diesem Büchlein, das bekanntlich hier in der Mark und in gutem Deutsch geschrieben worden, nicht an örtlichen und persönlichen Lebensbeziehungen fehlen lassen, er hat Wahrheit darin verarbeitet; die Personen, die hier vorkommen, haben wir zum Theil gekannt; in den Schilderungen entdecken sich täglich neue Züge und Winke, die auf das wirkliche Leben anspielen.[26]

Das Urteil von Chamissos einstigem Jugendfreund Varnhagen von Ense hat vielfach Anlaß zu Spekulationen gegeben. In diesem Zusammenhang muß einmal mehr die Dissertation Chabozys genannt werden, deren Interesse unter anderem dem Versuch gilt, das gesamte Personal der Geschichte unmittelbar aus der Biographie des Dichters zu rekonstruieren. Die – immerhin eingestandene – Vergeblichkeit seines Bemühens um »diese allegorischen Anknüpfungspunkte«[27] lastet der Verfasser jedoch nicht der Erzählung, sondern einzig dem biographisch unzulänglichen Material an. Chabozys Ausführungen bleiben nicht unwidersprochen, trotzdem finden sich selbst unter ihren Kritikern noch ›heimliche‹ Nachfolger. Damit soll nun keineswegs jedwede Form des ohnehin geschmähten Personalismus diskreditiert werden; wohl aber

meilenstiefel, die sich entgegen der Überlieferung bei Tieck nicht abnutzen und durch ›Hemmschuhe‹ in ihrer (unerwünschten) Reichweite eingeschränkt werden können« (S. 43).

26 Karl August Varnhagen von Ense, *Denkwürdigkeiten und vermischte Schriften*, Bd. 5, Leipzig 1840, S. 341.

27 Chabozy (Anm. 20) S. 25.

gilt es, der Behauptung einer eindeutigen Entsprechung von Leben und Werk des Dichters entgegenzutreten. Solch unzulässige Simplifizierung, die das literarische Werk auf das Biographische reduziert, unterschlägt die dem Werk innewohnende Eigenständigkeit als Kunst. Chamissos wiederholte Abwehr einer planen Identität mit seinem Schlemihl ist von daher ernst zu nehmen. Daß er eigene Lebenserfahrungen in die Erzählung einbringt, bleibt unbenommen, aber sie gehen nicht in ihr auf. Eben diese augenscheinlich verwandten Züge von Schlemihl und Chamisso, von fiktiver Figur und Autor, kommen nun dem Biographismus entgegen. Die Identifizierung des Helden mit dem Dichter (und vice versa) nimmt deshalb in der Rezeption, und da vor allem in der des 19. Jahrhunderts, breiten Raum ein, wobei häufig genug nicht so sehr die Geschichte Schlemihls als vielmehr die Lebensgeschichte Chamissos Gegenstand der Interpretation wird. Deren Personalunion bzw. Seelenverwandtschaft einmal zum interpretatorischen Schlüssel gemacht, wird auch das Rätsel des verlorenen Schattens lösbar. »Die Identität Schlemihls und Chamissos gestattet nicht nur, sie fordert dringend auf, für die Schattenlosigkeit ein Gegenbild im Leben des Dichters zu suchen; die Interpretation des ganzen Märchens ruht auf dieser Beziehung.«[28] Die vielzitierte Heimatlosigkeit des Dichters gibt hierzu den entsprechenden Rahmen. Im Rekurs auf das Entstehungsjahr der Erzählung (1813), historisch markiert durch den Ausbruch der sogenannten Befreiungskriege und die sich damit für Chamisso äußerst prekär gestaltende Situation in Preußen, kann es, so der Befund Arnold Ruges, »nicht fehlen, daß er darin [im *Schlemihl*] seine eigene Stimmung schrieb«.[29] Die Frage der Schattenlosigkeit sieht der Rezensent dann gleichsam mit dem tagespolitischen Geschehen gestellt und auch beantwor-

28 Walzel (Anm. 22) S. LVII.
29 Arnold Ruge, [Rez. von:] *Peter Schlemihls wundersame Geschichte*, (Stereotypausg.), in: *Hallische Jahrbücher für deutsche Wissenschaft und Kunst* 3 (1840) Sp. 574 f.

tet. Das national angeheizte Klima jener Zeit, »die ein Wesen, welches bisher ein Schatten zu sein schien und nicht höher geachtet wurde, die Nationalität, das Volksthum zum Stichwort machte und Jedem, der es nicht hatte, mit unerbittlicher Rohheit als einen paßlosen Auswürfling und Vagabunden behandelte«[30], diese über Chamisso hereingebrochene Zeit habe dem durchaus deutsch gesinnten Franzosen das Stigma doppelter nationaler Unzugehörigkeit, Schattenlosigkeit, schmerzlich bewußt werden lassen. Sein eigenes Schicksal also nehme der Dichter für den *Schlemihl* zum Vorwurf. Schwingt bei Ruge eher prinzipielle Skepsis gegenüber jedwedem Pathos eines Nationalpatriotismus mit, verallgemeinert nicht ganz einen Monat später Carl Biedermann die Konstellation Schatten–Vaterland ins Existentielle. Chamisso »fand sich schattenlos, schon als er ins Leben, in die Welt und die Gesellschaft eintrat. Vaterland, Familie, angeborner Beruf und Besitz, – Alles, was einen breiten, dichten Schatten auf die Lebensbahn des Einzelnen wirft und ihn damit deckt, bis er selbst in diesen Schatten hineingewachsen, – Alles war ihm versagt.«[31] Aus ebendiesem Fundus nun schöpfen nachfolgende Interpreten,[32] das einmal angeschlagene Thema der Heimatlosigkeit und des Fremdlings unermüdlich wiederholend bzw. variierend. Zum Mann ohne Vaterland und Dichter ohne Schatten stilisiert, ging Chamisso in die Literaturgeschichte ein. Und Norbert Miller merkt hier zu Recht an, der Autor des *Schlemihl* sei »mit den Jahren so ganz von diesem seinen Schattenbild im Zeitbewußtsein verdrängt«[33] worden.

30 Ebd., Sp. 575.

31 Carl Biedermann: »Adelbert von Chamisso's Werke« [Rez. und Darstellung], in: *Hallische Jahrbücher für deutsche Wissenschaft und Kunst* 3 (1840) Sp. 1207.

32 Einen kritischen Überblick gibt Julius Schapler, *Chamissostudien*, Arnsberg [1909], S. 85 ff. – Vgl. darüber hinaus den Forschungsbericht von Dörte Brockhagen, »Adelbert von Chamisso«, in: *Literatur in der sozialen Bewegung*, hrsg. von Alberto Martino, Tübingen 1977, S. 373–423.

33 Norbert Miller, »Chamissos Schweigen und die Krise der Berliner Romantik«, in: *Aurora* 39 (1979) S. 115.

Mit der zögernden Absage an den verdächtig gewordenen Biographismus richtet sich das Interesse zunehmend auf eine moralische Sinngebung. Vorbereitet finden sich solche Deutungsansätze u. a. bei E. Lösch und Franz Kern. In Schlemihls »Sieg über das böse Princip«[34] bzw. »Streben und Mühen von der Gewalt des Bösen loszukommen«[35], sehen sie das Gleichnishafte der Geschichte, dem *Faust* Goethes nicht unähnlich. Das Böse aber, so die Beweisführung, manifestiere sich augenscheinlich in Macht und Reichtum. Hier wird sich dann Wilhelm Scherer »an die Tatsache erinnert fühlen, wie oft Reichtümer mit unreinen Händen erworben werden, wie leicht das ›Nichts der Ehre‹ dabei verlorengehe und den Menschen aus der Gesellschaft ausstoße«.[36] Die dieser Aussage implizite Überzeugung, daß guter und schlechter Gebrauch im Geld auseinandertreten, ist Merkmal eines weit überwiegenden Teils der vorliegenden Interpretationen. Unter dem Topos der Verkehrten Welt und ihrer Umkehrung der Werte, bei Hermann J. Weigand ausdrücklich ein Teufelswerk,[37] tritt das Phantastische der Erzählung in den Vordergrund. Sicher nicht zufällig ist es zu Beginn des 20. Jahrhunderts mit Thomas Mann ein Erzähler, dessen Sicht auf die Geschichte als phantastische Novelle der Rezeption neue Impulse zu geben vermag. Der Essay *Chamisso*, 1911 einer Einzelausgabe des *Schlemihl* beigebunden, verdankt seinen Reiz der bewußt ko-fabulierenden Haltung des Autors. Mann läßt Leben und Werk Chamissos vor dem Leser Revue passieren, um mit hellsichtigem Verstand zu kommentieren.

34 E. Lösch, »Das böse Princip in Göthe's Faust und Chamisso's Schlemihl. Eine Parallele«, in: *Album des literarischen Vereins in Nürnberg für 1845*, S. 20.

35 Franz Kern, »Chamissos Faust und Peter Schlemihl«, in: F. K., *Kleine Schriften*, Bd. 1, Berlin 1895, S. 110, Anm. 1.

36 Wilhelm Scherer, *Geschichte der deutschen Literatur*, hrsg. von Heinz Amelung, Leipzig [o. J.], S. 740.

37 Vgl. Hermann J. Weigand, »Peter Schlemihl«, in: H. J. W., *Surveys and Soundings in European Literature*, hrsg. von Leslie Willson, Princeton 1966, S. 221.

Daß er in der Nachzeichnung von Schlemihls Schicksal zugleich sein eigenes Thema, die Zerrissenheit des modernen Künstlers, den Widerspruch zwischen Künstler- und Bürgertum, mit verarbeitet, muß nicht gegen die Erzählung sprechen, bietet doch die Figur des Schlemihls wirklich eine Gelegenheit, an ihr und mit ihr die Frage bedrohter Identität, weitergehend Identitätszerstörung, überhaupt zu erörtern, wie es unter ganz anderem, unter psychoanalytischem Aspekt beispielsweise Paul Neumarkt versucht. Anknüpfend an die Begrifflichkeit C. G. Jungs, zeichnet er die Geschichte Schlemihls als die seiner Bewußtwerdung nach. »In conclusion it should be noted that as soon as the hero is able to shed light on the particular problems plaguing him, the ›Man in Grey‹ disappears. This is, in fact, an indication that the persona or introvert disposition of the hero is no longer harrassed by upsurging extravert, repressed contents from the personal unconscious, i. e., shadow.«[38] Unproblematisiert bleibt gerade in psychoanalytischer Hinsicht der Leidensdruck des schattenlosen Helden. Thomas Manns Wort von »dem Wert und der Wichtigkeit eines gesunden Schattens für die Honettität eines Menschen«[39] und Bürgers schließt die Erkenntnis ein, daß Mangel und Verzicht eben auch Schmerz heißen. In ironischer Umkehrung wird Robert Walser seinen Schatten zum Ausweis eben dieser Normalität berufen.

> Seinen Schatten hat zwar jeder; daß dem so ist, verringert ein bißchen seine Bedeutung, aber ist nicht gerade das erfreulich? Daß ich nachweise, was alle übrigen auf Verlangen vorlegen können, beruhigt mich enorm, zeigt an, daß

38 Paul Neumarkt, »Chamisso's Peter Schlemihl. A Literary Approach in Terms of Analytical Psychology«, in: *Literature and Psychology* 17 (1967) S. 126. – Zum Problem der Identitätsstörung bzw. Ich-Spaltung vgl. Otto Rank, *Der Doppelgänger. Eine psychoanalytische Studie*, Leipzig/Wien/Zürich 1925; Wilhelmine Krauss, *Das Doppelgängermotiv in der Romantik. Studien zum romantischen Idealismus*, Berlin 1930.

39 Mann (Anm. 12) S. 67. – Zu dem hier angesprochenen Zusammenhang vgl. die Arbeit von Lothar Pikulik, *Romantik als Ungenügen an der Normalität. Am Beispiel Tiecks, Hoffmanns, Eichendorffs*, Frankfurt a. M. 1979.

> ich normal bin. Durchschnittlich zu sein, muß jeden Vernunftbegabten beglücken. [...] Besser als im Leben siegen und ein Genie sein ist ein ehrlicher Schatten.[40]

Weit weniger hintergründig tritt auf der Folie des Normalen Winfried Freunds Deutung des Schatten-Motivs hervor. Seine Analyse des *Schlemihl* hebt deutlich ab auf eine didaktische Lesart der Geschichte. Reich an Querverweisen zentriert sie alles um das entscheidende Verhältnis von Haben und Sein, Geld und Schein. »In der ausschließlichen Betonung des Geldes zeigt sich die Gefährdung der bürgerlichen Welt durch eine einseitige, moralische Bedenken ignorierende kapitalistische Orientierung. Nicht die materielle Wertgebung an sich ist verderblich, sondern sie wird es erst in der Loslösung von der sittlichen Norm.«[41] Dies einmal vorausgesetzt und anerkannt, stellt der Schatten »das jedem einzelnen angeborene Recht dar, in der bürgerlichen Gesellschaft zu existieren, er veranschaulicht den individuellen Anspruch auf Anerkennung, Geborgenheit und Aufstiegschancen«.[42] Das mit sozial-liberalem Impetus angeschlagene Thema der Aufklärung, daß Tugend und Ökonomie, Egoismus und Gemeinwohl noch für alle harmonisch zusammenkommen, mündet ein in das Verdikt: »Verwirkt wird dieses Recht, wenn Verstöße gegen elementare Verhaltensnormen vorliegen, wie im vorliegenden Fall gegen das die bürgerliche Gesellschaft erst konstituierende Leistungs- und Arbeitsethos.«[43] In einer derart idealtypisch befriedeten Gesellschaft wird der phantastische Schattenverlust Schlemihls zum bloßen Unglücksfall. Freunds Analyse, die sich auf den ersten Blick einer materialistisch fundierten Literaturwissenschaft zu verdanken scheint, unterlaufen fatale Mißverständnisse.

40 Robert Walser, *Schatten*, in: R. W., *Das Gesamtwerk*, hrsg. von Jochen Greven, Zürich / Frankfurt a. M. 1978, Bd. 9, S. 195 f.

41 Winfried Freund, *Adelbert von Chamisso: Peter Schlemihl. Geld und Geist*, Paderborn [u. a.] 1980, S. 33.

42 Ebd.

43 Ebd.

Die plane Übertragung politökonomischer Begriffe wie Ware, Geld und Kapital auf den literarischen Text löst die Erzählung aus der ihr eigenen Ambivalenz von Phantastischem und Realistischem. Das Nicht-Geheure und Befremdliche aber steckt bereits in einer Alltagswelt selbst, deren allgemeines Maß Quantität um jeden Preis heißt; und es ist deren eigene Widersprüchlichkeit, Mehrdeutigkeit, die Erzähler wie Chamisso und – eindringlicher noch – E.T.A. Hoffmann im Schreiben über die vertrauten Konturen hinaus kenntlich machen, ja die Realitäten bis zur erschreckenden Kenntlichkeit zersetzen. Die Welt ist nicht länger heil, »und dieser Zustand wird wohl dauern, solange das Wertsystem ökonomisch wirkt«.[44] Mit Moral aber läßt sich ihm am wenigsten beikommen. Mit welcher auch? – da es die Allgemeingültigkeit des einen Wertsystems, das einst sämtliche Lebensbereiche umschloß, nicht mehr gibt, in der Bürgerwelt nicht mehr geben kann. Und doch unterstellen nicht wenige Interpreten Schlemihl und seine Geschichte strengen Moralkriterien, dies allerdings dann meist um den Preis des Real-Phantastischen. So konturiert Ernst Weber in seinem anregenden Beitrag Chamissos Protagonisten als eine durchweg materialistisch gesinnte, zuletzt gar geltungsbedürftige Person. »Zwischenmenschliche Beziehungen haben für Schlemihl ausschließlich Zweckcharakter. Der Wert eines Menschen bestimmt sich für ihn objektiv nach seinem sozialen Rang. [...] Schlemihls materialistische Denkweise entwirft ihm eine Welt ohne Liebe, in der er sich nur durch Geld behaupten zu können glaubt. [...] Auch die am Schluß seines Berichts aufgeführte Liste seiner wissenschaftlichen, an Haller und Linné orientierten Arbeiten dokumentiert, was er noch in seiner ›Buße‹ als Einsiedler für sein Selbstwertgefühl braucht: die öffentliche Bewunderung seines nunmehr geisti-

44 Franz Fühmann, *Ernst Theodor Amadeus Hoffmann*, Rede in der Akademie der Künste der DDR, in: F. F., *Fräulein Veronika Paulmann aus der Pirnaer Vorstadt oder Etwas über das Schauerliche bei E.T.A. Hoffmann*, Rostock 1979, S. 30.

gen Vermögens.«[45] Allein, was Weber am Verhalten des Titelhelden nachzuweisen sucht, betrifft doch recht eigentlich das Lebensprinzip jener Gesellschaft, der sich der Außenseiter Schlemihl, freilich in sozial auffälliger Weise, nämlich schattenlos, anzugleichen strebt. Derart gekennzeichnet, weiß nun allerdings jeder, wie es um ihn steht und was von ihm zu halten sei: seine Schattenlosigkeit ist ein Teufelsmal. Wie aber, so ließe sich an dieser Stelle weiterfragen, ist es um jene bestellt, die in aller Normalität einen Schatten werfen und trotz ihrer unscheinbaren Art ungleich unheimlicher sein können als so ein Schlemihl? Tatsächlich wird der Bürgeralltag in eben dem Maße beängstigender, in dem sich das Phantastische vor dem alles bestimmenden ökonomischen Kalkül und zergliedernden Vernunftprinzip verflüchtigt, sich nunmehr unscheinbar und damit undurchschaubarer gibt. Geisterspuk, Hexenwahn und Wunderglaube sind in einer solch eindeutig rationalen Weise erklärbar geworden, daß für Metaphysisches in der aufgeklärten Welt weder Zeit noch Raum bleiben. Dieser aufklärerischen Tradition nun stellt Weber den *Schlemihl* zur Seite. »Der *Schlemihl* teilt mit dieser spätaufklärerischen Erzählliteratur die Schilderung des Wunderbaren und Übersinnlichen, die Verknüpfung der Erkenntnis mit der optischen Wahrnehmung und die Vorstellung einer dualistischen Spaltung der Welt in ›Sinnes‹- und ›Geisterwelt‹. Doch er unterscheidet sich von ihr dadurch, daß er die an das Sehen gebundene Erkenntnis als reduzierte Wahrnehmung aufdeckt und den vermeintlichen Dualismus der Welt in das Innere des Menschen verlegt und damit psychologisiert. Das Phantastische wird zur Darstellungsform psychischer Realität, und die vermeintlich in der Außenwelt liegende Grenze zwischen Wirklichem und Überwirklichem wird als die zwischen Bewußtem und Unbewußtem defi-

45 Ernst Weber, »[Anhang zu:] Peter Schlemihls wundersame Geschichte«, in: *Meistererzählungen der deutschen Romantik*, hrsg. und komm. von Albert Meier, Walter Schmitz, Sibylle von Steinsdorff und Ernst Weber, München 1985, S. 384 f.

niert.«[46] Das klingt erstaunlich und markiert zugleich eine bedenkenswerte Wendung. Dennoch, es gibt Faktoren, die stören. Denn geht mit dem Mann ohne Schatten nicht ein wirkliches Gespenst um, und wirkt die Magie des Geldes etwa nicht existentiell? Die Schlemihl-Welt ist die Welt des handfesten Tauschwerts: »Wenn das *Geld* das Band ist, das mich an das *menschliche* Leben, das mir die Gesellschaft, das mich mit der Natur und den Menschen verbindet, ist das Geld nicht das Band aller *Bande*? Kann es nicht alle Bande lösen und binden? Ist es darum nicht auch das allgemeine *Scheidungsmittel*? Es ist die wahre *Scheidemünze*, wie das wahre *Bindungsmittel*, die [...] *chemische* Kraft der Gesellschaft.«[47] Marx hat diese Interpretation im Anschluß an ein Shakespearezitat gegeben; und tritt nicht gerade der Schlemihl mit seiner Geschichte vom verkauften Schatten den Beweis für die zerstörende, alles zerschneidende Macht des Geldes an? An ihm wird die neue, spezifisch bürgerliche Art des Phantastischen in der Gesellschaft wirklich sinnfällig. Freilich, nicht nur das.

Es war Eichendorff, der einst so treffend bemerkte: »Dieses wunderliche Märchen [...] gehört zu jenen glücklichen Aperçüs, deren Werth und Bedeutung die Poetischen in der Philosophie, und die Philosophischen in der Poesie suchen.«[48] Philosophischen Theoremen und ihrer Einbindung in Dichtung, genauer: einer »an geisteswissenschaftlichen Hintergründen interessierten Chamisso-Philosophie«[49] gilt denn auch Jürgen Schwanns Aufmerksamkeit. In seiner materialreichen, breit angelegten Dissertation zu »Kohärenz und Kontinuität im Werk Adelbert von Chamissos« unternimmt er den in streng akademischer Manier geführten Ver-

46 Ebd., S. 389 f.

47 Karl Marx, *Ökonomisch-philosophische Manuskripte aus dem Jahre 1844*, in: *Marx-Engels-Werke*, Erg.–Bd. 1, Berlin [Ost] 1973, S. 565.

48 Joseph von Eichendorff (Anm. 10) Tl. 2, S. 226.

49 Jürgen Schwann, *Vom »Faust« zum »Peter Schlemihl«. Kohärenz und Kontinuität im Werk Adelbert von Chamissos*, Tübingen 1984, S. 414.

such, eine in Chamissos Werk durchgängige, es gleichsam umklammernde philosophische Geisteslinie aufzuweisen und sie vom *Faust* bis zum *Peter Schlemihl* ungebrochen nachzuzeichnen. Natürlich ist der *Schlemihl* auch philosophisch interpretierbar, auch ideologisch oder psychologisch, aber seine eigentliche Leistung als literarisches Modell besteht nicht ausschließlich darin.
Der DDR-Literaturwissenschaftler Werner Feudel[50] hat sich als einer der ersten am konsequentesten einem interpretatorischen Verfahren gestellt, das die Erzählung über den engen, immanenten Bezirk des Werks hinausführt, indem es deren Entstehung und Wirkung im umfassenderen gesellschaftlichen Rahmen diskutiert. Mit einer wohltuenden Mischung aus historischer Kennerschaft und literarischem Liebhabertum bindet Feudel die Geschichte Schlemihls an die konkrete Zeit an, um sie in ihr für heute zu deuten. Dann erst wird Literatur, worauf Benjamin nachdrücklich insistiert: »Organon der Geschichte«.[51] Diesen Ansatz Feudels gilt es weiterzutreiben, und deshalb sind ihm die folgenden Ausführungen zuallererst verpflichtet.

Innenleben und Kapital

Jede Erkenntnis, auch die durch Literatur vermittelte, ist historisch situiert; und es ist keine Erkenntnis, die nicht zugleich gesellschaftlich wäre. Insofern evoziert die Verfaßtheit der Gesellschaft immer auch die Form, in der Erkenntnis statthaben kann. In einer Welt, deren Immanenzzusammenhang zu einer undurchsichtigen Oberfläche verkrustet,

50 Vgl. Werner Feudel, *Chamisso als politischer Dichter*, Diss. Halle 1965; W. F., *Adelbert von Chamisso. Leben und Werk*, 2., überarb. Aufl., Leizpig 1980.

51 Walter Benjamin, *Literaturgeschichte und Literaturwissenschaft*, in: W. B., *Ausgewählte Schriften*, Bd. 2: *Angelus Novus*, Frankfurt a. M. 1966, S. 456.

braucht es eine methodische Anstrengung, um zum Kern, dem verborgenen Wesen, vorzudringen.
»Die Welt muß romantisiert werden. So findet man den ursprünglichen Sinn wieder. Romantisieren ist nichts, als eine qualitative Potenzierung.«[52] So des Novalis berühmtes Fragment über die Aufgabe, vor der der Dichter steht und mit ihm die gesamte Romantik. Medium dieser Potenzierung ist das Ich. »Nach innen geht der geheimnisvolle Weg. In uns, oder nirgends ist die Ewigkeit mit ihren Welten – die Vergangenheit und Zukunft.«[53] In der Besinnung auf das Innenleben des Ich schwingt indirekt Hoffnung mit auf Errettung des Individuums vor dessen völliger Erfassung und Vereinnahmung durch den Kapitalisierungsprozeß. Denn spätestens mit Ende des 19. Jahrhunderts zielt die historische Entwicklung auf die umfassende Durchrationalisierung der Welt unter dem Vorsitz der bürgerlichen Klasse und ihres ökonomischen Prinzips. Dagegen treten die romantischen Formen individualitätsbewußter Subjektivität an; das romantische Individuum, zumal das einsame, scheint der letzte Ort wirklicher Erfahrung zu sein. Peter Schlemihls Glück und Unglück gibt dafür das Beispiel.
Durch den Verkauf seines »unschätzbaren« (22) Schattens, den gegen unerschöpflichen Reichtum einzutauschen ihm ratsam dünkte, nunmehr als Außenseiter endgültig gekennzeichnet, muß Schlemihl, um überhaupt noch in der Gesellschaft sein zu können, in immer neue Rollen sich flüchten. Garant für die überzeugende Inszenierung bürgerlichen Lebenswandels ist das Gold/Geld, das jedoch die Scheinhaftigkeit solcher Existenz nur sehr bedingt und zwischenzeitlich aufzuheben vermag. Erst als Schlemihl bewußt mit dieser Welt abschließt, um ganz der Natur und seiner selbst zu leben, findet er in der gleichsam identitätsstiftenden Ersatzrolle des Wissenschaftlers und Forschers den Erfüllungsraum

52 Novalis, *Werke*, hrsg. und komm. von Gerhard Schulz, München 1969, S. 384.
53 Ebd., S. 326.

seiner Individualität. Wanderexil und Studium als Fluchtleben geben das Modell einer Gerechtigkeit, in der die »Buße der Versöhnung« (77) möglich wird. Und doch verweist der Leidensweg des gesellschaftlichen Außenseiters um so eindringlicher auf die unstillbare Sehnsucht nach Gemeinschaft, deren reinste Form in der Liebe zwischen Mann und Frau erfahren wird. Diesen Sinnzusammenhang verstärkt, eben da es eine unerfüllte Liebesbeziehung bleiben muß, die tiefe Zuneigung, die Schlemihl und Mina einander verbindet. An dieser Stelle seiner Lebensbeichte aber wollen Schlemihl die eigenen Worte fehlen, jenes unselige Kapitel als Prosastück nochmals aufleben zu lassen. Ausdrücklich überantwortet er sich hier der Lebenserfahrung und poetischen Ausdruckskraft seines Dichter-Vaters, verspricht doch Chamissos Erzählgabe einen einfühlsamen Bericht, den Schlemihl im Bewußtsein der Rollenhaftigkeit seines Auftritts bei Mina nicht geben kann. »Oh, mein guter Chamisso, ich will hoffen, du habest noch nicht vergessen, was Liebe sei! Ich lasse dir hier vieles zu ergänzen« (39 f.). Nicht allein das Was, sondern auch das Wie seiner Darstellung stellt Schlemihl in Frage, und zwar derart, daß die Reflexion selbst Medium der Darstellung wird. Ein Blick auf Chamissos Briefwechsel aus der Entstehungszeit des *Schlemihl* erhellt den doppelten Bekenntnischarakter dieser Stelle, eben den Erlebnisinhalt wie dessen dichterische Formgebung betreffend. »Mein viel gefürchtetes viertes Kapitel«, berichtet er Hitzig, »hab' ich mir nach vielem Kauen gestern aus einem Stücke, wie eine Offenbarung, aus der Seele geschnitten.«[54] Und so folgt dann jenes »unselige Idyll« (Thomas Mann) mit Mina, dem Forstmeisterskind, jenes Glück im Winkel von Graf Peters Laube, das Schlemihl zum »Grabe [seines] Lebens« (61) wird. Nur eine »gemeine Posse« (34) nennt er sein Gastspiel als Graf Peter, und auch die Begegnung mit dem Mädchen rückt damit in die wenig idyllische Nähe eines inszenierten Glücks. Wirk-

54 Brief an Julius Eduard Hitzig, Ende September 1813; J. E. H. (Anm. 17) Bd. 1, (Werke, Bd. 5), S. 387.

lich fehlt »nichts [...] dabei, was typischerweise zur Entwicklung des Themas gehört, weder die unschuldig eitle Kuppelei der Mutter und die biedere Ungläubigkeit des Vaters, [...] noch die Gewissensqual des Werbenden, die Ahnungen des Mädchens, ihre zärtlichen Versuche, in das Geheimnis des Geliebten einzudringen«.[55] Aber so täuschend das Ganze als Spiel angelegt, so echt, ja zu echt ist Schlemihls eigener Part, als er sich völlig unprogrammgemäß »aus dem Stücke heraus in ein paar blaue Augen« (34) vergafft. Diese Herzensangelegenheit gehört nicht mehr zum Text seiner Rolle. Daß er dennoch, bei aller Wahrhaftigkeit seines Gefühls für Mina, den äußeren Schein zu wahren sucht, indem er des Mädchens »ganze Phantasie« (40) an sich fesselt, läßt die Liebesbeziehung zum »frommen Wahn« (34) werden. Das Überspielen der Wirklichkeit durch die Freiheit der Phantasie, denn Minas schwärmerische Einbildungskraft »malte sich geschäftig unter heroischen Bildern den Geliebten herrlich aus« (42), verbindet die Idylle endgültig der Illusion.

»Von dieser Konstellation her wird begreiflich«, darin ist Wolfgang Heise zuzustimmen, »warum zum Maßstab gesellschaftlicher Wirklichkeit vor allem die intime persönliche Beziehung wird, der personale Zusammenhalt von Ich und Ich im bergenden Wir. Da dies eben nicht in der politischen Sphäre liegt, wird normatives Modell die selbst erlebte Geborgenheit in der Kindheit, beziehungsweise der Traum kindlicher Geborgenheit.«[56] Ist es dann noch Zufall, daß *Peter Schlemihls wundersame Geschichte* anhebt mit einem Bild, das von alters her als Paradigma der Geborgenheit gilt: »Nach einer glücklichen, jedoch für mich sehr beschwerlichen Seefahrt erreichten wir endlich den *Hafen*« (17; Hervorhebung von D. W.). Jenes Thema der Geborgenheit, wie Heise es vergegenwärtigt, wird hier bereits in der ersten Zeile

55 Mann (Anm. 12) S. 68.
56 Wolfgang Heise, »Weltanschauliche Aspekte der Frühromantik«, in: *Weimarer Beiträge* 24 (1978) H. 4, S. 41.

der Erzählung angeschlagen und geht so der gesamten Fabelführung beständig voraus. Schlemihls Erfahrung schlimmster Erniedrigung und Demütigung verstärkt um so mehr die Sehnsucht nach »Selbstzufriedenheit« (71), die sich endlich im Beruf des Naturforschers für Schlemihl erfüllt.

> Ich fiel in stummer Andacht auf meine Knie und vergoß Tränen des Dankes – denn klar stand plötzlich meine Zukunft vor meiner Seele. Durch frühe Schuld von der menschlichen Gesellschaft ausgeschlossen, ward ich zum Ersatz an die Natur, die ich stets geliebt, gewiesen, die Erde mir zu einem reichen Garten gegeben, das Studium zur Richtung und Kraft meines Lebens, zu ihrem Ziel die Wissenschaft. (Ebd.)

Die Perspektive des Wissenschaftlers eröffnet Schlemihl neue Horizonte: ein sinnvoll ausgefülltes Leben im Fortschritt der Zeit. So hat auch seine Schattenlosigkeit jetzt für den Fortgang der Geschichte keine entscheidende Bedeutung mehr. Schlemihls Versenkung in die Natur und ihre Geheimnisse aber ist wahrhaftig und um vieles bürgerlicher als bisher bemerkt, zumal mit Blick auf das von ihm gewählte empirische Verfahren der beobachtenden und beschreibenden Naturwissenschaft. Ist doch die empirische Naturwissenschaft ein genuines Kind des bürgerlichen Zeitalters. Schlemihls Zufriedenheit und erfüllte Sehnsucht, da er sich der unverfälschten Natur anheimgibt, bleibt nur ein Vollglück in der Beschränkung, um einen Begriff Jean Pauls[57] zu gebrauchen. Die bürgerlichen Naturwissenschaften selbst setzen die Grenzen. Wenn dem Forscherdrang des botanisierenden Schlemihl der australische Kontinent für immer verschlossen bleibt, so nicht wegen der gleichsam schadhaften Magie seiner Siebenmeilenstiefel allein. Diese Unzulänglichkeit, als Zeichen für die historische Borniertheit bürgerlicher Wissenschaft genommen, relativiert jede euphorisch gestimmte

57 Vgl. Jean Paul, *Vorschule der Ästhetik*, in: J. P., *Werke*, hrsg. von Norbert Miller, München 1975, Bd. 9, S. 257 ff.

Interpretation des Schlusses als ein harmonisches Bild. Das große »Fragment« (78), das am Ende der Geschichte steht, ist gleichermaßen Ausdruck eines beschädigten Lebens wie eines beschränkten Tuns, auch wenn Schlemihl/Chamisso das Fragmentarische noch nicht als historisches Faktum begreift. Gleichwohl verleiht der glückliche Ausgang, das Aufgehen in der Natur und der Naturerkenntnis, der Novelle einen besonderen Charakter.

> Je früher im Leben man einen Wunsch tut, desto größere Aussicht hat er, erfüllt zu werden. Je weiter ein Wunsch in die Ferne der Zeit ausgreift, desto mehr läßt sich für seine Erfüllung hoffen. Was aber in die Ferne der Zeit zurückgeleitet, ist die Erfahrung, die sie erfüllt und gliedert. Darum ist der erfüllte Wunsch die Krone, welche der Erfahrung beschieden ist.[58]

So besehen bedeutet Schlemihls langwährendes Unglück jene Zeitspanne, die die Eigentümlichkeit der Wunscherfüllung (Geborgenheit in der Natur, Botanisieren und Forschen) vorbereitet. »Es war nicht ein Entschluß, den ich faßte. Ich habe nur seitdem, was da hell und vollendet im Urbild vor mein inneres Auge trat, getreu [...] darzustellen gesucht, und meine Selbstzufriedenheit hat von dem Zusammenfallen des Dargestellten mit dem Urbild abgehangen.« (71.) Jene Ferne der Zeit, die die endliche Auflösung bringt, ist also durchaus konstitutiv für die Erzählung. Um den dringlichen, wenngleich unausgesprochenen Wunsch nach Identität seiner Erfüllung zuzuführen, bedarf es des die Novelle ausfüllenden Wegs. Erst die durchlebten Erfahrungen vermitteln nicht nur dem Helden die Einsicht in die Folgerichtigkeit seines Schicksals. Indem er sich bewußt der Obhut des Lesers – ihm gelten die letzten Worte – anheimgibt, verlängert sich Schlemihls Lernprozeß in dem Appell: »Du aber, mein Freund, willst du unter den Menschen leben, so lerne verehren zuvörderst den

58 Walter Benjamin, *Über einige Motive bei Charles Baudelaire*, in: W. B., *Schriften* (Anm. 1) Bd. 1,2, S. 635.

Schatten, sodann das Geld. Willst du nur dir und deinem bessern Selbst leben, oh, so brauchst du keinen Rat.« (78 f.) Doch wird Rat wohl vonnöten sein, denn sich und seinem besseren Selbst zu leben, was synonym Identität auszubilden heißt, stellt sich nicht erst der Romantik als Frage, vielmehr ist diese Problematik der Geschichte der bürgerlichen Gesellschaft unmittelbar eingeschrieben. Die Suche nach Identität markiert den Lernprozeß des Bürgertums, dessen Selbstvertrauen aus dem neuen, im Gefolge der kapitalistischen Produktionsweise sich entfaltenden Bewußtsein resultierte: Es war das tätige Individuum, das sich in den Mittelpunkt seiner Welt gesetzt hatte, sich dort am rechten Platz wußte und seinen eigenen Vorstellungen lebte. Der Bürger »hat seine Existenzberechtigung erwiesen: nicht durch Argumente, sondern durch die Tat. Er hat einen Beweis geliefert, wie ihn das Leben selbst allein liefern kann, den Beweis, daß sich auf die neue Art ein Leben gestalten läßt«.[59] Die nachdrückliche Akzentuierung zu erarbeitender Fähigkeiten, überhaupt die Betonung des Erzeugens und Erwerbens als erkenntnistheoretischer Wertbegriff, signalisiert den Sieg des Individuums, wie es sich ökonomisch im Unternehmer seine Bahn bricht. Solch »neue Art« der Lebensgestaltung aber bewahrheitet sich in der Unterwerfung des Individuums unter das ökonomische Prinzip und mit seiner Funktionsfähigkeit im kapitalistischen Produktionsprozeß. Hat das bürgerliche Individuum dort seine historische Geburtsstunde, so erfährt es, in der Anwendung seiner Arbeitskraft, erste und umfassende Entfremdung. Der vormals durch die Aufklärung propagierten Selbstbehauptung des vernünftigen, des bürgerlichen Ich gesellt sich hinzu, was logisch immer schon angelegt war, dessen völlige Zweckbindung entsprechend den Bedürfnissen mehrwertschaffender Produktion. Eine Welt steigt herauf, in der alles käuflich ist, alles seinen Preis findet.

59 Bernhard Groethuysen, *Die Entstehung der bürgerlichen Welt- und Lebensanschauung in Frankreich*, Bd. 2: *Die Soziallehren der katholischen Kirche und das Bürgertum*, Frankfurt a. M. 1978, S. 214.

Abenteuer und Mehrwert

Die schmerzliche Erfahrung dieser Verhältnisverkehrung gehört zum allgemeinen Bewußtsein der romantischen Bewegung. »Abenteuer«, wie es in einem der gestrichenen Titel der Urschrift des *Peter Schlemihl* noch heißt und wie sie für das 18. Jahrhundert literarisch signifikant sind, werden so nicht mehr möglich: Wer jetzt auszieht, das Fürchten zu lernen, der lernt es wirklich und wahrhaftig, endgültig. Die wohlkalkulierte Zielstrebigkeit, mit der der graue Mann den Schattenhandel betreibt, ein Geschäft und keinen Teufelspakt, korrespondiert der kühlen Rationalität bürgerlichen Kaufs und Verkaufs überhaupt. Wie eng ursprünglich der Zusammenhang von Veräußern und Entfremden verstanden wurde, macht Ernst Bloch deutlich.

> Manchem Laut hört man bald an, woher er kommt. Das Wort *Entfremden* ist alt, wurde von frühauf geschäftlich gebraucht. Abalienare, das bedeutet römisch, sich einer Sache entäußern, sie verkaufen. Grimmelshausen nennt Umtauschen noch »veralienieren«, sonst ist, zum Unterschied vom Französischen und Englischen, das Fremdwort aus der Umgangssprache verschwunden. Das deutsche »Entfremden« fast ebenso, wenigstens in seinem angestammten veräußernden Sinn.[60]

Dieser ›alte‹ Bedeutungszusammenhang also wird durch Schlemihls Schicksal nachgerade wiederhergestellt, mehr noch aktualisiert im Sinne einer Kritik an den bürgerlichen Verhältnissen. Ohne Schatten und damit ohne (bürgerliche) Freiheit verfällt Schlemihl nach dem fatalen Geschäft mit dem Grauen zuerst in einen Zustand der Verwirrung. Wie so oft löst auch hier die Erzählung den Moment in seiner Doppelsinnigkeit auf. Der blendende Glanz und metallische Klang des Goldes, daran Schlemihl hinter den verschlossenen Türen

60 Ernst Bloch: *Entfremdung, Verfremdung*, in: E. B., *Literarische Aufsätze*, Frankfurt a. M. 1977 (Gesamtausg., 9), S. 277.

seines Hotelzimmers sich und sein armes frustriertes Herz »mit einer Art Wut« (25) weidet, all diese bare Materialität seines Glücks entbehrt der lebendigen Wärme. In seiner Verzweiflung, diesem Aufflammen, das sich in ihm »wie eine flackernde Feuersbrunst [...] durch sich selbst mehrte« (ebd.), in sich selbst verzehrt, erliegt er dem blinden Mechanismus des Glückssäckels. Er gerät in einen Goldrausch, d. h. einen Zustand des Außer-sich-Seins. Unterderhand verkehrt sich die praktische Besitzergreifung des Beutels, daraus Schlemihl in bewußtloser Raserei Gold und immer mehr Gold zieht, in ohnmächtige Besessenheit. Der Nutzen der unerschöpflichen Geldbörse erschöpft sich für ihn in der inhaltslosen Tätigkeit bloßen Anhäufens des metallischen Reichtums. Das Gold bzw. Geld bleibt lebloser Stoff, ist geronnene Zeit, sinnliches Abstraktum. Geld ist Zeit (»time is money«), jenes berühmte Wort Benjamin Franklins, gründet sich als Maxime bürgerlicher Gesellschaft eben auf den Begriff abstrakter, d. h. reiner Zeit.

> Die Vorstellung der enthistorisierten Zeit ist eine Vorstellung des Kapitals. Die religiöse Zeit des Mittelalters war qualitative Zeit; erst die Arbeitszeit stellt sich als unverändert und enthistorisiert dar. Das Kapital ist der sich in der Zeit entfaltende Begriff der Ware. Die Zeit wird zum Begriff des Absoluten, die Zeit wird zum Geld.[61]

Dieser Prozeß der Verdinglichung wird von der schönen Literatur, der romantischen zumal, im Bild allgemeiner Erstarrung gefaßt. Die Berührung mit jener entfremdeten und entfremdenden Wirklichkeit führt nicht selten gerade im Traum zur Lähmung. Auf seinem harten Goldlager vom Schlaf übermannt, träumt es Schlemihl von seinem Urheber Chamisso, dem ihm so wesensverwandten Freund. Der Biograph des Peter Schlemihl und Autor dessen wundersamer

61 Hans-Jürgen Krahl, »Bemerkungen zum Verhältnis von Kapital und Hegelscher Wesenslogik«, in: *Aktualität und Folgen der Philosophie Hegels*, hrsg. von Oskar Negt, Frankfurt a. M. 1970, S. 140.

Geschichte, Chamisso selbst wird im Traum erinnerte Person:

> es ward mir, als stünde ich hinter der Glastüre deines kleinen Zimmers und sähe dich von da an deinem Arbeitstische zwischen einem Skelett und einem Bunde getrockneter Pflanzen sitzen; vor dir waren Haller, Humboldt und Linné aufgeschlagen, auf deinem Sofa lagen ein Band Goethe und der »Zauberring«; ich betrachtete dich lange und jedes Ding in deiner Stube und dann dich wieder; du rührtest dich aber nicht, du holtest auch nicht Atem, du warst tot (25).

Die Glastüre, die Schlemihl den Blick freigibt und zugleich das Sichtfeld begrenzt, unterbricht – wie die Trennscheibe einer Isolierstation – den unmittelbar menschlichen Kontakt. Die einander so ebenmäßigen, sich ergänzenden Freunde sind vereinzelt. Klar und deutlich, ja detailgetreu, schildert Schlemihl Chamisso in dessen typischer Umgebung; er diagnostiziert gleichsam. Das Zimmer wird da zum zeitlosen Raum, in dem Mensch und Dinge erstarren. Auch Schlemihl verharrt regungslos, ohne Trauer um die Erscheinung des toten Freundes. Der Traum ist ohne Bewegung und Leben, die Zeit stehengeblieben. Das Bild jedoch antizipiert mitnichten den Fortgang der Geschichte, sondern hält einen Erzählabschnitt fest. Der Traum wird nicht als Entlastung geträumt, vielmehr zur Verdeutlichung jener durch den Handel mit dem grauen Mann geschaffenen Situation des Peter Schlemihl. So geht das Geträumte ganz in dessen eigener desolaten Stimmung auf, es reproduziert und symbolisiert Schlemihls Wirklichkeit in ihrer inneren wie äußeren Verfassung. Traum und Wirklichkeit ergänzen sich schließlich bzw. greifen ebenso ineinander wie das Phantastische und das Reale. Als Schlemihl erwacht, wird er feststellen: »Meine Uhr stand« (26).

Was auf dem hier nur begrenzt zur Verfügung stehenden Raum mehr angedeutet, denn systematisch entfaltet werden konnte, mag dennoch die eingangs proklamierte Verschränkung von Phantastischem und Realem wenigstens als zu Recht angeschnittene Problematik erscheinen lassen. Ganz realistisch und bürgerlich kommt die phantastische Novelle daher, um in kunstvoller Manier ihr eigenes Personal und dessen Handlungsweise zu enträtseln. Denn nichts könnte bürgerlicher und realistischer genannt werden als das Geschäft, der Handel. Und es ist ein Handel, der Signalwirkung für den Verlauf der wundersamen Geschichte haben soll; sein Gegenstand mag ein seltsames Ding oder ein Unding sein, ausgeführt wird er nach den Konventionen bürgerlichen Tauschens. Darin auch liegt seine Endgültigkeit, die Unbezahlbarkeit, wie Thomas Mann an dieser Stelle doppelsinnig bemerkt. Solch ein Handel ist eben kein durch mitleidsame Liebe oder späte Reue etwa wiederaufzulösender Teufelspakt. Ethische Werte verwirren nur die Ökonomie. Der Tausch Schatten gegen Geld bzw. Geld gegen Schatten denunziert letztlich das (nicht nur) diesem Tausch zugrunde liegende Prinzip. »Der Handel hat den Schatten vom Körper getrennt und die Möglichkeit eingeführt, sie getrennt zu besitzen.«[62] Bündiger läßt sich wohl kaum das rigorose Verdinglichungsmoment im *Schlemihl* akzentuieren. Allein, was sich wie ein abschließender Kommentar zum Erzählten liest, ist in Wahrheit ein Satz der Politischen Ökonomie. Diese Korrespondenz an sich mag schon verblüffend genug sein, ihren besonderen Reiz erhält sie dadurch, daß sie sich in einem Werk Simonde de Sismondis findet, jenes Mannes, den Chamisso während seines Coppet-Aufenthaltes bei Madame de Staël im Winter 1811/12 kennen- und schätzengelernt hatte. »Simonde de Sismondi, ein sehr wackerer, ja ein rechter Kerl; Charakter und Gesinnung, Vernunft und Verstand, ohne das, was den Dichter macht«,[63] so der Verfasser des

62 Simonde de Sismondie, *Etudes sur l'Economie Politique*, Bd. 2, Brüssel 1838, S. 278; zit. nach: Karl Marx, *Grundrisse der Kritik der politischen Ökonomie*, Berlin [Ost] 1974, S. 131.

63 Brief Chamissos an Louis de la Foye vom 16. August 1811, in: René Riegel (Hrsg.), *Correspondance d'Adalbert de Chamisso. Fragments inédits*, Paris 1934, S. 188.

Schlemihl über den Genfer Historiker und Politischen Ökonomen. Es war Karl Marx, der Sismondis Worte als Quintessenz des Kapitalisierungsprozesses zitierte. Noch einmal wird also vom Geld die Rede sein müssen und von Fortunati Glückssäckel, der mit seinen »ewigen Goldstücken« (66) ein Sinnbild für die Sehnsucht des Bürgers nach dauerhaftem Glück gibt, nach einem »Schatz, den weder die Motten noch der Rost fressen. Alle Waren sind nur vergängliches Geld; das Geld ist die unvergängliche Ware. Das Geld ist die allgegenwärtige Ware«;[64] es ist, auf seinen ökonomischen Nenner gebracht, der verselbständigte Tauschwert. D. h. die den Waren immanente Eigenschaft allgemein vergleichbar und damit austauschbar zu sein, gewinnt materielle Faktizität in eigener, blendender Gestalt: Der Wert ist metallisch klingende Münze, die sich überzeitlich und allmächtig gibt. Es ist dieser wirkliche Verdopplungsprozeß der Ware in Ware und Geld als Resultat des allseitig entwickelten Warenverkehrs, den der oben angeführte Satz Sismondis umreißt. Geld wird zum »stehenden tertium comparationis aller Menschen und Dinge«[65]. Und in eben dieser Verkehrung liegt die Entsprechung zu jener literarischen Phantasie, in der gleichfalls ein Handel den Schatten vom Körper trennt. Auch hier gewinnt ein Wert seine Selbständigkeit, indem Schein und Sein auseinandertreten, nicht länger miteinander korrespondieren. Der Handel um einen *unschätzbaren* Schatten und einen *unerschöpflichen* Geldbeutel beleuchtet so das Lebensprinzip einer Gesellschaft, deren menschliches Maß Maßlosigkeit heißt: »Wer nicht Herr ist wenigstens einer Million, [. . .] der ist, man verzeihe mir das Wort, ein Schuft!« (18.) *Peter Schlemihls wundersame Geschichte* entzaubert mit dem Mittel des Zaubers diese reale Welt. Und was Franz Fühmann, wieder

64 Marx (Anm. 61) S. 142.

65 Karl Marx / Friedrich Engels, *Die deutsche Ideologie. Kritik der neuesten deutschen Philosophie in ihren Repräsentanten Feuerbach, B. Bauer und Stirner, und des deutschen Sozialismus in seinen verschiedenen Propheten*, Berlin [Ost] 1958 (Marx-Engels-Werke, 3), S. 425.

einmal ein ausgewiesener Erzähler also, anläßlich E.T.A. Hoffmanns zum Springpunkt phantastischer Literatur erklärt, gilt nicht minder für Adelbert von Chamisso: Er hat seinen Schlemihl beschworen, »um den Alltag zu fassen, die ganze Wirklichkeit des Alltags draußen auf dem Markt und drinnen im Herzen, die volle Realität des Lebens«.[66]

66 Franz Fühmann, *Ernst Theodor Wilhelm Amadeus Hoffmann*, Ein Rundfunkvortrag, in: Fühmann (Anm. 44) S. 42.

Literaturhinweise

Arendt, Hannah: Die verborgene Tradition. In: H. A.: Sechs Essays. Heidelberg 1948. S. 81–111.

Atkins, Stuart: Peter Schlemihl in Relation to the Popular Novel of the Romantic Period. In: The Germanic Review 21 (1946) S. 191 bis 209.

Baumgartner, Ulrich: Adelbert von Chamissos Peter Schlemihl. Frauenfeld/Leipzig 1944.

Berger, Willy R.: Drei phantastische Erzählungen. Chamissos »Peter Schlemihl«, E.T.A. Hoffmanns »Die Abenteuer der Silvester-Nacht« und Gogols »Die Nase«. In: Arcadia 13 (1978) Sonderh. 3. S. 106–138.

Brockhagen, Dörte: Adelbert von Chamisso. [Forschungsbericht.] In: Literatur in der sozialen Bewegung. Aufsätze und Forschungsberichte zum 19. Jahrhundert. Hrsg. von Alberto Martino. Tübingen 1977. S. 373–423.

Chabozy, Friedrich: Über das Jugendleben Adelberts von Chamisso; zur Beurteilung seiner Dichtung »Peter Schlemihl«. München 1879.

Feudel, Werner: Adelbert von Chamisso. Leben und Werk. Leipzig 1971. ^{2}1980.

– Chamisso, médiateur entre la littérature française et la littérature allemande. In: Chamisso. Actes des journées franco-allemandes de 30e et 31e mai 1981. Sainte-Menehould 1982. S. 17–27. – Dt.: Chamisso als Mittler zwischen französischer und deutscher Literatur. In: Weimarer Beiträge 32 (1986) H. 5. S. 753–765.

– [Nachw.] Zum Text. In: Adelbert von Chamisso: Peter Schlemihls wundersame Geschichte. Mit Farbholzschnitten von Ernst Ludwig Kirchner. Düsseldorf [1975]. S. 84–86.

Freund, Winfried: Adelbert von Chamisso »Peter Schlemihl«. Geld und Geist: ein bürgerlicher Bewußtseinsspiegel. Entstehung – Struktur – Rezeption – Didaktik. Paderborn [u. a.] 1980.

Goldman, Albert: Boy-man, Schlemiel: the Jewish Element in American Humour. In: Explorations. An Annual on Jewish Themes 1 (1968) S. 3–17.

Hitzig, Julius Eduard: Leben und Briefe [Adelbert von Chamissos]. 2 Bde. Berlin 1864. (A. v. C.: Werke. 5., verm. Aufl. Hrsg. von Friedrich Palm. Bd. 5–6.)

Hoffmann, Ernst Fedor: Spiegelbild und Schatten. Zur Behandlung ähnlicher Motive bei Brentano, Hoffmann und Chamisso. In: Lebendige Form. Festschrift für Heinrich Henel. Hrsg. von Jeffrey L. Sammons und Ernst Schürer. München 1970. S. 167–188.

Hoffmann, Volker: Nachwort. In: Adelbert von Chamisso. Sämtliche Werke in 2 Bänden. Bd. 2. München 1975. S. 664–669.

– Peter Schlemihl, une machine celibataire. 13 thèses et notes. In: Chamisso. Actes des journées franco-allemandes de 30e et 31e mai 1981. Sainte-Menehould 1982. S. 133–140.

Korff, Hermann August: Geist der Goethezeit. Tl. 4: Hochromantik. 2., durchges. Aufl. Leipzig 1956. [S. 348–351: Volksgestalten. Peter Schlemihl.]

Kroner, Peter Albert: Adelbert von Chamisso. In: Deutsche Dichter der Romantik. Ihr Leben und Werk. Hrsg. von Benno von Wiese. Berlin 1971. S. 371–390.

Kulessa, Hanne (Hrsg.): Der Schatten. Ein Lesebuch vom verlorenen Schatten mit sieben Kupfern nach George Cruikshank. Darmstadt/ Neuwied 1984.

Lahnstein, Peter: Adelbert von Chamisso. Der Preuße aus Frankreich. München 1984.

Lang, Lothar: [Nachw.] Zu den Farbholzschnitten von Ernst Ludwig Kirchner. In: Adelbert von Chamisso: Peter Schlemihls wundersame Geschichte. Mit Farbholzschnitten von Ernst Ludwig Kirchner. Düsseldorf [1975]. S. 77–82.

Loeb, Ernst: Symbol und Wirklichkeit des Schattens in Chamissos »Peter Schlemihl«. In: Germanisch-romanische Monatsschrift N. F. 15 (1965) S. 398–408.

Lübbe-Grothues, Grete: Chamisso: Peter Schlemihls wundersame Geschichte. Protokoll einer Arbeitsgemeinschaft. In: Wirkendes Wort 6 (1955/56) S. 301–307.

Mann, Thomas: Chamisso. In: T. M.: Leiden und Größe der Meister. Frankfurt a. M. 1982. (Sämtliche Werke in Einzelbänden. Frankfurter Ausgabe.) S. 515–538.

Miller, Norbert: Chamissos Schweigen und die Krise der Berliner Romantik. In: Aurora 39 (1979) S. 101–119.

Müssle, Hans Peter: Chamissos Peter Schlemihl, oder die Weltordnung des Teufels. Nagoya 1961.

Nettesheim, Josefine: Adelbert von Chamissos botanisch-exotische Studien; Peter Schlemihl und die Lieder von ›armen Leuten‹. In: J. N.: Poeta doctus, oder die Poetisierung der Wissenschaft von Musäus bis Benn. Berlin 1975. S. 57–76.

Neumarkt, Paul: Chamisso's Peter Schlemihl. A Literary Approach in Terms of Analytical Psychology. In: Literature and Psychology 17 (1967) S. 120–127.

Pavlyshyn, Marko: Gold, Guilt and Scholarship. Adelbert von Chamisso's *Peter Schlemihl.* In: The German Quarterly 55 (1982) S. 49–63.

Pinsker, Sanford: The Schlemiel as Metaphor. Studies in the Jiddish and American Jewish Novel. Carbondale 1971.

Rath, Philipp: Bibliotheca Schlemihliana. Ein Verzeichnis der Ausgaben und Übersetzungen des »Peter Schlemihl«. Nebst neun unveröffentlichten Briefen Chamissos und einer Einleitung. Berlin 1919.

Riegel, René: Adalbert de Chamisso. Sa vie et son œuvre. 2 Bde. Paris 1934.

– (Hrsg.): Correspondance d'Adalbert de Chamisso. Fragments inédits. (Lettres de Chamisso, Louis de la Foye, Helmina de Chézy, Varnhagen von Ense, Wilhelm Neumann, J.A.W. Neander.) Paris 1934.

Rochholz, Ernst Ludwig: Ohne Schatten ohne Seele. Der Mythos vom Körperschatten und vom Schattengeist. In: Germania. Vierteljahresschrift für deutsche Altertumskunde 5 (1860) S. 69–94 und 175–207. Wiederabgedr. in: E. L. R.: Deutscher Glaube und Brauch im Spiegel der heidnischen Vorzeit. Bd. 1. Berlin 1867. S. 59–130.

Rogge, Helmuth: »Peter Schlemiels Schicksale«. Die Urschrift des »Peter Schlemihl«. In: Das Inselschiff 2 (1921) S. 312–318.

– (Hrsg.): Der Doppelroman der Berliner Romantik. 2 Bde. Leipzig 1926.

Rougemont, Denis de: Chamisso et le mythe de l'ombre perdu. In: Le Romantisme allemand. Textes et études. Hrsg. von Albert Béguin. Marseille 1949. S. 276–284.

Schapler, Julius: Chamissos Peter Schlemihl. In: J. S.: Chamissostudien. Arnsberg 1909. S. 80–118.

Schrader, Hermann: Chamissos Peter Schlemihl und sein Schatten. In: Zeitschrift für deutsche Sprache 7 (1894) S. 201–210.

Schulz, Franz: Die erzählerische Funktion des Motivs vom verlorenen Schatten in Chamissos »Peter Schlemihl«. In: The German Quarterly 45 (1972) S. 429–442.

Schwann, Jürgen: Vom »Faust« zum »Peter Schlemihl«. Kohärenz und Kontinuität im Werk Adelbert von Chamissos. Tübingen 1984.

Spier, Heinrich: Chamissos Peter Schlemihl in völkischer Sicht. In: Zeitschrift für Deutschkunde 54 (1940) S. 332 f.

Swales, Martin: Mundane Magic: Some Observations on Chamisso's »Peter Schlemihl«. In: Forum for Modern Language Studies 12 (1976) S. 250–262.

Walach, Dagmar: Adelbert von Chamisso: Peter Schlemihls wundersame Geschichte. München 1987.

– (Hrsg.): Adelbert von Chamisso. Peter Schlemihls wundersame Geschichte. Erläuterungen und Dokumente. Stuttgart 1982. (Reclams Universal-Bibliothek. 8158.)

Weber, Ernst: [Anhang zu] Peter Schlemihls wundersame Geschichte. In: Meistererzählungen der deutschen Romantik. Hrsg. u. komm. von Albert Meier, Walter Schmitz, Sibylle von Steinsdorff und Ernst Weber. München 1985. S. 382–394.

Weigand, Hermann J.: Peter Schlemihl. In: H. J. W.: Surveys and Soundings in European Literature. Princeton, N. J., 1966. S. 208–222.

Wilpert, Gero von: Der verlorene Schatten. Varianten eines literarischen Motivs. Stuttgart 1978.

Wisse, Ruth R.: The Schlemihl as Modern Hero. Chicago/London 1971.

THOMAS KOEBNER

E.T.A. Hoffmann: *Der Sandmann*

Fragmentarische Nachricht vom unbegreiflichen Unglück eines jungen Mannes

Es ist ein unbegreifliches Unglück, das den Helden Nathanael ereilt. Der hebräische Name bedeutet ›Gott hat es gegeben‹ und entspricht dem griechischen Theodor – einem der Vornamen des Autors. Allein dieser Hinweis könnte bereits auf die Idee bringen, Passagen der Erzählung als verschlüsselte Darstellung äußerer und innerer Lebenserfahrung Hoffmanns zu lesen. Viele Details tragen den Charakter des Selbsterlebten. Doch die Handlung führt über Ruhepunkte, bei denen noch alles offen zu sein scheint, zum Tod des Helden. Die Dynamik des Verderbens entwickelt sich nach den Aussagen Nathanaels bereits in der Kindheit und versinkt nur manchmal in abgründiger Tiefe, so daß man den falschen Eindruck gewinnt, die Gefahr sei vorüber. Ist es eine Erzählung von der Macht des Schicksals oder der Macht der Krankheit, die die Begründung des Familienglücks im Bürgerhause verhindert? Die Gliederung der Erzählung läßt bereits erkennen, daß dem Autor darum zu tun war, verschiedene Sehweisen des Falls Nathanael nebeneinander zur Geltung kommen zu lassen. Fast die ganze erste Hälfte der Geschichte nehmen drei Briefe ein. In seinem ersten Brief erläutert Nathanael die Vorgeschichte: Erinnerungen an Kindheit und Jugend, an den Vater und dessen Tod unter mysteriösen Umständen, an das Ammenmärchen vom Sandmann und den fürchterlich wirkenden Advokaten Coppelius. Seitdem, glaubt Nathanael,

Die Erzählungen *Der Sandmann* und *Das öde Haus* werden zitiert nach der von Manfred Wacker herausgegebenen Ausgabe in Reclams Universal-Bibliothek, Nr. 230 (Stuttgart 1969 [u. ö.]).

walte ein Verhängnis über seinem Leben, das er sinnfällig im Bild eines Wetterumschlags veranschaulicht: »Dunkle Ahnungen eines gräßlichen mir drohenden Geschicks breiten sich wie schwarze Wolkenschatten über mich aus, undurchdringlich jedem freundlichen Sonnenstrahl« (3). Die »zerrissene Stimmung des Geistes«, die ihm »alle Gedanken verstört« (3), sei jüngst wieder aufgetreten, als er in der Universitätsstadt, in der er als Student lebt, eine Begegnung mit einem Wetterglashändler namens Coppola hatte. Der sei aber kein anderer als Coppelius, der Schrecken seiner frühen Jahre. In dem Antwortbrief seiner zu Hause gebliebenen ›Verlobten‹ Clara versucht die junge Frau, die »schwarzen Wolkenschatten« des Nathanael drohenden Geschicks wieder zu vertreiben: Sie ist bemüht, die Beziehung zwischen Nathanaels Vater und dem Advokaten Coppelius sich und dem jungen Freunde als eine Art verschrobenen Spleens verständlich zu machen, will ihm seine Ängste als Einbildungen ›wegerklären‹ und rät ihm, der dunklen Macht (dem Bösen) keinen Platz in seinem Innern (Herz und Verstand) einzuräumen: eine kaum verhüllte christliche Ermahnung. In seinem zweiten Brief reagiert Nathanael unwirsch auf Claras Versuch, Klarheit zu verbreiten. So prosaisch will er sein Zittern nicht als gegenstandslose Gespensterfurcht vor »Phantomen« des »eigenen Ich« (15) gedeutet wissen.

Nach den drei Briefen wendet sich der Erzähler in einem Zwischenspiel an den Leser und klagt über die Schwierigkeiten, diese Geschichte von Nathanael zu beginnen – eine Geschichte, die ihn offenbar stark bedrängt, obwohl ihn niemand darum gebeten hat, sie mitzuteilen. Also habe er in Briefen erst einmal Hauptpersonen zu Wort kommen lassen, bevor er nun selbst über den weiteren Gang der Ereignisse berichte. Dabei läßt er seine Leser nicht im Unklaren darüber, daß er von Figuren und Handlungen aus dem wirklichen Leben erzählt – denn nichts sei »wunderlicher und toller« (19) –, daß der Dichter aber auch nur schwache Reflexe dieses wirklichen Lebens wiedergeben kann: »wie in eines mattgeschliffenen Spiegels dunklem Widerschein« (20). Das Zitat aus Paulus' erstem Brief an die Korinther (Kap. 13) bringt mit biblischer Autorität und Weihe in Erinnerung, wie unscharf und durch Spiegelung verunklart die Erkenntnisse sind, die der Dichter weiterzugeben weiß. Wir begegnen den Personen also nicht von Angesicht zu Angesicht, das heißt, wir erfahren nicht genug von ihrem äußeren und inneren Leben, um uns ein deutliches Bild machen zu können. Der Erzähler spart aus, weiß nicht alles, verrät nicht alles, was er vielleicht weiß, gibt von Anfang an die Begrenztheit seines Gesichtsfeldes zu.

Dies wird auch im folgenden spürbar. Er berichtet von Nathanaels Heimkehr aus der Universitätsstadt, von der Verstörung, die ihn umtreibt und immer mehr – beiden Liebenden weitgehend unbewußt – von Clara trennt. In einem visionär anmutenden Gedicht beschreibt Nathanael, wie Coppelius als »grauser Schicksalspopanz« (23) auftritt, sein Liebesglück stört und ihn vom Traualtar weg in einen flammenden Feuerkreis wirft, der ihn »sausend und brausend fortreißt« (23). Als durch das Tosen aber Claras Stimme dringt, die ihm etwas erklären will, und Nathanael sich ihr ewiglich eigen fühlt, hört der dröhnende Wirbel auf. In Claras Augen erschaut er den Tod. Diese »düstere Träumerei« (21) erschreckt Nathanael selbst – um so mehr Clara. Doch auf ihren Vorschlag, das »wahnsinnige Märchen« (25) ins Feuer zu werfen, schreit der Dichter entrüstet auf und beschimpft seine Zuhörerin als »lebloses und verdammtes Automat« (25). Lothar, sein Freund und Claras Bruder, nimmt Partei gegen ihn. Fast kommt es zum Zweikampf, den die schluchzend herbeistürzende Clara gerade noch verhindern kann. Scheinbar versöhnt scheidet Nathanael und kehrt in die Universitätsstadt zurück.

Der dritte Teil der Erzählung handelt von der fatalen Liebesgeschichte Nathanaels zu Olimpia. Der Erzähler teilt sie mit weniger Wärme mit als die Geschichte der Verstimmung zwischen Nathanael und Clara. Seine Distanz zum Helden ist so merklich, daß die folgenden Ereignisse eher in satirischem Licht als in unheimlichem Zwielicht erscheinen. Ein sonderbares Ereignis – das Haus mit Nathanaels Wohnung ist abgebrannt – fügt es, daß er ein neues Zimmer bezieht und nun seinem Professor Spalanzani gegenüber wohnt. Ein zweites Mal sucht ihn der Wetterglashändler Coppola heim und kann ihm diesmal ein Perspektiv, ein kleines Fernrohr, verkaufen. Durch dieses erspäht er im Hause Spalanzanis dessen verborgen gehaltene Tochter Olimpia. Deren schönes Gesicht, das Nathanael bisher nur zweimal aus einem gewissen Abstand flüchtig wahrgenommen hatte, und das ihm eigentümlich starr erschienen war, gewinnt nun – durch das Perspektiv betrachtet – bezaubernde Lebendigkeit. In Olimpias Augen gehen für Nathanael »feuchte Mondesstrahlen auf« (29). Wie »von unwiderstehlicher Gewalt getrieben« (29) kann sich Nathanael von diesem Anblick nicht losreißen. Sehnsucht und glühendes Verlangen treiben ihn auf das Fest, das Spalanzani gibt, wo er Olimpia begegnet, mit ihr tanzt, auf sie liebesstammelnd einredet –, und deren kalte Hand und kalte Lippen durch die Hitze seines Gefühls zu erwärmen scheinen. Vergeblich bleibt die Warnung seines Freundes Siegmund, daß nach seiner Meinung und der anderer junger Leute es mit Olimpia doch eine eigenartige Bewandtnis habe: »Ihr Spiel, ihr Singen hat den unangenehm richtigen geistlosen Takt der singenden Maschine und ebenso ist ihr Tanz. Uns ist diese Olimpia ganz unheimlich geworden, wir mochten nichts mit ihr zu schaffen haben, es war uns als tue sie nur so wie ein lebendiges Wesen [...].« (34.) Nathanael selbst kann sich des Eindrucks manchmal nicht erwehren, daß seine neue Geliebte nicht viel spricht. Der Erzähler hat ja Olimpias Redebeiträge sorgfältig vermerkt; es handelt sich jeweils um ein mehrfach wiederholtes »Ach«. Doch der Held kann sich nicht dazu bereitfinden, diese Verunsicherung in sich Raum greifen zu lassen. Er schilt die anderen – wie zuvor Clara und Lothar – als gemeine und kalte Alltagsmenschen, von denen er sich (und Olimpia) als gleichorganisierte poetische Gemüter abhebt: die Überheblichkeit der ›Romantiker‹.

Der Erzähler hat indes so viele Hinweise ausgestreut, daß der Leser in seiner Vermutung nicht irregeht: bei Olimpia handelt es sich um einen Automaten, eine künstliche Figur, einen Androiden. Auch Nathanael muß dies zu seinem Entsetzen entdecken. Als er wieder zu Spalanzani geht, um Olimpia anzuflehen, ihm endlich in deutlichen Worten das auszusprechen, »was längst ihr holder Liebesblick ihm gesagt« zu haben scheint (37), wird er Zeuge eines heftigen Streits zwischen Spalanzani und Coppola – wobei Nathanael zuerst von außen die Stimme des Advokaten Coppelius zu vernehmen meint. Beide haben an der Figur der Olimpia gebastelt, die nun im Zweikampf zwischen ihnen etwas ramponiert wird. In grausiger Weise ›entpuppt‹ sich für Nathanael die Geliebte als Puppe. Ihrem Gesicht sind die beiden Augen entfallen, die Spalanzani nun auf den Helden wirft – der jedenfalls nimmt es so wahr. In einem Wahnsinnsanfall stürzt er sich auf den Professor und droht ihn zu erwürgen, kämen nicht rasch viele Menschen herbei, die den Rasenden bändigen und ins Tollhaus bringen.

Wieder schaltet der Erzähler eine Art Zwischenspiel ein, in dem er satirisch Meinungen der eleganten Welt referiert, die sich weniger für das Schicksal Nathanaels als für den Betrug interessiert, der den »vernünftigen Teezirkeln (Olimpia hatte sie mit Glück besucht)« (39) angetan wurde, denen man statt der lebendigen Person einen künstlichen Menschen eingeschwärzt hatte. Eine Folge sei unter anderem, daß junge Männer nun gründlicher untersuchen, ob sie nicht etwa einer Holzpuppe ihre Neigung schenken. Als Prüfung gilt, daß die Geliebte »in *der* Art« spricht, »daß dies Sprechen wirklich ein Denken und Empfinden« voraussetzt (39 f.). Einige Liebesbündnisse werden daraufhin enger geknüpft, andere lösen sich auf. Doch dies kann nicht die Moral der Geschichte sein. Abrupt kehrt der Erzähler wieder – im vierten Teil – zu Nathanael zurück, der »wie aus schwerem, fürchterlichem

Traum« (40) aufwacht, und zwar in seines Vaters Haus. Clara, die Mutter und die Freunde umgeben und pflegen ihn. »Kindlicher geworden, als er je gewesen« (40), scheint Nathanael nun endlich der milde Mann zu sein, den man sich an Claras Seite wünscht. Ein zweites Mal scheint das Unheil abgewendet zu sein. Ein Onkel hat der Familie ein Gütchen hinterlassen, auf das die Glücklichen ziehen wollen. In beklemmender Eile kommt es nun zur Katastrophe. Nach einem Einkauf in der Stadt erklimmen Clara und Nathanael den Ratsturm. Oben greift Nathanael zu Coppolas Perspektiv, sieht auf Clara, erleidet einen zweiten Wahnsinnsanfall und versucht, das Mädchen hinabzuwerfen. Der Bruder Lothar, der von unten das Geschrei hört, eilt zu Hilfe und kann gerade noch die bedrohte Schwester vor dem Absturz retten. Nathanael rast weiter auf der Galerie herum. Unter der auf dem Platz zusammengelaufenen Menge steht plötzlich Coppelius. Nathanael sieht ihn und stürzt sich hinab in den Tod. In einer Schlußbemerkung fügt der Erzähler an, daß man mehrere Jahre später Clara Hand in Hand mit einem freundlichen Mann vor der Tür eines schönen Landhauses gesehen haben will, vor ihnen zwei muntere spielende Knaben. Daraus sei zu schließen, daß Clara das »ruhige häusliche Glück« gefunden hat, »das ihrem heitern lebenslustigen Sinn zusagte und das ihr der im Innern zerrissene Nathanael niemals hätte gewähren können« (42).
Das Ende wird noch dadurch als schrecklich hervorgehoben, daß der Erzähler sich im Umfeld dieses grausigen Abgangs so merklich distanziert gibt – also zuvor leicht verwundert, fast spöttisch die Liebesleidenschaft verfolgt, die Nathanael zu Olimpia treibt, eher sarkastisch die Konsequenzen dieses Ereignisses für ›Teeisten‹ und junge Liebende berichtet. Auch die Genauigkeit, mit der er seiner Chronistenpflicht bei der Wiedergabe der beiden Wahnsinnsanfälle Nathanaels nachkommt, zeugt von einer Tendenz, die dramatischen Wendungen von außen zu sehen. Wieviel scheint man zu erfahren über Nathanaels Antriebe und Befürchtungen! Doch bei

näherem Hinsehen zeigt sich, daß sich das Innenleben dieser Figur dem Blick des Erzählers und des Lesers immer mehr verschließt. In seinem ersten Brief hat der Held noch ausführlich zu rekonstruieren versucht, welche Gedanken und Gefühle ihn dazu bewogen haben, als Lauscher in das Zimmer seines Vaters einzudringen, um dort aus der Nähe zu sehen, welche Dinge sein Vater und der Sandmann, den er als Coppelius erkennt, denn treiben. Aber schon in der Kindheitserinnerung überlagern Wahneindrücke empirische Wahrnehmungen. Es kann einfach nicht sein, daß der Advokat Coppelius dem Jungen die Glieder abschraubt und versetzt wie einer Puppe. Nathanael ist ein unzuverlässiger Zeuge. Weder ist sicher, was er gesehen, noch, was er gehört hat. Die Olimpia-Affäre ist dafür der schlagende Beweis: In einer mechanischen Figur glaubt er der idolhaften Frau zu begegnen, der er sein Leben und seine Liebe verschreibt. Zwischen Tatsachen und Trug kann er oft nicht unterscheiden. Wenn ihm Spalanzani später Augen an die Brust wirft, wiederholt dieser Vorgang nur ein Motiv, das Nathanael als Dichter selbst schon verarbeitet hat: Da waren es nur Claras Augen, die glühend in ihn eindrangen (23). Was schließlich sieht Nathanael, als er auf dem Ratsturm durch das Perspektiv auf Clara schaut? Und kommt Claras Aussage, daß sich da ein grauer Busch auf sie zuzubewegen scheine, nicht nur in des Helden Einbildung vor?

Der Erzähler rekonstruiert Nathanaels Erlebnisweise, rückt schnell davon ab und geht auf Distanz. Es ist aber nicht zu entscheiden, ob der Erzähler Bruchstücke aus Nathanaels Innenleben vorenthält, die vielleicht helfen würden, das Mosaik zusammenzulegen und so ein schärferes Bild des Wahnsinns, seiner Vorgeschichte und seiner Ursachen zu erhalten, oder ob ihm selbst diese Schlüsselelemente verborgen bleiben, bleiben müssen (vielleicht überspringt er sie auch aus einem zunächst unerklärlichen Zwang?). Der Leser sieht sich einer Erzählung gegenüber, die nur Fragmente eines Lebenslaufs, sowohl der äußeren Daten wie der inneren

Motive, bietet. Entscheidende Fragen sind nicht eindeutig zu beantworten: Warum muß gerade Nathanael dieses gräßliche Geschick ereilen? An welchem Punkt nimmt die fatale Entwicklung ihren Ausgang? Gibt es denn keinerlei Möglichkeit, Nathanael doch noch zu retten? Was hat Nathanael zugrunde gerichtet – wer oder was verbirgt sich hinter dem »Sandmann«, hinter Coppelius oder Coppola, die dem Helden als Widersacher und feindliches Prinzip begegnen? Im zweiten Zwischenspiel äußert ein Professor der Poesie und Beredsamkeit nach der Entdeckung Olimpias als Puppe, daß das Ganze eine Allegorie sei – »eine fortgeführte Metapher! – Sie verstehen mich! – Sapienti sat!« (39). Man soll vermutlich den hier zitierten selbstgefälligen und schnellfertigen Professor nicht allzu ernst nehmen, obwohl doch Heinrich Heine in seinen *Briefen aus Berlin* zu Hoffmanns Erzählung *Meister Floh* leicht verärgert bemerkt, es handle sich um eine Allegorie – und dieser Umstand trübe den künstlerischen Eindruck.[1] Ansätze allegorischer Deutung des Geschehens werden in der Erzählung selbst vorgeschlagen. Schon die Mutter erklärt dem jungen Nathanael, daß es den Sandmann gar nicht gebe: »wenn ich sage, der Sandmann kommt, so will das nur heißen, ihr seid schläfrig und könnt die Augen nicht offen behalten, als hätte man euch Sand hineingestreut« (5). Aber der Mutter Antwort befriedigt Nathanael gar nicht, zumal seine Furcht vor dem, was da nachts ins Haus kommt, weiterbesteht, so daß sich im »kindischen Gemüt« der Gedanke festsetzt, die Mutter verleugne den Sandmann nur – indem sie ihn als Allegorie vorstelle. Das Erlebte ist zu stark und gewinnt für Nathanael eine Bedeutung, die auch Claras ernüchternde Erläuterungen nicht verkleinern können. Clara behauptet, daß Nathanael aus seinen inneren Phantomen äußere Begebenheiten mache. So lade er – um dies nicht mit ihren Worten, doch in ihrem Sinn zu sagen – Dingen und Vorgängen eine

1 Heinrich Heine, *Sämtliche Schriften*, hrsg. von Klaus Briegleb, Bd. 2, hrsg. von Günter Häntzschel, München 1969, S. 66.

abnorme Bedeutung auf. So sehe und erlebe er Beziehungen, die tatsächlich gar nicht bestehen. Auch der Leser fragt sich, ob denn der Advokat Coppelius tatsächlich der Wetterglashändler Coppola sei. Die Namensgleichheit scheint dies nahezulegen; im einen Fall handelt es sich um die latinisierte, im anderen um die italienische Form. Der Name scheint außerdem mit dem zentralen Motiv der Augen zu tun zu haben, ist doch der italienische Begriff »coppo« ein Ausdruck für die Augenhöhle. Über die mögliche Identität beider Personen kann aber nur Nathanael Auskunft geben. Doch der unterscheidet nicht genau, daran läßt uns der Erzähler teilnehmen, zwischen Innenwelt und Außenwelt. Als er sein eigenes Gedicht liest, erschrickt er über die Stimme, die da laut wird. Als Coppola ihn zum zweiten Mal verläßt, nachdem er das Perspektiv Nathanael aufgedrängt hat, hört der Held einen Todesseufzer; als sein Atem vor innerer Angst stockt, bemerkt er, daß er selbst so aufgeseufzt hat. Das Prinzip des Allegorisierens: innere Verhältnisse nach außen, in sichtbare Figuren zu projizieren und dadurch zu konkretisieren, kennzeichnet auch Nathanaels Sehweise, mit dem Ergebnis, daß die Grenzen zwischen Wirklichkeit und Phantasie für ihn verfließen.

Man könnte als Interpret dieser Erzählung seinen Ehrgeiz darein setzen, diese Allegorisierung umzukehren, die Begebenheiten und Gestalten als Verkörperung abstrakter oder innerer Prozesse zu lesen – also so zu verfahren, wie Clara oder der Erzähler, der beobachten muß, daß Nathanael eine Puppe zur Geliebten wählt, also eine innere Vorstellung auf einen toten Körper überträgt. Zielt aber der Professor der Poesie und Beredsamkeit, als er von einer Allegorie spricht, auf die Verkörperlichung eines falschen Idols, oder gilt ihm der Betrug des Publikums als Allegorie der Kunst, die auch den Schein als Sein vorstellt? Vieles in der Erzählung bleibt Anspielung, ohne daß sich genau entscheiden ließe, worauf im Einzelfall angespielt wird. Man hört als Leser gleichsam den doppelten Boden hohl erklingen, auf dem man sich

bewegt. Der Erzähler spricht von seinem »armen Freunde«, dem Studenten Nathanael, und kennzeichnet so die Haltung ›teilnehmender Beobachtung‹. Es gehört zu den üblichen Beglaubigungstechniken der Schauergeschichte, das Unglaubliche als wirklich geschehen zu verbürgen und zu behaupten, das, was nun erzählt werde, habe tatsächlich einmal stattgefunden. An eine solche Devise braucht sich der Leser natürlich nicht zu halten; er kann sie als Spiel mit einer Konvention auffassen, nach der sich die Literatur vor der Lüge hüten müsse – Fortwirkung des kirchlichen Drucks, der auf Literatur und Kunst noch im 18. Jahrhundert ausgeübt worden ist. Der mühselig von der Dichtung erstrittene Wahrheitsanspruch wird krampfhaft festgehalten, wenn auch vom Absonderlichsten die Rede ist. Es kann natürlich sein, daß der Wahrheitsanspruch dann nicht auf die äußere Erscheinungsweise des Erzählten gemünzt ist, sondern auf die unterirdische Handlung, die selbst wohl unsichtbar bleibt, deren Verlauf aber in den Reflexen, in den Figuren der Oberflächenhandlung schemenhaft erkennbar wird. Man kann die Auskunft des Erzählers über seine Gefühlslage – niemand hat ihn gefragt, doch hat es ihn gewaltig getrieben, davon zu sprechen – als Hinweis darauf verstehen, daß hier doch mehr zum Ausdruck drängt als nur die Nachricht von einem gebildeten, jungen Mann und seinem seltsamen Schicksal. Und natürlich liegt es nahe, ein Selbstbekenntnis zu vermuten, das sich um so mehr verkleidet, je empfindlicher die Momente sind, die maskiert bekannt und erkannt werden sollen. Doch ist nicht mit Sicherheit zu klären, ob in dem Versteckspiel, das der Erzähler betreibt, das Geheimste mehr verdeckt als offenbart wird oder sich die Kunstform der Allegorie durchsetzt, die besonders geeignet dafür ist, die untergründige Handlung in der sichtbaren zu spiegeln.
Im Anschluß an die Erzählung *Die Automate* (1814 erstveröffentlicht, dann 1819 in den zweiten Band der *Serapions-Brüder* übernommen) spricht ihr Erzähler Theodor (!) im Kreise der Serapionsbrüder seine Ästhetik an, als ihn sein Freund

Ottmar etwas perplex und provokativ fragt: Wo bleibt die Aufklärung? Theodor bekennt sich zu einer Poetik des Fragments. »Ich meine, die Fantasie des Lesers oder Hörers soll nur ein paar etwas heftige Rucke erhalten und dann sich selbst beliebig fortschwingen.«[2] Dieses Verfahren wendet Hoffmann zweifelsfrei auch im *Sandmann* an. Die Vorgeschichte wird nur scheinbar lückenlos im ersten Brief des Nathanael ausgebreitet. Die intermezzohaften Einschübe, in denen der Erzähler über seine Hemmung berichtet, diese Geschichte anzufangen, seine ästhetische Experimentierlaune erkennen läßt oder im Sinne der Philister-Satire der Romantiker die belustigende Pein der vom Olimpia-Betrug betroffenen feinen Gesellschaft schildert, zeigen ein anderes Erzähltemperament und eine andere Erzählhaltung als der Mittel- und Schlußteil, die beide durch unvermittelte Eingänge in fast szenisch gesehene Handlungen gekennzeichnet sind: »Mit welchem Entzücken flog sie in seine Arme, als er nun [...] wirklich in seiner Vaterstadt ins Zimmer der Mutter eintrat« (21). Oder: »Wie erstaunte Nathanael, als er in seine Wohnung wollte und sah, daß das ganze Haus niedergebrannt war« (26). Oder: »Als er zurückkehren wollte in seine Wohnung, wurde er in Spalanzanis Hause ein geräuschvolles Treiben gewahr« (30). Oder: »Nathanael erwachte wie aus schwerem, fürchterlichem Traum« (40). Oder: »Es war an der Zeit, daß die vier glücklichen Menschen nach dem Gütchen ziehen wollten. Zur Mittagsstunde gingen sie durch die Straßen der Stadt.« (41.) Immer wieder stößt der Erzähler den Leser sozusagen in eine neue Situation, wobei er Ort und Zeit oft festlegt. Um so breiter klaffen die Dunkelzonen zwischen diesen einzelnen Szenen, die oft nur durch wenige verbindende Sätze überquert werden. An der schon erwähnten Stelle in den *Serapions-Brüdern* kann Theodor wenige Zeilen weiter eine tiefere Begründung seiner Fragment-Ästhetik

2 E.T.A. Hoffmann, *Die Serapions-Brüder*, München 1963 (Sämtliche Werke in Einzelbänden, 3), S. 354.

geben: »Nichts ist mir mehr zuwider als wenn in einer Erzählung, in einem Roman der Boden, auf dem sich die fantastische Welt bewegt hat, zuletzt mit dem historischen Besen so rein gekehrt wird, daß auch kein Körnchen, kein Stäubchen bleibt, wenn man so ganz abgefunden nach Hause geht, daß man gar keine Sehnsucht empfindet noch einmal hinter die Gardinen zu kucken.«[3] Diese Aussage traut dem Autor zu, mit dem »historischen Besen« die phantastische Welt völlig wegzufegen, als sei dies in das Ermessen des Dichters gestellt. Wer den *Sandmann* betrachtet, zweifelt daran, ob die Verweigerung von restloser Aufklärung aus poetischer Absicht erfolgt. Die Sehnsucht, »hinter die Gardinen zu kucken«, scheint in diesem Fall Einblicke oder Ausblicke eröffnet zu haben, die sich nicht so leicht in Worte bringen lassen. Diese Vermutung wird durch den Vergleich mit Erzählungen bestätigt, denen ein ähnliches Verlaufs- und Motivschema, eine ähnliche Konfiguration der Personen zugrunde liegt. Mir ist durchaus bewußt, daß das folgende Bezugssystem viele Verbindungslinien auch zu anderen Geschichten außer acht läßt und zudem suggeriert, daß Hoffmann stets nach dem gleichen Modell gearbeitet habe. Es scheint mir nur auffällig zu sein, daß eine bestimmte Kernproblematik in den angeführten Texten sich in durchaus verschiedenen Brechungen wiederholt. Und es besteht bei manchen Fragen die Hoffnung, durch den Vergleich auf versteckte oder gar (aus welchen Gründen auch) ausgesparte Komponenten der Erzählung vom Sandmann zu stoßen:

3 Ebd., S. 355.

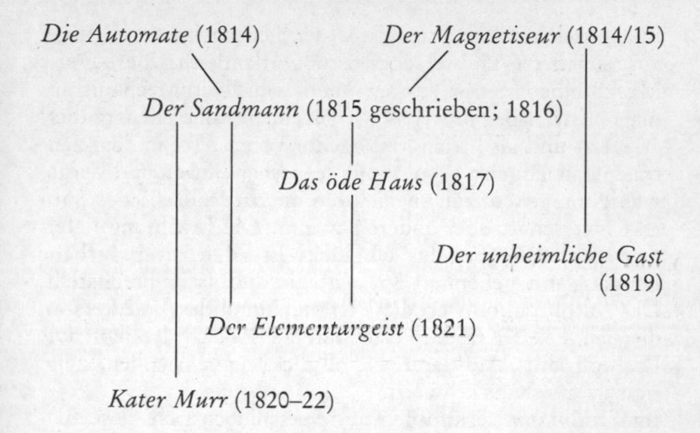

In all diesen Erzählungen spielt die veränderte Wirklichkeitswahrnehmung einer Hauptfigur oder mehrerer Hauptfiguren eine entscheidende Rolle, wobei häufig vom ›magnetischen Rapport‹ die Rede ist, von dem Einfluß also, den eine Figur durch hypnotische Kräfte (wie wir heute sagen würden) auf eine andere nimmt. Bemerkenswert ist, daß sich in den Erzählungen ein Verhängnis durchsetzt, bei dem Gegenwehr nicht möglich zu sein scheint; dabei bleibt oft unklar, weshalb es die eine oder andere Person trifft. Ersichtlich wird dieses finstere Schicksal an falschen Liebesverhältnissen, die generell junge und scheue Männer an Phantom-Geliebte bindet (natürlich gibt es bei E.T.A. Hoffmann auch Beziehungen, in denen umgekehrt ein Phantom-Geliebter im Spiel ist). In *Die Automate* tritt die Figur des Coppelius-Typs: der unheimlich wirkende alte Mann, der altfränkisch angezogen ist und mit seinem stechenden Blick die jungen Helden in Verwirrung bringt, als Professor X auf. Auch der Schauder vor den lebendigtoten Figuren menschenähnlicher Puppen ist schon scharf ausgeprägt. Im *Magnetiseur* fällt eine Familie unmittelbar und mittelbar einem mit außerordentlichen medialen Kräften ausgestatteten »Geisterseher« zum Opfer, der auf diese Weise Macht über Menschen gewinnen will. Der Mechanismus magnetischer Bezauberung wird in einem Fall recht detailliert erläutert und als heilende Prozedur vorgestellt, in dem zentralen Fall jedoch als Ausübung seelischer Gewalt und Vergewaltigung gekennzeichnet, durch die ein amoralisches Subjekt Herrschaft über andere gewinnt. Die Erzählung liefert eine Erklärung für das Unglück: Es ist der verwerfliche Umgang mit geheimen Kräften, die die Natur bereitstellt. Der Autor dämonisiert diese Kräfte, zumindest eine Person, die sich dieser Kräfte in eigennütziger Absicht bedient. Die Position jener Aufklärer, die all dies leugnen wollen, zeigt sich als durchaus schwach.

Im *Sandmann* verknüpfen und verschieben sich diese Elemente: Wohl scheint Nathanael das Opfer eines magnetischen Rapports zu sein, jedenfalls verhält er sich so wie jemand, in dessen Kopf sich eine andere Person eingedrängt hat. Doch fehlt offensichtlich der Magnetiseur – will man nicht die Coppelius/Coppola-Figur dafür halten. Doch wäre, gerade im Vergleich zu der Erzählung *Der Magnetiseur* nach der Motivation dieser Einflußnahme zu fragen. Welches Interesse könnte Coppelius daran haben, erst den Vater und dann den Sohn in den Tod zu treiben? Bereits in *Die Automate* wird angedeutet, daß die sonderbaren Wahrnehmungen, die den jungen Helden Ferdinand bedrücken, vielleicht durch die Realität gar nicht gerechtfertigt sind. Ferdinand bewegt sich teilweise in einer Welt, die nur sein eigen zu sein scheint, die er mit anderen Menschen nicht teilt. In verschärftem Maße gilt dies für Nathanael. Indem im *Sandmann* die in der zeitgenössischen Erzählliteratur und auch bei E.T.A. Hoffmann sonst üblichen Erklärungen des sonderbaren Geschehens entfallen, die hierfür obskure, aber doch gültige Gesetze der Natur verantwortlich machen, gewinnt die Erzählung zusätzlich an verstörender Wirkung. Sie versagt dem Leser in vielen Punkten das Verständnis – selbst das

Verständnis, das in anderen Erzählungen durch Hinweise auf fragwürdige geheime Wissenschaft ermöglicht werden soll. Die satirische Laune, etwa aus dem Märchen *Der goldne Topf* bekannt, umschäumt im *Sandmann* verhüllend, enthüllend das schroffe Urgestein der traurigen Geschichte Nathanaels.

Hoffmann ist es in den später geschriebenen Erzählungen darum zu tun, den Helden zu retten und Aufklärung zu verschaffen. In der Erzählung *Das öde Haus*, die den zweiten Band der *Nachtstücke* einleitet, wird bei durchaus ähnlicher Konstellation und Motivik die männliche Hauptfigur aus einem verderblichen Bann befreit und dieser Bann zugleich als Auswirkung einer magnetischen Überwältigung erklärt, die diesmal von einer Frau ausgeht. *Der unheimliche Gast*, eine Erzählung, die in der Sammlung *Die Serapions-Brüder* Platz gefunden hat, wiederholt die Fabel von *Der Magnetiseur*, wendet aber Grauen und Verderben in letzter Minute ab: Alle Helden und auch die Heldinnen werden am Ende in glückliche Verhältnisse versetzt. Das Übel erscheint als Machination eines »fremden Grafen«, mit dessen rechtzeitigem Tod sich alles in Wohlgefallen auflöst. Der Kommentar des Serapions-Bruders Theodor, man sei von solchen mittlerweile unoriginell gewordenen Unholden wenig erbaut und wolle künftig von ihnen nichts mehr wissen, verstärkt noch den Eindruck, diese Erzählung sei eine Art Widerruf der mit dem Tod fast aller Beteiligten erreichten Schlußlösung, die der Autor noch im *Magnetiseur* seinem Publikum zugemutet hat. In der späten Erzählung *Der Elementargeist* kehrt das Verhältnis zwischen Nathanael und Olimpia wieder, nur versponnener und zugleich sinnlicher erzählt. Die Aufregung um die Phantom-Geliebte endet hier auch nicht in einem identitätszerstörenden Wahnsinn. Die Asymmetrie zwischen hochgesteigerter Liebesleidenschaft und dem Gegenstand dieser Leidenschaft gilt dem späten Hoffmann eher als kurioser (und unabwendbarer) Konflikt, z. B. in *Haimatochare*, wo sich zwei Südsee-Forscher wegen Haimatochare totschießen; dabei handelt es sich bei der Geliebten um ein winziges Insekt. Die Episode von dem wahnsinnig gewordenen Maler Leonhard Ettlinger im Roman *Kater Murr*, die die Prinzessin Hedwiga Kreisler zur Warnung erzählt, verkürzt in anderer Weise das im *Sandmann* vorgegebene Muster: Ettlinger wird wahnsinnig aus versagter Liebe zur Fürstin, während eine solch eindeutige Kausalität im Fall von Nathanael nicht zu beobachten ist. Denn die aufkeimende Neigung zu Olimpia läßt in erschreckender Weise die Verstörung zutage treten, die ihn zuvor schon ergriffen hat. Ettlingers mörderischer Überfall auf seine arglose Spielgefährtin ist allerdings ein Motiv, das kaum verändert übernommen worden ist. Doch handelt es sich bei Ettlingers Geschichte um eine Erzählung in der Erzählung – zudem eine Erzählung, die mit Blick auf den Zuhörer, Johannes Kreisler im Roman, vorgetragen wird, eher den Charakter einer schrecklichen Anekdote mit moralischer Absicht gewinnt und entsprechend auch von Kreisler kommentiert wird.

Der Erzähler im *Sandmann*, der seinen Leser geneigt machen will, »Wunderliches zu ertragen« (19), bietet verschiedene Perspektiven auf das an, was Nathanael anstellt, fürchtet, zu lieben meint. Was diesen allerdings im Innersten bewegt, was ihn schon äußerlich zwingt, das ist ähnlich in Nebel gehüllt wie Nathanaels Vater in Tabakrauch, wenn er den ›Sandmann‹ erwartet. Hoffmann bemüht sich nicht nur im Eingang zur Novellen-Sammlung *Die Serapions-Brüder*, auf die »Duplizität« unserer Existenz aufmerksam zu machen: darauf, daß die innere Welt des Menschen von der Außenwelt bedingt wird, »in der wir eingeschachtet« sind. Diese Außenwelt wirke sogar als Hebel, die die Kraft, die innere Welt zu schauen, in Bewegung setze.[4] Diese Feststellung hat einen eigentümlich schwebenden Charakter, wobei es nicht als neu, aber als bemerkenswert anmutet, daß die von Hoffmann gewählte Metapher das Leben in der Außenwelt wie ein Ker-

4 Ebd., S. 54.

kerdasein beschreibt (»eingeschachtet« in die Außenwelt). Dem Geist wird dagegen zugetraut, den Kreis der äußeren Erscheinungen in undeutlichen Ahnungen überfliegen zu können. Zu fragen bleibt, ob diese Sätze moralische Empfehlungen oder wertneutrale Feststellungen sind. Hoffmann läßt keinerlei Zweifel daran, daß es sich um Zwang handelt, den die Außenwelt auf die Körper und den in die Körper gebannten Geist ausübt. Er läßt ebenso keinen Zweifel daran, daß die verwegene Flucht aus diesem ›Leben im Schacht‹, im Verlies der Körper, zu einem Wirklichkeitsverlust führt – wie er an der Figur eines Einsiedlers verdeutlicht, der in seinem alles umgreifenden Wahn denkt, er sei der Einsiedler und Märtyrer Serapion und sich daher regelrecht aus dem historischen Raum und der historischen Zeit hinausbewegt hat. Im dritten Abschnitt des zweiten Bandes der *Serapions-Brüder* spricht Cyprian die »innige Verwandtschaft« an, den geheimnisvollen »Verkehr des physischen und psychischen Prinzips«, der gegenwärtig zu beobachten sei.[5] Die enge Beziehung zwischen Leib und Seele gilt offensichtlich der zeitgenössischen Naturbetrachtung und Naturforschung als besonders merkwürdig. Nach Cyprians Auffassung scheint das Verhältnis zwischen Körper und Geist ausgeglichen zu sein; er kann sowohl von der Krankheit des Körpers sprechen, die sich im psychischen Organismus auspräge, als auch von dem Übel, das im Geist wohne. Der Zwang der Außenwelt, zuvor erwähnt, scheint hier einem Gleichgewicht der Kräfte gewichen zu sein. Die gleitenden Bestimmungen in den Aussagen der Hoffmannschen Figuren haben etwas Vorläufiges, Tastendes, Sondierendes. Eines jedoch drängt sich in diesen Mutmaßungen mit einiger Deutlichkeit auf: Der Einfluß der Außenwelt auf die Formung des Geistes und des Gefühls ist erheblich; wer die Außenwelt ignoriert, wird sich ihr entfremden und in eine Wahnwelt hineindriften. Der Irrsinn von Hoffmanns Figuren ist fast stets mit dem Abreißen gesell-

5 Ebd., S. 319.

schaftlicher Bindungen verknüpft oder erkauft; »zu teuer erkauft«, wie Nathanael seufzt, nachdem er Coppola das verhängnisvolle Perspektiv abgenommen hat. Selten nur läßt Hoffmann in seinem poetischen Werk den ›frommen Wahn‹ zu, eher noch den komischen Wahn: das Unheimliche, das aus überlegener Position mehr wie eine erheiternde Verirrung wirkt. Tendenziell aber ist die Loslösung aus den Banden der Außenwelt gefährlich und wird mit dem Tode abgegolten – wie im *Sandmann*. Das Risiko der Entfremdung ist so groß, daß es bei Hoffmann nur im Zusammenhang des Märchens (wie im *Goldnen Topf*) zu einer eindeutig positiven Bewertung solcher Entfernung von der Gruppe kommt. Diejenigen aber, die der Außenwelt verhaftet bleiben, fallen dem scharfen und unnachsichtigen Spott zum Opfer, figurieren als Philister oder als gefügige Subjekte gesellschaftlicher Übereinkünfte, passen sich der Oberflächlichkeit bürgerlicher Kleinstadtkultur bis zur Selbstamputation ihrer Individualität an. Des Autors ambivalente Einstellung führt so weit, daß die Figuren, die sich von der Außenwelt gedankenlos leiten lassen, recht gesund, lebenszuversichtlich und ›hübsch‹ erscheinen (jedenfalls junge Frauen, die bei Hoffmann so gerne Männer mit Aussichten auf ehrenwerte Posten heiraten wollen), während die Abtrünnigen schwere Verwirrungen erleiden müssen. Auch Hoffmann scheut sich gelegentlich nicht, diese als krankhaft zu bezeichnen, obwohl er von der Gültigkeit der Normalität, die den Status von Krankheit mitdefiniert, keineswegs überzeugt ist.

Diese Überlegungen setzen der allegorischen Deutung des Textes *Der Sandmann* Grenzen. Denn die stets zu beobachtende Beharrlichkeit, mit der der Autor die Schwerkraft, wenn nicht sogar den Primat der Außenwelt zur Geltung bringt, verbietet, die äußeren Konfigurationen der Erzählung nur als Übersetzungen ideeller Konstrukte ins Plastisch-Sinnliche zu verstehen; spornt dazu an, den Einzelheiten der Umwelt besondere Beachtung zu schenken, die in der Geschichte gestreift werden. Um die Probe aufs Exempel zu machen: Aus welcher Familie stammt Nathanael? Er wohnt mit seinen Eltern und Geschwistern offenbar in einer Wohnung im ersten Stock eines Hauses. Diese Wohnung umfaßt mehrere Zimmer. Dies sind Hinweise darauf, daß es sich um einen mittelständisch bürgerlichen Haushalt handelt. Berufs- oder Geldsorgen sind keine Themen des familiären Gesprächs. Die Mutter pflegt einen recht innigen Umgang mit den Kindern; aber da ist auch noch die Wartefrau für die Jüngeren. Der Vater geht seinem Dienst nach und ist häufig nicht zu Hause; vielleicht ist er ein Beamter, der täglich nur kurze Zeit mit seinen Kindern zusammen, körperlich kaum anwesend ist. Nathanael behält ihn als einen Mann im Gedächtnis, der gerne von seinen Reisen erzählt, die er offenbar vor seiner Heirat unternommen hat. Im Vergleich zur Mutter wirkt er wie ein Fremdkörper, gerade, wenn er abends den Besuch des Sandmanns, des Coppelius erwartet: dann entschwindet er den Blicken seiner Familie im Tabaksqualm. Die Angst verratende und hervorrufende Starrheit seines Wesens in dieser Situation macht ebenso augenfällig wie die Untertänigkeit, die er Coppelius als seinem Mittagsgast wie einem »höheren Wesen« (8) erweist, daß es sich um einen ›entmachteten‹ Vater handelt. Er hat so wenig persönliches und berufliches Gewicht in die Waagschale zu werfen, daß er es hinnehmen muß, wenn Coppelius die Kinder als »kleine Bestien« bezeichnet. Wer zu keinerlei Gegenwehr gegen solche Demütigungen imstande ist, weist wenig Selbstbewußtsein, geschweige bürgerliches Selbstbewußtsein auf. Weshalb sich der Vater mit dem Advokaten Coppelius eingelassen und mit ihm alchemistische Experimente unternommen hat, bleibt im dunklen. Clara vermutet in ihrem Brief, daß den Vater vielleicht der unselige Drang nach höherer Weisheit getrieben habe; also, so wäre vielleicht weiterzudenken, eine Neigung zur Spekulation, zum beinah faustischen Abenteuer – Entdeckergelüste, denen er in seinem Arbeitsleben sonst nicht hat nachkommen können. Nathanael ist zweimal erschrocken über das fratzenhafte Gesicht seines

Vaters: einmal, als sich der Vater zum Feuer auf seinem Laborherd niederbückt; der Widerschein der Flammen auf dem Gesicht entstellt die Physiognomie, was von Nathanael nicht so sehr als optischer, sondern als moralischer Eindruck gewertet wird; das andere Mal, als er den Vater tot am Boden liegen sieht. Zum Glück entkrampfen sich die Züge des Gestorbenen, und zu seinem Begräbnis sieht er wieder so milde aus wie früher im Leben. Auch hier wird ein natürlicher Vorgang vom Beobachter Nathanael in höherem Sinne verstanden: als Beweis dafür, daß der Pakt mit dem Bösen den Vater nicht das Seelenheil gekostet habe. Die Doppelfunktion des bürgerlichen Vaters, aus der Literatur des ausgehenden 18. und beginnenden 19. Jahrhunderts bekannt, nach außen ein Untertan, nach innen ein Hausherr, scheint im *Sandmann* nicht unwesentlich verändert worden zu sein. Der Vater ist in der eigenen Familie selbst als deren »Oberhaupt« kaum mehr gegenwärtig. Man mag sich daran erinnert fühlen, daß Hoffmann selbst in der Obhut eines Onkels aufgewachsen ist, da sich der leibliche Vater von der Familie getrennt hatte.

Die Aushöhlung des patriarchalischen Status verhindert nicht, daß die Männer die Frauen nicht sonderlich ernstnehmen. Nathanael genießt zwar die Zuwendung und Pflege seiner Mutter, unterrichtet sie aber künftig nicht über seinen Lebenskonflikt. Ebenso richtet er seinen ersten Brief, der gleichsam die Vorgeschichte seiner Pein berichtet, an den Freund Lothar – und steckt diesen Brief versehentlich in einen Umschlag, auf den er Claras Namen geschrieben hat. Eine charakteristische Fehlleistung: Eingeübt hat er, bei ernsten Problemen nur Männer anzusprechen, im Widerspruch zu dieser Haltung will er sich aber doch an Clara wenden, von der er sich auch später besonderes Verständnis und bestätigende Einfühlung erhofft. Seine Gereiztheit Clara gegenüber erklärt sich daraus, daß ihm solche kriecherische Zuwendung unter Aufgabe eigener Ansprüche verweigert wird. Im Vaterhause Nathanaels, das noch so heißt, als der Vater schon tot ist, kommt es zu wenig Austausch zwischen den Personen.

Nathanael wirkt alleingelassen mit seinen Ängsten, die um die Figur des Sandmanns kreisen. Er wirkt auch alleingelassen mit seinem Ekel – der allerdings auch der Ekel seiner Geschwister ist –, den Coppelius in ihm erregt. Die Vermeidung oder Verkleinerung von Problemen entspricht einer Familienverfassung, bei der die Behauptung des Eigenwerts nicht üblich ist. Coppelius kann wie ein Tyrann gewaltsam in den Ablauf dieser kleinen Welt eingreifen, ohne daß er mit Opposition rechnen müßte. Weder vom Vater noch von der Mutter werden andere Verhaltensweisen als die des ängstlichen Duckens vorgeführt. Clara, schon etwas freier und selbstbewußter, schließt sich doch im weiteren Sinne dieser Art an, vor dem, was fürchten läßt, den Blick zu senken und abzuwenden. Sie ahnt die Bedrohung, will sie aber durch eilfertige Erklärung gebannt wissen. Ihr Ziel ist ein ungestörtes Binnenleben; die Restauration der heilen Familie gelingt ihr nach Nathanaels Tod: auf dem Lande, außerhalb der Stadt, in geziemendem Abstand zu der Sphäre gesellschaftlicher Macht, wie sie etwa Coppelius für den Vater Nathanaels auch verkörpert hat. Hoffmann benützt Formeln arkadischer Landsehnsucht, verbreitet in dem der Hofwelt gesellschaftskritisch abgekehrten Denken des 18. Jahrhunderts und in seiner Feier der von geschichtlichen Wirren unberührt bleibenden Pastoralen.

Die Erzählung *Der Magnetiseur* trägt als Untertitel die nähere Bezeichnung: »Eine Familienbegebenheit«. Die Einmischung des Magnetiseurs treibt eine ganze Familie in den Tod: Vater, Tochter, Sohn und Bräutigam. Eine Zerstörung nicht ganz des gleichen Ausmaßes ereignet sich im *Sandmann*. Die Gegenwart des Coppelius scheint sowohl den Tod des Vaters als auch den des Sohns zu bedingen. In der handschriftlichen Erstfassung, die ausnahmsweise erhalten geblieben ist, fällt sogar noch eine Schwester dem Wirken dieses Bösen zum Opfer. Zunächst einmal allegorisch verstanden, heißt dies: Hinter der wohlanständigen Fassade des Bürgerhauses, in dem Nathanaels Familie wohnt, rumort es verdächtig. Im Arbeitszimmer gibt es ein verstecktes alchemistisches Kabinett. Unter der Oberfläche willfähriger Friedfertigkeit bei der Person des Vaters enthüllen sich dem Sohn ganz unbegreifliche Begierden, die den Vater sogar einen Bund mit dem Feind der Familie eingehen lassen. Im ersten Stock des ehrbaren Hauses, wo sonst nur Ruhe und Gleichmaß herrschen, gibt es schließlich eine Explosion. Der Student Nathanael, der sonst seiner schon früh angelobten Clara anmutige Gedichtlein zum geselligen Zeitvertreib vorträgt, während sie strickt und stickt und aus dem Fenster guckt, wird plötzlich von dunklen Ahnungen und gräßlichen Träumen überwältigt. Der brave Mann, dessen Lebensweg an der Seite Claras schon so deutlich vorgezeichnet scheint, entwischt dem bürgerlichen Programm in eine leidenschaftliche und falsche Liebe zu einer Puppe und verfällt schließlich dem Wahnsinn. Als die Familienharmonie wiederhergestellt und der verlorene Sohn eingefangen scheint, kommt es zu einem zweiten, noch bösartigeren Ausbruch: Nathanael wird beinahe zum wahnsinnigen Mörder von Clara. Die Idylle der Wohlanständigkeit und der gesicherten Verhältnisse trügt. Im Bürger tun sich Abgründe auf – und man kann argwöhnen, daß diese Abgründe spezifisch mit der bürgerlichen Lebensführung zu tun haben. Ob nicht das extreme Sichruhigstellen und die Selbstentäußerung an die Gebote und Regeln der Außenwelt, das Verdrängen der Triebregungen, um unauffällig und klein zu bleiben, zu einer künstlichen Identität führen, die manchem wie Nathanael schon den Blick dafür verwirren kann, was Natur und was Maschine ist? Auch mag es nicht verwundern, daß diese Domestizierung des eigenen Lebens bei einigen umschlägt in verzweifelte Ohnmachtsgefühle und eine allseitig reduzierte Persönlichkeit hervorbringt, derer man am Ende durch Selbstvernichtung ledig wird. Unter diesem Aspekt gesehen, zeigt die Erzählung *Der Sandmann*, wie die Selbstbeschränkung eines Menschen auf seine Familienrolle, seine Familienperson, wie die Überanpassung an die bürgerlichen Vorschriften der

Selbstentwertung, der Ein- und Unterordnung zerstörerische und selbstzerstörerische Konsequenzen bergen. Dabei sind weitere Aussichten verrannt: Der Bürger Nathanael, dem es nicht vergönnt ist, sich als nützliches Mitglied der Familie und Gesellschaft zu erweisen, wird darüber zum irrsinnigen Narren und beinahe zum tollwütigen Mörder. Ein Drittes scheint es für ihn nicht zu geben, so daß er wie das Opfer eines ›Systems‹ wirkt, auf das er selbst in der Abweichung fixiert bleibt, dem er nicht zu entrinnen vermag.

Das Vehikel der Zerstörung ist vor allem die Liebe, der Trieb, die Sexualität. Dem magnetischen Rapport unterworfen zu sein, bedeutet fur die weibliche Hauptfigur im *Magnetiseur*, zwischen erregender Anspannung und Erschöpfung zu wechseln, einer unzweideutig erotischen Spannungskurve nachzuleben. Die Erscheinung, die der junge Held in *Das öde Haus* im Fenster des scheinbar verlassenen Gebäudes und durch den trügerischen Taschenspiegel zu sehen meint (einem dem Perspektiv Coppolas an ›magischer‹ Kraft vergleichbaren Apparat), löst in ihm unzweideutige Begierden, ein »dürstendes Liebesverlangen« (69) aus. Und im *Elementargeist* erweckt die Begegnung des »unschuldigen« Helden, der bisher »jedem Aufwallen roher Begierde« widerstanden hat (III, 668), mit dem »Zauberspiegel« (669) einer Märchenfigur Sehnsucht, Grausen und Wollust.[6] Leicht ironisch wird dann beschrieben, wie er diese Liebesglut durch die Umarmungen eines weiblichen sogenannten Teraphim-Püppchens zu löschen versucht, das sich jeweils zur lockenden Frau auswächst, aber dann in seinen Armen – frustrierend genug – zerschmilzt und sich in Nebel auflöst, bevor es zu der von ihm ersehnten Verschmelzung kommen kann. Der Sinnlichkeit Nathanaels wird dagegen nur in gedämpfter Weise gedacht. Beim Fest in Spalanzanis Haus erwähnt der Erzähler ausdrücklich, daß der sonst so scheue Held sich im Gespräch

6 E.T.A. Hoffmann, *Späte Werke*, München 1965 (Sämtliche Werke in Einzelbänden, 4), S. 386 f.

mit Olimpia ermutige. Clara wiederum erfährt eine ausführliche Porträtierung, die sie als Gegenbild einer sinnlichen Geliebten erscheinen läßt. Zwar hat sie den Erzähler hold lächelnd angeblickt, so daß er ihrer mit Zuneigung gedenkt, doch kann er nicht verschweigen, daß Clara nicht für schön gelten kann: »die Maler fanden Nacken, Schultern und Brust beinahe zu keusch [!] geformt, verliebten sich dagegen sämtlich in das so wunderbare Magdalenenhaar« (20). An die sinnliche Erscheinung der reuigen Büßerin Magdalena gemahnt nur das Haar. Im übrigen zeichnet sich Clara durch die »lebenskräftige Phantasie des heitern unbefangenen, kindischen Kindes«, durch ein »tiefes weiblich zartes Gemüt« und einen »gar hellen scharf sichtenden Verstand« aus (21). Ihr Charakter ist so beherrschend, daß sich auch Nathanael von ihr in subtiler Weise dazu gezwungen sieht, sich ihr heiter, kindlich und verständig zu zeigen. Genügt er diesem Verhaltensschema, findet er Anerkennung und Wohlwollen. Nach Ausbrüchen aus dieser Fasson – z. B., wenn er gegen Claras Verständigkeit protestiert –, kehrt er doch halb willentlich, halb unwillentlich gefügig wieder zurück: In dem Brief, in dem er seinem Ärger über die seiner Denkart noch arg zu kurz greifenden Deutungen Claras Luft verschafft, kündigt Nathanael auch seine Rückkehr an; nachdem er Clara als lebloses Automat beschimpft hat, weil sie ihm geraten hat, sein Gedicht über den Liebesstörer Coppelius ins Feuer zu werfen, und sogar bereit ist, sich deshalb zu duellieren, kann ihn Claras Auftritt doch wieder dazu bewegen, in Erinnerung an ihre gemeinsam verbrachte Jugendzeit einzulenken, sich zu besänftigen und Frieden zu geben; nach seinem ersten Wahnsinnsanfall schließlich sieht er sich von Clara gepflegt und von ihr als »Engel« auf den rechten Weg zurückgeführt, auf dem er in fast beunruhigender Weise (wie der Fortgang der Handlung erweist, ist das Mißtrauen gerechtfertigt) kindlich, sanftmütig und nachgiebig zu wandeln bereit scheint. Die Anpassung an Claras lebenstüchtige und durchaus freundliche Nüchternheit scheint von Nathanael den Verzicht auf erotische oder gar sexuelle Impulse zu verlangen. Daß der junge Mann, der Unschuld verhaftet, gar zur Unschuld verurteilt, sich plötzlich in der aufwallenden Leidenschaft für eine schöne Puppe, eine Phantom-Geliebte enthemmt, wenn auch nur in bescheidenem Ausmaß, ist eine notwendige Folge der vorangegangenen, ihm abgeforderten Unterdrückungsarbeit. Hoffmann führt am Beispiel Nathanaels – in dezenter Formulierung – auch das Drama des unfreiwillig keuschen Mannes vor, der in seiner Zeit und Welt nicht weiß, wie er denn anders leben soll. Die Begierden zielen am Ende auf ein ungeeignetes ›Liebesobjekt‹, das allerdings den Vorteil hat, gegen alle möglichen Anträge keinen Einspruch zu erheben. Nathanael kann also, immer noch im Maße des Schicklichen, recht bald auf die Idee verfallen, Olimpia als sein Eigen für immerdar zu gewinnen. Mit den gleichen Worten bekennt er schon in seinem Gedicht Clara gegenüber, daß er ihr eigen ewiglich sei – und sieht dann nicht nur Clara, sondern auch dem Tod in die Augen. Was für eine sprechende Wendung, die Aufschluß über die Zwangsstruktur in Nathanaels Innerem gibt! Das Leben mit Clara bedeutet für ihn den Tod. Der Erzähler, der so weitläufig sich über Claras Vorzüge und Eigenschaften ausläßt, der vorgibt, er selbst habe sie im persönlichen Umgang kennengelernt, will offenbar verhindern, daß der jungen Frau eine erhebliche Mitschuld an Nathanaels traurigem Schicksal zugerechnet wird. Doch ist nicht zu verkennen, daß die Konstellation zwischen Clara und Nathanael sich für diesen verhängnisvoll auswirkt, weil Clara Clara ist, und weil sie das Familienprinzip vertritt. Dies läßt Geschlechtlichkeit in sorgsam regulierter Weise zu (Clara hat später wohl zwei Knaben das Leben geschenkt), doch will es die Ungeduld der Sinne oder ein Abirren von vorgezeichneten Bahnen nicht tolerieren. Aus diesem Grund wird die junge Frau zwangsläufig zur Gegenspielerin von Nathanael. Vielleicht sieht Nathanael sie auch unter diesem Blickwinkel auf dem Ratsturm, als er sie in seinem zweiten Anfall von sich fortzuschleudern versucht: Der Gestus der Abwehr, des Wegstoßens ist unverkennbar.

Als eigentlich »feindliche Erscheinung« (12) empfindet der Held aber den Advokaten Coppelius, den er später im Wetterglashändler Coppola wiederzuerkennen meint. Als bei der Lauschszene das Licht der väterlichen Stube dem Eindringling ins Gesicht brennt und Nathanael im vermuteten Sandmann den Advokaten erkennt, ist er nicht erleichtert, sondern entsetzt. Damit wiederholt sich in der Erzählung der Modus eigentlich komischer Entlastung, um durch die hochfahrende Reaktion auf einen scheinbar geringfügigen Anlaß die ›Unangemessenheit‹ von Nathanaels Verhalten mit besonderen Bewandtnissen zu erklären – Bewandtnissen, die in der Person des Coppelius/Coppola begründet sein sollen, ebenso aber (und vermutlich eher) in der Person des Helden. So heißt es schon zu Beginn: »Das Entsetzliche, was mir geschah, dessen tödlichen Eindruck zu vermeiden ich mich vergebens bemühe, besteht in nichts anderem, als daß vor einigen Tagen, nehmlich am 30. Oktober mittags um 12 Uhr, ein Wetterglashändler in meine Stube trat« (3) – eben Coppola. Nathanael überträgt die Ängste, die der Sandmann zuvor bei ihm erregt hat, ohne weiteres auf Coppelius. Wer ist der Sandmann, wer ist Coppelius – genauer gefragt: Was stellen sie für Nathanael dar?

Der Sandmann wird von der Wartefrau der jüngeren Geschwister als typische Figur eines grausigen Ammenmärchens eingeführt: als ein böser Mann, der den »unartigen Menschenkindlein« (5) Händevoll Sand in die Augen wirft, so daß »sie blutig zum Kopf herausspringen« (5). Vielleicht ist dieser Akzent auf dem Unartigen nicht unwichtig, der als Opfer des Sandmanns vor allem die Kinder hervorhebt, die das Gefühl haben müssen, Gebote mißachtet oder Verbote übertreten zu haben. Der Augenraub des Sandmanns erscheint dann als die Ausübung einer Strafe, die bezeichnenderweise nicht von den Eltern exekutiert wird, sondern von einer fremden, äußeren Macht. Als Inhaber einer externen und überlegenen Gewalt wird auch der Advokat Coppelius eingeführt. Die Beschreibung seines Äußeren synthetisiert aus vielen Einzelheiten das Bild eines Kinderschrecks. Der dicke Kopf, das erdgelbe Gesicht, die buschigen grauen Augenbrauen, die grünlichen Katzenaugen, das schiefe Maul und der zischende Ton, der ihm durch die zusammengekniffenen Zähne fährt, setzen sich eher zum Porträt eines Tieres zusammen. Der Ausdruck »Bestie«, den Coppelius für die Kinder verwendet, paßt auf ihn selbst – jedenfalls so, wie Nathanael ihn sieht. Der fratzenhafte disharmonische Eindruck, den sein Anblick erweckt, wird noch durch die altmodische Kleidung, die eigentümliche Perucke verstärkt. Hoffmann liebt es, Greuelfiguren dieser Art, altmodisch gewandet und oft bejahrt, in seinen Erzählungen als rätselhafte Monstren auftreten zu lassen. In *Die Automate* gleicht Professor X diesem Muster, wobei sich andeutet, daß in diesem Fall das abstoßende Äußere vielleicht eine Maske ist, hinter der sich anderes, womöglich eine verletzbare Seele verbirgt. Andere Sonderlinge wie der Rat Krespel oder auch Johannes Kreisler (zumal in den *Kreisleriana*) weisen in manchem ähnliche Physiognomien auf. Das Porträt von Coppelius wird jedoch in keiner Weise aufgehellt. In der ersten Niederschrift herrscht eine zum Teil verschobene Farbskala vor: Hier tritt anstelle des Grauen das Weiße, die Unfarbe, an der Erscheinung des Coppelius hervor. Den Kindern sind vor allem »seine großen knotichten, haarichten Fäuste zuwider«, so daß sie alles verabscheuen, was er damit berührt (8): etwa ein Stück Kuchen oder eine süße Frucht, die ihnen die Mutter auf den Teller gelegt hat. Auch was er mit dem Munde berührt, bleibt ihnen widrig. Diese Gefühle geben Aufschluß darüber, daß Coppelius die Grenzen zum Reservat leiblich-seelischer Geborgenheit versehrend überschritten hat. In seiner Gegenwart dürfen sie keinen Laut von sich geben. Seine brutale, Gehorsam heischende Autorität drängt sich in die Intimität der Familie ein und terrorisiert regelrecht Kinder und Eltern. Die großen Fäuste werden in der Erzählung zu einem der Bilder für das dunkle und gewaltsam eingreifende Schicksal, das Nathanael ›ergreift‹. Große Fäuste: Die Schilderung des Riesenhaften und Überlebensgroßen an der Figur des Coppelius korrespondiert der eigenen Kleinheit und Wehrlosigkeit. Nathanael bewahrt selbst als Herangewachsener die Kinderperspektive, wenn er von Coppelius spricht. Er zählt Kinderängste auf, die sich gegen einen Störenfried richten, vor dem die eigene Ohnmacht besonders schmerzlich empfunden wird. Coppelius, der im Kleid der Zeit vor der Revolution auftritt, bricht selbstherrlich und ungestraft in die Schutzzonen der Kinder und der Mutter (er berührt ihr Essen), er tritt »schweren, dröhnenden Schrittes« (7) mit Lärm und Getöse rücksichtslos in den inneren Kreis dieser bürgerlichen Familie ein. Der Vater verliert seinen Frohsinn und sein unbefangenes Wesen, das sich »in traurigen, düsteren Ernst« verwandelt (8), wenn er Coppelius empfängt, als sei der »ein höheres Wesen, dessen Unarten man dulden und das man auf jede Weise bei guter Laune erhalten müsse« (8). Selbst von ihrem Vater können die Kinder also keine Hilfe gegen den Eindringling erhoffen. Es verwundert daher nicht, daß für den Knaben Nathanael der Sandmann, Coppelius und das ›feindliche Prinzip‹ in eins zusammenfallen. Jammer, Not und Verderben wird von dieser ›Instanz‹ erwartet, so auch die Störung der Liebe, die Nathanael für Clara zu empfinden meint. Der familienzerstörenden Gewalt, die Coppelius ausübt, auch dann, wenn er für Nathanael in Coppola sichtbar wird, der seinen Blick auf Olimpia lenkt, können der junge Mann wie das Kind nichts entgegensetzen, auch wenn sie von Kampf sprechen. Nathanael sind keine Kräfte gereift, sich von dem ›Kindheits-Trauma‹ zu befreien.

Sigmund Freud hat in seiner Studie *Über das Unheimliche* (1919) einzelne Verwicklungen und Motive von Hoffmanns Erzählung zu deuten versucht. Viele der ihm folgenden Interpreten halten vor allem zwei Aspekte für besonders wichtig: Der Sandmann sei der gefürchtete Vater, während die als Vater bezeichnete Figur den geliebten Vater darstelle. Die

Begründung dafür sei leicht zu finden: Die stark ambivalente Einstellung des Sohnes dem Vater gegenüber disponiere ihn dazu, ein eindeutig positives und ein eindeutig negatives Vaterbild voneinander zu trennen. Die Literatur könne solche Tendenzen in die Tat umsetzen, gleichsam allegorisch befriedigen. Der zweite Aspekt, der in der Freudschen Betrachtungsweise eine erhebliche Rolle spielt, ist der der Kastration. Freud setzt, aufgrund der Erfahrungen mit der Bildersprache seiner Patienten, das Auge mit dem männlichen Glied gleich. Gilt diese Entsprechung, dann sei die Furcht vor dem Sandmann nichts anderes als die Furcht vor der Kastration, dann habe bei der Lauschszene in des Vaters Zimmer der junge Nathanael eine scheinbare Bestätigung seiner Kastrationsfurcht erlebt, da er etwas streng Verbotenes getan habe, auf das vom Vater eben keine andere Strafe als diese unschöne Operation erfolgen könne. Der Kastrationskomplex Nathanaels mache ihn zur Liebe zu einer Frau unfähig. Diese in sich so schlüssig wirkende Deutung scheint mir nur punktuell mit dem Text der Erzählung verbunden zu sein. Ein erster Einwand wäre der, daß die Unfähigkeit von Personen, die unter einem magnetischen Rapport stehen, sich anderen Liebespartnern als dem Magnetiseur zuzuwenden, in etlichen Erzählungen Hoffmanns am Beispiel von jungen Frauen vorgeführt wird. So geschlechtsspezifisch, wie die Idee vom Kastrationskomplex es vermuten lassen möchte, will der Autor die ›Deformation‹ der Gefühlsfixiertheit offenbar nicht aufgefaßt wissen. Zweitens: Das Verständnis des Sandmanns oder des Coppelius als Inbegriff des gefürchteten Vaters scheint zu eng zu sein. Sicherlich gebärdet sich Coppelius tyrannischer als der schwache Vater, der ihm dann auch zum Opfer fällt, doch ist auffällig, daß mit dieser Figur die Vorstellung einer von außen kommenden Bedrohung der Familie verbunden ist. Die Angst Nathanaels vor Coppelius ist identisch mit der vor dunklen Mächten, die in seinen Lebenslauf hineinwirken, ohne daß ihm sein Sträuben dagegen helfen würde. Bedenkt man, daß mit ähnlichen Ausdrükken, die das Riesenhafte, Ungeheure, Bedrohliche herausstreichen, verschiedentlich bei Hoffmann (z. B. im *Magnetiseur* oder zu Beginn der *Serapions-Brüder*) die Zeit, also die Epoche der napoleonischen und der Befreiungskriege charakterisiert wird, liegt es nahe, aufgrund der analogen allegorischen Kennzeichnung auch von zumindest verwandten Ängsten zu sprechen. Gehegt werden sie jeweils von einer Person, die sich aus einer Art mütterlichen Umfangenseins herausgezerrt und fremdem, unverstandenem Diktat unterworfen sieht. Nicht von ungefähr erwacht Nathanael, nachdem er dem verletzenden Zugriff des Coppelius entgangen ist, einmal in den Armen der Mutter, das andere Mal in denen von Clara und empfindet, von Wärme umfangen, ein ihn durchströmendes Wohlgefühl, als kehre er in die Urheimat, in den ›Mutterschoß‹ zurück. Unter solcher Perspektive betrachtet, repräsentiert Coppelius die böse Welt draußen, die im Gegensatz zur Geborgenheit innen steht. Und die Irrungen des Liebesgefühls sind vielleicht auch mit Nathanaels gesellschaftlich gefordertem Autismus, mit der aus Trieb-Verdrängung entspringenden Pseudo-Naivität zu erklären – es müssen nicht der Kastrationskomplex und der strafende Vater sein.

Es gibt noch eine Variante, das Auftreten des Coppelius mit dem Sexus in Verbindung zu bringen. So ist von Hans-Thies Lehmann[7] beobachtet worden, wie der Auftritt des Coppelius oder des Coppola meistens damit ›gekoppelt‹ ist, daß er selbst oder Nathanael eine Treppe hinaufgeht (und ist nicht in Freuds *Traumdeutung* nachzulesen, daß das Bild des Treppensteigens im Traum oft auf sexuelle Erregung deutet?). Coppelius/Coppola kommt also häufig unversehens von unten herauf, ragt sozusagen in die Szene hinein und verschwindet regelmäßig spurlos aus der Stadt – sind dies nicht deutliche Hinweise auf seinen »phallischen Charakter« (Leh-

7 H.-T. L., »Exkurs über E.T.A. Hoffmanns ›Sandmann‹. Eine texttheoretische Lektüre«, in: *Romantische Utopie – Utopische Romantik*, hrsg. von Gisela Dischner und Richard Faber, Hildesheim 1979, S. 301–323.

mann)? Auch diese Auslegung, wie die des Sandmanns als des gefürchteten Vaters, scheint mir allzu schmal auszufallen und nur eine Farbe aus dem Spektrum dieser Figur abzudecken. Eine solche Deutung ist auch nur möglich auf der Grundlage der Annahme, daß Lust in der geschilderten bürgerlichen Umwelt nur als Schrecken erfahren wird, denn für den steht der Sandmann. Das Auftauchen des Coppelius ist tatsächlich mit erhöhten Erregungszuständen bei Nathanael verbunden, wie sie aber mehr panischer Angst als sinnlicher Empfindung zuzurechnen sind. Dies gilt sowohl für die Lauschszene, die geradezu in einer psychischen Katastrophe für den jungen Beobachter endet, als auch für die drei Begegnungen mit dem Wetterglashändler, in deren Folge er sich mit Clara verwirft, zwar eine Leidenschaft für Olimpia entwickelt, doch schließlich Olimpia, seine Geliebte, als Puppe erkennen muß. Coppelius zerstört als Phantom des Grauens die bürgerliche wie die wahnwitzige Liebesbeziehung (die er zuvor gestiftet hat). In der letzten Szene führt sein angebliches Erscheinen den Todessturz Nathanaels herbei. Daß Sexualität als fremde Macht Entsetzen gerade dem einflößen kann, der sich von ihr reinzuhalten versucht, leuchtet ohne weiteres ein, zumal sie sich als Übermacht erweisen kann. Zu einer solchen Auslegung der Coppelius-Figur würde auch passen, daß sie den Familienfrieden und die Intimität zwischen Mutter und Kind aufbricht. Aber der Sandmann und Coppelius sind mehr als nur ein Dämon des unruhigen oder störrischen Geschlechts; sie verkörpern für Nathanael Instanzen der Einschüchterung und Verfolgung, die es auf seine gesellschaftliche und individuelle Identität, sein Lebensglück im umfassenderen Sinne abgesehen haben. Eine allegorische Lesart, die die Welt der Erzählung in fast allen Punkten als Verschlüsselung sexueller Not versteht, schränkt die Bedeutung von Nathanaels Angst und Existenzverzweiflung auf nur eine Komponente ein.
Abgesehen davon, daß die Wahnsinnsanfälle des Helden weniger von sexueller Stimuliertheit als vielmehr von dem Gefühl fundamentaler, lebensvernichtender Gefährdung ge-

prägt sind, ist doch die Unterdrückung sinnlicher Begierde und die von ihr herrührende Befremdung bedeutsamer für den Konflikt, den Nathanael durchlebt, als es die Erzählung zunächst wissen lassen will. Der Vergleich mit anderen Geschichten Hoffmanns läßt mit einem gewissen Erstaunen feststellen, daß die Liebesleidenschaft, dort in ihrer sinnlichen Dimension wiedergegeben, im *Sandmann* fast pedantisch umgangen wird. Einen Teil der Inbrunst, die Nathanael für Olimpia empfindet, sublimiert er gleichsam im Vortrag zahlreicher Gedichte. Sicherlich entspricht diese Zurückhaltung der Darstellung dem immer noch kindhaften Zustand des Helden. Sicherlich läßt die oft satirisch-skeptische Außensicht des Erzählers auf Nathanael gerade diese unterirdisch wühlende Dynamik außerhalb des Sehfeldes. Doch der historische Sinn der Erzählung erschöpft sich nicht in der auffälligen Verbergung des Konflikts zwischen Sinnlichkeit und bürgerlicher Moral, der nur nachdrücklicher Tiefenforschung zugänglich wird. Nathanael ist der festen Überzeugung, daß er einem vorbestimmten Schicksal nicht entrinnen kann. Die von ihm verwendete meteorologische Metaphorik, die aufziehende Wolken als Bild für die Verdunklung seiner Lebenshoffnungen wählt, soll – mit anderen Worten – eine unaufhörliche Sonnenfinsternis ankündigen. Die Bildlichkeit reicht nicht aus, um das Phänomen, das den Helden quält, angemessen zu beschreiben. Sie ist zu traditionell – und entstammt im wesentlichen dem Jahrhundert der Aufklärung (selbst dieser Begriff rührt ja aus dem Bereich der Wetterkunde her). Die Geschichte des Nathanael bestätigt dessen Annahme, der Kampf gegen das Verhängnis sei aussichtslos. Lautet auch so die Meinung des Autors? Oder wird hier das Schema des Genres wirksam, dessen Grundgedanke ist, daß die Welt ein Rätsel zu sein scheint – und bleibt? Im klassischen Dreischritt der Schauergeschichte wird der Leser zunächst mit dem Entsetzlichen konfrontiert. Es kommt dann zweimal zu einer Schein-Beruhigung, die hoffen läßt, daß doch eine Wende zum besseren eingetreten sei. Schließlich erneuert sich die Erfahrung des Entsetzlichen. Die Hoffnung schlägt um in Ratlosigkeit. Einer der ›Serapions-Brüder‹ – ich erwähnte dies bereits – vermißt, nachdem die Erzählung *Die Automate* vorgelesen worden ist, die Aufklärung. Die Lesererwartung, die Punkt für Punkt die Rätsel gelöst und die Geheimnisse aufgedeckt wissen will, verbindet sich unter dem Stichwort Aufklärung mit einer Philosophie der progressiven Naturbeherrschung, die den Anspruch erhebt, alles verstehen zu können und zu wollen. Hoffmann setzt diesem Denken in seiner Erzählung Schranken. Er wird damit nicht zum Anti-Aufklarer; er konfrontiert den Leser mit Ereignissen, die sich nicht leicht nach üblichen Erfahrungen und Denkmustern verrechnen lassen. Mehr noch: er gibt zu bedenken, daß die aufklärerische Methode, unbedenklich in dunkle Räume vorzudringen, auch Gefahren bergen kann. Es könnte sein, daß das, was man dort entdeckt, die Vorstellungskraft (zumindest die zeitgenössische des Autors) übersteigt. Hoffmann ist sich des »Risikos der Aufklärung« (Norbert Altenhofer hat diese suggestive Formel auf Lessing gemünzt; sie gilt aber in unserem Kontext auch für Hoffmann) durchaus bewußt.

In der Erzählung *Der Magnetiseur* wird mehrfach auf das Motiv der Jünglinge von Saïs angespielt, die ein Heiligtum bewachen, das kein Mensch aus der Nähe mit eigenen Augen sehen darf. Ein Jüngling – so heißt es bei Schiller – versucht es; der Anblick bringt ihm den Tod. Um die anderen vor solchem Schicksal zu bewahren, ist das Heiligtum gnädig verhüllt. Wer den Schleier hebt, kann nicht sicher sein, das zu ertragen, was er dort zu sehen bekommt. Auf diesen Motivkomplex spielt auch Theodor, der ›Serapions-Bruder‹, in seinen ästhetischen Thesen an, wenn er – wie eingangs zitiert – sich dagegen wehrt, daß der historische Besen die phantastische Welt hinwegfege, da sonst niemandem die Sehnsucht erhalten bleibe, hinter die Gardine zu gucken. Diesen verbotenen oder riskanten Blick wirft Nathanael etliche Male: erstens in der Lauschszene in dem Zimmer seines Vaters;

zweitens durch die Gardinen einer Tür Spalanzanis, hinter der er zum ersten Mal Olimpias ansichtig wird; drittens durch das von Coppola erworbene Perspektiv. Der Hoffmann und anderen romantischen Autoren nicht unvertraute hypnotische Blick, der als Medium der Willensübertragung dem Magnetiseur zur Verfügung steht, ist nicht zu verwechseln mit dem Blick, den Nathanael auf seine Umwelt wirft. Die Prüfung der Außenwelt durch die Sinne ist eine der Grundregeln kritischer Aufklärungsarbeit. Bei Nathanael ist der Leser Zeuge davon, daß einer seinen Sinnen aus Gewohnheit auch da vertraut, wo er ihnen eigentlich nicht mehr vertrauen darf. Nathanael wird ›augenscheinlich‹ Opfer von Sinnestäuschungen und anderem: die reale Wahrnehmung geht unmerklich in die Wahn-Wahrnehmung über. Blicke und Augen spielen im *Sandmann* eine außerordentliche Rolle; sie erfüllen – im Sinne einer provozierenden Antithese – ihre sonst so erprobte Funktion durchaus nicht immer. Mit einer gewissen Konsequenz werden Erfahrungsgewißheiten voraus- und außer Kraft gesetzt: Augen, die als Spiegel der Seele und des Lebens gelten, dienen im Falle Olimpias tatsächlich als Spiegel der Seele – aber der des Betrachters. Die Angst Nathanaels, daß ihm die Augen geraubt werden könnten, erschließt sich als eine Angst um die Verletzbarkeit seiner Person. Amputation und Versetzung der Glieder ist die quälende Vorstellung von dem, was ihm Coppelius angeblich im alchemistischen Kabinett des Vaters angetan hat: Ausdruck einer tiefgreifenden Sinnes- und Gedankenverwirrung. Der Blick auf Olimpia zeigt Nathanael eine Geliebte, die so, wie er sie zu sehen meint, gar nicht besteht. In anderer Weise ›entstellt‹ nimmt er Clara auf dem Ratsturm wahr. Nathanaels Sehen ist weitgehend ein Verkennen, sein Hören ein Verhören.

Der Leser muß sich befremdet zeigen von dem, was Nathanael angeblich in seines Vaters Arbeitszimmer erlebt: So genau der Student Nathanael schildert, wie er sich als Knabe zwischen den Kleidern versteckt, allegorisch gelesen: in den intimen Bezirk des Vaters hineingedrängt hat, so unzuverlässig werden die Auskünfte darüber, was er erlebt, von dem Moment an, in dem der Sandmann das Zimmer betritt. Aus der Perspektive des Kindes versteht er wohl noch nicht ganz, was im einzelnen geschieht – er riecht die Dämpfe der experimentierenden ›Alchemisten‹, ohne sich ein Bild davon machen zu können, was dabei vor sich geht: weil er es von seinem Versteck aus nicht sieht; weil er sich nicht reimen kann, was dort jenseits seines Horizonts geschieht. Bemerkenswert ist, daß der Briefschreiber mit, so unterstellen wir, gewachsenem Verstand die Erfahrungen des Knaben nicht präzisiert. Clara bleibt es überlassen, in ihrem Antwortbrief sich (und womöglich auch Nathanael) das Geschehen zu deuten. Selbst Jahre später hat Nathanael die Ereignisse im Arbeitszimmer des Vaters nicht begriffen, jedenfalls gibt er keinerlei Hinweise darauf, daß er eine Realitätsprüfung des Erlebten versucht habe. Es ist unmöglich, daß Coppelius ihm tatsächlich Arme und Beine abgeschraubt hat, um sie an anderem Ort wieder anzusetzen. Auch der Stoßseufzer des Coppelius, daß der Alte (gemeint ist Gott) es wohl verstanden habe (bei der Schöpfung des Menschen die richtigen Maßverhältnisse zu treffen), kann nicht als zuverlässige Überlieferung gelten. Noch immer scheint Nathanael nicht dazu imstande zu sein, zwischen Realität und Einbildung scharf zu unterscheiden. Das eine fließt ins andere, beide zusammen bilden seine ›Umwelt‹, in der ihm – wie Clara im Einklang mit Lothar durchaus scharfsichtig feststellt (13 ff.) – die Phantome seines Innern als äußere Schreckbilder begegnen.

Der Erzähler nähert sich wiederholt, aber ohne umständliche Vorbereitung oder Vorankündigung, der Position Nathanaels, sieht mit dessen Augen, hört mit dessen Ohren, rekonstruiert sozusagen dessen Wahrnehmungshorizont, so daß er und mit ihm der Leser dank dieser Angleichung nicht immer Empirie und Phantasie voneinander trennen können. In der Olimpia-Geschichte setzt der Erzähler zwar genug Signale dafür, daß er mehr von diesem ›obskuren Objekt der Begierde‹ weiß als der Held und an dessen wahnhafter Verirrung aus einer Distanz teilhaben lassen will, die beinahe Spott oder mit leichtem Grauen untermischtes Lachen erlaubt. Die Grenzüberschreitung zwischen den ›Bezugssystemen‹ zeigt sich prägnant schon in der Szene, in der Nathanael entdecken muß, daß Olimpia ihm als Geliebte geraubt wird. Als er im Hause des Spalanzani die Treppe hinaufschreitet, hört er aus dessen Arbeitszimmer gräßliches Getöse: eine groteske Anspielung an den Tumult im Arbeitszimmer des Vaters, den Tumult zumindest, den der Vater nicht überlebt hat. Er hört Stimmen, unter anderem auch die des gräßlichen Coppelius; er verhört sich also, denn es handelt sich, wie er dann sieht, um Coppola. Von »namenloser Angst ergriffen« (37) stürzt Nathanael in den Raum und muß erleben, wie sich die beiden Männer voller Wut um eine Figur streiten, die Nathanael zu seinem Entsetzen als Olimpia erkennt. Erst starr, dann zornig – in dem für den Ausbruch seiner Raserei kennzeichnenden Umschlag von Stupor in Furor – will er den Wütenden seine ›Geliebte‹ entreißen. Aber Coppola bemächtigt sich mit »Riesenkraft« der »Figur« – die viermal so benannt wird, solange sie in den Händen Coppolas ist –, um schließlich mit ihr dem Professor einen Schlag zu versetzen und die Treppe hinabzulaufen. Die häßlich herunterhängenden Füße der Puppe klappern hölzern auf den Stufen. Dies und die Wahrnehmung, daß in Olimpias toterbleichtem Wachsgesicht die Augen fehlen und dafür schwarze Höhlen klaffen, läßt endlich Nathanaels Trugbild zerbrechen: »Olimpia war eine leblose Puppe« (38).

Es bleibt nur für einen Moment bei dieser Konfrontation des Helden mit der ihn schockierenden ›entschleierten‹ Wirklichkeit. Schon hört er Spalanzani rufen, Coppelius habe ihm »sein bestes Automat« geraubt, an dem er doch so lange gearbeitet habe, und: »die Augen, die er gestohlen« (38). Diese unvollständige und mißverständliche Aussage kann heißen, Coppola habe Nathanael die Augen gestohlen, um sie der Puppe einzusetzen. Daß Nathanael dies so versteht, wird aus dem folgenden deutlich. Spätestens jetzt setzen die Wahn-

Wahrnehmungen wieder ein. Spalanzani, so sieht es aus, wirft ein Paar blutige Augen, die Nathanael anstarren, auf ihn. Die treffen seine Brust, wie einst in seinem Gedicht Claras holde Augen in seine Brust gesprungen sind.
Der Erzähler fährt fort: »Da packte ihn der Wahnsinn mit glühenden Krallen« (38). Als habe das Gedicht Nathanaels den Ablaufplan vorgegeben, schreit der Held nun: *»Feuerkreis!* dreh dich [...] Holzpüppchen dreh dich« (38). In den Feuerkreis hat sich Nathanael bereits in seinem Gedicht hineingestoßen gesehen. Die Formel vom Holzpüppchen, das sich drehen soll, ist neu und doppelsinnig: Zunächst denkt man an Olimpia, der Nathanael sich beim Fest und beim Tanz genähert hat; dann fällt auf, daß Nathanael sich selbst meinen könnte, denn die imperativische Form des Satzes ist entsprechend der des Satzes vom Feuerkreis gebildet. Die Befehlsform mag auf Anhieb verwundern, denn Nathanael ist das passive Opfer und wird vom Feuerkreis mitgerissen. Kann es nicht sein, daß sich in diesen Ausrufen die Spaltung der Persönlichkeit widerspiegelt? Der eine Teil der Person Nathanaels erleidet das, was der andere gutheißt – als identifiziere er sich mit den dunklen Mächten. Die Vorstellung des Feuerkreises erweckt offenbar weniger Widerstandskraft als die des Holzpüppchens. Sowohl hier als auch in der Schlußszene ist daher der Begriff »Holzpüppchen« das Stichwort für den jeweils aggressiven Ausfall Nathanaels. Ein Grund für diesen Tötungsaffekt – den Eindruck macht es von außen – mag sein, daß die Erinnerung an die quälende Behandlung des Knaben durch Coppelius die nun stärkeren Reflexe des in der Zwischenzeit herangewachsenen jungen Mannes auslöst; er wirft sich auf Spalanzani oder Clara, um sich zu wehren. Beide Male wird im Kontext erwähnt, daß der Rasende ein tierisches Gebrüll ausstößt oder sich wie ein gehetztes Tier verhält. Diese Zeichen lassen erkennen, daß die Affekthandlung Nathanaels eine Notlösung darstellt. Er sieht sich bedroht, ergriffen, umgetrieben, und der Schrecken, der sich in seiner Nähe zu Personen verdichtet, löst in ihm Verzweiflungsre-

aktionen aus, die in ein hilfloses Umsichschlagen übergehen.

In der Schlußszene verbirgt der Erzähler noch kunstfertiger die jähen Verschiebungen seines Standorts. Zunächst verfolgt er aus einem beträchtlichen Abstand, gleichmütig und gelassen, wie Nathanael und Clara mit der Mutter und Lothar durch die Stadt gehen, wie sie – auf Claras Vorschlag hin – den Ratsturm ersteigen, um noch einmal in das ferne Gebirge hineinzuschauen. Doch bereits an dieser Stelle wird eine Beobachtung vermerkt, die eher für die abnorme Wahrnehmungsweise Nathanaels charakteristisch ist, zumal das Erschaute offensichtlich nicht mit physikalischen Verhältnissen in Einklang stehen kann. Aus dem Zusammenhang kann man erschließen, daß es sich um die warme Jahreszeit handeln muß: Die Sonne steht also hoch. Dennoch wirft der Ratsturm, so heißt es, zur Mittagsstunde »seinen Riesenschatten über den Markt« (41). Scheint der Erzähler unverhofft die äußeren Eindrücke im Sinne von Nathanael zu erfassen, also zu verformen und zu verfälschen, so ist auch den folgenden, scheinbar objektiven Angaben nicht zu trauen. Das Motiv des Riesigen, zuvor mit der Erscheinung des Sandmanns, des Coppelius verknüpft, ein Element, das bereits im »Riesenschatten« des Ratsturms so aufdringlich und befremdlich wirkt, wiederholt sich beim Anblick des Gebirges, das wie eine »Riesenstadt« sich in der Ferne erhebt. Clara bemerkt dann einen »kleinen grauen Busch«, der ordentlich auf sie loszuschreiten scheint. Hat Clara dies wirklich gesagt? Oder hat Nathanael dies nur gehört – und in der Farbe des Buschs, dem Grau, ein weiteres Anzeichen des nahenden Sandmanns wiedererkannt? Daß Hoffmann eine solche Assoziation nahelegen will, erhellt bereits aus der ersten Niederschrift, in der als Leitfarbe für den Sandmann weiß angegeben ist. Konsequent hört Nathanael Clara von einem weißen Häuschen sprechen. Ein drittes Anzeichen für die durchbrechende Präsenz des ›feindlichen Prinzips‹ ist der Griff Nathanaels nach der Seitentasche, aus der er Coppolas Perspektiv zieht. Er richtet es auf Clara, starrt sie zunächst totenbleich an und erlebt dann seinen rasenden Anfall. Der Erzähler wahrt, so will es scheinen, seine Neutralität, indem er nicht verrät, was Nathanael sieht, wenn er durch das Perspektiv blickt. Der Leser kann dies nur aufgrund von Analogieschlüssen vermuten: Vielleicht schaut der Tod Nathanael aus Claras Augen an, wie es im Gedicht geahnt oder vorausgesagt ist; vielleicht wird auch die Erinnerung an Olimpia wach, die Geliebte, deren Demontage als Puppe der Held in so schrecklicher Weise miterlebt hat; vielleicht tritt er in ein weiteres Stadium seines Wahns ein, in dem er sich selber hilflos wie ein drehendes Holzpüppchen und wieder als Opfer der Vivisektion des Coppelius erlebt. Alle Versionen mögen zutreffen. Für die als dritte genannte spricht, daß in der ersten Niederschrift Coppelius bei seinem letzten Auftritt Nathanael als kleine Bestie, also mit dem Ausdruck anruft, den er einst für die Kinder verwendet hat, und dann noch dazu auffordert, sein »Holzpüppchen« ihm zuzuwerfen – worauf Nathanael sich selbst hinabstürzt. Ein weiteres Indiz: Als Lothar, der das Angstgeschrei der Schwester hört, die Treppen hinaufstürmt, um sie zu retten, muß er erst zweimal verschlossene Türen aufbrechen. Der Erzähler verfolgt den hinaufstürmenden jungen Mann wie eine Kamera. Wie in einer Last-second-rescue-Montage, um einen Begriff aus der Filmgeschichte zu verwenden, werden Einstellungen auf den hinaufstürmenden jungen Mann mit den immer schwächer werdenden Hilferufen Claras kombiniert. Wer hat die Türen abgesperrt? Ist dies nur eine erzählerische Einrichtung, um die Spannung zu erhöhen? Oder hat Nathanael, in einer Art unbewußter Vorbereitung seines Anfalls (schon vorher ist ja vom Riesenschatten des Ratsturms die Rede gewesen) mögliche Eindringlinge fernhalten wollen? Wenn schließlich gar unter der Menschenmenge plötzlich »riesengroß« der Advokat Coppelius hervorragt, der »eben in die Stadt gekommen und geraden Weges nach dem Markt geschritten« ist (42), wenn Coppelius noch prophezeit, daß Nathanael von selbst herunterkäme und wie die übrigen hinaufschaut, so fragt man sich, ob dieses

Geschehen nicht ausschließlich im Gesichtskreis Nathanaels stattfindet – einem Gesichtskreis, den der Erzähler stillschweigend übernimmt, ohne den Leser ausdrücklich darauf aufmerksam zu machen. Zwar heißt es, daß Nathanael plötzlich erstarrt stehen bleibt, sich herabbückt, den Coppelius entdeckt und mit dem gellenden Schrei »Sköne Oke« über das Geländer springt, so daß suggeriert wird, hier melde sich ein neutraler Berichterstatter zu Wort. Doch der Hinweis darauf, daß Coppelius nach dem Todessturz im Gewühl der Menschen plötzlich verschwunden ist, erinnert daran, daß Nathanael schon früher das Entweichen der für ihn fürchterlichen Erscheinung des Sandmanns oder der Coppelius-Figur stets mit diesen Worten beschrieben hat. Offenbar handelt es sich um ein Spiel des Erzählers, scheinbar durchweg die Haltung eines Chronisten einzunehmen, der angespannt den Gang der Ereignisse verfolgt, ohne in sie verwickelt zu scheinen. Währenddessen rutscht er, zunächst unbemerkt, in die Perspektive Nathanaels hinein. Er verschafft dadurch den Vorstellungen und Wahngedanken Nathanaels den bis dahin verweigerten Anschein nachprüfbarer Tatsächlichkeit. Der Erzähler mystifiziert den Leser und hindert so die Aufschnürung des von ihm geschürzten Knotens.

Aber das ästhetische Verfahren verbindet sich mit einer weiteren Absicht. Dem Leser soll es nicht leicht werden, über die seelische Destruktion, die Nathanael erleidet, sich zu erheben und sie in der Vergewisserung eigener Gesichertheit als ›Krankheitsfall‹ von sich fortzuschieben. Die Absicht des Autors ist vielleicht so zu umschreiben: Er zeigt, daß der Schrecken nur für Nathanael besteht; aber für den Betroffenen ist er von schmerzlicher Präsenz. Die Erzählung mißt diese besondere Erlebniswelt aus und scheint dabei nichts mehr zu fürchten als kaltsinnige Herablassung und vorgefertigte Urteile. Sie weist daher die Relativität des jeweils für wahr Gehaltenen auf, die spezifische Prägung der verschiedenen Wirklichkeitsbilder – und widerspricht dem Hochmut eines Realitätsbegriffs, für den es nichts geben soll, was nicht für normal gilt. Hoffmann zwingt dem Leser eine ambivalente Haltung dem gegenüber auf, der zweimal beinahe zum Mörder wird. Er verzichtet auf die (auch ihm anderswo nicht unwillkommene) standardisierte Verteilung von Sympathien und Antipathien auf einzelne Figuren. Er drängt dem Leser eine stark erweiterte Skala von Wirklichkeiten auf, durchaus im Sinne der romantischen Naturphilosophie von Schelling, Steffens, Ritter oder Schubert (dessen *Ansichten von der Nachtseite der Naturwissenschaften*, 1808, Hoffmann wohlbekannt waren): In der Natur ist nach diesen Begriffen auch das ›Übernatürliche‹ enthalten.

Da Hoffmann Phänomene gelten läßt, die sich nicht auf Anhieb in vertraute Erklärungsmuster einordnen wollen, bleiben ihm auch die Kategorien von Schuld und Strafe in dieser Erzählung unwesentlich. Zwar heißt es im Ammenmärchen, daß der Sandmann vor allem unartigen Kindern die Augen raube, so daß die durch diese Vorstellung hervorgerufenen Ängste mit Schuldgefühlen und Straferwartungen verkoppelt zu sein scheinen. Doch nur zweimal fällt der Ausdruck Strafe, jeweils im Zusammenhang der Kindheitsgeschichte des Nathanael, und jedesmal bezieht sich der Begriff auf das nicht völlig gehorsame Verhalten. In der Lauschszene läuft Nathanael Gefahr, entdeckt »und, wie ich deutlich dachte, hart gestraft zu werden« (9). Er versucht, die vom Vater ausgehende Stummheit zu durchbrechen und in dessen mit dem Sandmann geteilte Sphäre einzudringen. Daß er eine Grenze verletzt, wenn er sich in den Bereich der Autorität vorwagt, ist dem noch nicht ganz gezähmten jungen Nathanael klar. Was ihm danach widerfährt, übertrifft an Schrecklichkeit und Grauen die im Bürgerhaus damals übliche strenge Kinderzüchtigung. Selbst wenn man den Sadismus, den Coppelius am jungen Nathanael ausübt, als überhöhte Darstellung solcher Disziplinierungspraxis und die Angst als Panikreaktion eines gedemütigten und geschundenen Kindes versteht, das nicht weiß, womit es diese Mißhandlung verdient hat, führt dies zu einer Entwertung des Schuldgefühls.

Der Junge glaubt sich in eine Teufelsschmiede versetzt, in der dicker Qualm aufsteigt und emsig gehämmert wird. Menschengesichter tauchen vor dem kleinen Zeugen auf, denen die Augen fehlen; statt dessen starren ihn »scheußliche, tiefe schwarze Höhlen« (9) an. Coppelius ruft mit dumpfdröhnender Stimme nach Augen und ist sofort bereit, sich der des kreischend hervorstürzenden Jungen bedienen zu wollen. Für Nathanael überwiegt der Eindruck, an Haupt und Gliedern in einem Folterexzeß geschunden zu werden – und zwar bemerkenswerterweise nicht aus dem Grund, weil er sich im Zimmer des Vaters versteckt hat, sondern weil es der Plan, die Absicht des Coppelius von sich aus erfordern. Was die fremden Mächte mit ihm treiben, dem Spielball ihrer Wut und Laune, übersteigt jedes denkbare Strafmaß. Für welche Schuld auch immer, er bezahlt zu teuer, wie es ausdrücklich nach dem zweiten Besuch des Wetterglashändlers Coppola heißt (29), und er bezahlt am Ende mit seinem Leben. Ein Verbrechen, das solche Vergeltung rechtfertigen würde, ist nirgends zu entdecken.

Vielleicht erklärt sich auch daher die zornige Abwehr, die Hegel in seiner *Ästhetik* dem Genre der Erzählungen E.T.A. Hoffmanns erteilt. Die an tragischen Schicksalen antiker und neuerer Dramen erprobte Equilibristik des Philosophen, der sich Vergehen und Sühne sorgfältig austariert denkt und der Forderung poetischer Gerechtigkeit Genüge getan wünscht, versagt bei solchen Geschichten. Dabei legt es schon die Vergleichbarkeit (nicht Gleichheit) der vorzeitigen Tode des Vaters und des Sohnes nahe, die Ursachen in einer komplexer anzunehmenden Persönlichkeitsstruktur, den äußeren und inneren Bedingungen zu suchen, also auch einen Blick auf das ermöglichende Milieu und die Epoche zu werfen, um Nathanael nicht als bedauerlichen und gefährlichen Irrläufer abzutun – gerade gut genug, um als Held einer Greuelgeschichte zu figurieren. Hoffmann bemüht sich darum, die Figur des Nathanael zu ›entkriminalisieren‹. Auch läßt er den Schluß nicht zu, daß die ›Krankheit‹ Nathanaels als Strafe für irgendwelche heimlich begangenen Sünden zu verstehen sei. Es sei denn, man erkläre die Liebe für die Sünde, die uns anfällig und untertan mache, wie ein älterer Herr in der Erzählung *Das öde Haus* raunt. Nun trägt diese Bemerkung ein leicht ironisches Gepräge, da jener betagte Sprecher ein engherzig verstandenes christliches Dogma repetiert. Die bürgerliche Welt, noch ihres Status unsicher, abhängig und beflissen nach Geltung strebend, gewährt in der Zeit, in der die Erzählung geschrieben worden ist und in der sie spielt (allen Anzeichen nach im ausgehenden 18. Jahrhundert), dem sinnlichen Menschen wenig Spielraum. Die soziale und die sexuelle Notlage überdecken sich in einer Weise, die den Nährboden für ›lebenslange‹ Ängste bietet. Daß Nathanael den Weg genommen hat, von dem der Leser durch die Erzählung erfährt, ist nicht ganz zufällig, ist vielfältig bedingt, nach den Voraussetzungen beurteilt sogar eine wahrscheinliche Möglichkeit – natürlich nicht der Regelfall. Sein chancenloser Kampf mit dem Verhängnis, dem er sich unterworfen sieht, dient nicht als Beweis dafür, daß es ein solches Verhängnis als einen für alle gültigen absurden Schicksalsplan gibt, sondern dafür, daß unter bestimmten Umständen die Zerstörung einer Person (und die Zerstörung einer Familie) zumindest erwartbar ist. Die Entwicklung Claras, Lothars oder Siegmunds, soweit der Leser davon unterrichtet wird, zeigt, daß nicht alle dazu gezwungen sind, in den Wahn ›auszugleiten‹. Die individuelle Disposition Nathanaels verstärkt den Konflikt, so daß ihm auf Erden nicht zu helfen ist.

Wegweiser zu einem ausgreifenden Verständnis finden sich nicht nur im *Sandmann*, sondern auch in den anderen Erzählungen, die ich eingangs zu einem Gitter verspannt habe. In *Das öde Haus* beanspruchen gesellige Gespräche der handelnden Personen erheblichen Platz; wie später noch ausführlicher in den *Serapions-Brüdern* übernehmen sie die Aufgabe der Selbstreflexion und vielfach spiegelnden Kommentierung. Im *Sandmann* fehlen sie (sieht man von dem Dialog in Briefen ab), wohl um den Schock der Begebenheit nicht zu brechen oder abzumildern. Ein kluger Mediziner äußert bei solchem Austausch den Gedanken, daß wir uns über die angeblich »unsinnigen abergläubischen Phantastereien längst verjährter alberner Zeit« (66) nicht allzusehr erhaben dünken sollen. Für die von jedem Menschen durchlebte Zeit der Ammenmärchen, die sich in Hoffmanns Erzählungen oft im Gedächtnis der Personen festwurzeln, gilt offensichtlich das gleiche. Denn »keine Zeit kann verjähren« (66): nicht die Kinderzeit, offensichtlich auch nicht die Kinderangst. Verräterisch genug verwendet der Arzt eine seinem Metier eigentlich fremde Terminologie, wenn er von »verjähren« spricht. Hinter ihm wird der Jurist Hoffmann selbst sichtbar, wenn die Figur wenig später zu sagen weiß: »Es ist ein eignes Ding, etwas geradezu wegleugnen zu wollen, was oft sogar durch streng juristisch geführten Beweis festgestellt ist [...]. Wir suchen, verblindet wie wir sind, uns weiterzuarbeiten auf finstern Wegen. Aber so wie der Blinde auf Erden [...], so ahnen wir an dem tönenden Flügelschlag unbekannter, uns mit Geisteratem berührender Wesen, daß der Pilgergang uns zur Quelle des Lichts führt, vor dem unsere Augen sich auftun!« (66.) Der Gang ins Dunkle bricht nur manchmal ab, bevor dem Pilger sich die Quelle des Lichts auftut. Die Wortwahl (Pilgergang, Quelle des Lichts) gibt dem Aufbruch ins Dunkle eine heilige Bedeutung, um ihn mit christlichen Reminiszenzen an die Nachfolge Christi vor dem arroganten Vorurteil eines kopflastigen Rationalismus zu schützen. Auch so gesehen verwirklicht Hoffmanns Poetik einen ›Realismus ohne Grenzen‹.

Der Verzicht auf moralische Disqualifizierung in der Erzählung entlastet Nathanael und belastet den Leser. Das Aufrechnen von Schuld und Strafe dient in der Literatur häufig dazu, Geschehnisse und Verhaltensweisen plausibel zu machen und das Publikum zufriedenzustellen, weil es den Eindruck haben kann, die Welt sei aufgrund solcher Abwägungen wieder in Ordnung. Da die Erzählung dies verweigert, erzeugt sie Unruhe. Nathanaels Leben wirkt im Rückblick gesehen wie »abgekartet«[8]. Um im Bild zu bleiben: Die Karten hat nicht der Held gemischt. Da es sich auch nicht um einen Lebenslauf in aufsteigender Linie handelt, vielmehr im Gegenteil um eine schreckliche, traurige und manchmal auch komische Geschichte, die mit dem Selbstmord des Helden endet, sieht sich auch der Leser enttäuscht, der von der Literatur das Walten einer weisen Vorsehung bestätigt haben will. Weder ein Determinismus des Bösen noch ein Determinismus des Guten prägt sich modellhaft aus. Freilich fällt ins Auge, daß Hoffmann in späteren Erzählungen darum bemüht war, seine Helden und Heldinnen vor dem Schlimmsten zu bewahren. Das Unheil verfehlt sie gerade noch. Die Auflösung des Schuldbegriffs im *Sandmann* erschwert, nebenbei erwähnt, auch das Geschäft der Psychoanalyse, die doch wesentlich mit Schuld- und Strafideen rechnet. Deren Abwesenheit in der Erzählung – und sie lassen sich auch nicht durch den Vergleich mit anderen Erzählungen als sozusagen latente Faktoren herbeizitieren – schränkt von vornherein eine Interpretation in dieser Richtung ein.

Worauf beruht dann das Unheimliche am *Sandmann*? Das Spektrum der vom Autor definierten Horrormotive erstreckt sich von eher krud-materiellen bis zu sublimen Schauereffekten. Einfältig wirkt das Spiel mit magischen Zeiten wie der Abend- oder Mittagsstunde. Gröbere Reize sind auch Physiognomien wie die des Coppelius, die als zusammengestükkelt und als halbe Tiergesichter geschildert werden, so daß sie nicht nur bei den Personen der Erzählung, sondern auch beim Leser vielleicht furchtsamen Abscheu erregen können. Gespenstischer erscheint das Zwielicht, in dem Spalanzani durch den leerhallenden Raum auf den verliebten Nathanael zuschreitet, der immer noch Olimpia um ein Liebesgeständnis anfleht. Als Todessymptom wirkt grauenhaft die Eiseskälte von Olimpias Haut und Körper, die durch Nathanaels

8 Arthur Schopenhauer, *Über die anscheinende Absichtlichkeit im Schicksale des Einzelnen* (1850), in: A. S., *Sämtliche Werke*, hrsg. von Arthur Hübscher, 3. Aufl., Bd. 5: *Parerga und Paralipomena, Bd. 1*, Wiesbaden 1972, S. 225.

Händedruck und Kuß langsam zu erwärmen scheinen. Feinsinnig-mirakelhaft sind dagegen die Züge, die Olimpia für Nathanael zur ›Königin der Nacht‹ stilisieren: die Mondesstrahlen, die in ihrem Auge aufgehen; der Liebesstern in der Nacht; die bei Fackellicht Angebetete. Wenn übermächtige zerstörerische Gewalten aus der Außenwelt schier unaufhaltsam in die Innenwelt vorstoßen, so lösen sie Furcht und Zittern beim ›hilflosen Geschöpf‹ aus. Das dumpfe Schreiten des Sandmanns, der dröhnend das Haus betritt und langsam die Treppe heraufkommt, ist ein Beispiel für panikerzeugende Annäherung eines fremden Subjekts. Die Treppe ermöglicht im *Sandmann* den Gang von außen nach innen (den Einfluß der geschichtlichen und gesellschaftlichen Bedrohung), von unten nach oben (den Einfluß der sonst abgedrängten Triebe, Begierden, Träume). Über die Stufen als Schneise führt das Unheil in die intime Familienordnung. Der Anblick des Todes gemahnt an die Verletzlichkeit der eigenen Existenz, zumal wenn sich das Erscheinungsbild eines vertrauten Menschen im Sterben schrecklich verändert: Das Gesicht des toten Vaters ist zuerst gräßlich verzerrt. Überhaupt gilt der Abweichung von den gewohnten Gesichts- und Körperproportionen beunruhigte Aufmerksamkeit: Die Erscheinungsweise des Coppelius wird als fratzenhaft und unmenschlich empfunden. Noch verstörender aber wirkt auf Hoffmanns Helden der verstümmelte Leib: Olimpia, als sie im Streit zwischen Spalanzani und Coppola fast zerrissen wird und ihre Augen verliert. In die Brust fliegende Augenpaare, die Assoziation herausgerissener Augen und Blutstropfen: all diese Motive gemahnen an herausgerissene Teile eines Ganzen, brutale Verletzungen und rufen dumpfe Leibängste wach. Herkömmliche Bedeutungsabstufungen scheinen plötzlich außer Kraft gesetzt, wenn etwa Brillen als schöne Augen, »sköne Oke«, angesprochen werden und funkelnde Gläser auf dem Tisch Nathanael wie zahlreiche von ihrem Körper, vom Kopf abgetrennte Augen anglitzern – und durch die Vorstellung dieser Amputation sein Entsetzen erregen. Die

Augenangst des Nathanael erklärt sich nicht zuletzt daher, daß es sich hier um den empfindlichsten, verwundbarsten Teil des Körpers handelt, zugleich um den Teil, der beweglicher als alle anderen den Ausdruck innerer Impulse und Reaktionen auf die Umwelt wiedergibt. Der Augensinn verhilft zur genauen Orientierung im Wahrnehmungsfeld. Aber dieses sonst unbestechliche Organ der Wirklichkeitserfassung erweist sich für Nathanael als nur begrenzt tauglich. Unheimlich ist nicht nur der unkontrollierte Wechsel in die Wahnwahrnehmung, sondern auch der starre Blick Olimpias, der selbst Nathanael zunächst an ihrer Lebendigkeit zweifeln läßt. Das Perspektiv als optisches Instrument ist nur vordergründig ein magisches Werkzeug; der Blick durch das Fernrohr gleicht einer körperlosen Annäherung (um der Neugier des keuschen Mannes zu dienen) und entstellt das natürliche Bildfeld schon dadurch, daß es bestimmte Partien ausschneidet und abrupt heranrückt. Apparate dieser Art gelten Hoffmann und seinen Zeitgenossen eher als förderlich für die Illusionsbildung denn für die naturwissenschaftliche Entzauberung von Sehtäuschungen. Dies gilt ebenso für die Varianten der Laterna magica und alle möglichen Spiegel wie für die Maschinen in Menschenform. Das Spiel mit dem Trug, wie es sich etwa in der Konzeption der Olimpia, einer damals technisch so vollkommen gar nicht herstellbaren Puppe äußert, wirft deshalb einen unheimlichen Schatten, weil es an einer besonderen Gefühlsgewißheit des Beobachters zweifeln läßt, an der Gefühlsgewißheit, seinesgleichen, den anderen Menschen ohne Zögern zu erkennen.

Die Irritation über die Identität eines begegnenden Wesens – sei es lebendig oder tot, Mensch oder Maschine, Unhold oder Mitmensch – kann eine Irritation über die eigene Identität erzeugen. Das Erlebnis der Verwechslung von Mensch und menschenähnlicher Figur ist grausig, weil es das eigene Ich-Bewußtsein auszuhöhlen vermag: Das ›Selbst‹ kann einem fremd werden. In der früheren Erzählung *Die Automate* sind einer Person die »Standbilder eines lebendigen Todes oder eines toten Lebens«, wie sie etwa Wachsfiguren oder redende Türken darstellen, »im höchsten Grade zuwider«[9]. Beinahe als Steigerung dieses unheimlichen Gefühls gilt es ihm, wenn ein lebendiger Tänzer eine »tote hölzerne Tänzerin« umfaßt.[10] Genau dies widerfährt Nathanael. Mit dem Schauder angesichts dieses Irrtums, dem Nathanael verfällt, mischen sich allerdings Trauer über die wohl allen vertraute Verführbarkeit, sich einem schönen Wahn hinzugeben, und leiser Überlegenheitsspott. Nathanael hat durch seine Projektion einen Teil seines Lebens in die tote Figur der Olimpia hineinverlegt – sozusagen wie in einen Fetisch. In dem Moment, in dem die Aura der Geliebten für ihn zerstört wird und die mechanische Puppe zum Vorschein kommt, verliert er – nicht nur übertragen gesprochen – seinen Stand. Die feste Welt löst sich in unzuverlässige Gestalten auf. Nirgendwo ist Sicherheit. Nathanaels Wahnsinn ist entsprechend durch heftige Turbulenzen gekennzeichnet. Schon am Gedicht beeindruckt die Intensität körperlicher Empfindungen, die für Nathanael mit seiner schrecklichen Ekstase verbunden sind: der Feuerkreis, der ihn herumschleudert, der Aufruhr von Wind und Wasser, verdeutlicht am Bild eines Sturms auf dem Meer. Das stabile Element, die Erde, fehlt in der Beschreibung des inneren Zustands eines Rasenden. Im Wirbel mitgerissen zu werden, reduziert den Menschen zu einem Gegenstand, macht ihn zur Puppe, die willenlos fremden Kräften ausgeliefert ist. Dann also werden sich Nathanael und Olimpia wirklich spiegelbildlich ähnlich.

Der dramatische Glücksumschlag von Ruhe (die sich dann als Schein-Ruhe herausstellt) in heftige und bedrohliche Handlung, von der idyllischen in die Mordszene (wie zum Schluß der Erzählung) erschreckt besonders, weil es offenbar nicht gelungen ist, die in der Innenwelt um sich greifenden Gefahren zu bannen. Das Wegleugnen der eigenen Ängste und der

9 Hoffmann, *Serapions-Brüder* (Anm. 2) S. 330.
10 Ebd., S. 346.

des Freundes, wie Clara es versucht, hat nichts geholfen. Was oberflächlich überwunden scheint, kommt plötzlich wieder zum Vorschein, schrecklicher und gewaltsamer als früher. Die Unheimlichkeit des Rückfalls, die schon Sigmund Freud beobachtet und sich unter anderem mit der Wiederkehr von Triebregungen erklärt hat, beherrscht die Erzählung *Der Sandmann*. Die demonstrierte Vergeblichkeit des Noch-einmal-davonkommen-Wollens widerspricht der tröstlichen Erwartung einer unausweichlichen Verbesserung (des Menschen, der Menschheit) und profaneren Karriere-Ideen. Wenn auch Hoffmann andeutet, daß vielleicht Flüchten und Ausweichen die falschen Methoden sind, er nimmt jedem den Atem, der sich gerade optimistisch und frohgemut darüber zu äußern anschickt, daß das Leben doch in den Griff zu kriegen sei – man müsse es nur recht in die Hand nehmen (und wie all die Formeln derer heißen, die sich als Schmiede ihres Glücks verstehen). Das Unheimliche am *Sandmann* sind die aus der Heimlichkeit hervorgetretenen Hemmnisse und Leiden, denen der Autor den zeitbedingten schwankenden Umriß zu geben versucht hat.

Literaturhinweise

Aichinger, Ingrid: E.T.A. Hoffmanns Novelle »Der Sandmann« und die Interpretation Sigmund Freuds. In: Zeitschrift für deutsche Philologie 95 (1976) S. 113–132.

Drux, Rudolf: Marionette Mensch. Ein Metaphernkomplex und sein Kontext von E.T.A. Hoffmann bis Georg Büchner. München 1986.

Fühmann, Franz: Fräulein Veronika Paulmann aus der Pirnaer Vorstadt oder Etwas über das Schauerliche bei E.T.A. Hoffmann. Hamburg 1980.

Gendolla, Peter: Die lebenden Maschinen. Marburg 1980.

Hartung, Günter: Anatomie des Sandmanns. In: Weimarer Beiträge 23 (1977) H. 9. S. 46–65.

Köhn, Lothar: Vieldeutige Welt. Studien zur Struktur der Erzählungen E.T.A. Hoffmanns. Tübingen 1966.

Lehmann, Hans-Thies: Exkurs über E.T.A. Hoffmanns »Sandmann«. Eine texttheoretische Lektüre. In: Romantische Utopie – Utopische Romantik. Hrsg. von Gisela Dischner und Richard Faber. Hildesheim 1979. S. 301–323.

Mahlendorf, Ursula: E.T.A. Hoffmanns »Sandmann«: Die fiktive Psycho-Biographie eines romantischen Dichters. In: Psychoanalyse und das Unheimliche. Essays aus der amerikanischen Literaturkritik. Hrsg. von Claire Kahane. Bonn 1981. S. 200–227.

Matt, Peter von: Die Augen der Automaten. E.T.A. Hoffmanns Imaginationslehre als Prinzip seiner Erzählkunst. Tübingen 1971.

Metzner, Joachim: Geschichte und Ästhetik des therapeutischen Augenblicks. In: Augenblick und Zeitpunkt. Studien zur Zeitstruktur und Zeitmetaphorik in Kunst und Wissenschaften. Hrsg. von Christian W. Thomsen und Hans Holländer. Darmstadt 1984. S. 93–120.

Preisendanz, Wolfgang: Eines mattgeschliffenen Spiegels dunkler Widerschein. E.T.A. Hoffmanns Erzählkunst. In: Festschrift für Jost Trier. Köln 1964. S. 411–429. Wiederabgedr. in: Zu E.T.A. Hoffmann. Hrsg. von Steven Paul Scher. Stuttgart 1981. S. 40 bis 54.

Schmidt, Jochen: Die Krise der romantischen Subjektivität: E.T.A. Hoffmanns Künstlernovelle »Der Sandmann« in historischer Perspektive. In: Literaturwissenschaft und Geistesgeschichte. Festschrift für Richard Brinkmann. Tübingen 1981. S. 348–370.

Walter, Jürgen: Das Unheimliche als Wirkungsfunktion. Eine rezep-

tionsästhetische Analyse von E.T.A. Hoffmanns Erzählung »Der Sandmann«. In: Mitteilungen der E.T.A. Hoffmann-Gesellschaft. H. 30 (1984) S. 15–33.
Wawrzyn, Lienhard: Der Automaten-Mensch. E.T.A. Hoffmanns Erzählung vom Sandmann. Berlin 1976.

GERHARD KLUGE

Clemens Brentano: *Geschichte vom braven Kasperl und dem schönen Annerl*

Brentanos *Geschichte vom braven Kasperl und dem schönen Annerl*[1] spielt zur Zeit der »Sommers-Frühe« (3), um die Mitte des Monats Mai. Wohl in derselben Jahreszeit des Jahres 1817 dürfte sie entstanden sein. Denn am 27. Juni 1817 – das ist das einzige überlieferte authentische, auf die Geschichte bezogene Datum – hat Brentano sie, einer Tagebuchaufzeichnung seines Berliner Freundes Ludwig von Gerlach zufolge, diesem und zwei anderen Bekannten im Tiergarten vorgelesen.[2] Brentano lebte seit November 1814 wieder in Berlin. Er war im Herbst dieses Jahres aus Wien und Prag zurückgekommen und hatte erst einige Wochen auf Arnims Gut Wiepersdorf verbracht. Dort half er seinem Schwager bei Bauarbeiten, die nach den Kriegsereignissen nötig wurden, begann aber auch mit der Ausarbeitung zweier Novellen, von denen eine Fragment blieb.[3] In Wien und Prag waren alle Pläne und Projekte gescheitert. Weder war es geglückt, gemeinsam mit seinem

1 Der Aufsatz beruht auf früheren Arbeiten des Verfassers zu Brentanos Erzählung und führt dort entwickelte Gedanken weiter: G. K., »Vom Perspektivismus des Erzählens. Eine Studie zu Clemens Brentanos ›Geschichte vom braven Kasperl und dem schönen Annerl‹«, in: *Jahrbuch des Freien Deutschen Hochstifts* (1971) S. 143–197; G. K., *Clemens Brentano. Geschichte vom braven Kasperl und dem schönen Annerl. Text, Materialien, Kommentar*, München 1979; G. K., »Clemens Brentanos Erzählungen aus den Jahren 1810–1818. Beobachtungen zu ihrer Struktur und Thematik«, in: *Clemens Brentano. Beiträge des Kolloquiums im Freien Deutschen Hochstift 1978*, hrsg. von Detlev Lüders, Tübingen 1980, S. 102–134. Zitiert wird nach der Ausgabe: Clemens Brentano, *Geschichte vom braven Kasperl und dem schönen Annerl*, hrsg. von Gerhard Schaub, Stuttgart 1990 (Reclams Universal-Bibliothek, 411).

2 Hans Joachim Schoeps, »Clemens Brentano nach Ludwig von Gerlachs Tagebüchern und Briefwechsel«, in: *Jahrbuch des Freien Deutschen Hochstifts* (1970) S. 294.

3 *Die Schachtel mit der Friedenspuppe* und *Der arme Raimondin.*

Bruder Christian das Familiengut Bukowan bei Prag erfolgreich zu verwalten und zu bewirtschaften, noch fand er in Wien ein erfolgreiches und dauerhaftes Verhältnis zu den dortigen Theatern, die Aufführung des für die Bühne bearbeiteten Lustspiels *Ponce de Leon* geriet zu einem Fiasko. In Berlin beginnt Brentano bei Schinkel mit einem Architekturstudium, um damit sein Brot zu verdienen, er nimmt Unterricht im Zeichnen, in Algebra und Geometrie, trägt sich auch mit dem Gedanken, eine Buchhandlung zu kaufen, ohne daß alle diese Vorhaben lange durchgehalten werden. Brentano hat einen ausgedehnten Bekanntenkreis, er ist zwischen 1815 und 1817 mit einer ganzen Reihe von schriftstellerischen, zumeist kritischen Arbeiten befaßt, entwirft zahlreiche literarische Pläne, aber außer einigen Gedichten entstehen keine namhaften Werke. Seit 1815 verkehrt er in Kreisen von Berliner Neupietisten, im Juni 1816 treffen Berichte und Briefe über die katholische Reformbewegung in Bayern ein, die nachhaltig diskutiert werden. Im Oktober 1816 lernt er Luise Hensel kennen, der er zu Weihnachten einen Heiratsantrag macht. Ende Februar 1817 legt er in der St. Hedwigs-Kathedrale die Generalbeichte ab (sein Bruder Christian war ihm darin vorangegangen) – alles in allem Monate und Jahre des Suchens, der persönlichen, der geistigen Neuorientierung, der Selbstbesinnung; davon und von Zweifeln, Krisen und innerer Zerrissenheit zeugen Brentanos Briefe aus dieser Zeit. Diese sind häufig genug umfangreiche Selbstbekenntnisse, nur vergleichbar mit den frühen Briefen an Sophie Mereau, Lebensbeichten, die die Generalbeichte des Jahres 1817 vorbereiten, und sie wurden mitunter auch gar nicht abgeschickt. Zwei Aspekte schälen sich heraus: die Vergewisserung der eigenen ›armen‹ Existenz und das Problem der Kunst – Themen, die auf kunstvolle Weise in der *Geschichte vom braven Kasperl und dem schönen Annerl* miteinander verbunden sind. Jedoch ist Brentanos Einstellung gerade auch zu diesen beiden Fragen keineswegs fest umreißbar, sondern durchaus widerspruchsvoll, und es sind für Brentano ja auch keine neuen Lebensfragen. Sie werden nur mit neuer Dringlichkeit gestellt. Briefe an Wilhelm Grimm, an Fouqué, an Hoffmann belegen eine gesteigerte Angst und Abscheu vor aller Kunst, die nur sich selbst spiegele, in der sich nur die Subjektivität des Dichters abbilde und darstelle, die zum Doppelgänger der eigenen Existenz werde und ganz und gar selbstbezogen sei. An Wilhelm Grimm: »Meine dichterischen Bestrebungen habe ich geendet, sie haben zu sehr mit dem falschen Wege meiner Natur zusammengehangen; es ist mir alles mißlungen, denn man soll das Endliche nicht schmücken mit dem Endlichen, um ihm einen Schein des Ewigen zu geben; jedes, auch das gelungenste Kunstwerk, dessen Gegenstand nicht der ewige Gott und seine Wirkung ist, scheint mir ein geschnitztes Bild, das man nicht machen soll, damit es nicht angebetet werde. Weil ich mich nun durch die falschen Bestrebungen meines Geistes ganz mißbraucht und einseitig nach der Phantasie hin ausgebildet fühle, habe ich mit schwerem Kampf, und ganz gegen meine Natur, mich dahin gewendet, wo ich am verlassensten bin, nach der mathematischen Erkenntnis« (15. Februar 1815). An E. T. A. Hoffmann: »Seit längerer Zeit habe ich ein gewisses Grauen vor aller Poesie, die sich selbst spiegelt und nicht Gott. – Welcher Dichter hat aber dies je mehr als höchst scheinbar vermocht?« (Januar 1816.) Gleichzeitig lehnt Brentano die zeittypischen und modischen neoreligiösen Strömungen in der bildenden Kunst und Literatur ab und bescheinigt diesen bestenfalls Blasphemie, ja er sieht in ihnen eine Versündigung gegen Gott.[4] Und er nimmt sogar einigermaßen regen Anteil an der ›sinnlichsten‹ aller Künste, dem Theater, auch der Oper, und plant mit Arnim einen ausgedehnten offenen kritischen Briefwechsel über Zustand und Reform des zeitgenössischen Theaters.

4 In einem Brief des Jahres 1816, vermutlich an den Direktor des Kunstvereins Berlin, warnt er vor den Kunstäußerungen »unsrer gegenwärtigen Zeit: man will mahlen wie die Alten, bildhauen wie die Alten, sich kleiden wie die Alten, dichten wie die Alten, sich freuen wie die Alten, ja fromm sein, wie die Alten [...]. Ich erinnere abermahls an die gefährliche Nachahmung des Heiligen, die nothwendig zum Gegentheil führt, aus dem sie hervorgeht.«

Brentanos religiöse Neubesinnung, sein schon in der Wiener Zeit lebhaftes Interessse an den katholischen Reformbewegungen in Österreich, in Bayern, in Preußen, seine Bekenntnisbriefe an Ringseis schließen wiederum nicht aus, daß er mit dogmatischen Lehrmeinungen der katholischen Kirche, etwa mit dem Priesteramt, durchaus nicht einverstanden ist.[5] Ringseis wirft ihm vor, nicht demütig sein zu können, und auch Brentanos Berliner Freunde zweifeln an seiner religiösen Aufrichtigkeit; es ging ja auch die Rede, Brentano wolle zum Protestantismus übertreten, und ob Brentano aus eigenem Antrieb oder auf Drängen Luise Hensels die Generalbeichte ablegte, ist nicht eindeutig entscheidbar.

Die *Geschichte vom braven Kasperl und dem schönen Annerl* ist nicht ablösbar von diesen Vorgängen und Diskrepanzen, wenngleich sie sich in ihr nicht unmittelbar mitteilen. Sie wurden auch erst in jüngerer Zeit sichtbar gemacht, obwohl die *Geschichte* doch Brentanos populärstes Prosawerk ist und auch während des 19. Jahrhunderts den Namen des Dichters neben dem des Volksliedsammlers weitertrug. Gleichwohl hatte diese Popularität ihren Preis; ihr fielen in volkstümlichen Ausgaben alle anstößigen Stellen (etwa das schockierende Motiv vom blutrünstigen Schwert in Annerls Kindheitsgeschichte, die Liaison von Herzog und Gräfin, die Denkmalsallegorie) zum Opfer,[6] und in katholischen Kreisen, in denen Brentano als Verfasser der späten religiösen Schriften populär war, stieß die *Geschichte vom braven Kasperl und dem schönen Annerl* keineswegs auf ungeteilte Zustimmung. Sie galt infolge der Darstellung von Selbst- und Kindesmord und wegen des Verhaltens des Herzogs als unsittlich und widersprach gerade darin Prinzipien der katholischen Morallehre.[7]

5 An Ringseis, November 1815, fortgesetzt Anfang 1816.

6 Vgl. Gerhard Kluge, *Clemens Brentano. Geschichte vom braven Kasperl und dem schönen Annerl. Text, Materialien, Kommentar*, München 1979 (Literatur-Kommentare, 14), S. 44–46.

7 Ebd., S. 83 f.

Es blieb der werkimmanenten Interpretationsrichtung in der restaurativen Nachkriegsphase der fünfziger Jahre vorbehalten, die inneren Widersprüche in der Thematik und im Erzählgefüge des Werkes zugunsten des reinen, vollkommenen Kunstwerks übersehen und den biographischen Hintergrund ebenso vergessen zu machen wie zeitgeschichtliche Anspielungen.[8] Diese waren umso leichter zu übersehen, als die vermeintlichen Quellen bzw. Vorlagen der Erzählung, die Brentano von Luise Hensels Mutter mitgeteilt bekommen haben soll, eine Kindesmordgeschichte aus Schlesien und die Geschichte vom Selbstmord eines Soldaten, zeitlich und lokal so undefiniert blieben, daß sie mit dem ebenfalls historisch nicht fixierten Geschehen in einer Volksballade zusammengebracht und als menschlich allgemeingültiger Fall aufgefaßt werden konnten. Weder sind Brentanos Quellen nur Kalendergeschichte und Bänkelsang, noch handelt es sich bei ihnen lediglich um zwei Stoffe volkstümlicher Literatur. Brentano hat aus einer Fülle literarischer und nichtliterarischer Texte Motive bzw. Zitate übernommen, ohne daß eines davon als Quelle im engeren Sinne für die *Geschichte vom braven Kasperl und dem schönen Annerl* gelten kann.[9] Brentano verfährt mit seinen Vorlagen auch hier durchaus kontaminierend. Dadurch, daß er sie ohne Rücksicht auf den historischen Kontext verwendete, scheint die geschichtliche Zeit nach den Befreiungskriegen, in der seine Erzählung spielt, aufgehoben zu werden. In der Erzählung gibt es Hinweise auf

8 Richard Alewyn, »Brentanos *Geschichte vom braven Kasperl und dem schönen Annerl*« [1957], in: *Deutsche Erzählungen von Wieland bis Kafka,* hrsg. von Jost Schillemeit, Frankfurt a. M. 1966, S. 101–150; Benno von Wiese, *Die deutsche Novelle von Goethe bis Kafka,* Düsseldorf 1956, S. 64–78.

9 Zu den stofflichen Vorlagen vgl. Heinz Rölleke, »Quellen zu Brentanos *Geschichte vom braven Kasperl und dem schönen Annerl*«, in: *Jahrbuch des Freien Deutschen Hochstifts* (1970) S. 244–257; Ders., »Die gemästete Gänseleber. Zu einer Metapher in Clemens Brentanos *Geschichte vom braven Kasperl und dem schönen Annerl*«, in: *Jahrbuch des Freien Deutschen Hochstifts* (1974) S. 312–322; Ders., »Eine Quelle zu Brentanos *Geschichte vom braven Kasperl und dem schönen Annerl?*«, in: *Wirkendes Wort* 5 (1984) S. 341–343.

historische Ereignisse, welche die Handlungszeit ungefähr bestimmbar machen. Die Verwendung von Motiven aus Volkslied, -brauch, Märchen und Aberglaube und aus Aufzeichnungen eines Nürnberger Scharfrichters des frühen 17. Jahrhunderts bringt Elemente aus einer vorzivilisatorischen Welt in die kleinstädtische Residenz nach 1815, welche diese historische Festlegung wieder vergessen machen. Aber es werden sogar recht aktuelle Fragen in der *Geschichte vom braven Kasperl und dem schönen Annerl* diskutiert. Sie betreffen die Heeresreform, die Stellung des Soldaten, dessen Ehre und Würde,[10] und damit sind wir schon mitten in Kaspers Lebensgeschichte.

Während Brentano in seinen beiden Erzählungen, die sich mit Ereignissen aus der Französischen Revolution auseinandersetzen, und in anderen Äußerungen zu dieser, ein außerordentlich negatives Frankreichbild hat (die Revolution ist ihm der Inbegriff des Bösen, des Sündenfalls),[11] fällt auf, daß in der *Geschichte vom braven Kasperl und dem schönen Annerl* zweimal in vorbildhafter Weise von Frankreich die Rede ist, hinsichtlich des Verhältnisses von Literatur und Leben, Schriftsteller und Gesellschaft und hinsichtlich der Ehre des Soldaten. Der französische Unteroffizier erschießt sich selbst, nachdem er gezwungen worden war, einen Untergebenen zu prügeln. Als der König davon erfährt, wird der Befehl zur Prügelstrafe »gleich zurück genommen« (11). Das ist historisch ebenso richtig wie falsch. Frankreich war tatsächlich mit einer Heeresreform vorangegangen, aber nicht im Ancien régime, unter dem letzten König; vielmehr hatte Napoleon sie durchgesetzt, und einer ihrer Pfeiler war die Achtung der Freiheit und der Würde jedes einzelnen Solda-

10 Wolfgang Frühwald, »Die Ehre der Geringen. Ein Versuch zur Sozialgeschichte literarischer Texte im 19. Jahrhundert«, in: *Geschichte und Gesellschaft. Zeitschrift für historische Sozialwissenschaft* 9 (1983) H. 1, S. 69–86.

11 Vgl. dazu die beiden in Anm. 3 genannten Erzählungen und die noch ungedruckten Aufsätze *Zu einem Werk über altdeutsche Trachten* und *Zur Haltung Preußens nach der Niederlage Napoleons.*

ten. In Preußen hatte sich Gerhard von Scharnhorst (1755 bis 1813) dafür eingesetzt, die auf Drill, Einschüchterung durch erbarmungslose Strafen (Prügel, Spießrutenlaufen) und Zwang bestehende friderizianische Heeresordnung durch eine Reform nach französischem Vorbild abzulösen. Der alte Finkel, Kaspers Vater, der die historisch veraltete, Friedrich II. zugeschriebene Auffassung vertritt, der gemeine Soldat habe kein Gefühl für Ehre, illustriert gleichsam einen Satz aus einem Memorandum Scharnhorsts an den König: »Wenn viele, sonst geachtete Männer meinen, man könne die Disziplin nicht erhalten, wenn nicht jeder sechzehnjährige Fähnrich und rohe Unteroffizier jeden alten Soldaten bei dem Exerzier- und Paradewesen über einen unbedeutenden unschuldigen Exerzier- oder Putzfehler halb zu Tode prügeln dürfe, so darf man dieses nicht anders als ein Vorurteil ansehen.«[12] Scharnhorsts Vorschläge stießen auf Widerstand und konnten erst nach 1806 und bloß schrittweise durchgesetzt werden. Neidhart von Gneisenau (1760–1831) unterstützte Scharnhorsts Reformvorschläge und führte sie weiter; er wollte die Disziplinarbestimmungen für Offiziere ganz vom Begriff der Ehre abhängig machen. Und daß Kasper, der Sohn eines Bauern, reelle Aufstiegschancen zum Offizier hat, entsprach auch einem Gedanken der Reformer. Von Napoleon ist der Ausspruch überliefert, jeder Soldat solle den Marschallstab im Tornister tragen. Im friderizianischen Heer waren die höheren Offiziersränge in der Regel dem Adel vorbehalten. Scharnhorst schlug vor, daß Begabung, Mut, Tapferkeit und vor allem charakterliche Eigenschaften bei der Beförderung zum Offizier ausschlaggebend sein müßten. Auch Arnim vertrat in einem Aufsatz *Die Mängel der preußischen Armee* diese Auffassung: »Das gute Verhältnis zwischen Offizier und Soldaten würde sich von selbst ergeben, wenn häufig Soldaten zu Offizieren gemacht würden, etwa

12 Zit. nach: Franz Schnabel, *Deutsche Geschichte im 19. Jahrhundert*, Bd. 1, Freiburg i. Br. [5]1959, S. 381.

durch Wahl; entweder müßten Schläge nicht entehrend sein für Offiziere oder nicht angewendet werden gegen Gemeine [. . .].«[13]

Der französische Unteroffizier sieht sich in seiner inneren Ehre verletzt, die höher ist als die Standesehre des Offiziers; mit ihr ist die Würde des Menschen angetastet; nach der Ausführung des ihm auferlegten Befehls tötet er sich aus freiem Willen; die eine Handlung verdinglicht ihn, die andere bestätigt seine moralische Autonomie. Die Episode enthält in nuce die Fabel zu einem tragischen Konflikt im klassischen Sinne: der Freitod des Offiziers ist ein moralischer Triumph des Unterlegenen. Die Großmutter kann seine Handlungsweise nicht ganz verwerfen, wenngleich Selbstmord in ihren Augen Sünde ist. Aber der Offizier bezeugt einen Idealismus der Freiheit, geistesgeschichtlich einem Schillerschen Tragödienhelden vergleichbar, der die innere Ehre zum obersten Prinzip menschlicher Autonomie erklärt hat. Brentano verlegt diese Episode in die Vergangenheit, weil in der Generation des geschichtlichen Umbruchs die bisher gültigen Werte devaluiert sind und ein Idealismus der Freiheit in der Lebenswelt Kaspers, Annerls, aber auch in derjenigen der Großmutter nicht (mehr) vorhanden ist. Daß aber neben dem religiösen Weltbild der Großmutter noch ein anderes, nicht verwerfliches, mit offenkundig auch vorbildhafter Verbindlichkeit besteht, zeigt an, daß dasjenige der Großmutter nicht verabsolutiert werden sollte. Kasper scheitert an dem für ihn nicht lösbaren Widerspruch zwischen innerer Ehre und seiner soldatischen Standesehre. Man könnte vielleicht sogar sagen, daß gerade die durch die aktuellen Neuerungen in der Heeresorganisation sich ihm eröffnenden gesellschaftlichen Chancen, die der »brave« – also tapfere, ehrliche – Kätnerssohn Kasper als Soldat hat, ihn zu einer Überbewertung der Standesehre verleiten, um seinen sozialen Aufstieg nicht zu

13 Achim von Arnim, *Die Mängel der preußischen Armee*, zit. nach: Reinhold Steig, »Aus der preußischen Unglückszeit«, in: *Deutsche Revue* 38 (1913) S. 67.

gefährden. Damit stellt sich eine deutliche Parallele zu Annerl her, die aus demselben Grunde auf ihr äußeres Ansehen fixiert ist; sie habe sich »in der Hauptstadt vermietet, weil sie da eher etwas lernen könne und mehr Ehre dabei sei« (18).
Es verbietet sich jedoch, diese soziale Motivation des Handelns überzubewerten, denn sie bleibt der metaphysischen zugeordnet, vertreten durch die Großmutter und den französischen Unteroffizier. Brentano gestaltet in dieser Figurenkonstellation auch einen Zeit- und Generationengegensatz. Nicht von ungefähr spielt die französische Episode noch in der Zeit der Monarchie, und die uralte Großmutter gehört mit ihren 88 Jahren ganz in das vergangene Jahrhundert. Beider Verständnis der menschlichen Bestimmung hat zur Grundlage den Glauben an einen obersten Wert, der zur geistigen und existentiellen Mitte ihres Daseins geworden ist und der sie auch allen Schicksalsschlägen zum Trotz die innere Übereinstimmung mit sich selbst behaupten läßt: die Religion, das tiefe Gottvertrauen einerseits – die Würde, die sittliche Freiheit der Person andererseits. Sie ermöglichen »das ganzheitliche, Transzendenz und Immanenz verbindende Denken der Alten«[14] und die Autonomie der Entscheidung des Unteroffiziers. Aus einer solchen geistigen ›Mitte‹ leben Kasper und Annerl nicht mehr, bzw. diese ist durch vergängliche, äußerliche, instabile Verhaltensmuster und Normen ersetzt.
»Die Mitte verlassen, heißt die Menschlichkeit verlassen«, steht bei Pascal. Versteht man »Menschlichkeit« als Erfüllung der dem Menschen als Gattungswesen adäquaten Existenzweise, so kann man in diesem Ausspruch Pascals auch die Umschreibung der Thematik von Brentanos Erzählung sehen. Der Ich-Erzähler könnte selbst ein Lied davon singen: »[...] es ist auch wirklich ein verdächtiges Ding um einen Dichter von Profession, der es nicht nur nebenher ist. Man kann sehr leicht zu ihm sagen: mein Herr, ein jeder Mensch

14 Frühwald (Anm. 10) S. 76.

hat, wie Hirn, Herz, Magen, Milz, Leber und dergleichen, auch eine Poesie im Leibe, wer aber eines dieser Glieder überfüttert, verfüttert, oder mästet, und es über alle andre hinübertreibt, ja es gar zum Erwerbszweig macht, der muß sich schämen vor seinem ganzen übrigen Menschen. Einer der von der Poesie lebt, hat das Gleichgewicht verloren, und eine übergroße Gänseleber, sie mag noch so gut schmecken, setzt doch immer eine kranke Gans voraus.« (13) Brentano hat denselben Gedanken später noch zweimal wiederholt. An Ferdinand Freiligrath schreibt er am 3. September 1839: »Daß Sie ein Kaufmann sind und somit im bürgerlichen Leben wurzeln, mehrt meine Achtung für Sie, und ich würde es mit Betrübnis vernehmen, wenn Sie mit Ihrem Stande ganz zerfielen und sich Ihrem Zustande (der Poesie) unbedingt preisgäben. Es ist immer ein ins Kraut Schießen, ein sich zu Tode Blühen usw. Ein Erglühen, Erröten ist zu seiner Zeit ein rührender Purpur, aber sich solchem allein hingeben, wird zu tödlichem Scharlachfieber. Es gibt Dichter, deren Inneres ein schimmernder Ausschlag wird, sie müssen sich immer künstlich erwärmen, denn tritt die Poesie zurück, so werden sie konvulsionär, fallsüchtig, wahnsinnig oder sterben, und aus ihrer Verwesung wachsen höchstens Gedichte anderer [. . .].« Und an Sophie von Schweitzer am 18. April 1842: »[. . .] ach! was hätten wir doch alle werden können: so gut, so fromm, hilfreich und trostreich, für einander und ein Heil allen Nebenmenschen; o, wir hätten wohl heilend und heilig werden können, wir hatten wohl alles dazu, und was ist aus uns geworden? Wie eine Menge kostbarer Mineralien, Kristalle und Erzstufen, die man lose zwischen Wäsche in einem Koffer auf dem Wagen versendet, wie sie ankommen als eine unkenntliche, zerriebene Masse von Zunder und Staub, so ist alles gestaltlos und vernichtet; wir sind nichts mehr, wir gelten nichts, wir wissen nicht mehr, wer wir sind, ahnen kaum, was wir waren. Endlich aufgelöst in Wind und Wetter und Tränen der Leidenschaft, und wieder stillestehend in Not und Kummer, schossen hie und da wieder einige Kristalle an und

gaben Zeugnis, was hier alles zu Grund gegangen. [...] O mein Kind, wir hatten nichts genährt als die Phantasie, und sie hatte uns teils wieder aufgefressen.«
Jedesmal zeiht Brentano sich eines Ästhetizismus, der die Kunst zur Mitte des Daseins gemacht und dadurch das Leben verfehlt hat. Das Gedicht *Zweimal hab' ich dich gesehn* aus dem Jahre 1820 beschreibt die Folgen davon so:

> Poesie, die Schminkerin,
> Nahm mir Glauben, Hoffen, Beten,
> Daß ich wehrlos worden bin.[15]

In dieser Unruhe und Unsicherheit wird der Ich-Erzähler umgetrieben. Die christlichen Kardinaltugenden werden als Bollwerk aufgerufen gegen Wehrlosigkeit, gegen Mangel an festen Maßstäben und Werten, gegen den Zweifel an der eigenen Existenz. Der Ich-Erzähler reagiert sehr emotional und impulsiv auf die Erzählungen der Alten, zeigt aber erhebliche Unsicherheiten, wie er sie beurteilen soll. Weder die Tat des französischen Offiziers noch die Schicksale der beiden anderen Ehrenopfer kann er in die Koordinaten seines wehrlos gewordenen Denkens einordnen. Elementaren Lebensereignissen gegenüber ist er so wehrlos wie gegenüber der Einschätzung eines auf sittlichen Prinzipien fundierten Handelns. Insofern fehlen ihm Menschlichem gegenüber Maßstäbe, aber er kann spontan helfen.
Brentano hat die zwischen der Großmutter und ihrem Enkel bestehende Kluft, den Verlust der menschlichen Mitte in Gott, auch in dem 1816 entstandenen Gedicht *Die Gottesmauer*[16] behandelt, freilich in Form einer erbaulichen, legendenhaften Ballade: eine alte gottesfürchtige Frau rettet »draus bei Schleswig« sich und ihren ungläubigen, skeptischen Enkel vor marodierenden Soldaten, die während des Feldzuges von Graf Bernadotte gegen Dänemark im Winter 1813/14 brand-

15 Clemens Brentano, *Werke*, hrsg. von Friedhelm Kemp, Bd. 1, München 1963, S. 449–455 (hier: S. 454).
16 Ebd., S. 326–329.

schatzend und plündernd über die Dörfer ziehen. Ihre inständigen und anhaltenden Gebete werden erhört; Gott läßt es so heftig schneien, daß ihr Häuschen von einem hohen Schneewall verdeckt wird. Auch in der *Geschichte vom braven Kasperl und dem schönen Annerl* werden die Gebete der Großmutter um ein ehrliches, d. h. ein christliches Begräbnis, erhört. Daß nicht mehr ein Wunder, sondern der menschliche Eifer des Ich-Erzählers dafür sorgen, kann der Alten gleichgültig sein. Auch zur Geschichte Annerls gibt es in Brentanos Lyrik ein Gegenbeispiel, das an einem nahezu analogen Fall zeigt, wie der Mensch, der seine Mitte nicht verloren hat, die gesellschaftliche Schande (Ehrlosigkeit) gering achtet. *Des todten Bräutigams Lied* (»Ich ging auf grünen Wegen«), wohl auch 1817 entstanden, erzählt von einem Mädchen, dessen Bräutigam kurz vor der Hochzeit gestorben ist und das mit seinem noch ungeborenen Kinde zurückbleibt, nun der öffentlichen Ächtung bzw. dem Untergang preisgegeben. Das Mädchen bewahrt dem Geliebten die Treue und bringt auch das Kind zur Welt. Später heiratet es »Um einen guten Namen [. . .] / den ärmsten Mann«, harrt aber auf das Wiedersehen mit ihrem Jugendgeliebten »im bessern Leben«; »Denn eine einz'ge Treue / Ist aller Liebe werth, / Und eine einz'ge Reue / Zerbricht das Richterschwerdt!«[17] Liebe und Treue, Gesittung und Gewissen geben dem Mädchen Kraft und Stärke, sein Schicksal anzunehmen, bewahren es vor Tod und Verzweiflung.

Die Menschen, welche die Mitte verlassen, fallen der Verzweiflung anheim:[18] Kasper, Annerl, zeitweise auch der Ich-Erzähler, wohl auch Grossinger (wenngleich sich in Bezug auf ihn das Wort im Text nicht findet). Der verzweifelnde Mensch ist nicht nur ohne Mitte, er ist am weitesten von Gott entfernt oder von dem, was ihn im Gleichgewicht halten könnte. Verzweiflung ist eine der sechs Sünden wider den

17 Clemens Brentano, *Gesammelte Schriften*, Bd. 2, Frankfurt a. M. 1852, S. 370–374.

18 Vgl. dazu Frühwald (Anm. 10).

heiligen Geist,[19] eine resignierende Selbstaufgabe, geistlicher Überdruß und »die Vorwegnahme der Nicht-Erfüllung« der Erlösung (Josef Piper). Sie hat die Hoffnung aufgegeben. Das Sündhafte der Verzweiflung drückt sich in dem spitzfindig formulierten Gesetz in Brentanos Erzählung aus, welches beinhaltet, daß Selbstmörder, die sich aus Melancholie das Leben nehmen, nicht auf die Anatomie müssen, wohl aber solche, die sich aus Verzweiflung umgebracht haben (27). Noch in Kaspers Tod aus Verzweiflung wirkt das religiöse ›Orientierungssystem‹ der Entfernung von Gott fort, während der Tod der Großmutter mit der Erhörung ihres Gebetes durch Gott zusammenfällt. In Annerl, von der die Großmutter sagt, »sie hat es in der Verzweiflung getan« (33), vollzieht sich dadurch eine Wandlung, daß sie ihr Schicksal willentlich annimmt und zur Sühne bereit ist. Sie verrät den Namen ihres Verführers nicht, ihr abgeschlagenes Haupt zeigt ein wehmütiges Lächeln (39); Wehmut ist nach Schelling Ausdruck der Trauer um ein verlorenes Gut.[20] Annerls Miene spiegelt ihre Trauer um die verlorene Erlösung, um die verlorene Mitte. Und der Ich-Erzähler wird zum Zeugen dafür, wie aus einem Zustand der Verzweiflung ein verzweifelter Mut erwachsen kann, das – auch im christlich-caritativen Sinne – Naheliegende zu tun: zu helfen, um ein Leben zu retten. Er, der als Mensch wie als Schriftsteller auch die Mitte verlassen hat, findet seine Menschlichkeit wieder in diesem paradoxen Akt, nachdem die Erzählung der Alten ihn ganz »zermalmt« hatte (32) und das Wort Ehre ihn »verzweifeln« machte (35). Es wird ihm dabei metaphysischer Trost zuteil, jedenfalls deutet er den Fund des Schleiers mit Rosen und den Text des Liedes der Gräfin Grossinger als »Zeichen der Hoffnung« (34), in der die Verzweiflung überwunden ist, als »Wahrzeichen«, sogar als »Gnade« (34). Erwacht in ihm der

19 Thomas von Aquin, *Summa theologica* II,14,2–3.

20 Vgl. Emil Staiger, »Schellings Schwermut«, in: E. S., *Die Kunst der Interpretation. Studien zur deutschen Literaturgeschichte*, Zürich 1955, S. 180–204, bes. S. 195 f.

Glaube neu? Ist er *doch* auf dem Weg, die Wüste zu durchschreiten und die Stadt zu erreichen, woran er anfangs noch zweifelte (5)?

Merkwürdig ist es schon, daß ein »Dichter von Profession, der es nicht nur nebenher ist« (13), welcher so stark mit Zweifeln an seiner Existenz und an seinem Handwerk behaftet ist, mit einem Male ein so hohes Zutrauen in die Poesie entwikkelt, daß ihm ein Lied zu einer Verheißung, zum Medium der Wahrheit werden kann. Aber das gehört wohl mit zu dem Paradoxen dieser Geschichte, in der der Zweifel an der Kunst in einem ästhetisch vollkommenen Kunstwerk geäußert wird.[21] Hinter dem Understatement des sich Schreiber, d. h. Chronist, Vermittler oder Berichterstatter, nennenden unsicheren Ich-Erzählers steht ein souveräner, sein Handwerk exzellent beherrschender Autor, dessen Meisterschaft die Einheit der Geschichte garantiert. Man hat mit Recht gesagt, daß in Brentanos *Geschichte vom braven Kasperl und dem schönen Annerl* die romantische Tätigkeit des Dichtens, die »Entstehung der Literatur aus Literatur, Sage, Märchen und Historie« zum Gegenstand der Dichtung gemacht werde.[22] Das Werk, das so deutliche Zweifel an der Kunst äußert und so deutliche Unsicherheit über die Bedeutung der Kunst für den Menschen, begreift in sich so viele Formen und Arten von Poesie und Kunst wie sonst nur noch Brentanos Jugendroman *Godwi* unter seinen Prosawerken. Die Perspektivierung, welcher das Thema Ehre, also das Existenzproblem, unterliegt, umgreift auch die Kunst als Gegenstand der Darstellung und als Objekt der Reflexion in Brentanos *Geschichte vom braven Kasperl und dem schönen Annerl*:

1. Die einfach zu lesende Erzählung hat eine komplizierte Struktur:[23] in eine Rahmenerzählung sind mehrere Binnen-

21 Wolfgang Frühwald, »Achim von Arnim und Clemens Brentano«, in: *Handbuch der deutschen Erzählung*, hrsg. von Karl Konrad Polheim, Düsseldorf 1981, S. 157.

22 Ebd.

23 Heinrich Henel, »Clemens Brentanos erstarrte Musik«, in: *Clemens Brentano. Beiträge* (Anm. 1) S. 96.

geschichten verschachtelt, die aber nicht gegen den Rahmen hin abgegrenzt werden, sondern teilweise in diesen übergehen und dort zu Ende gebracht sind. Die Erzählungen der Großmutter sind, wie Alewyn dargetan hat, ohne Ordnung und Folge. Sie »kennt [...] keine Rücksicht auf Klarheit und Ökonomie, erzählt ohne Zusammenhang, mit gleitender Perspektive und wechselnden Proportionen, ohne Beobachtung von Ort und Zeit und ohne Rücksicht auf das Verständnis des Zuhörers. [...] Sie beginnt so, daß sie das Ende vorwegnimmt, oder vielmehr voraussetzt, setzt mehrmals an, springt wieder ab, [...] läßt Wichtigstes unerwähnt oder berichtet es in summarischer Raffung.«[24] Dieses schweifende, assoziative Erzählen ist Teil eines Textes, der durch Leitmotive, Motiv-Doppelungen, durch Wiederholungen und den Parallelismus mannigfaltiger Erzählelemente, durch die Vergeistigung des Dinghaften in Symbol oder Allegorie alles Stoffliche in Funktion verwandelt hat, »in vollkommene Form«.[25] Ein spontanes Erzählen, das alle Merkmale des mündlichen Vortrags zeigt und auf der einfachsten Erzählsituation (Erzähler–Zuhörer) beruht, eine Form volkstümlichen Erzählens, hat – neben dem Bemühen des Ich-Erzählers um einen klaren Bericht über das Vorgefallene – seinen eigenen legitimen Platz in artistisch gebauter Novellenkunst.

2. Die Erzählung integriert Elemente und Darstellungsformen aller Gattungen. Im Text werden Volkslied, Kirchenlied, eine Kontamination aus beiden, ein Kunstlied genannt bzw. zitiert. Der Anfang ist ein lyrisches Stimmungsbild, möglicherweise inspiriert durch Hölderlins Elegie *Die Nacht*. Während der Mittelteil in epischer Ausführlichkeit die Erzählung der Lebensgeschichten der beiden Ehrenopfer enthält, entsteht in der letzten Phase eine drängende, dramatisch gespannte Bewegung auf das Ende hin, die mögliche Rettung von Annerls Leben, mit eingeschobenen retardieren-

24 Alewyn (Anm. 8) S. 117.
25 Ebd., S. 148.

den Momenten. Epische und dramatische Strukturen überlagern sich bei der Spannungsbildung und infolge der zwei verschiedenen Zeitstufen, die Alewyn analysiert hat: »einer genau gemessenen und vorgerechneten Zeitordnung und einer anderen, die nicht durch Abstände sondern durch Inhalte bestimmt wird. Diese Zeit ist ein Raum mit Tiefe, angefüllt von Geschehnis, die gemessene Zeit ist leer und ohne Ausdehnung, ein sich fortbewegender Punkt, die reine Gegenwart. Die Erzählung will es aber nun, daß diese beiden Zeitordnungen nicht nur einander entgegengesetzt werden, sondern daß, indem die Großmutter in die gemessene Zeit eintritt, ein Konflikt entsteht, der das wahre Wesen der Zeit erst enthüllt, das sich weder im leeren Kreislauf noch in der endlosen Progression erschöpft. Es gibt einen Punkt, an dem die beiden Zeitordnungen sich berühren, da er das Ende aller Zeit ist.«[26] Mit der Mitteilung »Um vier Uhr wird sie gerichtet« (33) enthüllt sich, so Alewyn, die Endlichkeit der Zeit: »Es ist die plötzliche Offenbarung des Termins, infolge deren die Perspektive umschwingt aus der Vergangenheit in die Zukunft, infolge deren aber plötzlich auch das Tempo umschlägt und die bisher gemessen aber kaum bemerkt rinnende Zeit sich plötzlich in eine reißende verwandelt, die mit zunehmender Beschleunigung einem Katarakt zutreibt und zu einem hoffnungslosen Wettlauf alles nach sich zieht.«[27]

3. Die Erzählung endet nicht mit der Katastrophe bzw. mit der Erfüllung des Anliegens der Großmutter, sondern mit einem Denkmal der Kunst, ein – im Sinne Friedrich Schlegels – Merkmal »progressiver« romantischer Poesie, welches den Ausblick auf das Unendliche eröffnet.

4. Die Großmutter und der Ich-Erzähler repräsentieren zwei Möglichkeiten des Dichters und des Dichtens. Die Großmutter wurde mehrfach schon als Personifikation bzw. Idealisierung des Romantischen, der romantischen Auffassung des

26 Ebd., S. 131.
27 Ebd., S. 136.

Volks oder von Volkspoesie interpretiert.[28] Frühwald hat jüngst diese Deutung nochmals aus dem ganzheitlichen Denken der alten Frau begründet: »In den Vorstellungen der uralten Bäuerin sind alle Lebensbereiche noch integriert, ist auch die Poesie noch nicht artistisch problematisiert, sondern eine der lebensbestimmenden Grundkräfte menschlicher Existenz«.[29] Als junge Magd sang sie gern »alle Lieder« (9); sie singt sie noch immer, eine Poesie, von der es in Arnims Aufsatz *Von Volksliedern* heißt, in ihr hafte das Leben und »das ist doch weder von heute, noch von gestern, es war und wird und wird seyn, verlieren kann es sich nie, denn es ist, aber entfallen kann es für lange Zeit«.[30] Nach dem Gesang des geistlichen Liedes spricht sie Verse aus einem weltlichen Liebeslied. Gegensätze sind das nicht, denn, wie Arnim sagt: »Alles was mit Lust im Gemüthe sich aufthut und findet ist schön, sey es Himmel oder Hölle«.[31] Begeisterung »weiß von keinem Streit zwischen Christlichem und Heidnischem, zwischen Hellenischem und Romantischem [...] ein Streit des Glaubens wird ihr Wahnsinn, weil da der Streit aufhört, wo der Glaube anfängt«.[32] Die Volkspoesie ist Ausdruck der Einheit von Leben und Geist, also Harmonie, »Einheit der Freude«, in ihr ist der »Glauben und das Wissen des Volkes«; »sie kommt immer nur auf dieser einen ewigen Himmelsleiter herunter, die Zeiten sind darin feste Sprossen, auf denen Regenbogen Engel niedersteigen, sie grüßen versöhnend alle Gegensätzler unsrer Tage und heilen den großen Riß der Welt, aus dem die Hölle uns angähnt, mit ihrem Zeigefinger zusammen«.[33]

28 Z. B. Hermann August Korff, *Geist der Goethezeit*, Bd. 4: *Hochromantik*, Leipzig 1953, S. 353–355.

29 Frühwald (Anm. 10) S. 76.

30 *Des Knaben Wunderhorn. Alte deutsche Lieder*, ges. von Achim von Arnim und Clemens Brentano, krit. Ausg., hrsg. und komm. von Heinz Rölleke, Stuttgart 1987, Bd. 1 (Reclams Universal-Bibliothek, 1250 [7]), S. 414.

31 Ebd., S. 403 f. Anm.

32 Ebd., S. 403 f.

33 Ebd., S. 413 und 403.

Die Großmutter reproduziert aber nicht nur Volkspoesie, sie produziert sie auch. Sie redet Poesie, denn der auf die Volksliedverse nach einem Einwurf des Erzählers gesprochene Sechszeiler »Munter, munter [...]« (9) wirkt spontan, frei improvisierend erfunden, ein »impromptu der Rede«[34], und stammt nicht aus ihrem Liederrepertoire. Ganz im Sinne von Herders Bestimmung der Volksdichtung redet sie »sinnlich klar, lebendig, anschauend«,[35] nicht ohne Humor; ihre Sprache ist »von lebendiger Gegenwart der Bilder«[36] erfüllt und wird oft ganz naiv beim Wort genommen, z. B. in dem Neologismus »Lehnerich«, »so ein Tagedieb, der sich an die Häuser lehnt, damit Er nicht umfällt vor Faulheit« (14). Andererseits erhalten einige ihrer Aussagen einen schwer verständlichen Sinn, weil in ihrem Lebensverständnis Weltliches und Religiöses eine Einheit bilden und der »sinnliche Verstand« (Herder) des Volkes in der Sprache keine »Schattenbegriffe« kennt und das Abstrakte ganz konkret gemeint ist: der Ehrentag ist für sie auf ganz selbstverständliche Weise der Tag der Heimkehr des Menschen zu Gott; und wenn sie von der Zeit spricht, ist selbstverständlich die dem Menschen befristete Zeit, die Lebenszeit, mit einbegriffen. Wie die Volksdichtung so zeigt auch ihr Erzählen von den beiden Enkeln »Sprünge, Würfe, Wendungen«,[37] es folgt nicht streng der Chronologie der Ereignisse, und ist durchsetzt mit Dunkelheiten, d. h. mit Anspielungen, die sich für den Leser erst später aufhellen. Sie erzählt ganz unmittelbar, ist emotional beteiligt, das Vergangene wird in ihrer Darstellung ganz gegenwärtig. Obwohl sie sich als Erzählerin immer wieder meldet (sie ist ja auch Beteiligte) und das Erzählen durch ihre stark gefühlsbetonten Reaktionen darauf unterbricht, ent-

34 Johann Gottfried Herder, *Auszug aus einem Briefwechsel über Ossian und die Lieder alter Völker*, in: *Sturm und Drang. Kritische Schriften*, hrsg. von Erich Loewenthal, Heidelberg 1972, S. 532.

35 Ebd., S. 531.

36 Ebd., S. 514.

37 Ebd., S. 535.

steht keinerlei Distanz zwischen Erzählerin und Erzähltem. Wenn sie Stellung nimmt, die Ereignisse oder Situationen beurteilt, so immer aus unmittelbarer Betroffenheit. Sie ist völlig mit dem identisch, was sie erzählt, sowohl als erlebendes wie als erzählendes Ich, denn, wie Herder sagt, das Volk stellt sich alles vor, wovon es spricht. Alle Vorfälle »hat das Auge gesehen! Die Seele stellt sie sich vor«.[38]
Man kann die Großmutter eine naive Erzählerin nennen, wenn das bedeutet, »daß die Natur mit der Kunst im Kontraste stehe und sie beschäme«.[39] Schiller sagt, so lange der Mensch noch reine Natur ist, »wirkt er als ungetheilte sinnliche Einheit, und als ein harmonirendes Ganze. Sinne und Vernunft, empfangendes und selbstthätiges Vermögen, haben sich in ihrem Geschäfte noch nicht getrennt, viel weniger stehen sie im Widerspruch miteinander«.[40] Der Ich-Erzähler ist, will man in der Schillerschen Terminologie, die Brentano bekannt war und deren Anwendung auf Brentanos Dichtung sich nicht verbietet,[41] bleiben, der sentimentalische, der moderne Künstler. Seine Selbstaussagen und Selbstanalyse, die Selbstvorwürfe und Selbstentschuldigungen lassen einen reflektierenden Künstler sichtbar werden, der die geistige Unschuld des Schaffens, die Natur verloren hat. Sein über sich selbst wissend gewordenes Bewußtsein erzeugt Entfremdung und Vereinsamung. Diese erscheinen unter einer sozialen, gesellschaftlichen und unter einer metaphysischen Perspektive. Die erste ergibt sich aus dem Vergleich der Situation des Schriftstellers in Deutschland mit der seiner französischen Kollegen, für den ein Gegensatz zwischen Literatur und Gesellschaft gar nicht existiert. Der *»homme de lettres«* ist dort »zünftig« (12), d. h. er findet sich in einer

38 Ebd., S. 544.
39 Friedrich Schiller, *Werke*, Nationalausgabe, Bd. 20: *Philosophische Schriften*, bearb. von Benno von Wiese und Helmut Koopmann, Weimar 1962, S. 413.
40 Ebd., S. 437.
41 Walter Müller-Seidel, »Clemens Brentanos naive und sentimentalische Poesie«, in: *Jahrbuch der Deutschen Schillergesellschaft* 18 (1974) S. 441–466.

respektierten Gemeinschaft unter Berufskollegen und lebt nicht als Vereinzelter von Gnaden seiner Phantasie; in seinen Arbeiten ist »hergebrachtes Gesetz« (12), d. h. er ist an eine literarische Tradition, auch an Regeln, gebunden, die von der Gesellschaft mit getragen wird. Der deutsche Künstler der Romantik steht in Opposition zur philiströsen Bürgerwelt, aber angesichts der gesellschaftlich dominierenden bürgerlichen, d. h. ökonomischen Tugenden mit einem permanent schlechten Gewissen. Was in Frankreich ein Ehrentitel ist, homme de lettres, ist in Deutschland ein deklassierendes Schimpfwort. Der moderne Künstler hat in der Gesellschaft nicht nur keinen Rückhalt, er entfremdet sich auch vom Leben. An Philipp Otto Runge schrieb Brentano am 21. Januar 1810, er sehe, »daß das Leben der Kunst wahrlich verloren ist, indem der Künstler sich umsehen muß in sich selbst, um das verlorene Paradies aus seiner Nothwendigkeit zu construiren«. Schiller drückte das mit einer ganz ähnlichen Wendung aus. Während die Natur dem naiven Dichter die Gunst erzeigt habe, »als eine ungetheilte Einheit zu wirken, in jedem Moment ein selbstständiges und vollendetes Ganze zu seyn«, habe sie dem sentimentalischen »die Macht verliehen oder vielmehr einen lebendigen Trieb eingeprägt, jene Einheit, die durch Abstraktion in ihm aufgehoben worden, aus sich selbst wieder herzustellen«.[42] Der naive Dichter besitzt, was der sentimentalische sucht:

> Was sind alle Leiden, alle Begierden meiner Brust, die Sterne gehen ewig unbekümmert ihren Weg, wozu suche ich Erquickung und Labung und von wem suche ich sie und für wen? Alles was ich hier suche und liebe und erringe, wird es mich je dahin bringen, so ruhig, wie diese gute fromme Seele, die Nacht auf der Schwelle des Hauses zubringen zu können, bis der Morgen erscheint, und werde ich dann den Freund finden, wie sie? Ach, ich werde die Stadt gar nicht erreichen, ich werde wegemüde schon in

42 Schiller (Anm. 39) S. 473.

dem Sande vor dem Tore umsinken und vielleicht gar in die Hände der Räuber fallen. (5)

5. Das Lied der Gräfin Grossinger ist eines jener Gedichte Brentanos, in denen sich Elemente von Volkslied und Kunstlied verbinden:

> Die Gnade sprach von Liebe,
> Die Ehre aber wacht,
> Und wünscht voll Lieb' der Gnade
> In Ehren gute Nacht.
>
> Die Gnade nimmt den Schleier,
> Wenn Liebe Rosen gibt,
> Die Ehre grüßt den Freier,
> Weil sie die Gnade liebt. (34)

Die Worte dieses Liedes, in der Mehrzahl abstrakte Begriffe, geben in ihrer logischen Zuordnung durchaus einen Sinn, schwerlich aber, wenn man daraus Allegorien der in der Schlußphase des Geschehens beteiligten Personen (Gräfin, Herzog) der Erzählung macht.[43] Im Gegensatz zum Volkslied, in dem alles Anschaulichkeit ist, »eine fortgehende, handelnde, lebendige Szene«,[44] wirkt das Lied abstrakt, statisch; es enthält Gesten, Gebärden statt Handlung und stellt Emotionen oder Leidenschaften nicht dar, sondern benennt sie, ruft sie beim Namen auf. Sofern das Dargestellte nicht auf eine konkrete Wirklichkeit bezogen bleibt, sondern sich aus Begriffen und Bildern konstruiert, hat es Ähnlichkeiten mit artistischer Lyrik. Dennoch ist es kein blasses, lebloses Gedankenpoem, denn zum einen werden die Begriffe anthropomorphisiert, zum andern kommen in der zweiten Strophe konkrete Dinge vor wie im Volkslied: Rose, Schleier, der Freier. Das Gedicht erhält dadurch Körperlichkeit, eine reale Kontur. Volksliedhaft ist die vierzeilige Strophenform mit

43 Alewyn (Anm. 8) S. 145.
44 Herder (Anm. 34) S. 525.

Kreuzreim, wobei Vers 3 der ersten Strophe aus dem Reimschema herausfällt. Dem Endreim, zwischen weiblichen und männlichen Endungen wechselnd, treten Klangphänomene des Kunstlieds zur Seite, die Folge von dunklen und hellen Vokalen in der ersten Strophe, während in der zweiten die hellen schließlich überwiegen. Volksliedhaft ist wohl auch die Einfachheit und Überschaubarkeit des Ereignisses, von dem allerdings auf dunkle Weise berichtet wird. Die Gnade und die Ehre werden in einer dialogisch und gestisch verdeutlichten Gegenüberstellung gezeigt, aber beide bleiben auf eine ihnen gemeinsame Mitte, die auch die geistige Mitte des Gedichts ist, bezogen: auf die Liebe. Hinzu kommt im vorletzten Vers eine dritte Figur, der Freier – als Typ genauso unbestimmt wie die meistens nur mit Berufs- oder Gattungsnamen genannten Gestalten des Volksliedes. Aber er ist gegenüber »Gnade« und »Ehre« eine wirkliche, reale Gestalt, während jene als Allegorien, als Kunstfiguren interpretierbar bleiben und zur inhaltlichen Konkretisierung verlocken. In den acht Versen wiederholt sich zweimal das Spiel mit Antithesen; diese erscheinen in den jeweils ersten beiden Versen jeder Strophe, während die beiden folgenden diese Gegensätze wieder miteinander vermitteln: in Strophe 1 reißen das adversative »aber«, in Strophe 2 der Gegensatz von »geben« und »nehmen« sowie die wohl ebenfalls im adversativen Sinn (von ›während‹) aufzufassende Konjunktion »wenn« Gegensätze zwischen Gnade und Ehre auf. Aber es sind künstliche, nur scheinbare, denn daß »die Ehre« sozusagen als Moraltrompeter die Ehre der »Gnade« zu bewachen und diese vor der Liebe zu bewahren habe, wäre absurd. Gnade *ist* Liebe, und Ehre *ist* (auch) Wachsamkeit. Gnade und Liebe sind so identisch wie Ehre und Selbstachtung. Und wie die Rose das Symbol der Liebe ist, so der Schleier – im Kontext der Erzählung – dasjenige der Gnade. Auch hier wird der Gegensatz, in den Verben ausgedrückt, durch die Identität von Begriff und Sache wieder aufgehoben. Sind in der ersten Strophe Gnade und Ehre rein allegorisch gestaltet, so verlieren sie durch die

Hinzufügung der sie vertretenden Bildsymbole das starke Maß an Abstraktion. Gnade und Ehre sind keine Gegensätze, weil auch die Ehre »voll Lieb'« ist. Im kunstvollen Spiel der Vermittlung von Gegensätzen ist Liebe das bindende und vermittelnde Element.

Man sollte in den Begriffen keine Allegorien von Personen aus der Erzählung sehen. Eine solche Deutung geht nicht auf, und sie würde das Gedicht verdinglichen. Es erhält seinen Sinn aus sich selbst als Kunstgebilde, aber indem es das Thema »Ehre« aufgreift und das Verhältnis von Ehre und Gnade, zwischen denen die Liebe vermittelt, thematisiert, bekommt es eine Funktion im Kontext der Erzählung. Einerseits weist seine Aussage zurück auf die Geschichten Kaspers und Annerls, in denen die Ehre zur Selbstliebe verkommen war, andererseits deutet es auf das Grabdenkmal voraus, in dem die Ehre durch die Zuordnung zum Kreuz mit der Liebe verbunden ist. Aber es fällt durch das Gedicht auch ein Licht auf die beiden Verführer, den Herzog und den Grafen Grossinger, deren selbstsüchtige Liebe die Ehre verabschiedet hat. Das Gedicht führt insofern tatsächlich ins Zentrum der *Geschichte vom braven Kasperl und dem schönen Annerl*, indem es das problematische Verhältnis von Ehre, Gnade und Liebe deutet, und zwar auf eine der Perspektivierung des Erzählgeschehens in eine irdisch-existentielle und eine jenseitig-metaphysische Ebene entsprechende, abstrakte Weise. Denn Gnade erscheint ja einerseits als Gnade Gottes, andererseits als Bitte des Ich-Erzählers an den Herzog, von seinem Gnadenrecht Gebrauch zu machen, die Ehre unter einem transzendenten und einem auf den sozialen Stand verendlichten Sinn, die Liebe in einem Spektrum, das von christlicher Nächstenliebe bis zu egoistischer Sinnlichkeit reicht.

Gedichttext und Kontext sind kongruent, das kleine vollkommene Kunstgedicht leistet für die Deutung der *Geschichte vom braven Kasperl und dem schönen Annerl*, was die Figuration des Grabdenkmals nicht in der gleichen Weise leisten kann, es erhellt den geistigen Sinn und die geistige

Perspektive der Geschichte. In der Denkmalsallegorie werden diese durch die Porträtähnlichkeit der Allegorien mit dem Herzog bzw. der Gräfin zum Teil tendenziell entstellt, indem das Geistige mit dem Menschlichen vermischt wird. Inwiefern die Selbstverklärung des Herzogs und die Ästhetisierung der zentralen Ideen der *Geschichte vom braven Kasperl und dem schönen Annerl* im Denkmal als Verletzung von wahren Verhältnissen den Schlußpunkt in einer Erzählung von gestörten Proportionen bildet, wurde andernorts gezeigt.[45] Es ließe sich wohl eine (Entwicklungs-)Linie von der ursprünglichen, in romantischer Auffassung echten Poesie, dem Volks- bzw. geistlichen Lied, über das artifizielle Kunstlied, in dem Wort, Bild und Form die Idee der Erzählung sinnbildlich werden lassen, zum – im Sinne Brentanos – modernen Kunstwerk (dem Denkmal) ablesen, das die »unsichtbaren, aber wahrhaftigen Urbilder alles Lebens« nicht mehr darstellen kann, weil deren »sichtbare Offenbarungen durch den Fall der Menschen und Geister ganz verunstaltet« worden seien.[46]

Aber wenn man auch die figürliche Ausführung des Denkmals als fragwürdig empfindet und darin sogar eine bedenkliche Nähe zum Kitsch gesehen hat, so ist die darin zum Ausdruck kommende Idee von solchem Verdachte frei. Diese enthält das Thema der geistigen Mitte in der Gestalt des Kreuzes, dem sich die anderen Werte zu- bzw. unterordnen. Es entsteht Symmetrie und Ausgewogenheit, indem sich die beiden Figurationen der Ehre vor dem Kreuz verbeugen. Auch am Rande erscheint nochmals eine Zweiergruppe, die nicht nur zur Mitte hin, sondern auch in einem ausgleichenden harmonisierenden Verhältnis aufeinander bezogen bleibt: Gerechtigkeit (Strafe) und Gnade, weltliches Recht und Vergebung kraft höherer bzw. höchster Autorität. Der Blick des Interpreten auf das Denkmal hat der Perspektivierung Rech-

45 Kluge (Anm. 6) S. 116–135.
46 An Friedrich Karl von Savigny, 28. Mai 1816.

nung zu tragen, unter der auch die Beschreibung des Denkmals und dessen Funktion in der Erzählung steht. Die Urbilder des Lebens werden verunstaltet, wo sie konkret menschliche Erscheinungsformen annehmen und zur Selbstdarstellung menschlicher Eitelkeit herhalten müssen. Die unverfälschte reine Gestalt der Urbilder ist anwesend in den naiven Formen des Volkslieds, des geistlichen Liedes (»Allein Gott in der Höh' sei Ehr«), aber auch in den alten Weistümern, den Rechtssprichwörtern (»Gnade steht beim Recht« bzw. »Gnade geht vor Recht«), die in dem Denkmal *auch* zitiert werden.

Was es bedeutet, daß Recht und Gnade beim Kreuz stehen,[47] sagt Libussa am Ende des zweiten Aktes von Brentanos Drama *Die Gründung Prags*:

> Auf geht im göttlichen Gesetz das Licht,
> In ew'ger Ordnung Himmels und der Erde
> Geht auf gerecht das einzige Gericht,
> Der Menschen Recht sey ahmende Geberde!
> So lebet fromm, schaut auf der Götter Wesen,
> Dann werdet ihr im Buch des Rechtes lesen.
> Den Göttern gebet, was den Göttern ist,
> Den Menschen, was den Menschen angehört,
> Das Recht sey treu und wahr und ohne List.
> Schlecht ist der Richter, der sich selbst nicht ehrt,
> Wie der, der nicht sein eignes Wohl vergißt.[48]

In mehreren Prosawerken Brentanos erscheinen Denksteine und -mäler. Sie haben neben ihrer ästhetischen auch eine Funktion für das Leben, indem ihre Bilder Zusammenhänge stiften, erinnern und wachhalten, die aus einzelnen Begeben-

47 Vgl. Arthur Kaufmann, »Recht und Gnade in der Literatur«, in: *Neue Juristische Wochenschrift* 37 (1984) S. 1062–69 [Brentano wird hier nicht erwähnt].

48 Clemens Brentano, *Sämtliche Werke und Briefe*, hist.-krit. Ausg., Bd. 14: *Dramen 3: Die Gründung Prags*, hrsg. von Georg Mayer und Walter Schmitz, Stuttgart [u. a.] 1980, S. 177.

heiten erst eine Geschichte machen, und eine Geschichte ist für Brentano immer auch ein Schicksal. Es ergibt sich daraus, daß jeder Mensch, wie Brentano in einem seiner Jugendbriefe an Bettine schreibt, ein doppeltes Leben lebe, »das gesellige praktische Leben seines Standes, seiner Familie, und [. . .] das Leben seines Geistes, seiner Begriffe, seiner Empfindungen«.[49] Jenes sei bestimmt durch die Stellung in der bürgerlichen Welt, dieses habe das eigene Gemüt, die Natur und das Universum zum Gegenstand. Beide zusammen bilden die Geschichte eines Menschen. Im Denkmal versinnbildlicht sich das innere Leben des Menschen, das Leben seines Geistes, seiner Begriffe und seiner Empfindungen weniger unter dem Einfluß der Gegebenheiten aus dem bürgerlichen, sozialen Leben, als unter der Perspektive des Universums.
Die Erzählung *Die Schachtel mit der Friedenspuppe* schließt mit einem zur Kapelle gestalteten Denkmal, dessen traditionelle Ikonographie (Maria auf der Mondsichel, die Schlange zertretend; die Allegorien von Pax und Providentia) allgemeine Urbilder des Lebens darstellt. Der erzählte Vorfall, der den erreichten politischen Frieden der Völker in der Befreundung einer preußischen und einer französischen Familie, aber auch innerhalb dieser in der durch die Vorsehung bewirkten Aufklärung bislang verborgen gebliebener Missetaten und Verbrechen spiegelt, wird durch die am Ende aufgerichteten denksteinartigen Urbilder des Lebens in einem universalen Sinn gedeutet, ohne daß sich etwas Entstellendes, Verzerrendes einmischt. Die Erzählung selbst wird in den Kugelknopf auf dem Dach der Kapelle als document humain eingeschlossen und dort für die Nachwelt aufbewahrt. Das Irdische, die menschliche Begebenheit, wird hier dem Transzendenten untergeordnet, in der Denkmalsallegorie der *Geschichte vom braven Kasperl und dem schönen Annerl* aber vermischen sich beide. Die Kapelle in der anderen Erzählung,

49 Bettina von Arnim, *Clemens Brentanos Frühlingskranz, aus Jugendbriefen ihm geflochten, wie er selbst schriftlich verlangte*, Charlottenburg 1984, S. 154.

nicht das Grabdenkmal wirkt nazarenerhaft und ist wohl auch durch die neugotischen Denkmäler Schinkels inspiriert. Auch in vielen anderen Zügen feiert *Die Schachtel mit der Friedenspuppe* die wiedergefundene Harmonie von Mensch und Gott, Himmel und Erde. In der *Geschichte vom braven Kasperl und dem schönen Annerl* ist Brentano davon weit entfernt. Das Denkmal trägt alle Merkmale eines modernen Kunstwerks. Die zweifellos etwas monströse Gruppe erklärt das Leben des Geistes und die Begriffe der Menschen, welche handelnd und leidend in der Erzählung auftraten, aber es verdeckt auch die Abgründe und Schicksale, in die beide Ehrenopfer geraten sind, mit dem – fragwürdigen – Schein des Schönen. Brentanos *Geschichte vom braven Kasperl und dem schönen Annerl* enthält Variationen über die Ehre *und* die Kunst.

Literaturhinweise

Alewyn, Richard: Brentanos »Geschichte vom braven Kasperl und dem schönen Annerl«. In: Gestaltprobleme der Dichtung. Festschrift für Günther Müller. Hrsg. von R. A., Hans-Egon Hass und Clemens Heselhaus. Bonn 1957. S. 143–180. Überarb. Fassung in: Deutsche Erzählungen von Wieland bis Kafka. Interpretationen 4. Hrsg. von Jost Schillemeit. Frankfurt a. M. 1966. S. 101–150. Wiederabgedr. in: R. A.: Probleme und Gestalten. Essays. Frankfurt a. M. 1974. S. 133–197.

Feise, Ernst: Clemens Brentanos »Geschichte vom braven Kasperl und dem schönen Annerl«: Eine Formanalyse. In: Corona. Festschrift für Samuel Singer. Hrsg. von Arno Schirokauer und Wolfgang Paulsen. Durham 1941. S. 202–211.

Heinisch, Klaus J.: Deutsche Romantik. Interpretationen. Paderborn 1966. S. 64–75.

Kittler, Wolf: Familie, Geschlecht und Poesie. Brentanos »Geschichte vom braven Kasperl und dem schönen Annerl«. In: Germanistik in Erlangen. Hundert Jahre nach der Gründung des Deutschen Seminars. Hrsg. von Dietmar Peschel. Erlangen 1983. S. 231–238.

Kluge, Gerhard: Vom Perspektivismus des Erzählens. Eine Studie über Clemens Brentanos »Geschichte vom braven Kasperl und dem schönen Annerl«. In: Jahrbuch des Freien Deutschen Hochstifts (1971) S. 143–197.

– Clemens Brentanos Erzählungen aus den Jahren 1810–1818. Beobachtungen zur Struktur und zu ihrer Thematik. In: Clemens Brentano. Beiträge des Kolloquiums im Freien Deutschen Hochstift 1978. Hrsg. von Detlev Lüders. Tübingen 1979. S. 102–134.

– Clemens Brentano. Die Geschichte vom braven Kasperl und dem schönen Annerl. Text, Materialien, Kommentar. München 1979.

Koll, Rolf-Dieter: Des Dichters Ehre. Bemerkungen zu Brentanos »Geschichte vom braven Kasperl und dem schönen Annerl«. In: Jahrbuch des Freien Deutschen Hochstifts (1978) S. 256–290.

Kunz, Josef: Die deutsche Novelle zwischen Klassik und Romantik. Berlin 1966.

Lehnert, Herbert: Die Gnade sprach von Liebe. Eine Struktur-Interpretation der »Geschichte vom braven Kasperl und dem schönen Annerl« von Clemens Brentano. In: Geschichte, Deutung, Kritik. Festschrift für Werner Kohlschmidt. Hrsg. von Maria Bindschedler und Paul Zinsli. Bern 1969. S. 199–223.

MacClashan, L.: Der Romantiker im Rahmen. Clemens Brentanos Novelle »Vom braven Kasperl und dem schönen Annerl«. In: The Australian Goethe-Society. Proceedings 1954–1955. Melbourne 1956. S. 31–42.

Macrae, Donald: A New Look at the Old Woman in Brentano's »Kasperl und Annerl«. In: Literatur als Dialog. Festschrift für Karl Tober. Hrsg. von Reinhard Nethersole. Johannisburg 1979. S. 283 bis 294.

Rehder, Helmut: Von Ehre, Gnade und Gerechtigkeit. Gedanken zu Brentanos »Geschichte vom braven Kasperl und dem schönen Annerl«. In: Stoffe, Formen, Strukturen. Studien zur deutschen Literatur. Festschrift für Hans Heinrich Borcherdt. Hrsg. von Albert Fuchs und Helmut Motekat. München 1962. S. 315–330.

Rölleke, Heinz: Quellen zu Brentanos »Geschichte vom braven Kasperl und dem schönen Annerl«. »In: Jahrbuch des Freien Deutschen Hochstifts (1970) S. 244–257.

– Die gemästete Gänseleber. Zu einer Metapher in Clemens Brentanos »Geschichte vom braven Kasperl und dem schönen Annerl«. In: Jahrbuch des Freien Deutschen Hochstifts (1974) S. 312–322.

Walheim, Alfred: Maister Franntzn Schmidts Nachrichters inn Nürnberg all sein Richten. Eine unbekannte Quelle von Brentanos »Geschichte vom braven Kasperl und dem schönen Annerl«. In: Zeitschrift fur den deutschen Unterricht 28 (1914) S. 701–709.

Wiese, Benno von: Die deutsche Novelle von Goethe bis Kafka. Interpretationen. Düsseldorf 1956. S. 64–78.

ALEXANDER VON BORMANN

Joseph von Eichendorff: *Aus dem Leben eines Taugenichts*

Die Aktualität der Romantik

Die Romantik ist wieder da. Lange Jahre als konservativ-reaktionär gescholten, zumindest aber als irrational, mystisch, geschichtlich vergangen ein- (d. h.: weg-) geordnet, erlebt sie seit einigen Jahren eine unvermutete Zuwendung. Nicht nur in der Germanistik und Kunstgeschichte, sondern auch in der Natur- und Rechtsphilosophie, in der Geschichte und Theologie, ja in Sozialwissenschaften und Psychologie blüht plötzlich die Romantikforschung. Unschwer ist ein Zusammenhang mit der Tendenzwende zu erkennen, und wieder scheint es an der Zeit, davor zu warnen, die Romantik kurzschlüssig in eine Gegenstellung zur Aufklärung zu bringen. Eine solche trägt – als allgemeine Schulweisheit den Handbüchern noch immer zu entnehmen – gewiß zur Aktualität der Romantik[1] bei: Die Aufklärung, heißt es, arbeitet vielseitig den Gedanken vom gesellschaftlichen Fortschritt aus, ist eigentlich eine Wachstumsideologie; die Romantik hingegen ist meistens Krisenzeiten verschwistert und lehrt, auf stolze Weise konservativ, mit den

1 Vgl. dazu folgende Sammelbände (Auswahl): *Zur Modernität der Romantik*, hrsg. von Dieter Bänsch, Stuttgart 1977; *Romantik in Deutschland. Ein interdisziplinäres Symposion*, hrsg. von Richard Brinkmann, Stuttgart 1978; *Der neue Irrationalismus*, hrsg. von Nicolas Born [u. a.], Reinbek 1978 (Literaturmagazin, 9); *Romantik. Ein literaturwissenschaftliches Studienbuch*, hrsg. von Ernst Ribbat, Königstein 1979; *Romantische Utopie – Utopische Romantik*, hrsg. von Gisela Dischner und Richard Faber, Hildesheim 1979; *Romantikforschung seit 1945*, hrsg. von Klaus Peter, Königstein 1980; *Romane und Erzählungen der deutschen Romantik. Neue Interpretationen*, hrsg. von Paul Michael Lützeler, Stuttgart 1981.

Beständen auszukommen. Dabei fallen kritisch-scharfsichtige Blicke auf die modernen Errungenschaften, mit der stets erneuten Frage, wie weit sie das Glück des einzelnen wirklich befördern (Tenor: ganz weit weg, außer Sichtweite).
Zur Romantik gehören die prinzipielle Kritik des modernen Bewußtseins (ohne daß sie ihre Zugehörigkeit zur Modernität leugnen kann) und die entsprechende Konsequenz, die programmatische Entmodernisierung. Die wissenssoziologisch ansetzenden Überlegungen von Peter und Brigitte Berger sowie Hansfried Kellner wollen »entscheidende Elemente des modernen Bewußtseins herausarbeiten und diese zu den institutionellen Prozessen, mit denen sie verknüpft sind, in Beziehung setzen«.[2] Sie weisen vor allem die Jugendbewegungen als Protestbewegungen nach, getragen vom »Unbehagen in der Modernität«, und gehen komplex und in vielseitiger Perspektivierung auf »die Konfrontation zwischen der Jugend und den ›abstrakten‹ Strukturen der modernen Gesellschaft« ein.[3] Zwar ist nicht erst seit Werner Krauss' Analysen die krude Entgegensetzung von Aufklärung und Romantik (ein Grundtheorem der Hochromantik) bestritten;[4] doch der Streit ist, wie Heft 15 der Zeitschrift *L'80* zeigen kann, keineswegs ausgestanden (Titel: *Romantik contra Aufklärung – ein unbewältigter Konflikt*). Die Reflexionen auf unsere bedrohte Zukunft landen regelmäßig bei der Kritik des vorherrschenden ›blinden‹ Rationalitätstypus (wobei die Kritische Theorie ihr bedeutendes analytisches Potential wiederum bewähren kann). Johano Strasser meint im Vorwort des angeführten Heftes: »Wo die herrschende Vernunft sich um die Dimension der Utopie verkürzt, kann es nicht verwundern, wenn die Utopie in romantische Masken schlüpft.« Dabei soll der Ausdruck ›Masken‹ den Weg

2 Peter L. Berger / Brigitte Berger / Hansfried Kellner, *Das Unbehagen in der Modernität*, Frankfurt a. M. 1975, S. 7.
3 Ebd., S. 167.
4 Vgl. dazu Werner Weiland, »Politische Romantikinterpretation«, in: *Zur Modernität der Romantik* (Anm. 1) S. 12 ff.

der Vernunft offenhalten gegen den »zu weit« gehenden Protest der »romantischen Brauseköpfe von damals«: »Aber wo Vernunft sich nicht die Flügel stutzen läßt, wird sie auch unter den romantischen Masken ihresgleichen erkennen können.«[5]

Mit solcher These, der Hermann Timm ebendort mit seinem gescheiten »Phantombild der Neoromantik« (»Taugenichts geständig«) assistiert,[6] ist die Brisanz der Frage nach der Aktualität der Romantik vorschnell entschärft. Es brauchte nur weniger Hinweise (etwa auf das unwiderrufliche Sterben unserer Wälder und Seen), um einleuchtend zu machen, daß es genug gute Gründe und schlechte Erfahrungen gibt, dem herrschenden Rationalitätstypus andere Weisen der Weltauffassung entgegenzusetzen. Die von Jürgen Habermas 1979 herausgegebenen *Stichworte zur ›Geistigen Situation der Zeit‹* nehmen das Ungleichzeitigkeitstheorem, mit dessen Hilfe Ernst Bloch der Aktualität der Romantik nachdachte, sozusagen beim Wort; Albrecht Wellmer:

> In Anknüpfung an Marx, Weber und Lukács haben bereits Adorno und Horkheimer die Entwicklung kapitalistischer Gesellschaften als einen von praktischer Rationalität abgekoppelten Prozeß technischer und bürokratischer ›Rationalisierung‹ analysiert, in welchem der zunehmenden Zerstörung der äußeren Natur eine zunehmende technische und manipulative Kontrolle der inneren Natur der Individuen sowie eine zunehmende bürokratische Administration sozialer Beziehungen entspricht.[7]

Habermas bringt diese Befunde auf den Begriff einer ›Kolonialisierung der Lebenswelt‹ (als besonders schwerwiegend

5 *Romantik contra Aufklärung – ein unbewältigter Konflikt*, L'80, H. 15, Köln 1980, S. 3: Editorial.

6 Ebd., S. 5–19 (12, 17).

7 Albrecht Wellmer, »Terrorismus und Gesellschaftskritik«, in: *Stichworte zur ›Geistigen Situation der Zeit‹*, hrsg. von Jürgen Habermas, Bd. 1: *Nation und Republik*, Frankfurt a. M. 1979, S. 279.

kritisiert er die oftmals als »aufklärerisch« motivierten »Verletzungen eigensinnig kommunikativ strukturierter Lebensformen«). Jahrhundertelang habe der Kapitalismus vom Polster vorbürgerlicher Traditionen gezehrt, nun sei der Punkt der Erschöpfung gekommen: der Abbau nicht regenerierbarer Bestände gehe seinem Ende zu.[8]
Dieser ökologische Sprachgebrauch zeigt schon an, daß die Frage nach der Aktualität der Romantik nicht mit vagen Stimmungen erläutert werden kann. Wenn Peter Bürger (1974) daran erinnert, daß die historischen Avantgardebewegungen die Aufhebung der autonomen Kunst intendierten, bekommen die sehr wohl angebbaren Verbindungslinien zwischen Romantik und Avantgarde einen spezifischen Sinn: »pratiquer la poésie« (Breton) meint die Überführung der Kunst in Lebenspraxis.[9] Entsprechend meint etwa Eichendorffs Forderung nach einer »lebendigen Romantik« durchaus die nicht-bloß-ästhetische Realisierung jener Vorstellungen eines sinnerfüllten Lebens, welche gegen »die Fremde«[10] gesetzt sind. Die Absage ans Taugen muß, wie Lukács mit Recht betont hat, sehr grundsätzlich genommen werden. Es ist die Gegenstellung zum einsinnigen Rationalitätstypus der Moderne, die der Romantik ihr historisches und ihr aktuelles Recht und Interesse zuerteilt; deutlich ist auch, nicht zuletzt aus den endlosen Bemühungen um eine Begriffsbestimmung, daß es keine bequeme, keine gut abgrenzbare Position ist, *mit* der Moderne *gegen* die Moderne zu sein – an eigenständige Lebensformen zu erinnern, die vom historischen Fortschritt, für den die beginnende Industrialisierung steht, längst für ungleichzeitig, für passé erklärt worden sind. Habermas hält am kritisch-aufklärerischen Konzept fest, gegenüber all den wahrnehmbaren Zerstörungen unserer gegenwärtigen und

8 Jürgen Habermas, »Einleitung« zu: *Stichworte zur ›Geistigen Situation der Zeit‹* (Anm. 7) S. 23 ff., bes. S. 28.
9 Peter Bürger, *Theorie der Avantgarde*, Frankfurt a. M. 1974, S. 72.
10 Joseph von Eichendorff, *Aus dem Leben eines Taugenichts*, Stuttgart 1970 [u. ö.] (Reclams Universal-Bibliothek, 2354), S. 53.

zukünftigen Lebensmöglichkeiten »den Begriff und die Würde der Moderne, das heißt: die Dimensionen einer *unverkürzten* Rationalität, wieder zu Bewußtsein zu bringen«.[11] Das fordert intellektuelle und gesellschaftliche Anstrengungen, die deutlich über alle Romantik hinausgehen, die sich aber auch einige Skepsis gefallen lassen müssen.
Die *Taugenichts*-Romantik steht sozusagen für den Schritt davor: die Absage an das Taugen, die Relativierung der (Normen der) Erwachsenenwelt, was Lukács dazu bestimmt, die *Taugenichts*-Lektüre »ein wesentliches Entwicklungsmoment für die deutsche Jugend«[12] zu nennen. Die Verbindung von Romantik und Jugendkultur/Jugendbewegung (die Romantik *ist* – gruppensoziologisch gesehen – eine Jugendbewegung) wird gewöhnlich dazu benutzt, das rebellische, polemische Moment in Eichendorffs Erzählung abzuwiegeln: so stellen die anderen Erzählungen Eichendorffs, etwa *Das Marmorbild*, regelmäßig einen erwachsenen, reifen Sänger neben das jugendlich-ungewisse und also gefährdete Gemüt.[13] Fast alle Interpretationen halten sich an diesen Wink. Auch die Romantik und die neuromantischen Bewegungen werden in dieser Weise aufgefaßt und relativiert. Jost Hermand sieht in Eichendorffs *Taugenichts* einen romantisch-utopischen Antiökonomismus ausgedrückt, der nichts weiter als Eskapismus sei:

> In »romantischer« Sicht will diese Märchennovelle ein menschenwürdiges Dasein in einer sich allmählich »verfremdenden« Welt vordemonstrieren. Anstatt jedoch das »Neue« dieser Welt dialektisch zu bewältigen, das heißt es mit dem eigenen Lebensgefühl zu integrieren, weicht man ihm aus und landet so in seiner Kritik an sinnloser, ausbeu-

11 Habermas (Anm. 8) S. 22 f.

12 Georg Lukács, »Eichendorff«, in: G. L., *Deutsche Realisten des 19. Jahrhunderts*, Berlin [Ost] 1951, S. 58.

13 Vgl. dazu Alexander von Bormann, »›Die ganze Welt zum Bild‹. Zum Zusammenhang von Handlungsführung und Bildform bei Eichendorff«, in: *Aurora* 40 (1980) S. 19–34.

terischer Arbeit bei der Verwerfung von nützlicher Tätigkeit überhaupt.

Und weiterhin gilt dasselbe: »Wie schon bei Eichendorff wird so auch im Rahmen der sogenannten ›Neuromantik‹ ein dialektisches Überwinden der bestehenden Widersprüche verpaßt«.[14] Nun ist, wiederum eine Reihe von Jahren später, ja noch erheblich fraglicher geworden, wie wohl jenes dialektische Überwinden der bestehenden Widersprüche aussehen bzw. wie es realisiert werden soll. Die romantische Skepsis und die Erinnerung an einen qualitativen Naturbegriff lassen sich angesichts der weltweiten Verheerung aller Lebensbedingungen kaum mehr als idyllische Fluchtbewegung disqualifizieren. So verfährt noch – ein Beispiel für viele – Hermann Timm, wenn er sich über den »exmatrikulierten Zug aufs Land« mokiert: »zurück ins Idyll, in die unbenommenen Empfindungen der Natur- und Volksnähe, in den Jungborn des Unmittelbaren, Ursprünglichen, Autochthonen, um wieder Mensch zu sein; denn da darf man's ohne weiteres«.[15] Das ist aus einer Sicherheit heraus gesprochen, die ihre Pfänder ja erst noch vorweisen müßte. Das Skandalon, das im romantischen Widerstand gegen die Moderne gewiß liegt, wird so unwahrnehmbar gemacht, einseitig werden bestimmte Formen des Widerstands gegen die Romantik selbst in Stellung gebracht. Ihre ideologische Unklarheit, schon von Lukács getadelt, dient nun dazu, sie zu kasernieren, ihre Tendenzen zu entmächtigen. Timm findet, »die Hoffnung, irgendwann herrschendes Bewußtsein werden zu können«, liege der Neuromantik fern. Und seine Interpretation des *Taugenichts* gibt denn auch die übliche Lesart wieder: »Nichts fordern und sich keiner Unentbehrlich-

14 Jost Hermand, »Der ›neuromantische‹ Seelenvagabund«, in: *Das Nachleben der Romantik in der modernen deutschen Literatur*, hrsg. von Wolfgang Paulsen, Heidelberg 1969, S. 96 f.

15 Hermann Timm, »Phantombild der Neoromantik. Eine Mutmaßung zum Dekadenwandel«, in: *Romantik contra Aufklärung – ein unbewältigter Konflikt* (Anm. 5) S. 16.

keit schmeicheln zu können, macht seinen Geburtsadel aus. Vogelfrei muß er bleiben, zwischen Himmel und Erde dahinschwebend, wie die Altweiberfäden im Spätsommer« (S. 17). Nun bezieht sich Timm nicht ausdrücklich auf den *Taugenichts*, das Subjekt, auf das sich grammatisch das »er« im Zitat zurückbezieht, lautet »der Geist«. Auf diese Weise denunziert Timm mit Hilfe des *Taugenichts* die zeitgenössischen Entmodernisierungstendenzen als intellektuelle, illusionäre Selbstbespiegelungsmanöver, wie es ihm Carl Schmitt vorgemacht hat.

Festlegung oder Freilegung?

Die Lektüre und Interpretation des *Taugenichts* muß sich sozusagen erst wieder ihren Weg durch all die Deutungen und Festlegungen bahnen, die sich als Gestrüpp um diese Waldlichtung festgesetzt haben. Das soll keine Einleitung zu hochmütiger Kollegenschelte sein – viele Beiträge zum *Taugenichts* sind äußerst verdienstlich und hilfreich/erhellend; doch vermag das Bild immerhin den Gestus dieses Beitrags zu motivieren: Darin sollen Bausteine benannt und umschrieben werden, welche die Erzählung aufbauen helfen. Und es sollen mögliche, naheliegende Kontextuierungen vorgeschlagen werden: Anschlußmöglichkeiten, die das Verständnis der Erzählung, ihre Auffassung weiter zu dimensionieren vermögen, doch die gewiß nur eine Auswahl darstellen und gewiß nicht mit dem Anspruch absoluter Verbindlichkeit auftreten.
Eberhard Lämmert hat auf einige Züge von Eichendorffs Werk (und Biographie) aufmerksam gemacht, die »zu frageloser Aneignung seiner Poesie einladen«. Zugleich stellt er die Frage nach dem Interpretationsgestus, der einen Dichter beliebig verfügbar macht: »Wir haben zu fragen, welche Art von Ausdeutung es erlaubt, Eichendorffs ›Zauberworte‹ so nachhaltig und zugleich so unterschiedlich in Gebrauch zu

nehmen.«[16] Er weist auf die verdinglichende Bemächtigung hin, die bis zur Begründung von Gebietsansprüchen reicht, auf die ›Pragmatisierung‹ der poetischen Formeln Eichendorffs, so daß schließlich »Zugangshürden zu seiner Dichtung geschaffen« seien, »die erst behutsam wieder abzutragen sind« (S. 245).

Doch sind heute einer anspruchsvollen, die Tiefe des Werks freigebenden Auffassung weniger jene ›Interpretationen‹ im Wege, die Eichendorff als »Dichter germanischer Wäldersehnsucht, germanischen Wäldersinnes«, als »Bewahrer und Wiederbeleber ewigen Deutschtums, arthaften Glaubens« und als »männlichen Vertreter frommen Kriegertums« festlegen, wie der nationalsozialistische Germanist Walther Linden es versuchte.[17] Hinderlich und unangemessen, weil die Wirkung der Dichtungen entschieden verkürzend, ist überhaupt jede interpretierende Festlegung statt Freilegung, was nur langsam ins Bewußtsein auch der Wissenschaft dringt. Ansgar Hillach hat das sehr scharf pointiert, wenn er betont: »Wer also zum *Taugenichts* greift – greift schon daneben.« Und er fragt berechtigt: »Wie kann angesichts solcher massiven Überlagerungen ein Werk wie der *Taugenichts* sich noch behaupten?«[18] Und Egon Schwarz kritisiert die Interpretationsgeschichte des *Taugenichts* zutreffend als einen stets wiederholten »Vorgang der Besitzergreifung«, der nur gelegentlich an »den Gehalt der tieferen Lagen« rühre.[19]

Eine der befreienden Ansichten könnte sein, ihn entschlossen als »historisches Dokument« zu interpretieren, wie es Carel

16 Eberhard Lämmert, »Eichendorffs Wandel unter den Deutschen«, in: *Die deutsche Romantik. Poetik, Formen und Motive*, hrsg. von Hans Steffen, Göttingen 1967, S. 219 und 235.

17 Vgl. ebd., S. 250, Anm. 64.

18 Ansgar Hillach, »Arkadien und Welttheater oder Die Auswanderung des Märchens aus der Geschichte«, Nachw. zu: Joseph von Eichendorff, *Aus dem Leben eines Taugenichts*, Frankfurt a. M. 1976, S. 146.

19 Egon Schwarz, »Der Taugenichts zwischen Heimat und Exil«, in: *Etudes Germaniques* 12 (1957) S. 18 f.

ter Haar sich vornimmt.[20] Doch wie schwer ist es, bei solchem Vorsatz zu bleiben! Wie eh und je werden Eichendorffs Auffassungen und Überzeugungen als »Ansatz« (S. 126) der Dichtungen genommen, und ter Haar postuliert, daß Eichendorffs Kritik »von einer [...] genauen Analyse der historischen Entwicklung ausgeht« (S. 125). Dagegen ist zu halten, daß Eichendorffs ›Analyse‹ mit recht wenigen Formeln auskommt, nichts weniger als originell ist und auf die Bedeutung seiner Dichtungen kaum ein Licht zu werfen vermag. »Die Funktion seiner Poesie ist eine geistliche« (S. 125), solche Zuschreibung ist eine Festlegung, die sich nicht durch den Rückgriff auf Eichendorffs Selbsteinschätzung legitimieren kann, auch nicht durch den (etwas gewaltsamen) Bezug der ›Reisen‹ des Taugenichts auf die katholische Aufklärung (vgl. S. 127 f.). Methodologisch gilt doch gemeinhin, daß die Funktion von Poesie (ohnehin ein problematischer Ausdruck) aus dem Zusammenspiel ihrer konstitutiven Momente und dem jeweiligen Rezeptionszusammenhang erschlossen werden müßte, nicht aber aus den Meinungen des Dichters. So ist auch der von ter Haar benutzte Ausdruck »Gesinnungsdichtung« (S. 142) ein entschiedener Rückfall hinter die Ergebnisse der neueren Eichendorff-Diskussion. So schließt ter Haar: »Die angebliche Schlichtheit und Unkompliziertheit von Eichendorffs Lyrik und gerade auch des *Taugenichts* sind das Ergebnis von auf hohem Reflexionsniveau vollzogenen Überlegungen zu Wesen und Funktion der Poesie« (S. 147). Solche Redeweise liegt zum mindesten das (geläufige) Mißverständnis nahe, Dichtung sei als Beleg zu ästhetischen Überlegungen/Überzeugungen zu begreifen, die ›Diskursverschiedenheit‹ wird jedenfalls nicht fruchtbar gemacht – das Ergebnis »Ungreifbarkeit« (S. 158) ist magerer als nötig.

Immer wieder liegt die Verführung nahe, die eigene Lesart

20 Carel ter Haar, *Joseph von Eichendorff: Aus dem Leben eines Taugenichts. Text, Materialien, Kommentar*, München/Wien 1977, S. 11.

des *Taugenichts* als Interpretation darzustellen – der Umgang mit ›Leerstellen‹ in der Dichtung will offensichtlich geübt sein. Die »Schwierigkeit, den *Taugenichts* exakt zu erfassen« (ter Haar, S. 158 f.), bleibt hoffentlich noch lange bestehen. Margaret Gump findet in ihrem Aufsatz, daß »etwas gedanklich Ungelöstes in den Taugenichtsdichtungen« bleibt – dadurch werde ihr einmaliger dichterischer Zauber nicht angegriffen, aber doch erläutert, warum sie immer wieder zu neuen und sehr verschiedenartigen Deutungen herausfordern.[21] Dieser Befund läßt sich auch genauer beschreiben und bedenken. Die These, daß die Flucht des Taugenichts »aus dem ›tödlichen Zuviel‹ dieser Welt«, daß sein Streben nach Ungebundenheit und seine Kritik der Arbeit eine exklusive Haltung seien, »nur für ganz wenige möglich« und eigentlich parasitär (Gump, Hermand), solche Auffassung nimmt den dichterischen Text noch immer zu wörtlich. Die ästhetische Anziehungskraft des *Taugenichts* wird sozusagen aufs Programm übertragen, als welches er genommen wird.

Wenn wir freilich den Winken Eichendorffs folgten und seine Texte entschiedener als Gleichnisrede aufzufassen uns angewöhnten, wären wir auch schon, wie Kafka verheißt, »der täglichen Mühe frei«. Es geht ja gar nicht darum, wie viele Menschen wohl aussteigen können, wie man heute sagt. Die Poesie setzt Zeichen oder: ist eine Zeichensetzung, deren Sinn nicht vorgegeben, sondern dem Leser/Hörer aufgegeben ist (so ist der Prozeß der ›Sinngenerierung‹ prinzipiell unabschließbar). Fragestellungen, die auf die »Identifikation eines literarischen Textes«[22] abheben, verfehlen leicht diese Einsicht, die eine erkennungsdienstliche Behandlung von Literatur grundsätzlich ausschließt. Es gehört geradezu zu den klassischen Qualitätsmerkmalen, daß Dichtungen nicht ein

21 Margaret Gump, »Zum Problem des Taugenichts«, in: *Deutsche Vierteljahrsschrift für Literaturwissenschaft und Geistesgeschichte* 37 (1963) S. 555. Diesen Aufsatz habe ich 1970 leider nicht berücksichtigt.

22 Helmut Koopmann, *Um was geht es eigentlich in Eichendorffs »Taugenichts«? Zur Identifikation eines literarischen Textes*, Augsburg 1975.

für allemal preisgeben, was sie ›eigentlich‹ bedeuten, daß sie sich nicht in diesem Sinne ›identifizieren‹ lassen. Sowohl die neuere Semantik wie eine Semiotik des literarischen Verstehens stützen diese alte Einsicht. So trägt etwa der Aufsatz von Egon Schwarz die Erfahrungen des Exils in die Wanderschaft des Taugenichts ein – er legt eine tiefere Auffassung der Erzählung nahe, wenn er auf die Not hinweist, die Ansatz der Wanderschaft ist; Vagabundieren ist – auch in dieser Erzählung – nicht immer reines, ungemischtes Glück. Die wichtigen, Beobachtungen von Josef Kunz und Oskar Seidlin weiterführenden Hinweise von Schwarz wollen das Gefühl öffnen »für die unsägliche Ambivalenz, eine wahrhaft unheimliche Doppeldeutigkeit, die über der ganzen Novelle ausgegossen ist, die ihr eigentliches Wesen ausmacht und die genauer in Augenschein genommen werden muß, zumal sie sich durch das Gesamtwerk Eichendorffs zieht« (S. 21). Doch nun wird diese kostbare Einsicht getrübt, wenn Schwarz im folgenden von der »Gespaltenheit von Taugenichts' Seelenleben« spricht (S. 25), den strukturbildenden erzählerischen »Grundsatz der Zweischichtigkeit« (S. 27) dem jugendlichen Helden selbst unterstellt: »die Seelenkämpfe einer zwiespältigen Persönlichkeit sind sichtbar geworden, während man ehedem vielmehr ein harmonisch unbekümmertes Glückskind zu erblicken gewohnt war« (S. 32). Solch eine psycholo gisierende Zuschreibung vernachlässigt, semiotisch gesprochen, den Prozeß der Interpretantenbildung. Schwarz gibt selbst Exil und Vertreibung als Bedingungen an, die eine andere Sicht der ewigen Wanderschaft nahelegen. Die hermeneutische Konsequenz wäre, dem Anteil des Lesers bei der Sinnkonkretisation des Werks (dem Lektüreprozeß) nachzudenken und die eigene Wahrnehmung/Auffassung nicht unvermittelt wieder dem Text als Bedeutung zuzuschlagen.

Welt aus Zeichen

Die Eigenart der Eichendorffschen Formelsprache ist inzwischen vielfach erkannt und gewürdigt (Alewyn, Kohlschmidt, Seidlin, von Bormann, Hillach u. a.). Für die Interpretation ergäbe sich zunächst daraus die Konsequenz, die etwa den *Taugenichts* aufbauenden Formeln zu beschreiben, ihr Zusammenspiel zu verfolgen und die Spannung zwischen Bedeutung (Kontext: Eichendorff) und Sinn (Kontext: der jeweilige Rezeptionshorizont) auszumessen.
Der Versuch, die Eigenart der Bildformel Eichendorffs als *emblematisch* zu beschreiben,[23] ging von ihrer dreistufigen Fügung aus. Eichendorff kehrt sich sehr entschieden gegen die Autonomisierung der (modernen) Kunst. Die alte Volksdichtung, die Sage, wird ihm das Vorbild auch der Kunstpoesie, ein Motiv zur Entmodernisierung: »Die Helden waren selbst die Dichter, sie taten, wie sie sangen, und sangen, was sie taten, allen gleich verständlich, weil in allen wesentlichen Lebensansichten noch ein gemeinsamer Geist die ganze Nation verband, die nicht in Herren und Sklaven, wie bei andern gleichzeitigen Völkern, und noch nicht wie bei uns in Gebildete und Pöbel zerfallen war.«[24] Eichendorffs Ästhetik hat denn auch durchaus kulturrevolutionäre Züge, ihre Rückwendung auf jenes Bild der Vergangenheit soll den problematischen Gang der Moderne rückgängig machen helfen – »die Aufhebung der Entfremdung muß [. . .] den Gang der Entfremdung wieder zurückgehen«, heißt es bei Peter Schneider.[25] Entsprechend ist die Struktur von Eichendorffs Dichtung grundsätzlich aufs Entgrenzen von Bezirken hin

23 Vgl. Alexander von Bormann, *Natura loquitur. Naturpoesie und emblematische Formel bei Joseph von Eichendorff*, Tübingen 1968, S. 5 ff.

24 Joseph von Eichendorff, *Neue Gesamtausgabe der Werke und Schriften in vier Bänden*, hrsg. von Gerhart Baumann und Siegfried Grosse, Stuttgart 1957–58, Bd. 4, S. 33.

25 Peter Schneider, »Die Phantasie im Spätkapitalismus und die Kulturrevolution«, in: *Kursbuch 16*, hrsg. von Hans Magnus Enzensberger, März 1969, S. 34.

angelegt. Die Dichtung (emblematisch: subscriptio) ist der deutende Text, der die Bilder der Sinnenwelt (pictura) umschreibt und mit der ihnen beiden vorgängigen, doch verborgenen Wahrheit (motto/inscriptio) zu vermitteln sucht. Die Nähe dieser Beschreibung der Bildformel zu Eichendorffs Denken ist gewiß einsichtig zu machen.[26] Doch führt ein Blick auf die Semiotik vielleicht noch weiter, weil dann auch die Konsequenzen für die Interpretation deutlicher anzugeben sind. Bisher sind entsprechende Hinweise jedenfalls kaum aufgenommen worden, so seien sie hier expliziter vorgetragen.

Die Dreigliedrigkeit der Eichendorffschen Bildformel läßt sich – jedenfalls versuchsweise – zum dreigliedrigen Zeichenmodell in Beziehung setzen, wie es etwa von Charles Sanders Peirce ausgearbeitet worden ist.[27] Peirce unterscheidet das Objekt (als pragmatische Ursache der Zeichenbildung), den Zeichenträger (als materielles Substrat in der Zeichenrelation) und den Interpretanten (als Denk- und Interpretationshorizont, unter dem sich das jeweilige Zeichenobjekt konstituiert). Wenn wir versuchen, die romantische Bildformel entsprechend zu bestimmen,[28] wird vor allem die Idee des Interpretanten zu betonen sein, mit der Peirce klarstellt, »daß die Relation Zeichenträger–Objekt nicht als evidente und autonome Relation zu betrachten ist, sondern als eine Relation,

26 Vgl. dazu Ansgar Hillach, »Eichendorffs romantische Emblematik als poetologisches Modell und geschichtlicher Entwurf«, in: *Emblem und Emblematikrezeption*, hrsg. von Sibylle Peukert, Darmstadt 1978, S. 414–435.

27 Vgl. Charles Sanders Peirce, *Schriften zum Pragmatismus und Pragmatizismus*, hrsg. von Karl-Otto Apel, Frankfurt a. M. 1975. – Ich folge hier der Darstellung von Wilhelm Köller, der das zweistellige Zeichenmodell von Saussure kritisiert, weil es die Bewußtseinsproblematik ausklammere (Wilhelm Köller, »Der sprachtheoretische Wert des semiotischen Zeichenmodells«, in: *Zeichen, Text, Sinn. Zur Semiotik des literarischen Verstehens*, hrsg. von Kaspar H. Spinner, Göttingen 1977, S. 25 f. und 33 ff.).

28 Karl-Otto Apel gibt einige Hinweise darauf, daß dieser Versuch durchaus legitim ist. Vgl. K.-O. A., *Der Denkweg von Charles S. Peirce. Eine Einführung in den amerikanischen Pragmatismus*, Frankfurt a. M. 1975, S. 29 f. und 11 f.

die erst durch die Konkretisation von *Interpretanten* ihre spezifische Gestalt gewinnt«.[29] Das prozessuale Moment, das Eichendorff nicht müde wird, für seine Textarbeit zu betonen, wird damit ebenso ernst genommen wie die Unleidlichkeit von Interpretationsverfahren klargestellt, die (nach Festrednerbrauch pragmatisierend) direkt vom Text auf die Erfahrungswelt hinüberleiten wollen. Das Modell von Peirce geht von der Diskussion der Kantischen Erkenntniskritik aus und gebietet sozusagen, die Komplexität der semiotischen Praxis Eichendorffs nicht vorschnell einzuebnen. Dafür einige Beispiele.

Eine der Hauptformeln, für den Handlungsaufbau der Erzählung und die Einschätzung des *Taugenichts* von großer Bedeutung, ist *das Wandern*. Gewiß haben wir es zeichenhaft zu nehmen, wozu schon Benno von Wiese anhält: »Irrationaler, planloser kann man nicht in fremden Ländern reisen als der Taugenichts, ohne Kenntnis fremder Sprachen, ohne ein Verhältnis zu Geld und Erwerb, ohne eigentliche Absichten und Ziele [. . .] – Wir würden den Sinn dieser Wanderschaft verkennen, wenn wir sie allzu realistisch als die eines Müllersjungen auffaßten.«[30] Nicht realistisch, sondern zeichenhaft wird das Wandern schon sehr früh in der Eichendorff-Auslegung aufgefaßt: doch meistens wird es sofort mit einer Bedeutung behaftet (Naturnähe; Pilgerschaft; Ungebundenheit), was an der Struktur der Eichendorffschen Bildgestaltung vorbeisieht. Wenn wir die Zeichenkorrelate unterscheiden, müssen wir uns doch vor einer sofortigen Bedeutungszuweisung hüten. (Das erspart auch viel überflüssigen Streit.) Als Objekt, als pragmatische Ursache der Zeichenbildung, lassen sich persönliche Wandererlebnisse, aber auch die Sehnsucht des Gebundenen benennen; die Gegenstellung zum Philister gehört dazu, die Bedeutung der Fahrenden, der Vagabunden,

29 Köller (Anm. 27) S. 46.

30 Benno von Wiese, »Joseph von Eichendorff: Aus dem Leben eines Taugenichts«, in: B. v. W., *Die deutsche Novelle von Goethe bis Kafka. Interpretationen*, Düsseldorf 1956, S. 82.

Vaganten, Gesellen; auch noch die politisch dimensionierte Aufbruchsbereitschaft, die Eichendorff die Befreiungskriege als »lebendige Romantik« feiern läßt. Die Dichtung, hier als Zeichenträger genommen, realisiert *nicht* einen festen referentiellen Bezug, sondern baut ein Formelsystem mit zahllosen Verkettungen auf, was dem Sinn des Zeichenobjekts sozusagen nachgibt. Der konkretisiert sich erst in der Interpretantenbildung, der Relation Zeichenträger–Objekt; nach Peirce sind zwei Zeichenkorrelate immer über ein drittes miteinander vermittelt, d. h. aber auch: nicht einfach aus dieser Relation herauszubrechen. Das Wandern reflektiert sich in der Poesie als Bewegtheit; diese wiederum kann zu sehr verschiedenartiger Objekt- und Interpretantenbildung führen. Beispiele: Protest gegen das Zur-Ware-Werden der Literatur, den aufkommenden literarischen Markt (Lukács); Kritik am erstarrten Ordnungsdenken der Metternich-Zeit (Uhlendorff, Frühwald); Bewältigung des Wirklichkeitsdrucks durch »zielentbundene Bewegtheit« (Lämmert); Bewährung eines gesellschaftskritischen Anspruchs durch dessen Abstraktion (von Bormann); der Weg des christlichen Orpheus in eine vorreformatorische Katholizität (Heer); unbewußtes Aufdecken der elementaren Kategorien unserer Welterfahrung (Alewyn); Darstellung der Affektschemata eines weltausgreifenden Erfahrungswillens (Hillach). Diese Reihe ließe sich fortsetzen, und es mag deutlich werden, wie müßig ein Streit um die »Identifikation« dieses Dichters (und dieses Werkes) sein muß.

Eine (nicht lexikalisch und referentiell, sondern) semiotisch orientierte Semantik wird den Sinn einer Zeichenrelation nicht als etwas Vorfindbares nehmen, sondern als »etwas, was sich in der jeweiligen Gebrauchssituation erst herauskristallisiert«.[31] Der wandernde Taugenichts hat zahllose Deutungen erfahren – was man vornehmer so ausdrückt, daß er Ansatzpunkt für Sinnkonstitutionsprozesse unterscheid-

31 Köller (Anm. 27) S. 53 und 50.

barer Intentionalitätsrichtungen war.[32] Das ist kein bloßer Jargon, sondern erhebt den Anspruch, die Voraussetzungen und Bedingungen des Verstehens jeweils mitzubedenken, also das Exil bei Egon Schwarz, den Versuch zu aufgeklärter katholischer Publizistik bei Friedrich Heer, ein kapitalismuskritisches Engagement bei Lukács. »Legt ihr's nicht aus, so legt was unter« – gilt nun jede Auffassung vom Wandern gleich, das Vertriebensein von Haus und Heimat, das fromme Pilgern durchs Erdental, das sehnsüchtig-rebellische Schweifen durch vorkapitalistische Welten als romantische Chance, unverstümmelt zu bleiben? Vom Gefühl her ist das so wenig entscheidbar wie von den Meinungen Eichendorffs her.[33] Wichtig ist, daß der Aufbau des Interpretationshorizontes, daß die Interpretantenbildung als Teil der Zeichenrelation gesehen wird; auch die Objektkonstitution wird ja durch den Interpretanten beeinflußt.[34]

Eichendorffs Versuch, die romantische Poesie als eine »Vermittelung« zu gestalten, führt ihn dazu, Bildformeln und Bildverkettungen von so hochkomplexer Art zu entwerfen. Im Grunde, so postuliert er, »geht alle Poesie auf nichts Geringeres, als auf das Ewige, das Unvergängliche und absolut Schöne, das wir hienieden beständig ersehnen und nirgends erblicken«. Eichendorff nimmt die philosophische Metaphysik und Erkenntniskritik ernst (wie diese auch den ausdrücklichen Ausgangspunkt für Peirce bildet). Dieses (Ewige) ist, schließt er weiterhin, »an sich undarstellbar, und kann nur sinnbildlich, das ist in irdischer Verhüllung und

32 Ebd., S. 65.

33 Franz Uhlendorff meint etwas Richtiges, wenn er darauf besteht, Eichendorff als einen »Dichter der wirklichen Natur« auffassen zu dürfen. Doch seine Begründung gerät daneben (vgl. F. U., »Eichendorff, ein Dichter der wirklichen Natur«, in: *Eichendorff heute. Stimmen der Forschung mit einer Bibliographie*, hrsg. von Paul Stöcklein, 2., erg. Aufl., Darmstadt 1966, S. 279). Die Analyse von Eichendorffs Bildlichkeit, die Überlegung z. B., ob sie metonymisch oder metaphorisch angelegt sei, hätte entschieden weiter geführt.

34 Vgl. Köller (Anm. 27) S. 56.

durch diese gleichsam hindurchschimmernd, zur Erscheinung gebracht werden«.[35] Wenn wir das unvergänglich Schöne als ›Objekt‹ auffassen, wird deutlich, wie wenig ein referentielles Zeichenmodell dieser Auffassung gerecht wird; als Ursache der Zeichenbildung wird es doch nur aufgrund jener erfahrbar; und die Poesie – der Zeichenträger – ist in der Natur (»in den Träumen der Waldeinsamkeit«) und »im Labyrinth der Menschenbrust« zu Hause.[36] Objekt- und Interpretantenbildung hängen also zusammen. Es ist (in *Ahnung und Gegenwart*) die innere Freudigkeit, »welche, wie die Morgensonne, die Welt überscheint, und alle Begebenheiten, Verhältnisse und Kreaturen zur eigentümlichen Bedeutung erhebt«. Etwas später heißt es: »die Welt ist wirklich so bedeutsam, jung und schön, wie sie unser Gemüt in sich selber anschaut«.[37] Der ›Interpretant‹ also, der Denkhorizont, unter dem sich der Bezug von ewiger Schönheit/ Wahrheit (›Objekt‹) und verhüllter Schönheit/Poesie (›Zeichenträger‹) konkretisieren kann, ist nicht als beliebig einzusetzen (Eichendorff deutet ihn sogar als »Gnade« an). So gilt es Eichendorff auch als die Naturwahrheit des Volksliedes, daß es »die empfangene Empfindung weder erklärt, noch betrachtet oder schildernd ausschmückt«;[38] doch vorausgesetzt ist wiederum, daß es, wie alle Poesie, »nicht die Tatsachen, sondern den Eindruck« darstellt, »den die vorausgesetzte oder kurz bezeichnete Tatsache auf den Sänger gemacht«. Im Roman *Ahnung und Gegenwart* beschreibt Eichendorff ebenfalls, wie »aus Ahnung und Erinnerung eine neue Welt in uns« entsteht,[39] und stellt wiederum die Dichtung in jene Bezüglichkeit (Wahrheit/Himmel – Natur/See – ewiges Gefühl/Herzenslust), die dann auch sein Formprinzip wird.

35 Eichendorff, *Neue Gesamtausgabe der Werke und Schriften* (Anm. 24) Bd. 4, S. 531.
36 Ebd., S. 540.
37 Ebd., Bd. 2, S. 41.
38 Ebd., Bd. 4, S. 134.
39 Ebd., Bd. 2, S. 75.

Der Hinweis auf eine semiotisch orientierte Semantik, auf ein semiotisches, dreigliedriges Zeichenmodell ist keine künstliche Komplizierung; es ließe sich zeigen, daß diesem Ansatz Suchbewegungen und Problemkonstellationen vorausliegen, denen sich auch Eichendorff konfrontiert sah. Und für die Interpretationsgeschichte des *Taugenichts* ist (leider) festzuhalten, daß es nur ganz selten dem interpretatorischen Takt gelang, den vorschnellen Ausbruch aus den Zeichengefügen zu vermeiden. So wird auf diese noch einmal, notwendig abkürzend, eingegangen, um weiterhin auf die Nachgeschichte der Novelle einen Blick zu werfen.

Der Taugenichts und seine Welt

Gleich die ersten Sätze der Erzählung sprechen eine Vielzahl von Formeln an, und es braucht nur eine geringe Vertrautheit mit dem Werk Eichendorffs oder der romantischen Dichtung, um diese abbreviatorische (die Romantiker sagen auch »abgebrochene« oder »hieroglyphische«) Gestaltungsweise zu erkennen. Für die Interpretation der Formeln und der Formelhaftigkeit müßte dann freilich weiter ausgeholt werden, hierzu sei auf die einschlägige Forschung verwiesen; doch einige Hinweise für den Eingang der Erzählung sollen doch eine entsprechende Lesehaltung mitbegründen helfen. So beginnt der Text mit des Vaters Mühle. Wolfgang Paulsen bemerkt dazu: »Sein Vater wird wahrscheinlich nur des romantischen Requisits der Mühle wegen als Müller eingeführt; er könnte im übrigen alles oder nichts sein, es würde auf die Geschichte des Sohnes keinen Einfluß haben.«[40] Nun lassen sich aber mehrere Hinweise geben, die der Mühle eine genauere Bedeutung zusprechen. Auf die Parallele zu Eichendorffs Satire *Krieg den Philistern* ist zuletzt von Carel ter

40 Wolfgang Paulsen, *Eichendorff und sein Taugenichts. Die innere Problematik des Dichters in seinem Werk*, Bern/München 1976, S. 10.

Haar (S. 163) aufmerksam gemacht worden (der Narr als Taugenichts). Der Narr (wiederum ein ironisch gebrauchter Titel) verbindet die Mühle mit dem Rumor unbesonnener/ sinnloser Arbeit; »das Tosen und Reiben« führt ihn auf den Gedanken: »wieviel Lärmens um das liebe Brot!«.[41] Auch in den Romanen kommt die Mühle vor, mit deutlicher Anspielung auf das Vorbild in *Wilhelm Meister*; das berühmte Lied vom zerbrochenen Ringlein (*In einem kühlen Grunde*) wird in *Ahnung und Gegenwart* an dieser Stelle gesungen. Es ist ein außergesellschaftlicher Ort, wo die Fäden der Handlung verknüpft und gelöst werden.[42] Der Rumor der Erwachsenenwelt, der das geheime Lied in allen Dingen übertönt, kennzeichnet auch die väterliche Mühle des Taugenichts. In seiner *Geschichte der poetischen Literatur Deutschlands* zitiert Eichendorff Novalis, der die Mühle als Sinnbild für »die zerstörende Einwirkung der Reformation«, d. h. auch der Aufklärung, einsetzt:

> Der Religionshaß dehnte sich sehr natürlich und folgerecht auf alle Gegenstände des Enthusiasmus aus, verketzerte Phantasie und Gefühl, Sittlichkeit und Kunstliebe, Zukunft und Vorzeit, setzte den Menschen in der Reihe der Naturwesen mit Not obenan, und machte die unendliche schöpferische Musik des Weltalls zum einförmigen Klappern einer ungeheuren Mühle, die vom Strom des Zufalls getrieben, und auf ihm schwimmend, eine Mühle an sich, ohne Baumeister und Müller, und eigentlich ein echtes Perpetuum mobile, eine sich selbst mahlende Mühle sei.[43]

Gleichfalls noch zum Kontext gehört, daß einer der literarischen Urahnen des Taugenichts, der Lazarillo, in einer Mühle geboren wurde. Dieser pikarische Held beginnt sein Leben außerhalb der Gesellschaft (an deren Rande er auch stets blei-

41 Eichendorff, *Neue Gesamtausgabe der Werke und Schriften* (Anm. 24) Bd. 1, S. 520.

42 Vgl. ebd., Bd. 2, S. 19 f., 226 f., 707 f.

43 Ebd., Bd. 4, S. 250 f.

ben wird); die Mühle liegt auf dem Tormes-Fluß: »So kann ich in Wahrheit von mir sagen, daß ich auf dem Fluß geboren bin.« Diese Geburtsstätte freilich ist mehr als ein beliebiges Requisit, worauf auch schon *Das Leben des Lazarillo vom Tormes* (1554) auf der ersten Seite eingeht. Der Vater des Knaben hat als Müller »einige üble Aderlässe an Getreidesäkken der Leute vorgenommen« und wird entsprechend verurteilt. Die Müller gehörten zu den »unehrlichen Leuten«, d. h. den verfemten Berufen.[44] Das ergibt eine markante Außenseiterposition, deren rechtliche Konsequenzen noch bis in Eichendorffs Zeit reichen. Doch eine weitere Grundlage und Dimension dieser Außenseiterposition muß noch erwähnt werden – die Mühlen waren zugleich, wie Carlo Ginzburg gezeigt hat,[45] gesellschaftliche Treffpunkte: »The mill was a place of meeting, of social relations, in a world that was predominantly closed and static.« Es ersteht so das Bild eines Müllers ohne Schlafmütze, die Mühle als Vorgänger des bürgerlichen Kaffeehauses, ein früher Ansatz für eine räsonnierende Öffentlichkeit: »It was a place for the exchange of ideas«, und die Müller waren »an occupational group exceptionally receptive to new ideas and inclined to propagate them.«

Wie helfen nun alle diese Informationen zum Verständnis des Eichendorff-Texts? Zunächst wehren sie die Lectio facilior ab, die Mühle habe keine besondere Bedeutung. Die Lectio difficilior, also die ein wenig anstrengendere Lesart wäre, die Mühle als ein Zeichen aufzufassen und diesem nachzudenken. Die Zitate aus dem Eichendorff-Kontext halten ohnehin dazu an, ebenso daß Eichendorff die Mühle so pointiert an

44 Vgl. Werner Danckert, *Unehrliche Leute. Die verfemten Berufe*, Bern [2]1979; *Wahrnehmungsformen und Protestverhalten. Studien zur Lage der Unterschichten im 18. und 19. Jahrhundert*, hrsg. von Detlev Puls, Frankfurt a. M. 1979; Alice Eisler, »Recht im Märchen«, in: *Neophilologus* 66 (1982) S. 422–430.

45 Carlo Ginzburg, *The Cheese and the Worms: the Cosmos of a 16th-Century-Miller*, London 1980; vgl. *London Review of Books*, 6.–19. 11. 1980, S. 3.

den Anfang seiner Aufbruchs- oder Aussteiger-Geschichte setzt. Zunächst wäre davon auszugehen, was als Ursache dieser Zeichenbildung wirksam wird, wie sich das ›Objekt‹ der Zeichenrelation bestimmen läßt. (Eichendorffs Semiosis ist fast immer metonymisch, nicht metaphorisch von Art, setzt gern Teile fürs Ganze, wofür er den Ausdruck »emporpfeilern« gebraucht.)[46] Die Mühle ist eine »Anlage zum Mahlen der Getreidekörner behufs der Gewinnung von Mehl« (Lexikon); des weiteren wird eine Reihe von Zerkleinerungsmaschinen Mühle genannt, eine bestimmte Art, die Excelsiormühle, heißt sogar im 19. Jahrhundert »Fortschrittsmühle«. Die Verarbeitung von Körnern zu verwertbarem Mehl, von Natur in Kultur (wie schon Hippokrates die Essenszubereitung umschrieb), begleitet von Staub und Getöse, kann durchaus als Anstoß für die Zeichenbildung vermutet werden. Der Ausdruck ›vermuten‹ zeigt wiederum, wie wenig die Objektkonstitution von der Formierung des Interpretanten, des Deutungshorizontes, abgetrennt werden kann. Freilich gehen in die Interpretantenbildung noch weitere Momente mit ein, das Wissen um die Outcast-Position etwa, aber auch die nostalgische Beziehung der Romantik zum Handwerk, wozu die Figur des wandernden Gesellen paßt. Wie fügen sich Carlo Ginzbergs Hinweise hierzu? Mit ihnen muß ein wenig umgegangen werden, ihnen ist nachzudenken, ob sie einen Beitrag zur Mühle in Eichendorffs Texten liefern können. Der gesellige Austausch von Gedanken in der Mühle wurde von den jeweiligen Obrigkeiten nicht gern gesehen; es kam verschiedentlich zu Häresieprozessen – die Mühle wurde, vor allem für gläubige Christen, ein verrufener Ort. (In Tiecks Novelle *Die Gesellschaft auf dem Lande* vertritt der Müller die Position der Aufklärung und der Zukunftsgesellschaft.) In Eichendorffs *Ahnung und Gegenwart* begegnet die Mühle als eine Räuberhöhle, der Held bewahrt nur mit

46 Vgl. Roman Jakobson, »Der Doppelcharakter der Sprache. Die Polarität zwischen Metaphorik und Metonymik«, in: *Literaturwissenschaft und Linguistik*, hrsg. von Jens Ihwe, Bd. 1, Frankfurt a. M. 1971, S. 323 ff.

Mühe sein Leben,[47] was in der Märchentradition seine Entsprechung findet: *Der Räuberbräutigam*[48] ist zwar kein Müller, wird ihm aber als prospektiver Schwiegersohn zugeordnet. So ist der negativen Besetzung des Zeichens »Mühle« auch noch eine weltanschauliche Komponente abzugewinnen.

Der heutige Leser wird vor allem die Verkettung der Zeichen wahrnehmen, wie sie den Eingang der Erzählung konturiert. Mühle – Rumor – Arbeit – Vater – Schlaf – abgrenzende Rede stehen gegen Türschwelle/Aufbruchsbereitschaft–Frühling–Sonnenschein–Morgen–Wohlsein–Zuversicht. Für jede dieser dichterischen Formeln gilt die Verschränkung von Objekt- und Interpretantenbildung, doch ebenso für deren metonymische Verkettung, so daß es schließlich das Textkorpus ist, woran das Verstehen orientiert bleibt. So ist die zweite Bildreihe durch den Terminus ›jugendliche Aufbruchsbereitschaft‹ zusammenzufassen. Die einzelnen Formeln lassen sich durch Kontextuierungen vertiefen: »rauschen« z. B. bedeutet bei Eichendorff das Sprechen, den verborgenen-entbergenden An-spruch der Natur (die »nicht als bloße tote Formel« fürs Übersinnliche erscheinen, »nicht bloß bedeuten« darf[49]). Das Rauschen kann bedrohlich, verführerisch/dämonisch, aber eben auch »lustig« sein – ein Zeichen hier, daß die Seele des Taugenichts sich im Gleichgewicht befindet; die Schneeschmelze, die Schwelle, die Morgensonne (Aurora), der Hinweis auf den Frühling, der Vogelvergleich (»nicht länger füttern«) – das alles spricht nun ein Flügge-geworden-Sein des Jungen aus, das von ihm ganz selbstverständlich angenommen wird. Eichendorff benutzt dazu die Anspielung aufs Volksmärchen: »so will ich in die Welt gehen und mein Glück machen« (S. 3).

47 Eichendorff, *Neue Gesamtausgabe der Werke und Schriften* (Anm. 24) Bd. 2, S. 20 f.

48 Brüder Grimm, *Kinder- und Hausmärchen*, Nr. 40.

49 Vgl. Eichendorff, *Neue Gesamtausgabe der Werke und Schriften* (Anm. 24) Bd. 4, S. 531.

Das Zusammenspiel der Formeln zeigt: Hier wird nicht Not (Vertreibung) zur Tugend gemacht, und der Taugenichts erprobt nicht »die Befähigung eines auf die Landstraße Geworfenen zur Bemeisterung einer ungebundenen Existenz«.[50] Daß ihm das Reisen »kurz vorher selber eingefallen« (S. 3) war, ist ja nicht als Beschwichtigung zu nehmen – der Goldammer-Bezug stellt ja das Verhalten des Taugenichts in jenen Naturkreislauf, den die Anfangsformeln gleichfalls schon ansprechen. So fügt sich auch die Jugend des Taugenichts in diese Formelkette, aus der sie auch in der Interpretation nicht herausgebrochen werden sollte. Benno von Wieses (umsichtige, noch stets sehr förderliche) Interpretation achtet zunächst auf diesen Zusammenhang: »Reinheit der Seele, Kindlichkeit, Torheit und poetische Teilhabe an der Welt sind hier unmittelbar miteinander identisch« (S. 84). Aber im folgenden schickt sie sich doch zu Vereinseitigungen an, die weitere (als Korrektur quasi) nach sich ziehen: »Sie charakterisieren den Taugenichts als den Künstler, der noch nichts vom ›Schriftsteller‹, vom ›Zerrissenen‹ oder vom ›Problematischen‹ an sich hat« (S. 84). Treffender, meine ich, wäre es gewesen, auch das (recht allgemeine) Künstlertum dem Taugenichts als Moment einer allgemeinen, nicht-korrumpierten Menschlichkeit zuzuschreiben, nicht aber die vorher aufgezählten Züge im Typ des naiven Sängers enden zu lassen. Eher wäre ›Jugend‹ als eine Zentralformel zu denken, die andere Formeln an sich bindet.

Ein gutes Beispiel für die sorgsame Rekonstruktion von Formelverkettungen ist etwa Wolfgang Frühwalds Analyse von Philister und Dilettant bei Eichendorff, die vom »Zusammenhang von Dilettantismuskritik, Gesellschaftskritik und Zeitkritik« ausgeht.[51] Damit ist auch die kurzschlüssige Lukács-Kritik von Alfred Riemen entkräftet, der die Philisterkritik »fast ausschließlich« (was ist das?) ästhetisch

50 Schwarz (Anm. 19) S. 20.
51 Wolfgang Frühwald, »Der Philister als Dilettant. Zu den satirischen Texten Joseph von Eichendorffs«, in: *Aurora* 36 (1976) S. 15.

dimensioniert sehen möchte und damit Eichendorffs ästhetische ›Argumentation‹ entscheidend verkürzt. Riemen findet es ein »unwissenschaftliches Unterfangen, den Romantikern eine Tendenz zu unterstellen, deren sie selbst sich nicht bewußt waren«.[52] Unwissenschaftlich aber ist Riemens Polemik, die von der Möglichkeit, über die Analyse von Bildfügungen und Formzügen den Bewußtseinsstand von Autoren zu transzendieren, nichts weiß, obschon das alte hermeneutische Tradition ist; und die alle in Frage stehenden Begriffe ahnungslos verwischt. So findet Riemen in bezug auf den *Taugenichts*: »Die Aussage der Erzählung wird überfordert, wenn man daraus eine allgemeingültige Kapitalismuskritik ableitet« (S. 81). Nun ist das Theorem eines *romantischen* Antikapitalismus erstens nicht als allgemeingültige Kapitalismuskritik zu sehen, und zweitens ist es natürlich nicht aus dem Text ›abgeleitet‹, sondern eine umständlicher und gebildeter entwickelte Kategorie, mit deren Hilfe einige Züge des Textes sich vertiefen lassen; deutlich gehört sie zum Interpretationshorizont, in dem Text und vermeinte Wirklichkeit miteinander vermittelt werden.
Georg Lukács nimmt den *Taugenichts* als Ausdruck des »goldenen Alters«, als Ausdruck der Jugend des einzelnen wie der Menschheit, und findet ihn »zugleich Märchen und Wirklichkeit«. Darin sieht er auch die Beliebtheit dieser Erzählung begründet: »Im 19. Jahrhundert gibt es wenige deutsche Charakterentwicklungen, in denen der *Taugenichts* nicht eine bestimmte Rolle gespielt hätte. Er ist und bleibt eines der meistgelesenen, der am meisten geliebten deutschen Bücher. Freilich vorwiegend auf einer bestimmten Entwicklungsstufe: in der Jugend« (S. 58). Wiederum ist hier der Ansatz zu einer zeichenhaften Interpretation gemacht, die dann aber pragmatisierend abgebrochen wird. Die Verknüpfung der Jugendlichkeit des Helden[53] mit der für die Romantik zentra-

52 Alfred Riemen, »Die reaktionären Revolutionäre? oder Romantischer Antikapitalismus?«, in: *Aurora* 33 (1973) S. 79.

53 Vgl. dazu Alexander von Bormann, »Philister und Taugenichts. Zur Tragweite des romantischen Antikapitalismus«, in: *Aurora* 30/31 (1970/71) S. 99 f.

len Idee des goldenen Zeitalters[54], mit dem Volksmärchen, mit der Kritik an entfremdender Arbeit und deren Deklassierungstendenzen, mit der Empfänglichkeit für die Natur und auch noch mit den Schatten der Wehmut nimmt durchaus die Gestaltungsweise Eichendorffs ernst und geht ihr nach. Doch die Vorgabe, den realistischen Gehalt (»das Typische«) bei Eichendorff erweisen zu müssen, verstellt Lukács den Weg, zur Erkenntnis der eigentümlichen semiotischen Praxis Eichendorffs vorzudringen. Als »weltanschaulich unklar« verdankt es die Erzählung nur ihrem echten polemischen Gefühl (S. 59), daß Lukács sie als Jugendlektüre zuläßt; er faßt den *Taugenichts* als »ein wesentliches Entwicklungsmoment für die deutsche Jugend« (S. 58), womit die Philistermeinung gestützt wird, die Brecht ironisch so ausdrückt: »Nütze die Jugend nicht, denn sie vergeht«.[55] Es ist diese Zuweisung eine Pragmatisierung, die am ideellen Kern des Jugendmotivs bei Eichendorff vorbeigeht (als Interpretant aufgefaßt, müßte dieser Bezug auf die Objektbildung zurückgewendet, d. h. aber in die Zeichenrelation zurückgenommen werden).

Eichendorffs Memoirenfragmente enden mit der Überlegung zu einer »Predigt von der Pedanterie der Jugend« – »Thema: ›O liebe Jugend, sei jung!‹«.[56] Jugend ist, wie sich aus unzähligen Parallelstellen im Werk unschwer erweisen ließe, als Haltung gemeint. Der Roman *Ahnung und Gegenwart* beginnt mit der Ausfahrt des Helden Friedrich aufs Meer des Lebens; die zugehörigen Formeln sind: Aurora (»die Sonne war eben prächtig aufgegangen«), Studenten, Einfalt, Freude, lustig, frischer Wind, Frühling, Vogelgesang, und die Passage endet mit dem Erzählerzuruf: »Und so fahre

54 Vgl. dazu Hans-Joachim Mähl, *Die Idee des goldenen Zeitalters im Werk des Novalis*, Heidelberg 1965.

55 Bertold Brecht, *Die sieben Todsünden der Kleinbürger*, in: B. B., *Gesammelte Werke*, Bd. 7, Frankfurt a. M. 1967, S. 2870.

56 Eichendorff, *Neue Gesamtausgabe der Werke und Schriften* (Anm. 24) Bd. 2, S. 1094.

denn, frische Jugend! Glaube es nicht, daß es einmal anders wird auf Erden. Unsere freudigen Gedanken werden niemals alt und die Jugend ist ewig.«[57]
Entsprechend ist es auch nur vorläufig, auf die Bedeutung hinzuweisen, die Eichendorffs Bindung an seine Kindheit und Jugend für die Ausprägung seiner Bilderwelt zukommt. Eichendorff selbst gibt mannigfache Winke in dieser Richtung. In der Schrift über den deutschen Roman heißt es: »mancher Dichter zehrt lebenslang an dem Schatze jener wunderbaren Zeit, wo er noch nicht wußte, daß es eine Dichtkunst in der Welt gibt.«[58] Und ähnlich äußert sich Eichendorff in seiner Literaturgeschichte: »Das erste Auftreten eines Dichters in ursprünglicher, rücksichtsloser Jugendfrische ist in der Regel sein geistiges Signalement für die ganze Lebenszeit.«[59] Und doch dürfen diese Äußerungen nicht dazu verführen, den Sinn der Jugendlichkeit des Taugenichts von ihnen her zu bestimmen. Thomas Mann nennt den Taugenichts ein »rührendes und erheiterndes Symbol reiner Menschlichkeit«;[60] als solches findet er seine Wahrheit oder auch Wahrscheinlichkeit nicht *in* der (durch Entzweiung und den Kampf der Gegensätze geprägten) Geschichte, sondern *vor* ihr. Jugend meint für Eichendorff jene menschliche wie menschheitliche Stufe, auf der Neuanfänge noch realistisch imaginiert werden können, Ursprünglichkeit also in einem wörtlichen Sinne, Einfalt gegenüber dem Vielfältigen und Mannigfaltigen, wie ter Haar zutreffend pointiert (S. 144 ff.).
Die Wirkungsgeschichte des *Taugenichts* zeigt, daß diese zentrale Formel Jugendlichkeit mit den Konnotationen Aufbruchsbereitschaft, Einfalt, Schönheit usw. immer wieder den Lesereiz begründete – und bemerkenswert ist, daß auch

57 Ebd., S. 9.
58 Ebd., Bd. 4, S. 814.
59 Ebd., S. 395.
60 In: *Die Neue Rundschau*, November 1916, S. 1483; bei Gump (Anm. 21) S. 535.

die sonst leicht zu Fehlauffassungen oder Verkürzungen führenden Pragmatisierungen nicht einfach zurückzuweisen sind. Eichendorff meint ja *auch* ›Jugend‹, wenn er »Jugend« sagt; der Zuruf »liebe Jugend, sei jung!« hält den Heranwachsenden eine Lebens- und Auffassungsweise vor, die ja nicht ›ausgedacht‹ ist; semiotisch gesprochen, ist in diesem Zuruf die Jugend der Zeichenträger, und die Vorstellung Jungsein (Jugendlichkeit) vermittelt die Interpretanten- und Objektkonstitution. Der *Taugenichts* als Jugendlektüre – das ist eine Einschränkung, aber falsch ist es nicht. Ebenso ist die neuromantische Aneignung des *Taugenichts* in den verschiedenen Jugendbewegungen eine gewisse Einschränkung, sie erschwert z. B. weiterreichende Verstehensmöglichkeiten, wie sie von der Philisterkritik ausgehen könnten. Doch falsch wiederum ist sie nicht. Jede Interpretantenbildung wirkt letztlich selektiv, was immerhin die Voraussetzung für die Intersubjektivität von Sinnkonstitutionsprozessen ist.[61]

Der Taugenichts-Roman als Gattung

Der metonymische Ansatz in Eichendorffs Bildlichkeit (der sich auch in der durchgängigen Kritik an der Allegorie ausspricht) und zugleich deren konsequente Stufung müßten vor jeder festlegenden Auslegung warnen. In Leontins Lied (in *Ahnung und Gegenwart*) ist das ausgesprochen:

> Doch wolle nie dir halten
> Der Bilder Wunder fest,
> Tot wird ihr freies Walten,
> Hältst du es weltlich fest.[62]

Zugleich gibt dieses Lied, wie an anderer Stelle angedeutet,[63] fast eine Exposition der Eichendorffschen Dichtungsauffas-

61 Vgl. Köller (Anm. 27) S. 57.
62 Eichendorff, *Neue Gesamtausgabe der Werke und Schriften* (Anm. 24) Bd. 2, S. 91; Bd. 1, S. 73.
63 von Bormann (Anm. 13) S. 27 ff.

sung: Das Bild des Stromes faßt das Rauschen (den wunderbaren Klang der Natur, die verhüllte Wahrheit), den Lebenslaut und den Gesang zusammen; die Namen dafür sind »Spiegel« (Natur; Zeichenträger), »die ganze Welt« (Objekt), »Bild« (Poesie; Interpretant):

> Es wird in diesem Spiegel [d. h. des Stromes]
> die ganze Welt zum Bild.

Nun soll Eichendorffs Text nicht als Beleg für bestimmte semiotische Modelle verbraucht werden. Doch gilt es zu bemerken, *daß* es sich bei Eichendorff um eine hochkomplexe Semiosis handelt, der am gescheitesten mit einer gewissen Lockerheit zu begegnen ist. Helmut Koopmann hat gezeigt, wie die gewisse Abstraktheit/Offenheit der Eichendorffschen Gestaltung immer wieder zu Identifizierungen verführt – der Taugenichts wird so *der* Romantiker, *der* Deutsche, *der* Mensch schlechthin oder auch einfach Eichendorff selbst. Und doch gibt Koopmann der Verführung nach zu sagen, worum es »eigentlich« im *Taugenichts* gehe; mit dem Hinweis, der *Taugenichts* sei »nichts anderes als die romantische Version des Schelmenromans«, findet er ihn »endgültig (literarisch) identifiziert« (S. 191). Wo bleibt da das »freie Walten«? Und die einleitende Kritik an den Identifizierungen?
Festzustellen ist ja, daß seine These, die schon häufiger erwogen wurde, nicht einmal aufgeht: Die Tradition des Pikaroromans spielt deutlich mit, auch bei der Anlage als Ich-Erzählung, doch die Unterschiede sind gleichfalls beträchtlich.[64] Jede ›Identifizierung‹ muß so eine Einschränkung des einander anfüllenden Spiels der Formmomente bedeuten. Geht man von einem solchen aus (es wäre nicht einmal verfehlt, Eichendorffs semiotische Praxis ›poststrukturalistisch‹ zu beschreiben) und gewährt man der Interpretantenbildung den angemessenen Spielraum, so tritt erst der angestrengte

64 Vgl. Gump (Anm. 21) S. 536 ff.; von Bormann (Anm. 53) S. 100 ff.

Gestus der Festlegungseiferer ins enthüllende Licht. Ganz entsprechend betont Dierk Rodewald »den *aktionalen* Charakter sprachlichen Vorgehens« bei der Analyse der Erzählhaltung im *Taugenichts* und folgert, daß die »Beziehung zwischen Textkonstitution und Wirklichkeit« neu beschrieben werden müsse.[65]
Rodewald kommt zu diesem Schluß, indem er die Vorgabe, der *Taugenichts* sei »eine typische Ich-Erzählung«,[66] problematisiert. Vor einer sorgsamen texttheoretisch orientierten Analyse vergehen solche leichtsinnigen Zuschreibungen. Rodewald: »Wenn der ›fixe Standpunkt‹ nicht mehr zu halten ist, fällt auch die herkömmliche Art der Unterscheidung« (S. 259). Die Lektüre der Forschungsliteratur zeigt eine fast ergötzliche Vielfalt von Festlegungsversuchen – würdiger Gegenstand für eine Eichendorffsche Satire: gehört es doch zu den charakterisierenden Zügen der echten Aurora, der unverwechselbaren Poesie, daß sie ihren philiströsen Verehrern immer wieder ein Schnippchen schlägt. Wer sie »endgültig identifiziert« zu haben meint, hat dann auch gewiß die willige Kammerzofe erwischt, wie in *Viel Lärmen um Nichts* erzählt wird.[67] So halten wir uns an diesen Wink und führen die den *Taugenichts*-Roman bestimmenden Momente andeutend auf – in ihrer Konfiguration ist die Besonderheit dieser Erzählung zu sehen, die ich versuchsweise als gattungsbegründend betrachten möchte.
Georg Lukács bezeichnet den *Taugenichts* als einen Wachtraum und zielt damit auf die utopische Dimension (»Eichendorffs Träumen von der besseren Wirklichkeit«) sowie auf die Entriegelung des Unbewußten, der »unheimlichen Abgründe des Lebens« (S. 57). Lukács geht von seiner berühmten These aus: »das wirklich Soziale aber in der Literatur ist: die Form«,

65 Dierk Rodewald, »Der *Taugenichts* und das Erzählen«, in: *Zeitschrift für deutsche Philologie* 92 (1973) S. 259.
66 von Wiese (Anm. 30) S. 81.
67 Eichendorff, *Neue Gesamtausgabe der Werke und Schriften* (Anm. 24) Bd. 2, S. 500.

und macht stets wieder auf »die innere formale Bedeutung der Wirkung und der Wirkungsmöglichkeiten« aufmerksam.[68] Entsprechend ist auch seine *Taugenichts*-Interpretation noch stets sehr anregend und gewiß nicht mit dem Aufzählen einiger Borniertheiten (die gibt es auch) zu erledigen. Lukács bringt mehrere Formmomente in einen sprechenden Zusammenhang, der gewiß nicht erlaubt, den *Taugenichts* ohne weiteres Umsehen als romantischen Schelmenroman zu ›identifizieren‹. Da dies 1970 schon ausführlicher zur Diskussion gestellt wurde,[69] wird hier nur daran erinnert: Der *Taugenichts* sei eine Idylle mit fast märchenhaften Zügen und gehöre zu den sentimentalischen Dichtungsarten; in ihm werde, wie Schiller es ›vorschreibt‹, die Natur, das Ideal, als wirklich dargestellt, nicht als verloren, nicht als Gegenstand der Trauer wie in der Elegie (S. 58). Der *Taugenichts* sei zugleich Märchen und Wirklichkeit; Lukács geht wohl von der metonymischen Bildgestaltung aus, wenn er realistische Züge in Eichendorffs Werk sieht, welche »die Bewahrheitung des Traumes« zum Ansatz haben; er findet, in bestimmten Grenzen, einen echten Realismus gegeben (S. 59). Das widerruft nicht die Beobachtung, daß sich Eichendorff – auch wenn die Erzählung kein Märchen ist – an »die innersten Stileigentümlichkeiten der Gestaltung einer Märchenwelt« gehalten habe; seine Erzählung besitze die unverwüstliche Lebendigkeit echter Volksmärchen (S. 59). In seiner Literaturgeschichte bezieht Eichendorff die Form des Märchens auf »jenes religiöse Grundgefühl« (die für ihn zentrale ›Interpretantenbildung‹), das »wie der unsichtbare Hauch eines Sonntagsmorgens das Ganze durchweht und von einem Unterschiede zwischen dem Diesseits und Jenseits nicht mehr weiß«.[70] Auch Eichendorffs Begriff der Sage stellt sich in

68 Georg Lukács, *Literatursoziologie*, hrsg. von Peter Ludz, Neuwied ^{2}1963, S. 71 ff.

69 von Bormann (Anm. 53) S. 94–112.

70 Eichendorff, *Neue Gesamtausgabe der Werke und Schriften* (Anm. 24) Bd. 4, S. 335.

diesen Zusammenhang; er gebraucht ihn, um Brentanos dichterische Kraft, seine zauberische Gewalt in den Märchen zu preisen, »wenn wir ihn so durch den Sommernachtstraum der Welt, ihn deutend und lösend, auf dem Märchen-Rhein dahinfahren sehen«.[71] Die Strophe, die Eichendorff dabei (aus den *Romanzen vom Rosenkranz*) zitiert, gibt schon jene Zeichenhaftigkeit und vermittelnde Position der Poesie vor, wie sie in Eichendorffs poetischen Bekenntnisliedern[72] zugrunde gelegt wird:

> Himmel oben, Himmel unten,
> Stern und Mond in Wellen lacht,
> Und in Traum und Lust gewunden
> Spiegelt sich die fromme Nacht.[73]

Die Versöhnung von Himmel und Erde, die heilige Hochzeit im Mythos (hieros gamos), macht die Natur zum Spiegel *und* Schauplatz jener Harmonie, die ihren Ort vorerst im deutenden und lösenden Wort hat. Das bedeutet nach romantischer Ästhetik, wie Robert Mühlher zeigte, die Versöhnung von Natur- und Kunstpoesie. Die angeführte Brentano-Passage spricht das in Eichendorffs eigentümlichen Formeln aus, wenn »das alte, wunderbare Lied, das in allen Dingen schläft«, beschworen und hinzugefügt wird: »Aber nur ein reiner, gottergebener, keuscher Sinn kennt die Zauberformel, die es weckt.«[74] So ist es verständlich, daß ter Haar den Taugenichts als »eine Verkörperung der Poesie selber« deuten möchte (S. 165). Doch droht er damit die Spannung des Beziehungsfeldes aufzulösen, als welches Eichendorffs Poesiekonzept zu kennzeichnen ist. Man könnte behaupten, indem der Taugenichts die Poesie jeweils transzendiert (in der Erzählung wie in ihrer Rezeption), kann er für dieses Konzept als Figur einstehen. Doch ist das eine Denkform, die

71 Ebd., S. 337.
72 Vgl. ebd., Bd. 2, S. 90 ff.; S. 298: »Der Dichter ist das Herz der Welt«.
73 Ebd., Bd. 4, S. 337.
74 Ebd., S. 337.

wieder mit Repräsentationen arbeitet, die durch Eichendorffs semiotische Praxis eigentlich überholt sind. Und ter Haar begründet seinen Vorschlag auch anders, über das Tertium comparationis »Einfalt«: »Ihre Einfalt macht (die Poesie) zum Mittelpunkt der Welt. Diese Einfalt aber bestimmt, wie gezeigt wurde, das Wesen des Taugenichts« (S. 165).
Der erste Satz ist gewiß falsch. Einfalt, als Erscheinungsform der vielbeschworenen ›Harmonie der Grundkräfte‹ genommen, wird bei Eichendorff nirgendwo der Poesie als Eigenschaft zugeschrieben; diese bedeutet – als »Zauberwort« als »Zauberformel« – ein Lösen und Deuten, oder auch: »den Text zu dem wunderbaren Liede jener dunklen Mächte [. . .], wo die Natur wie im Traume redet von ihren tiefsten und lieblichsten Geheimnissen«.[75] Text und Lied mögen dann wohl – wenn es glückt – zusammengehen, aber es verkürzt Eichendorffs Denken ganz entscheidend, wenn ter Haar (durchaus unnachvollziehbar) postuliert: »Die unbekümmerte Naturpoesie fängt an, sich zu Kunstpoesie zu entwikkeln, ohne daß sie dabei in ihrem Wesen angetastet wird« (S. 167). Die Einfalt des Helden, seine Kindlichkeit oder Jugend sind denn auch in vielfältigere Bezüge zu bringen. Die Konfrontation mit dem geschäftigen, erwachsenen Philister ist immer schon wahrgenommen und betont worden, zumal das ein zeitgenössischer Kontext ist (Brentano, Novalis u. a.).[76] Lukács findet mit Recht, daß diese »schöne tendenzlose Idylle« doch zugleich einen rebellischen Kern hat, »als Ganzes« (!) polemisch eine Revolte ausdrücke gegen »die – menschlich gesehen – zwecklose und inhumane Geschäftigkeit des modernen Lebens« (S. 59). Jedenfalls ist der Held in Gegenstellungen gebracht, die ihn selbst zwar berühren, aber

75 Ebd., S. 291.

76 Vgl. Clemens Brentano, *Der Philister vor, in und nach der Geschichte*, in: C. B., *Werke*, Bd. 2, hrsg. von Friedhelm Kemp, München 1963, S. 959 ff.; Novalis, *Vermischte Bemerkungen. Blüthenstaub* (Fragment Nr. 76. 77), in: N., *Schriften*, 3., erg., erw. und verb. Aufl., Bd. 2, hrsg. von Richard Samuel, Stuttgart [u. a.] 1981, S. 446 ff.

nicht verunsichern: wohl werden die Oppositionen dem Leser wahrnehmbar, und der mag sich jene Sicherheit wünschen, die den Taugenichts behütet. Eichendorffs Fragment *Der Schlaf*[77] unterscheidet drei Stufen des Schlafs; gegen den »Schlaf des Geistes« (»Unwißenheit in göttlichen Dingen«) wird »der wirkliche Schlaf der Unschuld in der Kindheit« gesetzt: »Draußen rauscht der Garten, tiefer unheimlich in den Hecken, aber der Feind hat keine Macht, das Unheimliche geht vorüber.« Die Jugendlichkeit des Helden ist so grundsätzlich genommen, daß sie im *Taugenichts*-Roman auch immer bewahrt bleibt; Lazarillo, Simplizissimus, Wilhelm Meister mögen altern und sich arrangieren (›erwachsen‹ werden) – für den Taugenichts und seine Brüder ist das undenkbar, was ihn vom Bildungs- und Entwicklungsroman wie vom Schelmenroman und überhaupt von aller psychologisierenden Erzählkunst bedeutsam unterschieden sein läßt.

Thomas Mann, Oskar Seidlin und andere haben auf die sehr besondere Form hingewiesen, in welcher der Taugenichts »ich« sagt. Dabei wird der Erzählvorgang jedenfalls nicht reflexiv, was Rodewald veranlaßt, vom Taugenichts als einem »quasi-Erzähler« zu sprechen (S. 238); der Taugenichts ergründet die Ereignisse, die ihm zustoßen, nicht; »ihm wird kein Überblick zugestanden« (S. 241). Ist er darum gleich »eine gelenkte Figur«, wie Rodewald behauptet (S. 254)? Die Gegenposition vertritt Margaret Gump, die das »Taugenichtstum« des Eichendorffschen Helden als »ein freiwilliges, in sich selbst ruhendes, beinahe instinktmäßiges« ansieht, »das im wesentlichen nicht von den andern her bestimmt ist« (S. 536). Wer hat nun recht? Die Antwort ist: keiner. Der Taugenichts bleibt eine Kunstfigur, auch wenn er »ich« sagt; er ist weder frei noch gelenkt, er ist in Kontexte gesetzt, die vom Leser vollzogen und aufeinander bezogen werden sol-

77 Eichendorff, *Neue Gesamtausgabe der Werke und Schriften* (Anm. 24) Bd. 4, S. 1066.

len; er hat keine Bedeutung, die ›denotiert‹, entschlüsselt werden müßte; er ist komplex genug angelegt, um eine Reihe von Konnotationen freizugeben. Seine Namenlosigkeit hat früh dazu geführt, ihn als Typus aufzufassen, als ein Bildzeichen, nicht aber als einen individuellen Charakter, über dessen Anlagen man streiten könnte. Noch die Wehmut, die ihn ab und zu überfällt, ist ihm nicht als Anlage oder Stimmung zuzurechnen. Lukács nimmt sie als künstlerisch erforderlich hin, als einen »Schatten, wie es das Unheimliche in seinen Gedichten ist«: er gebe der Wachtraumwelt das Relief der Wirklichkeit (S. 63).

Alle diese angeführten Formmomente ergänzen einander eher, als daß sie sich ausschlössen: die idyllische Gestaltung; die Nähe zum Volksmärchen; die Herkunft vom Pikaroroman; die Vermittlung von Natur- und Kunstpoesie; die Jugendlichkeit und Einfalt des Helden; die kaum problematische Festigkeit, mit der er »ich« sagt; die Opposition zur Moderne, der rebellische Ansatz der Erzählung; die eher episodische Handlungsführung mit dem ausgleichenden Schluß (Happy-End); Züge des Humors und Nähe zur Komödie; der Schatten der Wehmut, der sich als geheimes Wissen der Ungleichzeitigkeit dieses Wachtraums über die Taugenichts-Erzählungen legt; und auch eine Reihe von gattungskonstitutiven inhaltlichen Momenten ließe sich dazustellen: das Vagabundieren des Helden (Richtung: Italien), seine ›dilettierenden‹ Kunstübungen, die Naturnähe, seine narzißtisch angehauchte Schönheit, poetische Liebe und Weltfrömmigkeit, die (antibürgerliche) Verbindung von Volk und Adel, das Glück als zufallend, die entschlossene Absage an Integrationsmöglichkeiten und Anpassungs(an)gebote.

Alle diese Momente zusammen ergeben eine durchaus eigentümliche Erzählform, die ich (neuerlich) als »Taugenichts-Roman« zu bezeichnen vorschlagen möchte. Auf ihre Voraussetzungen einzugehen würde den Rahmen dieses Aufsatzes sprengen. Lukács benennt als deren eine den Versuch Eichendorffs, »ungebrochene Menschlichkeit« angesichts von Entwicklungen anschaulich zu machen, die solche kaum mehr gestatten (S. 64); er zielt auf den aufkommenden Kapitalismus. Von Wiese findet, daß diese »novellistische Erzählung in der Gestalt eines Glücksmärchens« ihren sehr besonderen historischen Ort hat: »Das konnte in dieser reinen und ungetrübten Form in der deutschen Dichtung nur ein einziges Mal gelingen, und es hat auch keine eigentliche Fortsetzung gefunden« (S. 96). Das nun ist zu bestreiten. Margaret Gump schon hat den *Taugenichts* als Unbehagen an der Zivilisation und Kritik der Moderne aufgefaßt und ihn mit einigen Nachfolgern (Hermann Hesses *Knulp* und Ernst Penzoldts *Squirrel*) zusammengestellt. »Das Überhandnehmen der Taugenichtsliteratur« wertet sie als Zeichen, »wie die Struktur der Gesellschaft und die Literatur hier zusammenhängen« (S. 530). Jack Zipes vergleicht Eichendorffs ›aristokratischen Heiligen‹ mit den Helden von James Fenimore Cooper (und dessen Erzählweise) und hebt vor allem den oppositionellen Ansatz, die Große Verweigerung (Herbert Marcuse), hervor: »The Great Refusal of the romantic hero contains an implicit critique of bourgeois values and capitalism.«[78] In meinem Aufsatz von 1970 wies ich auf Anton Tschechow (*Der Taugenichts*) und Robert Walser (u. a. *Jakob von Gunten*) hin. Peter Freese beschreibt 1971 die amerikanische ›coming-of-age novel‹ oder ›novel of adolescence‹ als einen eigenen Romantyp, der vom Taugenichts-Roman gewiß zu unterscheiden ist; die von Freese vorgeführten Initiationsromane enden mit einer gesellschaftlichen Einordnung des vorübergehend Ausgebrochenen; doch Verwandtschaften ergeben sich schon (etwa mit Jack Kerouac), und Jerome D. Salingers *Der Fänger im Roggen* ist ein Taugenichts-Roman reinsten Wassers. Der Erfolg dieser Romane (*The Catcher in the Rye* hat eine Verkaufsziffer von über drei Millionen und Übersetzungen in fast zwanzig Sprachen) zeigt, daß diese Erzähl-

78 Jack Zipes, *The Great Refusal. Studies of the Romantic Hero in German and American Literature*, Bad Homburg v. d. H. 1971, S. 138.

form auf kollektive Sehnsüchte auftrifft. Auch gegenwärtig ist sie wieder sehr beliebt, bei den Autoren wie bei Lesern. Hanns-Josef Ortheils preisgekrönter *Fermer* (1979), Peter Roseis erfolgreichster Roman *Von Hier nach Dort* (1978), noch Ulrich Plenzdorfs szenische Erzählung *Die neuen Leiden des jungen W.* (1973) greifen die Taugenichts-Form auf; und viele andere Romane und Erzählungen lassen sich dazustellen.

Nun lassen sich in den (seit der Romantik) entwickelteren sozio-ökonomischen Verhältnissen und »dürrer« gewordenen Lebensbedingungen die naive Perspektive des Helden und die idyllische Form (die Glücksfügungen) nur mit Einschränkungen und Verwandlungen durchhalten. Daß diese Form immer häufiger wird, daß die Darstellung von Verhältnissen, die nicht so sind, ein immer größeres Publikum und schließlich in trivialer Form große Lesermassen gewinnt, weist auf die wachsende Unzufriedenheit der Massen mit der von ihnen nicht eingerichteten Welt hin; auf die massenhafte Abspaltung des Glücksverlangens von der realen Praxis, seine zunehmende Austreibung aus der Wirklichkeit. Die Massenliteratur nimmt nun als triviale die Befriedigung jener Sehnsüchte wahr, denen die Romantiker noch determinierende Kraft auf die Geschichte einräumen wollten. Der Zusammenhang der neueren Taugenichts-Romane mit entsprechenden neuromantischen Bewegungen sprengt freilich diese Kasernierung der (Produktivkraft) Phantasie und gehört ja, als Übergang zu »lebendiger Romantik«, gleichfalls zu den konstitutiven Zügen dieser Gattung. Ob damit die Entgrenzung des Kunstghettos (wie von den Romantikern ersehnt) erreicht ist, der Übergang also von der regredienten zur progredienten Form der Wunscherfüllung (der Weg des Wunsches in die Praxis),[79] sei eben dahingestellt. Es ist ja suspekt, daß die gegenwärtigen Autoren meinen, ein Bild der Aufhebung von Entfremdung lasse sich allenfalls in einer antiquarischen

79 Vgl. Schneider (Anm. 25) S. 9.

Kunstform geben. Peter Schneider hat auf den aktuellen Widerspruch hingewiesen, »daß, je mehr die Menschen ihre Wünsche verwirklichen können, sie sich ihre Verwirklichung desto mehr wünschen müssen« (S. 6). Begreifen wir den Taugenichts-Roman als Literatur (und nicht bloß als Teil einer Randgruppenideologie), so ist die Vermittlung zur Wirklichkeit hin komplexer anzusetzen. Gegen die Bestimmung der Phantasie hin auf die die Konsumsphäre durchwaltende Scheinbefriedigung wollen die Taugenichts-Romane die Kraft wachhalten und nähren, sich dieses Wünschen wenigstens nicht umbiegen zu lassen. Der Taugenichts und die positive Darstellung seines tendenziell ungebundenen Lebens halten die Phantasie der Leser an, sich die elementaren Wunschvorstellungen und Glücksbedürfnisse nicht verschieben und wegdisputieren zu lassen. Der Jugendaufbruch um die Jahrhundertwende, die Hippies, Flower-power-people und Gammler, ja noch die gegenwärtigen Entmodernisierungstendenzen in der Ökologiebewegung sind Kontexte, die auf die Interpretantenbildung für die Taugenichts-Romane einwirken, und gewiß ist das legitim. Was Hans Magnus Enzensberger für die dem Tourismus zugrundeliegende Sehnsucht geltend machte, gilt ja auch für die Ausbruchsbewegung der Taugenichtse, des romantischen wie seiner neuromantischen Brüder:

> Es ist in der Tat sehr leicht, sich über den Massentourismus unserer Tage [...] lustig zu machen. Gewaltig aber ist die Kraft, welche heute überall auf der Welt die Massen an den Strand ihres kleinen Urlaubsglückes wirft. Es ist die Kraft einer blinden, unartikulierten Auflehnung, die in der Brandung ihrer eigenen Dialektik immerfort scheitert. Es stellt der politischen Verfassung, in der wir uns befinden, ein vernichtendes Zeugnis aus, daß allein Omnibusunternehmer und Bettenhändler sie ernst nehmen. Die Flut des Tourismus ist eine einzige Fluchtbewegung aus der Wirklichkeit, mit der unsere Gesellschaftsverfassung uns um-

> stellt. Jede Flucht aber, wie töricht, wie ohnmächtig sie sein mag, kritisiert das, wovon sie sich abwendet.[80]

Und Enzensberger fügt einen Satz hinzu, der die ungebrochene Wirkung der *Taugenichts*-Erzählung sowohl begründet wie problematisiert: »Die Bilder jenes Glücks, welche die Romantik aufgerichtet hat, behalten gegen alle Fälschung recht, solange wir nicht imstande sind, ihnen eigene entgegenzuhalten.«

80 Hans Magnus Enzensberger, »Eine Theorie des Tourismus (1958)«, in: H. M. E., *Einzelheiten*, Frankfurt a. M. 1962, S. 167.

Literaturhinweise

Anton, Herbert: »Dämonische Freiheit« in Eichendorffs Erzählung »Aus dem Leben eines Taugenichts«. In: Aurora 37 (1977) S. 21–32.

Arendt, Dieter: Der Schelm als Widerspruch und als Selbstkritik des Bürgertums. Vorarbeiten zu einer soziologischen Analyse der Schelmenliteratur. Stuttgart 1974.

Bohm, Arnd: Competing economies in Eichendorff's »Aus dem Leben eines Taugenichts«. In: The German Quarterly 58 (1985) S. 540–553.

Bormann, Alexander von: Natura loquitur. Naturpoesie und emblematische Formel bei Joseph von Eichendorff. Tübingen 1968.

– Philister und Taugenichts. Zur Tragweite des romantischen Antikapitalismus. In: Aurora 30/31 (1970/71) S. 94–112.

– »Die ganze Welt zum Bild«. Zum Zusammenhang von Handlungsführung und Bildform bei Eichendorff. In: Aurora 40 (1980) S. 19–34.

Eichendorff heute. Stimmen der Forschung mit einer Bibliographie. Hrsg. von Paul Stöcklein. 2., erg. Aufl. Darmstadt 1966.

Enzensberger, Hans Magnus: Eine Theorie des Tourismus (1958). In: H. M. E.: Einzelheiten. Frankfurt a. M. 1962. S. 147–168.

Freese, Peter: Die Initiationsreise. Studien zum jugendlichen Helden im modernen amerikanischen Roman. Neumünster 1971.

Frühwald, Wolfgang: Der Philister als Dilettant. Zu den satirischen Texten Joseph von Eichendorffs. In: Aurora 36 (1976) S. 7–26.

Grenzmann, Ludger: Nachwort zu: Joseph von Eichendorff: Sämtliche Erzählungen. München 1981. S. 389–418. [Vgl. auch die Anmerkungen und Zeittafel.]

Gump, Margaret: Zum Problem des Taugenichts. In: Deutsche Vierteljahrsschrift für Literaturwissenschaft und Geistesgeschichte 37 (1963) S. 529–557.

Haar, Carel ter: Joseph von Eichendorff: Aus dem Leben eines Taugenichts. Text, Materialien, Kommentar. München/Wien 1977.

Heide, Herbert von der: Innerlichkeit und Kritik in der Literatur der Romantik. Joseph von Eichendorff: Aus dem Leben eines Taugenichts. Schülerarbeitsbuch/Lehrerband. (Deutsch in der Sekundarstufe II.) Stuttgart 1977.

Hermand, Jost: Der ›neuromantische‹ Seelenvagabund. In: Das Nachleben der Romantik in der modernen deutschen Literatur. Hrsg. von Wolfgang Paulsen. Heidelberg 1969. S. 95–115.

Hillach, Ansgar: Arkadien und Welttheater oder Die Auswanderung des Märchens aus der Geschichte. Nachw. zu: Joseph von Eichendorff: Aus dem Leben eines Taugenichts. Frankfurt a. M. 1976.

Hillach, Ansgar / Krabiel, Klaus-Dieter: Eichendorff-Kommentar. Bd. 1: Zu den Dichtungen. München 1971.

Hotz, Karl: Literatur und Methode. Joseph von Eichendorff: Aus dem Leben eines Taugenichts. [Bd. 1:] Text und Arbeitsbuch. [Bd. 2:] Didaktik, Methodik, Interpretation. Frankfurt a. M. 1978–79.

Hughes, G. T.: Eichendorff: Aus dem Leben eines Taugenichts. London 1961.

Köhnke, Klaus: Homo viator. Zu Eichendorffs Erzählung »Aus dem Leben eines Taugenichts«. In: Aurora 42 (1982) S. 24–56.

Köpke, Wulf: Eine Jean Paul-Parodie im »Taugenichts«? Bemerkungen zu Eichendorffs Jean Paul-Rezeption. In: Aurora 41 (1981) S. 172–182.

Kohlschmidt, Werner: Die symbolische Formelhaftigkeit von Eichendorffs Prosastil. In: W. K.: Form und Innerlichkeit. Bern 1955. S. 177–209.

Koopmann, Helmut: Um was geht es eigentlich in Eichendorffs »Taugenichts«? Zur Identifikation eines literarischen Textes. Augsburg 1975.

Lämmert, Eberhard: Eichendorffs Wandel unter den Deutschen. In: Die deutsche Romantik. Poetik, Formen und Motive. Hrsg. von Hans Steffen. Göttingen 1967. S. 219–276.

Lukács, Georg: Eichendorff. In: G. L.: Deutsche Realisten des 19. Jahrhunderts. Berlin [Ost] 1951. S. 49–65.

Mühlher, Robert: Eichendorffs Erzählung »Aus dem Leben eines Taugenichts«. Ein Beitrag zum Verständnis des Poetischen. In: Aurora 22 (1962) S. 13–44. [Auch als Sonderdruck der Schriftenreihe Kulturwerk Schlesien. Würzburg 1962.]

Nygaard, Loisa: Eichendorffs »Aus dem Leben eines Taugenichts«: »Eine leise Persiflage« der Romantik. In: Studies in Romanticism 19 (1980) S. 193–216.

Paulsen, Wolfgang: Eichendorff und sein Taugenichts. Die innere Problematik des Dichters in seinem Werk. Bern/München 1976.

Pikulik, Lothar: Romantik als Ungenügen an der Normalität. Am Beispiel Tiecks, Hoffmanns, Eichendorffs. Frankfurt a. M. 1979.

Polheim, Karl Konrad: Neues vom »Taugenichts«. In: Aurora 43 (1983) S. 32–54.

Ritchie, James MacPherson: Joseph Freiherr von Eichendorff, Aus dem Leben eines Taugenichts. Kritischer Kommentar (Introduction, Notes and Vocabulary). London 1970.

Rodewald, Dierk: Der »Taugenichts« und das Erzählen. In: Zeitschrift für deutsche Philologie 92 (1973) S. 231–259.

Schwarz, Egon: Der Taugenichts zwischen Heimat und Exil. In: Etudes Germaniques 12 (1957) S. 18–33.

Seidlin, Oskar: Der Taugenichts ante portas. In: O. S.: Versuche über Eichendorff. Göttingen 1965. S. 14–31.

– Die symbolische Landschaft. Ebd. S. 32–53.

Walter-Schneider, Margret (unter Mitarb. von Martina Hasler): Die Kunst in Rom. Zum 7. und 8. Kapitel von Eichendorffs Erzählung »Aus dem Leben eines Taugenichts«. In: Aurora 45 (1985) S. 49–62.

Wiese, Benno von: Joseph von Eichendorff: Aus dem Leben eines Taugenichts. In: B. v. W.: Die deutsche Novelle von Goethe bis Kafka. Interpretationen. Düsseldorf 1956. S. 79–96.

Zipes, Jack: The Great Refusal. Studies of the Romantic Hero in German and American Literature. Bad Homburg v. d. H. 1971.

GERHARD SCHULZ

Johann Wolfgang Goethe: *Novelle*

Sicher ist es keine Übertreibung zu behaupten, daß Goethes *Novelle* weniger um ihrer selbst, als um ihres Autors willen gelesen wird. Ein Werk um Goethes willen zu lesen, ist jedoch kein geringer Grund, und so hat die *Novelle* denn auch beträchtliche Aufmerksamkeit in der Literaturwissenschaft gefunden. Lektüre um Goethes willen bedeutet, daß man sein Denken, Empfinden und seine Schreibkunst im Text erkennt. Je mehr man von Goethe weiß, desto mehr wird man von ihm darin wiederfinden. Vieles ist deshalb in der *Novelle* entdeckt worden. Politische, ökonomische, naturwissenschaftliche, ästhetische und religiöse Gedanken seines Alterswerks haben ihre Spuren in der *Novelle* hinterlassen und sind entsprechend aufgespürt worden. Alles in allem haben sich die Interpreten also zu klugen Führern durch eine Art reicher Gedankengalerie gemacht, und sie haben belehrend, zum Teil auch erbauend den Reichtum des einen Werks neben anderen, größeren herausgestellt. Das ist eine durchaus wünschenswerte literaturgeschichtliche Arbeit, wenngleich sie, wie jeder Galeriebesuch an der Hand eines kundigen Führers, auch die Gefahr der Ermüdung für den Geführten mit sich trägt. Das gilt besonders für einen Text, der einem unmittelbaren Verständnis wenig Widerstand entgegensetzt und eine einfache, wenngleich außergewöhnliche Geschichte klar erzählt. Neben der Ausbreitung seines Wissens entsteht deshalb dem Kommentator die Aufgabe, jenes Interesse näher zu bestimmen, das er bei seinen Hörern oder Lesern erwartet oder erwecken möchte.

I

Für ihre ersten Leser – sie erschien 1828 – war Goethes *Novelle* ein Stück Gegenwartsliteratur. Von einem jungen Fürsten ist zu hören, der, als tüchtiger Ökonom bezeichnet, seine Zeit eher mit dem Finanzminister als dem Landjägermeister zubringt, ganz offensichtlich zum Wohle des Staatshaushalts seines Landes. Die Lehren der Vergangenheit sind wahrgenommen worden, denn »des Fürsten Vater hatte noch den Zeitpunkt erlebt und genutzt, wo es deutlich wurde, daß alle Staatsglieder in gleicher Betriebsamkeit ihre Tage zubringen, in gleichem Wirken und Schaffen, jeder nach seiner Art, erst gewinnen und dann genießen sollten« (3).[1] Bedenkt man, was einst Wilhelm Meister über den Unterschied zwischen der Nötigung des Bürgers zum Tun und der Freiheit des Adels, nur eben dazusein, geschrieben hatte, so wird klar, daß hier die Lektion der Französischen Revolution gelernt worden ist, um einer deutschen vorzubeugen. Eine ausgedehnte Friedenszeit, die dem jungen Fürsten – der »militärische Erfahrungen« (22) gesammelt hat – gegeben ist, damit solche Vorstellungen von einer gemeinsam tätigen Gesellschaft ins Werk gesetzt werden konnten, erweist außerdem, daß die Zeit der Napoleonischen Kriege zurückliegt.[2]

1 Die Seitenangaben im Text beziehen sich auf die Ausgabe von Goethes *Novelle* in Reclams Universal-Bibliothek, Nr. 7621 (Stuttgart 1962 [u. ö.]).

2 Christine Träger behauptet dagegen: »Das deutsche Kleinfürstentum, in dem die Novelle spielt, befindet sich in seiner sozialen und ökonomischen Entwicklung noch auf der Stufe vorkapitalistischer, individueller Warenproduktion«, und die Zeit der Handlung läge noch vor der Französischen Revolution (*Novellistisches Erzählen bei Goethe*, Berlin/Weimar 1984, S. 224). Dem ist entgegenzuhalten, daß es Goethe keineswegs um einen ökonomischen Realismus zu tun ist, sondern um einen betont harmonischen Zustand, gegen den sich die Störungen, die zu erzählen sind, umso stärker abheben. Beschrieben wird von ihm »eine emsig folgerechte, klüglich vermehrte Kultur eines sanft und gelassen regierten, sich durchaus mäßig verhaltenden Volkes«, von der in seinem Brief an F. A. von Beulwitz vom 18. 7. 1828 mit Bezug auf Sachsen-Weimar in dieser Zeit die Rede ist (*Briefe*, Hamburger Ausgabe, München 1976, Bd. 4, S. 290).

Die *Novelle* erzählt das Geschehen eines Herbsttages vom Frühnebel bis zum Abendrot. Ihre Handlung beginnt mit einem kleinen Sündenfall: der so sehr auf friedliche Marktwirtschaft bedachte Fürst hat es auf Vorstellung seines Landjägermeisters nicht vermocht, »der Versuchung zu widerstehen, an diesen günstigen Herbsttagen eine schon verschobene Jagd zu unternehmen« (4). Eine läßliche Sünde gewiß, wenn überhaupt eine, und Wahrnehmung lediglich eines alten Adelsprivilegs. Immerhin aber hatte man sich vorgenommen, »weit in das Gebirg hineinzudringen, um die friedlichen Bewohner der dortigen Wälder durch einen unerwarteten Kriegszug zu beunruhigen« (4). Beabsichtigt ist also eine Störung des Gewöhnlichen, Gängigen, eben erst errungenen Friedlichen im Dasein von Mensch und Natur.
Störung ereignet sich offenbar auch in der innersten, intimsten Sphäre des Fürsten. Die Jagdgesellschaft steht bereit. »Alle jedoch warteten auf den Fürsten, der, von seiner jungen Gemahlin Abschied nehmend, allzu lange zauderte« (3). Es ist müßig, darüber zu spekulieren, ob es der erste Abschied des jungen Paares ist, von dem man weiß, daß es erst vor kurzer Zeit »zusammen getraut« wurde. Gewiß aber ist das Zögern ein Zeichen dafür, daß nicht Routine sich vollzieht, sondern auch im Inneren Gewöhnliches gestört wird. Seltsam außerdem das »allzu« – Urteil des Erzählers selbst oder der Wartenden?[3] Es ist ein Wort, in das sich das Interesse des Lesers einhaken kann, ohne daß zunächst der Grund zu bestimmen wäre.
Versuchung wird dann auch für den weiteren Verlauf des Tages provoziert, denn der Fürst gibt seine junge Frau in die Obhut zweier Männer, des »Fürst-Oheims, Friedrich mit Namen« (5), und des »Stall- und Hofjunkers« Honorio (4), in die Hände also eines älteren und eines jüngeren Mannes. Es sind übrigens die beiden einzigen Gestalten der *Novelle*, die

3 Zur Rolle des Erzählers vgl. insbesondere eine der frühesten Studien zur *Novelle*, nämlich Bernhard Seuffert, »Goethes *Novelle*«, in: *Goethe-Jahrbuch* 19 (1898) S. 133–166, bes. S. 153 f.

von Goethe einen Namen erhalten haben, seinem ursprünglichen Plan nach aber nur eine einzige Person sein sollten, und zwar der Bruder des Fürsten.

Die erste Stunde der Fürstin in der Gesellschaft des Oheims gehört zu den Teilen der *Novelle*, die ihr manche Popularität gekostet haben mögen. Die junge Dame nämlich erhält Lektionen, bedeutsame allerdings, wie sich nicht leugnen läßt. Der »alte rüstige Herr« (5) erläutert ihr anhand von Zeichnungen die Seltsamkeit der alten, von der Natur zum Teil zurückeroberten Stammburg der Familie oberhalb des neuen Schlosses – ein Platz, »dessengleichen in der Welt vielleicht nicht wieder zu sehen ist« (7). Auch das ist übrigens ein Satz, der in seiner scheinbaren oder tatsächlichen Übertreibung die Aufmerksamkeit des Lesers herausfordert. Das andere Objekt, das der Fürstin unter den ein wenig betulich belehrenden Worten des Oheims vorgeführt wird, ist der Markt als »Summe des ganzen Staatshaushaltes« (9), aber auch als Platz zur Ausstellung gefangener Raubtiere. Die Exposition für eine epische Handlung, für Gefahren und Konflikte ist vollendet.

Was nun geschieht, läßt sich leicht nacherzählen. Auf dem Ritt zur Stammburg, die man anschließend besichtigen will, sehen Fürstin, Oheim und Hofjunker, daß Feuer in der Stadt ausgebrochen ist. Der alte Fürst reitet davon, um bei den Löscharbeiten mit seiner Autorität hilfreich zu sein, hat er doch früher schon eine Feuerkatastrophe erlebt, die ihm tief in der Erinnerung geblieben ist. Honorio, allein gelassen mit der Fürstin, die, wenn man die Sitte adliger Ehen dieser Zeit bedenkt, im gleichen Alter wie er sein mag, wird sogleich in eine Ritter-Rolle versetzt, denn er sieht sich und die Fürstin plötzlich dem Tiger aus der Schaubude auf dem Markt gegenüber, der im Tumult des Feuers ausgebrochen ist. Daß es sich um ein zahmes Tier handelt, läßt sich schwerlich ahnen, und so veranstaltet der junge Honorio eine kleine Großwildjagd in mitteleuropäischer Kulturlandschaft, die denn auch mit der Erlegung des Tigers endet. Für den Lohn der schönen

Dame freilich muß er in seine eigene Wirklichkeit und Zeit zurückkehren: zwar kniet er, aber was er erbittet, ist Urlaub, um davonzugehen. Auf Bildungsreise wie Wilhelm Meister? Nach Amerika, wie dieser es in seinen Wanderjahren vorhat? Entsagung? Formeln und Bilder aus Goethes Werk dieser Jahre drängen sich auf, ohne viel zu erklären.
Der Schluß wird zum Melodrama. Die Jagdgesellschaft des Fürsten ist, von den Zeichen des Brandes alarmiert, aus den Wäldern zurückgekommen und trifft nun nicht nur auf die kleinere, unfreiwillige Jagdgesellschaft sowie den zur Strecke gebrachten Tiger, sondern auch auf die inzwischen herbeigeeilten Schausteller, die um das tote Tier klagen. Außerdem aber sind sie besorgt um den ebenfalls ausgebrochenen Löwen, der sich in der Stammburg niedergelassen hat. Ihren eindringlichen Bitten, in hymnischer Prosa und im Gesang vorgetragen, folgt der junge Fürst und verzichtet auf die Löwenjagd. Von den Flötentönen des Schaustellerknaben besänftigt, wird der »Tyrann der Wälder« (29) zum Lamme, vermutlich um auf Jahrmärkten auch fernerhin den Bürger mit exotischem Reiz zu locken und zugleich die Anschauung gezähmter Wildheit zu liefern. Aber das bleibt außerhalb von Goethes Betrachtung.

II

Die *Novelle* habe sich, schreibt Goethe am 10. Januar 1829 an den Staatsrat Schultz, »vom tiefsten Grunde meines Wesens losgelöst«.[4] Zwei Jahre früher, noch während der Arbeit, hatte er hingegen Eckermann auf dessen Bemerkung, daß hier in dieser Erzählung, soweit sie ihm Goethe zu lesen gegeben habe, alles »real« sei, versichert: »Sie haben recht, Innerliches

4 Die verschiedenen Äußerungen Goethes zur *Novelle* sind zusammengestellt in: *Erläuterungen und Dokumente: Johann Wolfgang Goethe, Novelle*, hrsg. von Christian Wagenknecht, Stuttgart 1982 (Reclams Universal-Bibliothek, 8159), und werden danach zitiert.

finden Sie in dem Gelesenen fast gar nicht, und in meinen übrigen Sachen ist davon fast zuviel« (15. Januar 1827). Selbst wenn man diese beiden Äußerungen absolut setzt und gegeneinander mißt, wenn man also alle Bedenken hinsichtlich der Genauigkeit von Eckermanns Bericht sowie hinsichtlich der ganz verschiedenen Situationen, aus denen sie entstanden sein mögen, und der Kontexte, auf die sie sich jeweils beziehen, beiseite läßt, selbst dann brauchen die beiden Äußerungen nicht im Widerspruch zueinander zu stehen. Kern des Wesens und Innerliches müssen nicht unbedingt ein und dieselbe Sache sein, so nahe beieinander sie auch stehen mögen.

Einige Tage nach dem ersten Gespräch mit Eckermann über die *Novelle* hat Goethe denn auch den Begriff des Realen noch näher zu bestimmen versucht, von einem ihm wenig bedeutenden »Realen an sich« gesprochen und diesem das Ideelle gegenübergestellt: »Denn was soll das Reale an sich? Wir haben Freude daran, wenn es mit Wahrheit dargestellt ist, ja es kann uns auch von gewissen Dingen eine deutlichere Erkenntnis geben; aber der eigentliche Gewinn für unsere höhere Natur liegt doch allein im Idealen, das aus dem Herzen des Dichters hervorging.« Das Ideelle in seiner *Novelle* aber definierte Goethe aus diesem Anlaß mit folgendem Satz: »Zu zeigen, wie das Unbändige, Unüberwindliche oft besser durch Liebe und Frömmigkeit als durch Gewalt bezwungen werde, war die Aufgabe dieser Novelle, und dieses schöne Ziel, welches sich im Kinde und Löwen darstellt, reizte mich zur Ausführung« (18. Januar 1827). Das alles bestätigt zunächst einmal, wie schwer es ist – auch für Goethe – über Dichtung erklärend zu reden, da für das absolut Einmalige und Subjektive eines Kunstwerks eine keineswegs genau definierte und verbindliche Begriffssprache verwendet wird, die ihrerseits an den Rändern ihres Verständnisses zum Bildlichen tendiert (Innerliches, tiefster Grund). Andererseits aber ist Goethes Definition wiederum so eindeutig und klar, daß sie jedes literaturhistorische Kompendium zieren könnte. Es ist ein guter Satz und eine ebenso gute Idee, der Goethe damit Ausdruck gibt: die Apotheose des Friedlichen und Harmonischen, das für Goethes gesamtes Denken bestimmend ist. Die Konflikte der *Novelle* lösen sich im übrigen tatsächlich in einer solchen von ihm beschriebenen Idee. Die Frage nur bleibt, ob das Werk daraus größeres Interesse und größeren Wert gewinnt oder aber eher das Stigma einer geistvollen Langweiligkeit, wenn nicht gar der Wirklichkeitsferne und bequemen Verklärung, die zum Beispiel Gottfried Benn ihr attestiert hat. Über die Idee der *Novelle* wird sich wahrscheinlich kaum mehr sagen lassen, als Goethe selbst gesagt hat, wohl aber über ihren Reiz als Kunstwerk, das – um bei der Goetheschen Metaphorik des Inneren zu bleiben – tief ins Menschliche hineinführt.

III

Goethes Bemerkung, daß in der *Novelle* nichts »Innerliches« sei im Gegensatz zu seinen »übrigen Sachen«, ist leicht zu begreifen beim Vergleich mit Werthers ins Maßlose gehender Innenschau oder dem von Reflexionen durchsetzten *Wilhelm Meister*. In der *Novelle* geht der Weg zum Ideellen ausschließlich über das Reale, also die Figur, den Gegenstand, das Bild und den Vorgang. Betrachtet man die Entstehung der *Novelle*, so sieht man, daß Goethe geradezu hingerissen war von einer solchen, für seine epische Produktion neuen Schreibweise. In mehreren Arbeitsphasen hat er ein Motivschema entwickelt, das schließlich in seiner endgültigen Form, von ihm durchnumeriert, in 107 Schritten Bild für Bild, Vorgang für Vorgang aufzeichnet.[5] Diesem Schema ist er in der Ausführung der *Novelle* ohne wesentliche Ände-

5 Zur Entstehung und den verschiedenen Entwürfen vgl. Helmut Praschek, »Bemerkungen zu Goethes Arbeitsweise im Bereich seiner Erzählungen«, in: *Goethe-Studien*, Berlin 1965, S. 97–122, und Karl-Heinz Hahn, *Aus der Werkstatt deutscher Dichter. Goethe. Schiller. Heine*, Halle 1963, S. 133–157.

rungen gefolgt. Es ist die Faszination durch das Reale, die aus diesem Schema spricht, das in seiner Form einem Filmszenarium verglichen werden könnte. Also mit Worten des 20. Jahrhunderts ausgedrückt: vor Goethes Innerem läuft hier ein Film ab, dessen Aufzeichnung in Worten die *Novelle* darstellt.

Eine derartige Verbindung von Realität und Idealität verleitet dazu, Figuren, Gegenstände und Vorgänge als Symbole zu empfinden, und die *Novelle* hat sich als reicher Jagdgrund dafür erwiesen. Schon die Entstehungsweise jedoch, dieser Entwurf einer Geschichte in 107 Schritten, läßt es als fragwürdig erscheinen, daß Goethe mit ihr als Ganzem oder mit den einzelnen Gestalten und Ereignissen darin habe etwas Abstraktes symbolisieren oder gar allegorisieren wollen. Zu behaupten, daß etwa die *Novelle* »für Goethe zu einem poetischen Paradigma« wurde, »in dem er das morphologische Prinzip natürlicher Entwicklung unter den verschiedensten Aspekten eines Stoff-Form-Verhältnisses ins Bild brachte«,[6] um nur ein Beispiel zu zitieren, bedeutet doch wohl ein grundsätzliches Mißverstehen von dem, was künstlerische Produktion für Goethe darstellte. Daß sich Goethes Denken in seinem Werk symbolhaft spiegelt, daß seine Vorstellungswelt und seine dichterische Verfahrensweise einen historischen Ort haben und daß sich schließlich über alles dies in der Literaturwissenschaft reden läßt, ist selbstverständlich, sollte aber nicht vergessen machen, daß sich daraus schwerlich schon ein überzeugendes Argument für den Wert eines literarischen Textes ergibt und eben jenes Interesse erweckt werden kann, das letztlich entscheidend ist für das Überleben eines Kunstwerks.

Die Möglichkeit zu Mißverständnissen anderer Art zeichnet sich dort ab, wo man die Bestandteile von Goethes Imagination zu analysieren unternimmt. Ob die dargestellte Landschaft mit den beiden Schlössern diejenige von Vaduz,

6 Träger (Anm. 2) S. 236.

Rudolstadt, Dornburg, Teplitz oder Eisenberg in Böhmen ist, wird wahrscheinlich heute kaum noch eine Diskussion beleben können.[7] Es geht Goethe ganz offensichtlich nicht um einen dokumentarischen Realismus in dieser Erzählung, in der weder Stadt, Fürstentum noch Fürst oder Fürstin einen Namen tragen. Schon im *Werther* war es seine Technik gewesen, »eine Venus aus mehreren Schönheiten herauszustudieren«,[8] und seiner Vorstellung vom Symbol entsprach es, daß das Reale als dessen formativer Bestandteil seine Eigenexistenz behielt und sich nicht zum blassen Zeichen für eine Idee verflüchtigte. So ist die Realität der *Novelle* zwar genau gezeichnet bis hin zur Bezeichnung von Baumarten, aber nicht realistisch in dem Sinne, der für den europäischen Roman des 19. und frühen 20. Jahrhunderts gilt. Im übrigen sollte nicht vergessen werden, daß Goethe im Alter auch die ihn tatsächlich umgebende Wirklichkeit so sah oder wenigstens zu sehen versuchte, wie er sie im literarischen Text darstellt. Ein Beleg dafür ist sein Dornburger Brief vom 18. Juli 1828 an den weimarischen Kammerherrn Friedrich August von Beulwitz, der geradezu eine *Novellen*-Landschaft entwirft, wobei freilich auch schon wieder Adressat und Zweck des Briefes – das Lob großherzoglich-weimarischer Harmonie und Tüchtigkeit – in Betracht zu ziehen sind und den Brief zum literarischen Werk eigenen Ranges machen.

War die Suche nach den Lokalitäten der *Novelle* hauptsächlich, wenn auch nicht ausschließlich eine Arbeit positivistischer Forschung, so hat sich die Suche nach den Quellen von Goethes Einbildungskraft, wie sie in Figuren und Handlung tätig ist, bis in die Gegenwart fortgesetzt. Die Streuung der Interessen und Deutungen ist beträchtlich. Legenden aus

7 Eine Übersicht in: Johann Wolfgang Goethe, *Werke*, Hamburger Ausgabe, Bd. 6, München [9]1977, S. 732. Vgl. außerdem Spiridion Wukadinović, *Goethes »Novelle«. Der Schauplatz. Coopersche Einflüsse*, Halle 1909 [für Eisenberg].

8 Goethe, *Werke* (Anm. 7) Bd. 9, München [7]1974, S. 593 (*Dichtung und Wahrheit*, Tl. 3, Buch 13).

Christentum und Antike vereinigen sich im Bilde des löwenbezähmenden Knaben, der Daniel, Androclus, Orpheus in einem ist oder gar als eine christus-ähnliche Gestalt gesehen wurde.[9] Biblische Weisheit spricht aus den Worten des Schaustellers, 1001 Nacht soll Spuren zurückgelassen, wenn nicht gar das Modell für die *Novelle* überhaupt geboten haben,[10] und unter den literarischen Zeitgenossen Goethes werden als Anreger für einen oder den anderen Zug Mozart und seine *Zauberflöte* sowie Schiller, Tieck, Novalis und schließlich James Fenimore Cooper genannt, so entfernt dessen Welt skalpierender Indianer auch von der deutschen Kulturlandschaft zu liegen scheint. Aber Goethe hatte tatsächlich einige Romane Coopers zur Zeit der Arbeit an der *Novelle* gelesen, und es ist keineswegs unwahrscheinlich, daß er von Sprache und Geschehen dieser Romane die eine oder andere Anregung empfangen hat. Grundsätzlich freilich ist dabei nur zu bedenken, daß auch für solche Quellenstudien zutrifft, was von der Suche nach den geographischen Lokalitäten gesagt wurde: daß der Künstler eine eigene, neue Wirklichkeit aus den vielen Bestandteilen seiner Erfahrung und seines Wissens »herausstudiert«. Versucht man auch nur einmal annähernd zu ermessen, was im Bewußtsein des zur Zeit der Arbeit an der *Novelle* nahezu achtzigjährigen Goethe an Erfahrung, Wissen und Empfinden gespeichert war und ihm zur Verfügung stand, so wird man erkennen, daß zwar die Suche danach manchen Reiz haben kann, besonders da sich wirklich diese oder jene dunkle Stelle oder Wendung aufhellen läßt, eine genaue Beschreibung der Bausteine aber,

9 Verweise auf die Quellen bei Wagenknecht (Anm. 4). Über den biblischen und antiken Hintergrund der *Novelle* ausführlich und zugleich überlegen über die rein positivistische Einflußforschung: Herman Meyer, *Natürlicher Enthusiasmus. Das Morgenländische in Goethes »Novelle«*, Heidelberg 1973.

10 Vgl. Katharina Mommsen, *Goethe und 1001 Nacht*, Frankfurt a. M. 1981, S. 168–185, worin eine Reihe von Parallelen gezeigt werden zwischen der *Novelle* und der *Geschichte des Prinzen Achmed und der Fee Pari Banu*, die allerdings eher zufällig oder beiläufig erscheinen.

aus denen das Werk errichtet wurde, jedoch nicht denkbar ist.

Die Quellensuche trägt sogar die Gefahr in sich, durch gewisse Begriffe und Vorstellungen die reproduzierende Einbildungskraft des Lesers einzuengen oder auf falsche Fährten zu locken. Das gilt zum Beispiel für den Begriff des »Morgenländischen«, der häufig für die Schaustellerfamilie benutzt wird. Die Ansprache des Mannes an den Fürsten und dann auch das Lied des Kindes enthalten Verweise auf biblische, speziell alttestamentarische Bilder und Gleichnisse, obwohl Wukadinović, der erste Entdecker Cooperscher Einflüsse, darin auch einiges von der pathetischen Sprache der Indianer wiedererkannt haben will. Machen sprachliches Pathos sowie »bunte und seltsame Kleidung« und ein »schwarzaugiger, schwarzlockiger Knabe« (19) die Schausteller schon zu »Morgenländern«?[11] Und was sind »Morgenländer« überhaupt? Goethe selbst ist mit der Metapher »Morgenland« vorsichtig umgegangen und verwendet zum Beispiel in den *Noten und Abhandlungen* zum *West-östlichen Divan* statt dessen eher das geographisch präzisere Wort »Orient«, wobei er zugleich genaue ethnische Vorstellungen damit verbindet. Ob im übrigen Schausteller auf deutschen Jahrmärkten »Morgenländer«, also zumeist doch wohl nicht-bibelfeste Araber, Syrer, Perser und Türken waren oder aber Zigeuner, Juden, Slawen, Italiener und Spanier, ist ebenso unerheblich wie die Frage nach der Lokalität von altem und neuem Schloß. Daß sie Fremde im deutschen Lande sind, ist das einzig Wesentliche, das Goethe mit ihrem Auftreten und

11 Die Bezeichnung der Schaustellerfamilie als »Morgenländer« geht auf Düntzer zurück und ist erneut bekräftigt worden von Staiger: »Morgenländer sind die Fremden« (Emil Staiger, »Goethe: ›Novelle‹«, in: E. S., *Meisterwerke deutscher Sprache aus dem 19. Jahrhundert*, Zürich 1948, S. 148). Ein Beweis wird freilich nicht angetreten, aber seitdem fehlen die »Morgenländer« in kaum einer Interpretation der *Novelle*. Lediglich Johannes Urzidil, *Goethe in Böhmen*, Zürich/Stuttgart 1965, S. 393, hält sie für Tschechen, was vielleicht dem tatsächlichen ethnischen Ursprung von Schaustellern im 18. Jahrhundert näher kommen könnte, aber selbstverständlich ebenso unbewiesen wie unbedeutend ist.

Sprechen verbindet. Die Festlegung der Friedensapotheose im Lied des Knaben auf das »morgenländische« Christentum dürfte Goethes eigene Idee des Harmonischen ebenso einengen, wie das mit einer streng christlichen Interpretation des Schlusses von *Faust II* geschähe.

IV

Wichtigste Arbeit der meisten Interpretationen ist es geblieben, Reales in Ideelles umzusetzen, also dem Symbolgehalt der *Novelle* nachzugehen. Diese lädt denn auch überall dazu ein, so genau die Realitäten in ihr gezeichnet sein mögen. Landschaft zum Beispiel ist sorgfältig gegliedert. Ebene und Gebirge verbinden sich zu dem produktiven Ganzen eines gut regierten und bewirtschafteten Landes; die Stadt ist hauptsächlich des Marktes wegen da, und von diesem wiederum bemerkt der Fürst erklärend zu seiner jungen Frau, »wie gerade hier das Gebirgsland mit dem flachen Lande einen glücklichen Umtausch treffe; er wußte sie an Ort und Stelle auf die Betriebsamkeit seines Länderkreises aufmerksam zu machen« (4).
Eingelassen in diese fruchtbare Landschaft ist jedoch eine »öde steinige Fläche« (5) dicht vor dem alten Schloß, und also zwischen diesem und dem neuen liegend, auf der sich später die Tigerjagd und die Demonstration der Schaustellerfamilie ereignen, die aber schon gleich zu Anfang erwähnt wird als der Ort, an dem die Fürstin durch ein Fernrohr die Jagdgesellschaft ihres Mannes zum letzten Mal vor dem Eintritt ins Gebirge sieht.[12] Es ist, als wenn Goethe mit dieser Fläche die

12 Das Fernrohr – ein Instrument, von dem Goethe wenig hielt, das aber in der *Novelle* sehr wohl ohne ein solches Stigma des Negativen gebraucht sein mag – ist ein gern diskutierter Gegenstand in den Interpretationen. Vgl. Meyer (Anm. 9), S. 70 f., Rosemary Picozzi Balfour, »The Field of View in Goethe's *Novelle*«, in: *Seminar* 12 (1976) S. 63–72, und Jane K. Brown, »The Tyranny of the Ideal: the Dialectics of Art in Goethe's *Novelle*«, in: *Studies in Romanticism* 19 (1980) S. 217–231.

Bühne für den dramatischsten Teil seiner *Novelle* der eigentlichen produktiven Natur entrücken wollte an eine Art neutralen Ort. Aber er brauchte die Fläche freilich auch, um Anfang und Ende der Erzählung mit Abgang und Wiedererscheinen des Fürsten plausibel zusammenzubringen, denn sonst wäre dessen Auftauchen an eben dieser Stelle ein allzu großer Willkürakt des Erzählers gewesen. Nicht nur der Symboliker, sondern auch der Regisseur Goethe ist hier tätig.
Gegensätze wie derjenige zwischen Gebirge und Ebene durchziehen die ganze *Novelle*, ohne daß sie sich allerdings auf ein Schema bringen ließen. Neues und altes Schloß stehen einander zwar gegenüber als neue und alte Zeit, als Vergangenheit und Gegenwart, aber damit zugleich als Signifikate eines historischen Entwicklungsprozesses, einer Traditionsbildung, bei der das Vergangene ins Gegenwärtige einbezogen wird. Im Hofe des alten Schlosses spielt sich dann am Ende auch die Besänftigung des Löwen durch die Musik und die Hilfsbereitschaft des Menschen ab. Die Dimension der Zukunft ist also in die Tradition einbezogen.
Eng verbunden mit dem Gegensatz von Vergangenheit und Gegenwart ist der Gegensatz von Natur und Kultur, wobei die letztere im weitesten Sinne als die Kulturtätigkeit des Menschen überhaupt zu verstehen ist. Gerade das alte Schloß bietet erneut ein Beispiel dafür, denn die unablässig produktive Natur ist im Begriffe, von ihm wieder Besitz zu ergreifen und mit den Wurzeln und Stämmen der Bäume das Mauerwerk zu durchdringen. Die Burg jedoch in diesem Zustand zu bewahren als »ein zufällig-einziges Lokal, wo die alten Spuren längst verschwundener Menschenkraft mit der ewig lebenden und fortwirkenden Natur sich in dem ernstesten Streit erblicken lassen« (6), ist die Absicht des Fürsten und des Oheims, die dazu Pläne entworfen haben. Die Bilder aber, die ein Künstler von der Burg in ihrem gegenwärtigen Zustand angefertigt hat, solle keiner betrachten, so meint der Oheim, »der nicht wünschte, dort oben in dem wirklichen Anschauen des Alten und Neuen, des Starren, Unnachgiebi-

gen, Unzerstörlichen und des Frischen, Schmiegsamen, Unwiderstehlichen seine Betrachtungen anzustellen« (8). Innerhalb der *Novelle* ist dieser Satz das letzte Wort vor dem Ausritt der Fürstin zu eben dieser Burg, die sie nicht erreicht, weil sie statt dessen Mittelpunkt einiger unerhörter Begebenheiten wird. »Ich habe große Lust, mich heute weit in der Welt umzusehen« (8), verkündet sie dem Oheim. Ist das angesichts eines Rittes von vielleicht zwei oder drei Kilometern Ironie und, wenn sie es ist, eine solche der Fürstin oder eine hintergründige des Erzählers, denn der Fürstin wird in der Tat mehr »Welt« begegnen, in inneren und äußeren Konflikten, als sie beim Ausritt nur entfernt erwarten konnte?
Was altes und neues Schloß angeht, so lassen sich bei einiger Kenntnis von Goethes Denken insbesondere der Zeit nach der Französischen Revolution leicht in seinem Sinne jene Betrachtungen anstellen, die er den Oheim wünschen läßt. Revolutionäre Umstürze waren nicht Goethes Sache; friedlicher, evolutionärer Entwicklung hat er in seinen naturwissenschaftlichen Schriften ebenso wie in seinen Dichtungen oder persönlichen Äußerungen immer wieder das Wort geredet. Der Wunsch nach politischer, ökonomischer und schließlich einer allgemeinen humanen Evolution spiegelt sich entsprechend in der *Novelle*. Wie sehr ihm dabei die Natur Vorbild war, hat er Eckermann gegenüber selbst ausgesprochen: »Um für den Gang dieser Novelle ein Gleichnis zu haben, [...] so denken Sie sich aus der Wurzel hervorschießend ein grünes Gewächs, das eine Weile aus einem starken Stengel kräftige grüne Blätter nach den Seiten austreibt und zuletzt mit einer Blume endet. Die Blume« – das »Ideelle«, die Beschwörung des Löwen durch den Knaben – »war unerwartet, überraschend, aber sie mußte kommen; ja das grüne Blätterwerk« – das »Reale« der ganzen Erzählung – »war nur für sie da und wäre ohne sie nicht der Mühe wert gewesen.« (18. Januar 1827.) Es ist erneut der Punkt, wo man Goethe versteht, ihm wohl auch gern zustimmt, aber den Gewinn aus der Lektüre der *Novelle* kaum auf eine sol-

che Erkenntnis, so wichtig und gut sie sein mag, beschränken möchte.

Außer dem Gegensatz zwischen Kunst als menschlicher Kulturtätigkeit und Natur hat Goethe noch einen weiteren verwandten Gegensatz in seiner *Novelle* eingearbeitet, und zwar den zwischen Kunst als Mimesis, als Darstellung des Wirklichen, und dem Wirklichen selbst. Das begegnet früh in der *Novelle* bei den bereits erwähnten Zeichnungen, die ein Künstler von der alten Stammburg angefertigt hat und die der Fürstin vor dem Ausritt erläuternd vom Oheim vorgeführt werden. Die Fürstin wird, wie gesagt, die Burg an diesem Tage nicht erreichen, und auch der Leser wird erst zu einem Zeitpunkt hingeführt, da sein Interesse auf gänzlich andere Dinge gelenkt ist als auf das Verhältnis zwischen ewig triebkräftiger Natur und den vergänglichen menschlichen Errungenschaften. Allerdings sind es nicht nur die Zeichnungen am Anfang, die das Schloß nahebringen, also die Abbilder, sondern es sind auch die Erzählungen des Oheims, wie man der Stammburg beigekommen sei, um sie von den Überwucherungen der Natur und den Erscheinungen des Verfalls allmählich zu befreien, damit eben jenes Denkmal der Vergangenheit errichtet werden konnte, für das er sich engagiert. Neben das Bild oder Kunstwerk als episches Mittel tritt demnach die Erzählung innerhalb der Erzählung, mit der ganz offenbar bestimmte Zwecke erreicht werden sollen.

Ein solcher Zweck wird im Bericht des Oheims von der Entdeckung eines »geheimen Wegs« in den »Schloßhof« (6) deutlich: es ist der Weg, durch den der Knabe am Ende den Löwen in den Schloßhof lockt, um ihn darin zu fangen. Diese Szene für den Schluß wird also schon am Anfang beschrieben, und somit wird das Prinzip der Harmonie und des Gleichgewichts, das in der Erzählung zur Geltung kommen soll, auch im Erzählen selbst manifest. Zweimal noch begegnet Verwandtes. Auf der Bude der Schausteller sind die zur Schau gestellten exotischen Tiere »mit heftigen Farben und kräftigen Bildern« dargestellt: »Der grimmig ungeheure Tiger sprang auf einen Mohren los, im Begriff ihn zu zerreißen; ein Löwe stand ernsthaft majestätisch, als wenn er keine Beute seiner würdig vor sich sähe« (11). Wieder gibt die Fürstin den Anlaß für eine solche Beschreibung, denn sie ist es, die an den Buden vorbeireitet auf dem Weg zur alten Burg, und wieder läßt die Ironie des Erzählers sie eine für ihn und die Leser hintergründige Bemerkung machen: »Wir wollen [...] bei unserer Rückkehr doch absteigen und die seltenen Gäste näher betrachten« (11). Das geschieht, wie der Erzähler weiß, durchaus nicht, denn die Tiere werden sich vielmehr auf den Weg zu ihr machen. In welchem Verhältnis Bild und Wirklichkeit zueinander stehen, wird sie erst dann erfahren.

Noch ein drittes Mal wird in der *Novelle* ein Stück dargestellter, in diesem besonderen Falle erzählter Wirklichkeit für diese selbst genommen. Gemeint ist der Bericht des Oheims von einem für ihn traumatischen Branderlebnis, über das er offenbar bei jeder passenden Gelegenheit zu sprechen bereit ist. Die Fürstin jedenfalls hat er »schon einigemal mit ausführlicher Beschreibung jenes Unheils geängstigt« (9), und sie ist es denn auch, die sich dieser Beschreibung erinnert, als tatsächlich auf dem Markt der kleinen Stadt Feuer ausbricht und der Oheim sich auf den Weg dorthin begeben hat, um zu raten und zu helfen. Die Erzählung innerhalb der Erzählung wird also hier nicht einmal unmittelbar wiedergegeben, sondern nur als Erinnerung einer der Gestalten an etwas, was sie von einer anderen gehört und was sich in sie »leider nur zu tief eingesenkt hatte« (15). Wiederum erscheint in dem »leider« ein Werturteil, von dem nicht recht deutlich wird, ob es das Bedauern der Gestalt selbst ausdrücken soll oder aber dasjenige des Erzählers.

Noch einmal ist die Frage nach dem Sinn und Zweck von Goethes erzählerischem Verfahren aufzuwerfen, durch das die *Novelle* als Kunstwerk stellenweise an den Rand des Kunststücks gerät. Deutlich wird zunächst, daß die *Novelle* als Erzählung von »Realem« nicht einfach symbolisch zu lesen und ins »Ideelle« zu übersetzen ist, soviel sie an »Ideellem« nach Goethes eigenem Zeugnis auch enthalten mag. Vielmehr wird in ihr das Verhältnis zwischen Idee und Realität selbst zum Problem.

Relativ einfach ist noch zu überschauen, was sich künstlerisch durch die Kontrastierung der alten Stammburg mit den Zeichnungen von ihr erreichen läßt. Das ist zunächst die Möglichkeit, den Zustand der Stammburg und den Prozeß ihrer Rekonstruktion im Verhältnis zu der sie überwältigenden Natur zu erläutern, also einen der Leitgedanken des ganzen Werks vorzustellen, was später angesichts der wirklichen Burg innerhalb der sie umgebenden reichen Landschaft eher aufdringlich gewirkt hätte. Ganz abgesehen davon aber motivieren überhaupt erst die Betrachtung der Zeichnungen und die Erklärungen des Oheims den Besuch der Fürstin dort, so daß dadurch die eigentliche Handlung der *Novelle* in Gang kommt. Der Besuch findet übrigens gegen den Rat des Oheims und nur auf ausdrücklichen Wunsch der Fürstin statt, die sich damit, wie der Fürst mit der Jagd, in den Zustand der Versuchung und des Aufbruchs aus dem Gewöhnlichen begibt, wie sie es mit ihrem Bekenntnis »Ich habe große Lust, mich heute weit in der Welt umzusehen« im Grunde selbst eingesteht. Daß außerdem schließlich Anfang und Ende damit ausbalanciert werden, ist bereits gesagt worden.

Anderes zeigt sich bei den weiteren beiden Spiegelung[…]
Wirklichkeit im Bilde oder Berichte. »Es wandel[…]
ungestraft unter Palmen, und die Gesinnunge[…]
gewiß in einem Lande, wo Elefanten und [...]
sind«, vermerkt die Ottilie der *Wahlv*[…]
ihrem Tagebuch, als sie von dem »[…]
Leben« in exotischer Welt und […]
»Affen, Papageien und Mohr[…]
Effekt haben die Kolossalge[…]
der Bude der Schausteller, […]

13 Goethe, *Werke* (Anm. […]

der
jemand
ern sich
zu Hause
tschaften in
geräuschvollen
Gemeinschaft mit
Keinen anderen
Löwe und Tiger auf
eim analysiert sogar die
en [9]1977, S. 416.

massenpsychologische Wirkung solcher Schaubilder: »Es ist wunderbar, [. . .] daß der Mensch durch Schreckliches immer aufgeregt sein will. Drinnen liegt der Tiger ganz ruhig in seinem Kerker, und hier muß er grimmig auf einen Mohren losfahren, damit man glaube, dergleichen inwendig ebenfalls zu sehen; es ist an Mord und Totschlag noch nicht genug, an Brand und Untergang; die Bänkelsänger müssen es an jeder Ecke wiederholen. Die guten Menschen wollen eingeschüchtert sein, um hinterdrein erst recht zu fühlen, wie schön und löblich es sei, frei Atem zu holen.« (11.) Den volkspädagogischen Nutzen, den er selbst daraus ziehen könnte, übersieht der Oheim wohl hier, da seine Meinung von der des Autors nicht weit entfernt sein mag. Ob damit zugleich etwas zum historischen Ort der *Novelle* am Anfang des Zeitalters moderner Publizistik gesagt wird, sei dahingestellt.

Aber was wie eine Kritik an Räuber-, Kriminal- und Abenteuergeschichten aussehen mag, deren Spielarten bis zum modernen Fernsehen und der Sensationspresse reichen, das hat dann doch für Goethes *Novelle* noch weitere Implikationen. Gedanken aus der Zeit der allerersten Anfänge dieser Erzählung scheinen durch. Nach dem Abschluß von *Hermann und Dorothea* im März 1797 hatte Goethe vor, ein neues Epos unter dem Titel *Die Jagd* zu beginnen, das im Kern der Handlung – dem Ausbruch wilder Tiere bei einer Feuersbrunst in einer deutschen Kleinstadt – mit der späteren *Novelle* identisch war. Bald darauf, im Juni 1797, entstand Schillers Ballade *Der Handschuh*, in der Ritter Delorges mutig den Handschuh aus König Franz' Löwengarten herausholt, den [illegible]ulein Kunigunde mutwillig »zwischen den Tiger und den [illegible]n / Mitten hinein« geworfen hatte. Und in dieser Zeit erw[illegible] Schiller auch im Briefwechsel mit Goethe etwas von seiner speziell auf die Ballade zugeschnittenen Poetik, daß [illegible]lich den Leuten durch die Poesie »recht übel mach[illegible] sie incommodieren, ihnen ihre Behaglichkeit verder[illegible] Unruhe und in Erstaunen setzen« könne, damit sie [illegible] an die Existenz der Poesie glaubten und »der Saame des Idealismus« in ihnen aufkeime.[14] Die Theorie des Oheims ist nicht weit von solchen Überlegungen Schillers entfernt, und es ist nicht einmal ausgeschlossen, daß Goethe sie tatsächlich im Gedächtnis gehabt hat, arbeitete er doch zu der Zeit, da er an seiner *Novelle* schrieb, auch an der Ausgabe seines Briefwechsels mit Schiller, die dann im selben Jahr wie die *Novelle* herauskam. Entscheidend freilich ist, daß die Ansichten des Oheims nur eine Art Rezeptionsästhetik für Schaubuden mit wilden Tieren darstellen, eine Theorie, die dann durch das Geschehen der *Novelle* in Frage gestellt wird. Schon Ottilie in den *Wahlverwandtschaften* muß ja erfahren, daß es eine Exotik des Gefühls gibt, die sich auch in mittleren Breiten entfalten und den Menschen verändern sowie gefährden kann. Ähnliches geschieht in der *Novelle*. Den Löwen sieht man am Ende friedlich und zahm, und vom Tiger wird den Lesern ebenso wie der höfischen Gesellschaft innerhalb der Erzählung recht glaubhaft versichert, daß auch er keineswegs aggressiv gewesen sei. Von den wilden Tieren also drohte den Menschen geringere Gefahr als von der inneren Exotik, der vom Paradiese her mitgebrachten Lust zur Versuchung in ihnen.

Das ist schließlich auch der Sinn der dritten Kontrastierung zwischen dargestellter Wirklichkeit und dieser Wirklichkeit selbst im Bericht des Oheims von seinem Branderlebnis. Die wichtigste Funktion des wirklichen Brandes in der Stadt ist, die Tiere freizusetzen und den Fürsten zum Abbruch der Jagd zu nötigen. Alle Details über die Katastrophe sind für die so knappe, kondensierte Erzählung uninteressant. Interessant ist aber im Grunde auch nicht, was der Oheim einst bei einer Feuersbrunst – und möge man sie gar als Symbol der Französischen Revolution betrachten, wie das geschehen ist – erlebt oder empfunden hatte, denn er verschwindet aus der Geschichte, sobald ihn die Fürstin zur realen Feuersbrunst

14 Friedrich Schiller, *Werke*, Nationalausgabe, Bd. 29, Weimar 1977, S. 117 (Brief an Goethe vom 17. August 1797).

schickt. Interessant allein ist, wie sich eine solche Katastrophe im Bewußtsein der Fürstin selbst spiegelt; daß sich die Erzählung des Oheims in sie »leider nur zu tief« eingesenkt habe, hatte der Erzähler ausdrücklich betont. Alle Einzelheiten des Nicht-Erlebten sieht sie jetzt wieder vor sich und am Ende auch die Summe solcher Erfahrung: »Hartnäckige Charaktere, willenstarke Menschen widersetzten sich grimmig dem grimmigen Feinde und retteten manches, mit Verlust ihrer Augenbraunen und Haare. Leider nun erneuerte sich vor dem schönen Geiste der Fürstin der wüste Wirrwarr, nun schien der heitere morgendliche Gesichtskreis umnebelt, ihre Augen verdüstert, Wald und Wiese hatten einen wunderbaren bänglichen Anschein.« (16.) Und sogleich springt der Tiger aus dem Gebüsch.

Hat die Fürstin Grund zur Beunruhigung, so hatte sie der doch zumeist an sich haltende Erzähler schon längst. »Allzu lange zauderte« der Fürst beim Abschied von der Gemahlin, »leider nur zu tief« hatte sich der Brandbericht des Oheims in die Fürstin eingesenkt, und »leider nun« erneuert sich für sie die Erfahrung eines wüsten Wirrwarrs. Gegen seinen Willen fast, so scheint es, brechen aus dem Erzähler Warnung und Bedauern heraus, die seine Heldin aber nicht hören kann, sondern die er nur mit dem aufmerksam gewordenen Leser teilt. Goethe hatte nur zur Hälfte recht, wenn er behauptete, daß seine *Novelle* fast gar nichts »Innerliches« enthalte.

V

Ist die Fürstin die Heldin der *Novelle*, wie behauptet worden ist?[15] Sie ist diejenige Gestalt, die im größten Teil des Textes – 85% – anwesend ist; ihretwegen werden alle Aktionen von der Lehrstunde über die Stammburg bis zur Tigerjagd veran-

15 Richard Thieberger, »Die Fürstin als Heldin von Goethes *Novelle*«, in: R. T., *Gedanken über Dichter und Dichtungen. Essays aus fünf Jahrzehnten*, Bern 1982, S. 35–53.

staltet, bei ihnen ist sie der Mittelpunkt. Es gibt also vom Technischen her durchaus gute Gründe, sie als Heldin zu bezeichnen. Schwerer zu entscheiden wäre schon, ob sich die *Novelle*, besäße die Fürstin darin einen Namen, nach ihr benennen ließe. Sucht man nach Vergleichen unter Goethes anderen Werken, so wird man wohl eher geneigt sein, der *Novelle* anders als der *Iphigenie*, dem *Tasso*, der *Natürlichen Tochter* oder dem *Faust*, eine Einzelgestalt als Titelhelden zu versagen, sondern sie eher in Verbindung mit jenem gesellschaftlichen Erzählen Goethes zu bringen, wie es die *Wahlverwandtschaften* zuerst rein dargestellt haben. Die Frage läßt sich dabei aufwerfen, wenn auch hier nicht beantworten, ob die so spezifisch deutsche Kunstform Novelle, die sich erst in den rund drei Jahrzehnten vor 1828 herausbildete, als ein deutsches Seitenstück zum europäischen Gesellschaftsroman gelten kann, in dem wiederum die Deutschen nicht besonders exzelliert haben.

Daß sich Goethes Interesse als Erzähler seit *Wilhelm Meisters Lehrjahren*, also seit den Jahren nach der Französischen Revolution, immer stärker auf das Zusammenspiel oder Widerspiel von Individuen in gegebenen, wenn auch nicht unveränderlichen gesellschaftlichen Formationen richtete, belegt der gesamte Vorrat seiner danach entstandenen Epik. In der unmittelbaren Nachbarschaft zu *Hermann und Dorothea*, dieser bürgerlichen Hexameter-Novelle vom Gastwirtssohn und dem Flüchtlingsmädchen, war das Jagd-Epos, die Urform der *Novelle*, als eine Art adliges Gegenstück konzipiert worden. Fürstin und Junker sind in diesem ersten Entwurf noch nicht vorhanden. Erst im großen Schema mit 107 Punkten, fast dreißig Jahre später, ist die Rolle des jungen Adligen gegenüber seiner Herrin deutlich gezeichnet, obwohl er dort noch den Namen Alfred trägt. Die Umtaufung in Honorio erfolgte erst nach dem Beginn der Ausführung und beschließt diesen Prozeß der Herausbildung eines episodenhaften Konflikts zwischen Pflicht und Neigung, gesellschaftlicher Rolle und privatem Empfinden, Bindung und Freiheit. Goethes Neigung zu ungewöhnlichen Namen oft romanischen Ursprungs verrät hier ihren Zweck: die Selbständigkeit der benannten Persönlichkeit zu bestätigen gegenüber einem deutschen Namen, der, zumindest bei der Mehrzahl der Leser, bestimmte soziale Assoziationen hervorgerufen hätte.

Daß Honorio der Held der *Novelle* ist, läßt sich schwerlich behaupten, obwohl auch er über weite Strecken der Erzählung – rund 72% – anwesend ist. Keine Liebesgeschichte vollzieht sich, kein adliger Werther engagiert sich leidenschaftlich. Mit äußerster Verhaltenheit nur hat Goethe seiner *Novelle* menschliches Gewicht gegeben, indem er diese Episode von der Verwirrung der Gefühle hineingewoben hat. Mutig schützt der junge Mann seine ebenso junge Fürstin vor dem Tiger, ganz im Stile jener mittelalterlichen Helden, die das Modell für adliges Verhalten auf lange Zeit prägten – man denke an Schillers Balladen und Fouqués Romane – und deren Kampfübungen offenbar bis in Honorios Gegenwart weiter gepflegt wurden, denn er hat sich, wie uns der Erzähler mitteilt, in ihnen ausgezeichnet. Von gewisser Ironie ist nur, daß der erlegte Tiger ein zahmes Tier ist, jedenfalls nach den Versicherungen der Schaustellersfrau. Freilich läßt sich nicht behaupten, daß Honorio falsch handele, weil er durch die Bilder vom mohrenzerreißenden Tiger in ein falsches Bewußtsein von dessen Gefährlichkeit geraten sei[16] – Tiger sind tatsächlich keine friedlichen Waldtiere, und man hätte kaum von Honorio erwarten können, daß er ihm, statt ihn zu erschießen, lieber Salz auf den Schwanz streute in der Hoffnung, ihn zu beruhigen. Goethe differenziert außerdem deutlich zwischen Tiger und Löwe, denn für die Befriedung ist nur der letztere – ein Wappentier – bestimmt. Auch unter den

16 Zum Beispiel Staiger (Anm. 11) S. 144: »Weil sie ihn so gemalt gesehen haben, schreckt sie die Erscheinung und gibt Honorio den Schuß ab.« A. G. Steer (»Goethe's *Novelle* as a Document of Its Time«, in: *Deutsche Vierteljahrsschrift für Literaturwissenschaft und Geistesgeschichte* 50 (1976) S. 414–433) spricht von der »foolhardiness of Honorio's action« (S. 426).

Tieren gibt es also Klassenunterschiede, wie auf seine Art der *Reineke Fuchs* gezeigt hatte, und über die Wildheit des Tigers hatte Blake ein eindrucksvolles Gedicht gemacht, das zum Beispiel 1811 in der Literaturzeitschrift *Vaterländisches Museum* in deutscher Übersetzung zu lesen war: »Der das Lamm schuf, schuf er dich?«[17]

Das Dilemma des Handelns, das Honorio erfahren muß, besteht vielmehr darin, daß bei der Bewertung nicht nur der subjektiv aufgewandte Mut zählt, sondern letztlich eben auch der objektive Nutzen. In diesem Dilemma bleibt Honorio gefangen, aber er versteht. Zwar kniet er vor der beschützten, verehrten und wohl auch geliebten Fürstin, aber da er es tut, kann seine Bitte nur die Erlaubnis zum Weggehen sein. Denn seine Zeit ist die Zeit individueller Neigungen und nicht mehr die eines kodifizierten Minnedienstes. War Tasso nach Goethes eigener Charakterisierung ein gesteigerter Werther, so ist Honorio nun eine Art gemäßigter Tasso. Er wird »überwinden« (27), wie ihm die Schaustellersfrau versichert, und auf dem Weg nach »Abend«, den sie ihm weist, wird er die runde, ganze, widersprüchliche Welt finden, ganz gleich, ob man nun meint, Goethe habe ihn nach Amerika schicken wollen, nach Frankreich oder an den Rhein. Fortdauern wird auch die »gewisse Trauer« (19), aber sie ist der Preis der Freiheit und Selbständigkeit.

Offen bleibt nur noch, wie weit die Fürstin von sich aus in diese Episode verstrickt ist. »Der Jüngling war schön, er war herangesprengt, wie ihn die Fürstin oft im Lanzen- und Ringelspiel gesehen hatte« (17). Bestätigt der Erzähler hier Honorios Schönheit oder ist es ein Urteil der Fürstin, das er berichtet? Später, gegen Ende der Geschichte, wird es von der Frau des Schaustellers mit Bezug auf Honorio heißen: »sie glaubte nie einen schönern Jüngling gesehen zu haben« (27). Bei der Fürstin fehlt solche Eindeutigkeit; unverkennbar aber

17 *Vaterländisches Museum* 2,1 (1811) S. 126 f.

ist, daß auch sie auf diesem von ihr gewollten Ausritt in Wirren gerät.
Zur Pansstunde am hohen Mittag, beim weiten Ausblick über das Land, spricht die Fürstin ein paar erbauliche Worte: »Es ist nicht das erstemal, [...] daß ich auf so hoher weitumschauender Stelle die Betrachtung mache, wie doch die klare Natur so reinlich und friedlich aussieht und den Eindruck verleiht, als wenn gar nichts Widerwärtiges in der Welt sein könne; und wenn man denn wieder in die Menschenwohnung zurückkehrt, sie sei hoch oder niedrig, weit oder eng, so gibt's immer etwas zu kämpfen, zu streiten, zu schlichten und zurechtzulegen« (14). In der Tat handelt die ganze *Novelle* von nichts anderem, und der Begriff »Jagd« ist die summarischste Bezeichnung einer solchen Störung des Friedlichen. Unmittelbar darauf wird die Fürstin selbst Teilnehmerin einer Jagd, allerdings zunächst dem Anschein nach als die Gejagte, vom Tiger Verfolgte: »Sie sprengte, was das Pferd vermochte, die steile steinige Strecke hinan, kaum fürchtend, daß ein zartes Geschöpf, solcher Anstrengung ungewohnt, sie nicht aushalten werde« (17). Das »zarte Geschöpf« ist bemerkenswerterweise nicht etwa die Fürstin, sondern ihr Pferd, während sie selbst sich als durchaus kräftig, besonnen und der Lage gewachsen zeigt. »Gebt ihm den Rest« (18), ist das energische Wort des Ansporns für Honorio bald darauf.[18] Auch sie wird für den Augenblick nach Maßgabe ihrer Möglichkeiten zur Jägerin, verschwistert der Jägerin Eugenie, der natürlichen Tochter in Goethes Drama, die aus solch adligem Geschäft vertrieben und ins Bürgerliche genötigt wird. Dergleichen geschieht der Fürstin in einer historischen Zeit, die mehrere Jahrzehnte nach derjenigen Eugenies liegt, nicht mehr. Die Revolution ist vorüber, und nach Goethes Wunsch herrschen Maß und Gleichgewicht. Den übermütigen Honorio mahnt die Fürstin entsprechend zur Frömmig-

18 Zur möglichen sexuellen Konnotation dieser Stelle vgl. Friedrich Strack, »Goethes *Novelle* und Schillers *Idylle*. Zwei Wege ästhetischer Versöhnung«, in: *Euphorion* 77 (1983) S. 438–452, bes. S. 443.

keit. Mit ihm aber muß sie freilich die Ironie der Tatsache teilen, daß der Tiger offenbar das gefährliche Tier nicht war, für das man ihn halten mußte und das dem hohen Geiste der Jagd und der Frömmigkeit nach dem Sieg erst die letzte, eigentliche Weihe gegeben hätte. In Honorios Bittszene verhält sich die Fürstin sogleich, wie sie soll. Danach tritt sie in den Hintergrund der Geschichte, die, das wird nun endgültig klar, nicht nur ihretwegen erzählt wird.

VI

Das letzte Drittel der Erzählung wird von der Schaustellerfamilie beherrscht, deren Dialogpartner zunächst der junge Fürst ist, der seine Jagd abgebrochen hat und nun, auf dem Wege zur Brandkatastrophe, »wie auf gewaltsam hetzender Jagd« (20), auf toten Tiger, Ehefrau, Hofjunker und die klagende Schaustellersfrau mit ihrem Knaben trifft. Als der Schausteller mit der Nachricht vom gleichfalls ausgebrochenen Löwen herbeieilt und um friedliches Einfangen des Tieres bittet, erfolgt ein erster Schritt der Fürstenerziehung: der Fürst verzichtet auf die Löwenjagd, ebenso wie ihn die Brandkatastrophe schon zum Verzicht auf die andere, große Jagd genötigt hatte. Der zweite Schritt geschieht dann in der bilderreichen Ansprache des Schaustellers an den Fürsten, die scheinbar im Kontext der *Novelle* wie ein Fremdkörper wirkt - bunt und glänzend, aber eben nicht eigentlich dazugehörig. Es ist übrigens jener Teil der *Novelle*, der nicht im großen Schema vorhanden ist und also offenbar von Goethe erst während der Arbeit aus dem Wunsch zu größerer Verdeutlichung eingefügt wurde.

Gegenstand der mit Bibelzitaten geschmückten Anrede des Schaustellers an den »Herrn und mächtigen Jäger«, den Nimrod der Genesis 10,8 f., ist das Tierreich, sind Fische, Ameise, Biene und königlicher Löwe, als zerstörerische Gegenfigur aber überraschenderweise das Pferd: es »stampft und scharrt« den Bau der Ameisen auseinander, »es zertritt ihre Balken und zerstreut ihre Planken, ungeduldig schnaubt es und kann nicht rasten; denn der Herr hat das Roß zum Gesellen des Windes gemacht und zum Gefährten des Sturms, daß es den Mann dahin trage, wohin er will, und die Frau, wohin sie begehrt« (24). Gerade das nun ist, wenn man sich erinnert, im Laufe der *Novelle* mit den »Jägern«, mit Fürst und Fürstin geschehen. Von den ersten Zeilen an ist in diesem Text immer wieder von Pferden die Rede, mochten sie nun im Schloßhofe auf die Jäger warten und deren Zustand reflektieren oder zart, wie man es von der Herrin selbst erwartete, vor dem Tiger nicht mehr fliehen können und des Retters harren. In jedem Fall haben sie, Wesen des Instinkts und nicht der Vernunft, den Mann dorthin getragen, wohin er wollte, und die Frau dorthin, wohin sie begehrte, mit dem Ergebnis, daß sie beide ihr Ziel nicht erreichten.

So erhält die Rede des Schaustellers in all ihrer metaphorischen Buntheit und sprachlichen Fremdheit eine ganz unmittelbare Botschaft an ihren Empfänger in der *Novelle*: die Botschaft vom Anachronismus der Jagd in einer Welt, wo friedlicher Ausgleich herrschen sollte. Der Rede folgt der erste Vortrag des Liedes von der Besänftigung der Welt durch den Geist einer im Religiösen gegründeten Liebe, die Löwen zu Lämmern werden lassen kann. »Alles war wie beschwichtigt; jeder in seiner Art gerührt. Der Fürst, als wenn er erst jetzt das Unheil übersähe, das ihn vor kurzem bedroht hatte, blickte nieder auf seine Gemahlin, die, an ihn gelehnt, sich nicht versagte, das gestickte Tüchlein hervorzuziehen und die Augen damit zu bedecken.« (26.) Mit dem »Schnupftuche« (4) hatte sie ihm bei seinem Ausritt zugewinkt. So verknüpfen sich wiederum Anfang und Ende. Danach ruft den Fürsten der Brand in seine Stadt, kein Jagdspiel mehr, und »die Fürstin folgte langsamer mit dem übrigen Gefolge« (26). Die Schlußszene der Löwenzähmung vollzieht sich unter Ausschluß der Öffentlichkeit. Nur die unmittelbar Mitwirkenden selbst, die Schaustellerfamilie und der Burgwärtel, sind daran beteiligt. Auch Honorio, der noch mit hinauf zur Burg gesandt worden war, scheint nicht mehr Zeuge zu sein, da ihn die Frau auf dem Wege zum Schloßhof als »Zurückbleibenden« (27) bezeichnet. Von Außenstehenden sind nur noch Erzähler und Leser zugegen.

VII

Über den Schluß der *Novelle* ist viel Beachtenswertes geschrieben worden. Triftige Argumente sind für die Christlichkeit dieses Schlusses vorgebracht worden und ebenso triftige Argumente dagegen. Mit gleichem Nachdruck ist behauptet worden, daß der Schluß utopisch oder nicht utopisch, politisch oder unpolitisch zu verstehen sei.[19] Angesichts solcher Vieldeutigkeit mag es gut sein, sich an den Text und die Situationen dieser Schlußszenen zu erinnern. Als der Wächter von dem ausgebrochenen Löwen auf der Stammburg berichtet, spricht er von dieser als von »dem Zauberschlosse [...], wozu es Fürst Friedrichs Geist und Geschmack ausbilden will« (23). »Zauberschloß« scheint ein recht übertriebenes Wort für die von der Natur zum Teil überwucherte, wenn auch zu restaurierende Ruine zu sein,

19 Zur Christlichkeit vgl. insbesondere Ernst Beutler, »Ursprung und Gehalt von Goethes *Novelle*«, in: *Deutsche Vierteljahrsschrift für Literaturwissenschaft und Geistesgeschichte* 16 (1938) S. 321–352. Zum Politischen und dem Für und Wider um das Utopische seien genannt: Jürgen Brummack, »›Blankes Schwert erstarrt im Hiebe‹. Eine motivgeschichtliche Bemerkung zu Goethes *Novelle*«, in: Franz Hundsnurscher / Ulrich Müller (Hrsg.), *Getempert und gemischet*, Göppingen 1972, S. 355–376; Robin Clouser, »Ideas of Utopia in Goethe's *Novelle*«, in: *Publications of the English Goethe Society* 49 (1978/79) S. 1–44; Herbert Lehnert, »Tensions in Goethe's *Novelle*«, in: William J. Lillyman (Hrsg.), *Goethe's Narrative Fiction*, Berlin / New York 1983, S. 176–192, und Erika Klüsener, »Novelle«, in: Paul Michael Lützeler / James E. McLeod, *Goethes Erzählwerk*, Interpretationen, Stuttgart 1985 (Reclams Universal-Bibliothek, 8081 [5]), S. 429–452. Die allegorische Deutung von Steer (Anm. 16), der in der *Novelle* einen verschlüsselten Kommentar Goethes zum deutschen Nationalismus sieht, halte ich für abwegig.

aber das Wort steht an der Nahtstelle zwischen dem ganz realen Geschehen und jenem Auftreten der Schaustellerfamilie, die es ins Mythische enthebt. Der Erzähler weiß, wie die Geschichte weitergeht; und das ein wenig aus der Rolle fallende Wort bereitet den Leser vor auf das Kommende. Goethe schafft sich sein eigenes Zauberschloß.

Was folgt, ist märchenhaft, wenngleich nicht gänzlich die Grenze des Wahrscheinlichen überschreitend; denn es ist zumindest denkbar, daß eine Schaustellerfamilie ihr entlaufenes Tier auf die dargestellte Weise mit Musik und Beschwörungsformeln einfängt. Insofern also bleibt Goethe dem Realen verhaftet. Gesang und Musik entrücken die ganze Szene zwar ins Melodramatische und geradezu Opernhafte: der Vortrag des Goetheschen Liedes vollzieht sich als Solo und Duett mit Begleitung der »sanften süßen Flöte« (22) sowie dann als Terzett der ganzen Familie, bis am Ende der Knabe, wieder allein, noch eine weitere Strophe hinzufügt. Aber merkwürdig ist, daß Goethes Lied, so kunstvoll und kompliziert es auch sein mag, den einfachen Leuten doch glaubhaft anzugehören scheint. Die parataktische Aneinanderreihung und Mischung von Bildern und Mythen steht der Technik des Volksliedes nicht fern, und auch das freie Spiel mit Zeilen bei der Wiederholung zusammen mit der einfachen Religiosität der Worte sind den Sängern durchaus angepaßt, während diese wieder durch die Exotik ihrer Erscheinung Außergewöhnliches akzeptabel machen. Es sind nicht Untertanen des Fürsten, die in Erscheinung treten, keine Deutschen überhaupt in einer sozial definierten Rolle. Da hätte das Poetische leicht ins Peinliche entgleiten können.

Zweimal wird das zur Beschwörung gedachte Lied vorgetragen, einmal vor dem Fürsten und der um ihn versammelten Gesellschaft und also offensichtlich für sie gedacht, und das andere Mal auf der Burg während der Löwenzähmung vor deren wenigen, aber dann auch vielen Zeugen, denn Adressaten sind diesmal zugleich die Leser. Der Knabe, so berichtet der Autor, aus der Erzählung hinaustretend, habe im Schloßhofe »sein beschwichtigendes Lied« abermals begonnen, »dessen Wiederholung wir uns auch nicht entziehen können« (28). Warum?

Goethes Lied ist aus Bestandteilen biblischer Mythen, christlicher Legenden und neutestamentarischer Gedanken komponiert, die im einzelnen festgestellt worden sind.[20] Höhepunkt der Beschwörung des Gedichts ist die dritte Strophe mit der Adaption der Prophetie des Jesaja: »Wolf und Lamm sollen weiden zugleich, der Löwe wird Stroh essen wie ein Rind, und die Schlange soll Erde essen. Sie werden nicht schaden, noch verderben auf meinem ganzen heiligen Berge, spricht der Herr.« (Jes. 65,25.) Das ist, ganz wörtlich genommen, eine Absage an die Jagd als legitimer Tätigkeit und damit natürlich eine Beschwörung des Friedens überhaupt. Es ist ein Gedanke, der die gesamte *Novelle* durchdringt, die ursprünglich ein Epos über die Jagd hatte werden sollen. Verbunden wird diese alttestamentarische Prophetie aber mit der paulinischen Apotheose der Liebe innerhalb der Trias von Glaube, Liebe und Hoffnung, eine Verbindung, die freilich so problemlos nur im Gedicht zu vollziehen ist, das keinen theologischen Verbindlichkeiten unterliegt. Deshalb wird notwendigerweise noch jene vierte Strophe als Schlußwort der *Novelle* hinzugefügt und nur einmal, eben an dieser Stelle, zitiert:

Und so geht mit guten Kindern
Sel'ger Engel gern zu Rat,
Böses Wollen zu verhindern,
Zu befördern schöne Tat.
So beschwören, fest zu bannen
Liebem Sohn ans zarte Knie
Ihn, des Waldes Hochtyrannen,
Frommer Sinn und Melodie. (30)

Der Blick geht wieder auf den Knaben zurück, auf die Beschwörung im Burghofe, wo sich nun der Löwe dem Kna-

20 Zu den Nachweisen vgl. Wagenknecht (Anm. 4).

ben zu Füßen gelegt hat, und die Mittel dieser Beschwörung werden preisgegeben: »frommer Sinn«, also Glaubensfähigkeit, und »Melodie«, also Musik, Kunst, das Schöne als Instrument zur »schönen Tat«.
Daß letzte Wahrheiten einfach sind, ist bekannt. Von solchen letzten Wahrheiten aber ist in der Apotheose der *Novelle* die Rede. Die adlige Gesellschaft des frühen 19. Jahrhunderts wird von Goethe in ihre eigene, von ihm allerdings einigermaßen idealisiert gesehene Wirklichkeit entlassen, nachdem sie die Gedanken und Bilder des Liedes zusammen mit den Erfahrungen des Tages von der Gefährlichkeit oder Fragwürdigkeit ihrer Ausritte und Jagdunternehmen zur Kenntnis genommen hat. Daß es sich um Entsagende handelt, wie gelegentlich behauptet wird, ist aus dem Text nicht zu ersehen. Honorios Optionen für anderes Verhalten[21] waren im Hinblick auf seine Stellung zur Fürstin gering, er hätte sich höchstens schlechter benehmen können. Daß Fürst und Fürstin etwas gelernt haben, ist zu hoffen, aber Entsagung wäre ein zu großes Wort dafür. Ihr ferneres Leben geht in das Dunkel zurück, aus dem dieser Tag hervorkam. Die Schlußszene jedoch ist nur für den, der Weiteres übersieht, den Erzähler also und seine Leser, die er ins Vertrauen zieht. Auch sie allerdings werden nicht eigentlich belehrt und dürfen sich frei aus dem Text hinausbegeben. Konstatiert wird lediglich – und das ist ein großes, altes Thema Goethes und des Jahrhunderts, in dem er aufwuchs und das sein Denken prägte – die Doppelnatur des Menschen als Kreatur zwischen Tier und Gott, als Teil der Natur und als ihr Herr, als Subjekt und Objekt der Geschichte. Der Löwe herrscht »über alles Getier«, erklärt der Schausteller in seiner Rede an den Fürsten

21 Staiger (Anm. 11) rechnet ihn zu den Entsagenden in Goethes Alterswerk (S. 158 f.). Brown (Anm. 12) meint: »It is the people – in particular Honorio and the princess – who are really tamed in the story« (S. 230). Lehnert (Anm. 19) stellt fest: »Honorio represents the younger generation of the nobility in restoration Germany. Nobody knows what the younger generation will do – hence the gap in the text as far as Honorio's future is concerned, its enigmatic nature.« (S. 189.)

und großen Jäger: »Doch der Mensch weiß ihn zu zähmen, und das grausamste der Geschöpfe hat Ehrfurcht vor dem Ebenbilde Gottes, wornach auch die Engel gemacht sind, die dem Herrn dienen und seinen Dienern« (24). Es sind die Engel, die im Liede dann als Boten des Göttlichen auf und nieder schweben und am Ende des *Faust* übrigens ebenso in ähnlicher Mission, denn auch dieser war zwischen Tier und Gott, Schlange und Herrn hin und her gerissen. Für die Erfüllung des Menschlichen in seiner Ebenbildlichkeit mit Gott gibt es für Goethe keine anderen Erwartungen als die paulinischen, vermittelt durch die Poesie. Daß solches Menschliche gelingt, ist dann ein »seltener menschlicher Fall« (28), ins Legendäre entrückt in einem alten Burghof, ist schließlich eine »unerhörte Begebenheit«, als die Goethe seine *Novelle* bestimmte.

VIII

»Eine Menagerie fängt Feuer, die Buden brennen ab, die Tiger brechen aus, die Löwen sind los – und alles verläuft harmonisch. Nein, diese Epoche war vorbei, diese Erde abgebrannt, von Blitzen enthäutet, wund, heute bissen die Tiger.« Der Satz stammt aus der 1937 entstandenen Erzählung *Weinhaus Wolf* von Gottfried Benn,[22] der seine scharfe Kritik an Goethes *Novelle* ausführlicher noch in einem Brief an Friedrich Wilhelm Oelze ausgedrückt hat. Benn ging es wohl in erster Linie um »die Herkunft ganzer Verlagsgeschlechter von dieser Novelle«, und er wollte weniger Goethe als »90% des Inselverlags« – er nennt Carossa, Schröder und Hofmannsthal – damit treffen.[23] Aber das entbindet freilich nicht davon, die Kritik ernstzunehmen.

22 Gottfried Benn, *Prosa und Szenen*, Wiesbaden 1959 (Gesammelte Werke, 2), S. 135.
23 Gottfried Benn, *Briefe an F. W. Oelze 1932–1945*, Wiesbaden/München 1977, S. 102–104.

»Ich ehre und liebe das Positive und ruhe selbst darauf, insofern es nämlich von uralters her sich immer mehr betätigt und uns zum wahrhaften Grunde des Lebens und Wirkens dienen mag«, schreibt Goethe am 10. Januar 1829 an den Staatsrat Schultz, im selben Briefe, in dem er auch davon spricht, daß sich die *Novelle* vom tiefsten Grunde seines Wesens losgelöst habe.[24] Goethes prinzipiell optimistische Weltdeutung und Lebenseinstellung sind eine Tatsache; daß sie den Einstellungen einer späteren Zeit mit anderen geschichtlichen Erfahrungen entspricht, ist nicht zu erwarten und auch nicht erforderlich. Aber Lebenseinstellungen und Philosophien sind die eine Sache, die Bedeutung eines Kunstwerks über seinen geschichtlichen Augenblick hinaus ist eine andere. Stehen beim Studium und der Interpretation Goethescher Werke die Bezüge zu seinem Denken zu ausschließlich im Mittelpunkt, so ergibt sich von selbst die Nötigung, das Positive darin als Summe auch des Kunstwerks anzusehen und sich auf diese Weise mit Anschauungen des Autors zu identifizieren, die, so erhaben und wünschenswert sie auch sein mögen, den Bedingungen einer späteren Zeit vielleicht nicht mehr entsprechen.

Natürlich bissen die Tiger auch schon zu Goethes Zeit, denn sonst hätte Honorio sich schwerlich zu seiner Tigerjagd aufgeschwungen. Aber darum geht es ja doch eigentlich nicht. Benns Argument lockt da in eine verkehrte Richtung. Goethes *Novelle*, das sollte hier gezeigt werden, ist als Kunstwerk entstanden in der fortschreitenden Inspiration durch die Bewegungen der erfundenen Gestalten innerhalb einer ihnen zugemessenen Umwelt; es ist die Erzählung eines »unerhörten Ereignisses« (21), aber nicht die durchkonstruierte symbolische Repräsentation von Goethes Weltdeutung, so viel von ihr auch darin eingegangen sein mag. Der *Novelle* eine ideelle, das Geschehen bis ins letzte durchdringende Einheit abzugewinnen, ist weder möglich noch nötig. Das literari-

24 Goethe, *Briefe*, Hamburger Ausgabe, München 1976, Bd. 4, S. 310.

sche Kunstwerk zeigt Menschen in ihren Widersprüchen und Konflikten, und so wenig daraus hier, wie zumeist auch anderswo bei Goethe, eine Tragödie wird, so wenig ist doch alles in schöne Eintracht aufgelöst. Auch in diesem Falle hat Benn zu oberflächlich gelesen, und nicht nur er. Dem Leser bleibt überall die Freiheit, das Spiel dieses Kunstwerks mitzumachen und doch zugleich – vom Autor durch ein über die Sphäre der Gestalten und Ereignisse hinausragendes Wort aufmerksam gemacht – sich als Zuschauer des Ganzen zu betrachten und von den einzelnen Figuren wie Ereignissen zurückzutreten. Es ist das eine besondere Errungenschaft von Goethes sogenanntem Altersstil, der auch weite Teile von *Wilhelm Meisters Wanderjahren* prägt. Gemeint ist eine poetische Sprache, die die Darstellung einer wie immer gearteten Realität mit Bezügen, Symbolen, Verweisungen und Anspielungen verbindet, deren Absicht dann nicht die Interpretation des Dargestellten im Sinne einer Weltsicht des Autors ist, sondern die Hindeutung auf das, was jenseits aller Weltanschauung und allem Ideellen unerschöpflich und immer neu faszinierend ist im Guten wie im Bösen: der Mensch in seiner Doppelnatur zwischen Schöpfertum und Zerstörertum, Frieden und Jagd. Eine derartige Beobachtung des Menschlichen ermöglicht die *Novelle*, und damit darf sie auch dort Interesse beanspruchen, wo man an die Möglichkeit, Löwen mit frommem Sinn zu zähmen, nicht glauben mag.

Literaturhinweise

Balfour, Rosemary Picozzi: The Field of View in Goethe's »Novelle«. In: Seminar 12 (1976) S. 63–72.

Beutler, Ernst: Ursprung und Gehalt von Goethes »Novelle«. In: Deutsche Vierteljahrsschrift für Literaturwissenschaft und Geistesgeschichte 16 (1938) S. 324–352.

Brown, Jane K.: The Tyranny of the Ideal: The Dialectics of Art in Goethe's »Novelle«. In: Studies in Romanticism 19 (1980) S. 217–231.

Brummack, Jürgen: »Blankes Schwert erstarrt im Hiebe«. Eine motivgeschichtliche Bemerkung zu Goethes »Novelle«. In: Getempert und gemischet. Festschrift für Wolfgang Mohr. Hrsg. von Franz Hundsnurscher und Ulrich Müller. Göppingen 1972. S. 355–376.

Clouser, Robin: Ideas of Utopia in Goethe's »Novelle«. In: Publications of the English Goethe Society. N. F. 49 (1978/79) S. 1–44.

Grolmann, Adolf von: Goethe's »Novelle«. In: Germanisch-romanische Monatsschrift 9 (1921) S. 181–187.

Hahn, Karl-Heinz: Aus der Werkstatt deutscher Dichter. Goethe. Schiller. Heine. Halle 1963. [Zur »Novelle«: S. 113–193.]

Kaiser, Gerhard: Zur Aktualität Goethes. Kunst und Gesellschaft in seiner »Novelle«. In: Jahrbuch der Deutschen Schillergesellschaft 24 (1985) S. 248–265.

Klüsener, Erika: Novelle (1828). In: Goethes Erzählwerk. Interpretationen. Hrsg. von Paul Michael Lützeler und James E. McLeod. Stuttgart 1985. (Reclams Universal-Bibliothek. 8081 [5].) S. 429 bis 453.

Lehnert, Herbert: Tensions in Goethe's »Novelle«. In: William J. Lillyman (Hrsg.): Goethe's Narrative Fiction. Berlin / New York 1983. S. 176–192.

Meyer, Herman: Natürlicher Enthusiasmus. Das Morgenländische in Goethes »Novelle«. Heidelberg 1973.

Schumann, Detlev W.: Mensch und Natur in Goethes »Novelle«. In: Dichtung und Deutung. Gedächtnisschrift für Hans M. Wolff. Hrsg. von Karl S. Guthke. Bern/München 1961. S. 131–142.

Seuffert, Bernhard: Goethes »Novelle«. In: Goethe-Jahrbuch 19 (1898) S. 133–166.

Staiger, Emil: Goethe. »Novelle«. In: E. S.: Meisterwerke deutscher Sprache aus dem 19. Jahrhundert. Zürich 1948. S. 135–162.

Strack, Friedrich: Goethes »Novelle« und Schillers »Idylle«. Zwei

Wege ästhetischer Versöhnung. In: Euphorion 77 (1983) S. 438 bis 452.
Thieberger, Richard: Die Fürstin als Heldin von Goethes »Novelle«. In: R. T.: Gedanken über Dichter und Dichtungen. Bern / Frankfurt a. M. 1982. S. 35–53.
Wagenknecht, Christian (Hrsg.): Erlauterungen und Dokumente: Johann Wolfgang Goethe. »Novelle«. Stuttgart 1982. (Reclams Universal-Bibliothek. 8159 [2].)
Wukadinović, Spiridon: Goethes »Novelle«. Der Schauplatz. Coopersche Einflüsse. Halle 1909.

Die Autoren der Beiträge

WALTER MÜNZ

Geboren 1943. Studium der Literaturwissenschaften in Würzburg, Montpellier, Berlin, Wien und Regensburg. Dr. phil. Journalist in München.

Publikationen: Zu den Passauer Strophen und der Verfasserfrage des Nibelungenliedes. In: Euphorion 65 (1971). – Individuum und Symbol in Tiecks »William Lovell«. Materialien zum frühromantischen Subjektivismus. Bern/Frankfurt 1975. – Studie zur Frage der Verzeichnung der Drucke des 17. Jahrhunderts im deutschen Sprachraum. München 1984. – Ludwig Tieck: William Lovell (Hrsg.). Stuttgart 1986.

GERHART HOFFMEISTER

Geboren 1936. Studium der Germanistik, Anglistik und Romanistik in Bonn, Freiburg, London, an der University of California (Berkeley) und der University of Maryland. Dr. phil. Professor für deutsche und vergleichende Literaturwissenschaft an der University of California (Santa Barbara).

Publikationen: Die spanische Diana in Deutschland. Vergleichende Untersuchungen zu Stilwandel und Weltbild des Schäferromans im 17. Jahrhundert. Berlin 1972. – Europäische Tradition und deutscher Literaturbarock. Internationale Beiträge zum Problem von Überlieferung und Umgestaltung (Hrsg.). Bern 1973. – Petrarkistische Lyrik. Stuttgart 1973. – Spanien und Deutschland. Geschichte und Dokumentation der literarischen Beziehungen. Berlin 1976 (span.: España y Alemania. Madrid 1981). – The Renaissance and Reformation in Germany (Hrsg.). New York 1977. – Deutsche und europäische Romantik. Stuttgart 1978. – Goethezeit. Festschrift für Stuart Atkins (Hrsg.). Bern 1981. – German Baroque Literature: The European Perspective (Hrsg.). New York 1983. – Byron und der europäische Byronismus. Darmstadt 1983. – Goethe und die europäische Romantik. München 1984. – Germany 2000 Years: From the Nazi Period to the Present (mit F. Tubach). New York 1986. – Der moderne deutsche Schelmenroman. Interpretationen (Hrsg.). Amsterdam 1986. – Deutsche und europäische Barockliteratur. Stuttgart 1987.

DIRK GRATHOFF

Geboren 1946. Studium der Germanistik, Philosophie und Soziologie an der Freien Universität Berlin und der Indiana University (Bloomington, USA). Ph. D. Dr. habil. Professor für Neuere deutsche Literaturwissenschaft und Literatursoziologie an der Universität Oldenburg.

Publikationen: Die Zensurkonflikte der »Berliner Abendblätter«. In: Ideologiekritische Studien zur Literatur (Hrsg., mit Klaus Peter u. a.). Frankfurt a. M. 1972. – Erläuterungen und Dokumente: Heinrich von Kleist. Das Käthchen von Heilbronn (Hrsg.). Stuttgart 1977. – Gießener Arbeiten zur Neueren Deutschen Literatur und Literaturwissenschaft (Hrsg., mit Erwin Leibfried). Bern / Frankfurt a. M. 1982 ff. – Studien zur Ästhetik und Literaturgeschichte der Kunstperiode (Hrsg.). Bern / Frankfurt a. M. 1985. – Erläuterungen und Dokumente: Heinrich von Kleist. Das Erdbeben in Chili (Hrsg., mit Hedwig Appelt). Stuttgart 1986. – Heinrich von Kleist. Studien zu Werk und Wirkung (Hrsg.). Wiesbaden 1988. – Friedrich Schiller. Vorträge aus Anlaß seines 225. Geburtstages (Hrsg., mit Erwin Leibfried). Bern / Frankfurt a. M. 1988. – Aufsätze zu Lenz, Goethe, Schiller, Kleist, Brecht und Grass.

PAUL MICHAEL LÜTZELER

Geboren 1943. Studium der Literaturwissenschaften, Philosophie und Geschichte in Berlin, Edinburgh, Wien, München und Bloomington. Dr. phil. Professor für deutsche und vergleichende Literaturwissenschaft an der Washington University, St. Louis, Missouri.

Publikationen: Hermann Broch – Ethik und Politik. München 1973. – Kommentierte Werkausgabe Hermann Broch. 13 Bde. (Hrsg.). Frankfurt a. M. 1974–81. – Legitimationskrisen des deutschen Adels 1200–1900 (Hrsg., mit Peter Uwe Hohendahl). Stuttgart 1979. – Deutsche Literatur in der Bundesrepublik seit 1965 (Hrsg., mit Egon

Schwarz). Königstein 1980. – Romane und Erzählungen der deutschen Romantik. Neue Interpretationen (Hrsg.). Stuttgart 1981. – Europa: Analysen und Visionen der Romantiker (Hrsg.). Frankfurt a. M. 1982. – Romane und Erzählungen zwischen Romantik und Realismus. Neue Interpretationen (Hrsg.). Stuttgart 1983. – Deutsche Romane des 20. Jahrhunderts. Neue Interpretationen (Hrsg.). Königstein 1983. – Hermann Broch. Eine Biographie. Frankfurt a. M. 1985. – Western Europe in Transition. West Germany's Role in the European Community (Hrsg.). Baden-Baden 1986. – Zeitgeschichte in Geschichten der Zeit. Deutschsprachige Romane im 20. Jahrhundert. Bonn 1986. – Plädoyers für Europa. Stellungnahmen deutschsprachiger Schriftsteller (1915–1949) (Hrsg.). Frankfurt a. M. 1987. – Aufsätze über Lessing, Lenz, Goethe, Schiller, Kleist, Arnim, Hebbel, Heinrich Mann, Oskar Maria Graf, Hermann Broch, Exilliteratur, DDR-Literatur, Literatur der Studentenbewegung, Literatur aus Österreich und zur Editionstheorie.

GÜNTER OESTERLE

Geboren 1941. Studium der Germanistik, Philosophie, Geschichte und Politik in Tübingen, Freiburg i. Br., Gießen und Würzburg. Dr. phil. Professor für Neuere deutsche Literaturwissenschaft an der Universität Gießen.

Publikationen: Integration und Konflikt. Die Prosa Heinrich Heines im Kontext oppositioneller Literatur der Restaurationsepoche. Stuttgart 1972. – Aufsätze zur Literaturgeschichte des 18. und 19. Jahrhunderts, zur Geschichte der Poetik, insbesondere der Nicht mehr schönen Künste (das Häßliche, Komische, die Karikatur, Groteske und Arabeske), zur interkulturellen Beziehung zwischen Frankreich und Deutschland, zur Traditionsaneignung in der DDR-Literatur.

DAGMAR WALACH

Geboren 1946. Studium der Theaterwissenschaft, Germanistik und Publizistik in Berlin. Dr. phil. Seit 1982 Lehrbeauftragte am Institut für Theaterwissenschaft der Freien Universität Berlin.

Publikationen: Das ›Engels‹-Projekt. Ein antifaschistisches Theater deutscher Emigranten in der UdSSR (1936–1941) (mit Hermann Haarmann und Lothar Schirmer). Worms 1975. – Der aufrechte Bürger, seine Welt und sein Theater. Zum bürgerlichen Trauerspiel im 18. Jahrhundert. München 1980. – Erläuterungen und Dokumente: Adelbert von Chamisso. Peter Schlemihls wundersame Geschichte (Hrsg.). Stuttgart 1981. – Der Preis der Vernunft. In: Preis der Vernunft. Festschrift für Walter Huder. Berlin 1982. – Adelbert von Chamisso: Peter Schlemihls wundersame Geschichte. München [in Vorb.] – Anna Seghers. Stuttgart [in Vorb.] – Aufsätze zum Brechtschen Lehrstück.

THOMAS KOEBNER

Geboren 1941. Studium der Germanistik, Kunstgeschichte und Philosophie in München. Dr. phil. Professor für Neuere deutsche Literatur und Medienwissenschaft an der Philipps-Universität Marburg.

Publikationen: Hermann Broch. Bern/München 1965. – Tendenzen der deutschen Literatur seit 1945 (Hrsg.). Stuttgart 1970. – Ich kam nach England. Alfred Kerr im Exil (Hrsg., mit Walter Huder). Bonn 1979. [2]1984. – Zwischen den Weltkriegen (Hrsg.). Wiesbaden 1983. (Neues Handbuch der Literaturwissenschaft. Bd. 20.) – Weimars Ende. Prognosen und Diagnosen in der deutschen Literatur und politischen Publizistik 1930–1933 (Hrsg.). Frankfurt a. M. 1983. – Tendenzen der deutschen Gegenwartsliteratur (Hrsg.). Stuttgart 1984. – Mit uns zieht die neue Zeit. Der Mythos Jugend (Hrsg., mit Rolf-Peter Janz und Frank Trommler). Frankfurt a. M. 1985. – »Deutschland nach Hitler«. Zukunftspläne im Exil und aus der Besatzungszeit 1939–1949 (Hrsg., mit Gert Sautermeister und Sigrid Schneider). Wiesbaden 1987. – Die andere Welt. Kultur-und literaturgeschichtliche Studien zum Exotismus (Hrsg., mit Gerhart Pickerodt). Frankfurt a. M. 1987. – Exilforschung. Ein internationales Jahrbuch (Mithrsg.). München 1983 ff. – Medienwissenschaft: Rezensionen (Hrsg., mit Karl Riha). Tübingen 1984 ff. – Studien zur Literatur des 18. und 20. Jahrhunderts, zur Theater- und Musik-, zur Film- und Fernsehgeschichte.

GERHARD KLUGE

Geboren 1935. Studium der Germanistik, Geschichte, Theaterwissenschaft, Philosophie und Niederländischen Philologie in Leipzig und Köln. Dr. phil. Professor an der Katholieke Universiteit Nijmwegen.

Publikationen: Zur Literatur des 18. Jahrhunderts, der Romantik, der Jahrhundertwende und der DDR. – Editionen von Tieck, Eichendorff, Arnim. – Mitarbeiter an der Schiller-Nationalausgabe und an der Frankfurter Brentano-Ausgabe.

ALEXANDER VON BORMANN

Geboren 1936. Studium der Germanistik, klassischen Philologie und Philosophie in Tübingen, Göttingen und Berlin (FU). Dr. phil. Professor für deutsche Sprache und Literatur (Neuere Literaturgeschichte) an der Universität von Amsterdam.

Publikationen: Natura loquitur. Naturpoesie und emblematische Formel bei Joseph von Eichendorff. Tübingen 1968. – Vom Laienurteil zum Kunstgefühl. Texte zur deutschen Geschmacksdebatte im 18. Jahrhundert (Hrsg.). Tübingen 1974. – Gegengesänge – Parodien – Variationen (Hrsg.). Frankfurt a. M. 1975. – Wissen aus Erfahrungen. Festschrift für Herman Meyer (Mithrsg.). Tübingen 1976. – Heinrich von Kleist: Der zerbrochne Krug (Hrsg.). München 1983. – Heinrich von Kleist: Prinz Friedrich von Homburg (Hrsg.). München 1983. – Ludwig Tieck: Erzählungen und Märchen (Hrsg.). Zürich 1983. – Deutsche Literatur. Eine Sozialgeschichte. Bd. 9: 1918–1945 (Hrsg., mit Horst Albert Glaser). Reinbek bei Hamburg 1983. – Die Erde will ein freies Geleit. Deutsche Naturlyrik aus sechs Jahrhunderten (Hrsg.). Frankfurt a. M. 1984. – Sehnsuchtsangst. Beiträge zur österreichischen Gegenwartsliteratur (Hrsg.). Amsterdam 1987. – Aufsätze zur Literatur des 16.–20. Jahrhunderts. – Rundfunkarbeiten zur Gegenwartsliteratur.

GERHARD SCHULZ

Geboren 1928. Studium der Germanistik, Anglistik und Pädagogik in Leipzig. Dr. phil. Professor of Germanic Studies an der University of Melbourne.

Publikationen: Novalis. Schriften. 4 Bde. (Hrsg., mit Richard Samuel und Hans J. Mähl). Stuttgart 1960–75. – German Verse (Hrsg.). London ^{6}1975. – Arno Holz: Phantasus (Hrsg.). Stuttgart 1968. – Novalis mit Selbstzeugnissen und Bilddokumenten. Reinbek bei Hamburg 1969. – Novalis. Werke (Hrsg.). München 1969. ^{2}1981. – Novalis. Wege der Forschung (Hrsg.). Darmstadt 1970. ^{2}1986. – Prosa des Naturalismus (Hrsg.). Stuttgart 1973. – Arno Holz. Dilemma eines bürgerlichen Dichterlebens. München 1974. – Fouqué. Romantische Erzählungen (Hrsg.). München 1977. ^{2}1985. – Die deutsche Literatur zwischen Französischer Revolution und Restauration. Bd. 1. München 1983. – Fouqué: Der Zauberring (Hrsg.). München 1984. – Veröffentlichungen in Sammelbänden und Zeitschriften. Rezensionen.

Erzählungen und Romane der deutschen Romantik

IN RECLAMS UNIVERSAL-BIBLIOTHEK

Arnim, Achim v.: *Erzählungen.* (G. Henckmann) 1505 – *Isabella von Ägypten.* (W. Vordtriede) 8894 – *Die Kronenwächter.* (P. M. Lützeler) 1504 – *Die Majoratsherren.* (G. Beckers) 9972 – *Der tolle Invalide auf dem Fort Ratonneau. Owen Tudor.* (K. Weigand) 197

Arnim, Bettina v.: *Ein Lesebuch.* Mit 21 Abb. (Ch. Bürger und B. Diefenbach) 2690 – auch geb.

Bonaventura: *Nachtwachen.* Anh.: *Des Teufels Taschenbuch.* (W. Paulsen) 8926

Brentano, Clemens: *Der Dilldapp u. a. Märchen.* 6805 – *Gedichte.* (P. Requadt) 8669 – *Die Geschichte vom braven Kasperl und dem schönen Annerl.* 411 – dazu *Erläuterungen und Dokumente.* (G. Schaub) 8186 – *Gockel und Hinkel.* (H. Bachmaier) 450 – *Die mehreren Wehmüller und ungarischen Nationalgesichter.* (D. Lüders) 8732

Chamisso, Adelbert v.: *Peter Schlemihls wundersame Geschichte.* 93 – dazu *Erläuterungen und Dokumente* (D. Walach) 8158

Eichendorff, Joseph v.: *Ahnung und Gegenwart.* (G. Hoffmeister) 8229 – *Aus dem Leben eines Taugenichts.* 2354 – *Dichter und ihre Gesellen.* (W. Nehring) 2351 – *Das Marmorbild. Das Schloß Dürande.* 2365 – *Sämtliche Erzählungen.* (H. Schultz) 2352

Fouqué, Friedrich de la Motte: *Undine.* 491

Hoffmann, E. T. A.: *Die Bergwerke zu Falun. Der Artushof.* (H. Pörnbacher) 8991 – *Doge und Dogaresse.* (B. v. Wiese) 464 – *Die Elixiere des Teufels.* (W. Nehring) 192 – *Das Fräulein von Scuderi.* 25 – dazu *Erläuterungen und Dokumente.* (H. U. Lindken) 8142 – *Der goldne Topf.* (K. Nussbächer) 101 – dazu *Erläuterungen und Dokumente.*